연산으로 마스터하는

중학 수학 2 (하)

중학 수학의 특징

01 스스로 원리를 터득하는 개념 완성 시스템

· 풀이 과정을 채워 가면서 스스로 수학의 연산 원리를 이해할 수 있습니다.

· 쉽고 재미있는 문제들을 통해 개념을 이해하고 다양한 문제 접근 방법으로 어떠한 문제도 스스로 해결할 수 있습니다.

· 주제별, 유형별로 묻는 문제를 반복하여 풀면서 기본 원리를 완성할 수 있습니다.

02 연산 드릴을 통한 계산력 향상 시스템

· 탄탄한 기본 연산력이 수학 실력 향상의 밑거름이 될 수 있습니다.

· 매일 반복하는 연산 학습으로 빠르고 정확한 계산 능력을 키워 줍니다.

· 수학의 기초인 연산 부분을 강화하여 자신감을 키워 줍니다.

03 교과 단원별로 구성한 보충 학습 시스템

· 단원별, 유형별 다양한 문제 접근 방법으로 부족한 부분을 집중 학습할 수 있습니다.

연산으로 마스터하는 중학 수학의 구성

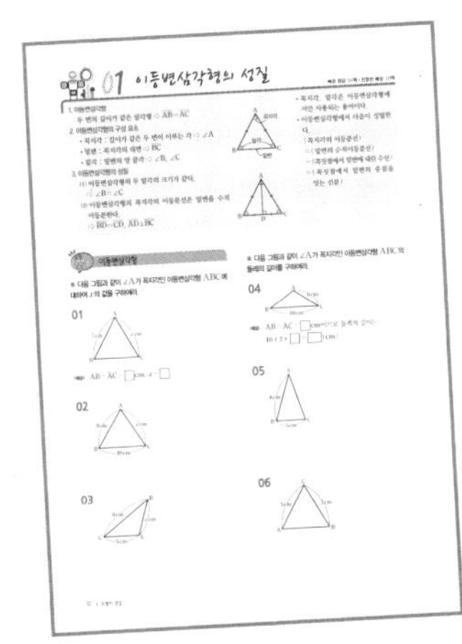

개념정리

핵심 내용정리는 단원에서 꼭 알아야 하는 기본적인 개념과 원리를 창(Window) 형태로 이미지화하여 제시함으로 이해하기 쉽고, 기억이 잘됩니다.

개념 적용/연산 반복 훈련

기본 원리를 적용하여 같은 유형의 문제를 반복적으로, 스몰스텝으로 단계화하여 풀게함으로써 실력을 키울 수 있습니다. 직접 풀이 과정을 쓰면서 개념을 익힐 수 있도록 하세요. 쉽고 재미있는 문제들을 통하여 수학에 대한 자신감을 가질 수 있습니다.

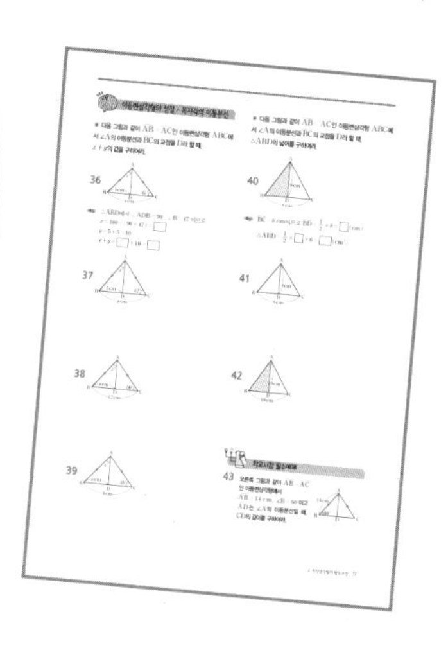

TIP / 문제 풀이에 필요한 도움말을 해당하는 문항의 하단에 제시하여 첨삭지도합니다.

학교시험 필수예제

연산 반복 훈련을 통해 터득한 개념과 원리를 확인 합니다. 각 유형별로 배운 내용을 정리하고 스스로 문제를 해결함으로써 학교 시험에 대비할 수 있습니다.

대단원 기본 개념 CHECK

문장력 강화와 서술형 대비를 위해 문장 속 네모박스 채우기로 개념을 정리하며, 부분적으로 공부했던 내용들을 한데 모아 전체적으로 조감할 수 있게하여 단원을 체계적, 종합적으로 마무리하게 합니다.

빠른정답 & 친절한 해설

가독성을 고려하여 빠른 정답을 세로 배치하여 빠르게 정답을 체크할 수 있도록 구성하였습니다.
또한 기본문항들 중에서 자세한 해설이 필요한 문항들은 학생들 스스로 해설을 보고 문제를 해결할 수 있도록 친절하게 풀이하였습니다.

이 책은 수학의 가장 기본이 되는 연산 능력뿐 아니라 확실하게 개념을 잡을 수 있도록 하여 수학의 기본 실력이 향상 되도록 하였습니다.
다음과 같이 본 책을 학습하면 효과를 극대화 할 수 있습니다.

01. 개념, 연산 원리 이해

글과 수식으로 표현된 개념을 창(Window)을 통해 시각적으로 표현하여 직관적으로 개념을 익히고, 구체적인 예시와 함께 연산 원리를 이해합니다.

02. 연산 반복 훈련

동일한 주제의 문제를 반복하여 손으로 풀어 봄으로써 풀이 방법을 익힙니다. 유형별로 문제를 제시하여 약한 유형이 무엇인지 파악할 수 있어 약한 부분에 대한 집중 학습을 합니다.

03. 학교시험 대비

연산 반복 훈련을 통해 개념과 원리를 터득하고, 학교시험 필수 예제 문항을 통해 실제 학교 시험 문제에 적용하여 풀어봅니다. 또한 교과서 수준의 개념을 한눈에 확인 할 수 있도록 빈칸 채우기 형식의 문제로 대단원 기본 개념 CHECK를 통해 전체적인 개념과 흐름을 확인합니다.

차례

프랑스 루브르 박물관

삼각형, 사각형, 평행선 등 여러 가지 도형들과 잘 조화를 이룬 유리 피라미드이다.

한강 철교

나무나 철재를 삼각형 모양으로 연결하여 만든 다리를 트러스교라 한다.

교차로

삼거리로 진입한 자동차는 화단을 돌아 원하는 방향으로 진행하여 교통 흐름이 원활해질 거라 한다.

어떻게?

만들어야 튼튼할까?
그 답은 바로

삼각형 구조는 튼튼하면서 안정적이기 때문

세 변의 길이가 주어지면 삼각형은 하나로 결정되기 때문에 삼각형 구조는 튼튼하면서 안정적이다.

달리는 버스나 지하철에서 다리를 벌리고 서는 것도 우리의 몸이 삼각형 구조를 이루어 안정성을 얻으려는 본능적인 행동이다.

삼각형의 이런 성질은 골판지로 되어 있는 종이 상자에서 찾아볼 수 있다. 여러 가지 상품이나 과일, 이삿짐 등의 포장에 많이 사용되는 종이 상자가 무거운 무게를 견디는 것은 이 상자 속에 들어 있는 삼각형의 주름 때문이다.

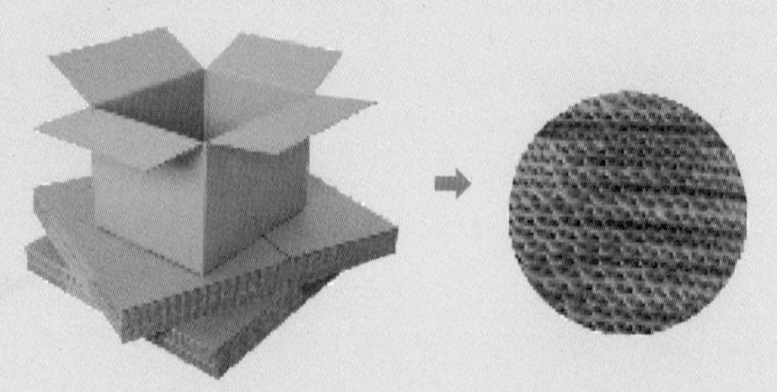

또한, 고압선이 지나는 철탑이나 고층 건물의 건설 현장에서 쉽게 볼 수 있는 타워크레인, 지하철 신도림역 천장의 옥텟트러스 구조(정사면체와 정팔면체를 엮어 놓은 구조)나 녹사평역에서 볼 수 있는 지오데식 돔은 튼튼한 삼각형 구조를 실생활에 이용한 것들이라고 할 수 있다.

I. 도형의 성질

1. 삼각형의 성질

학습 목표

1. 이등변삼각형의 성질을 이해하고 설명할 수 있다.
2. 삼각형의 외심과 내심의 성질을 이해하고 설명할 수 있다.

01 이등변삼각형의 성질

빠른 정답 02쪽 / 친절한 해설 10쪽

1. 이등변삼각형

두 변의 길이가 같은 삼각형 ⇨ $\overline{AB}=\overline{AC}$

2. 이등변삼각형의 구성 요소

- 꼭지각 : 길이가 같은 두 변이 이루는 각 ⇨ $\angle A$
- 밑변 : 꼭지각의 대변 ⇨ $\overline{BC}$
- 밑각 : 밑변의 양 끝각 ⇨ $\angle B$, $\angle C$

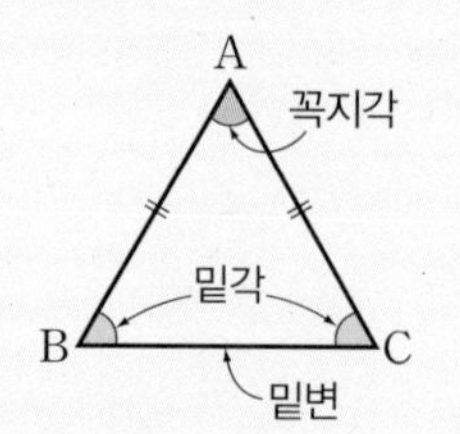

3. 이등변삼각형의 성질

(1) 이등변삼각형의 두 밑각의 크기가 같다.

⇨ $\angle B=\angle C$

(2) 이등변삼각형의 꼭지각의 이등분선은 밑변을 수직이등분한다.

⇨ $\overline{BD}=\overline{CD}$, $\overline{AD}\perp\overline{BC}$

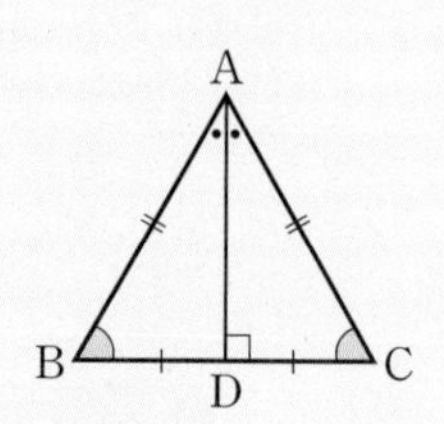

- 꼭지각, 밑각은 이등변삼각형에서만 사용되는 용어이다.
- 이등변삼각형에서 다음이 성립한다.

(꼭지각의 이등분선)
=(밑변의 수직이등분선)
=(꼭짓점에서 밑변에 내린 수선)
=(꼭짓점에서 밑변의 중점을 잇는 선분)

유형 001 이등변삼각형

※ 다음 그림과 같이 $\angle A$가 꼭지각인 이등변삼각형 ABC에 대하여 x의 값을 구하여라.

01

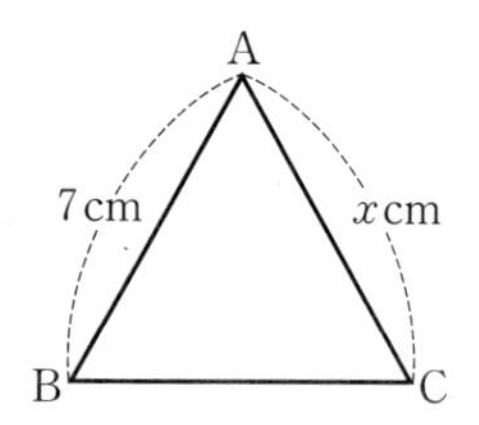

|해설| $\overline{AB}=\overline{AC}=$ □ cm, $x=$ □

02

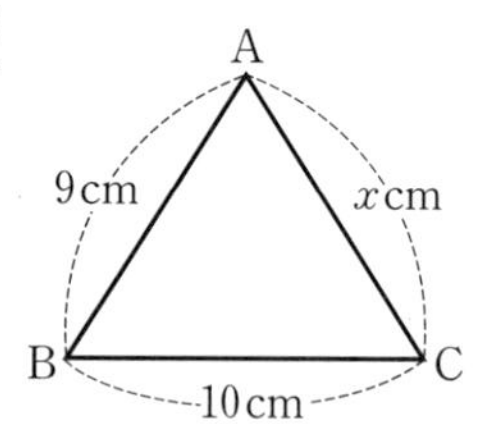

03

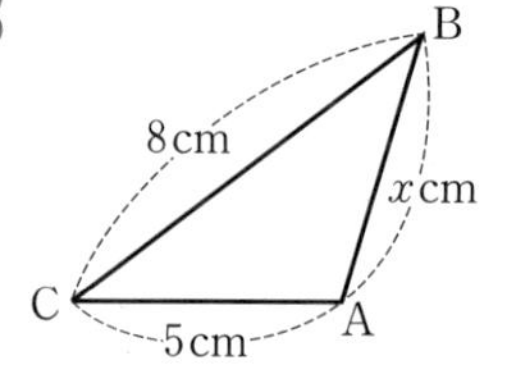

※ 다음 그림과 같이 $\angle A$가 꼭지각인 이등변삼각형 ABC의 둘레의 길이를 구하여라.

04

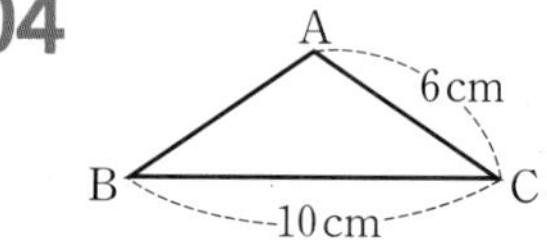

|해설| $\overline{AB}=\overline{AC}=$ □ cm이므로 둘레의 길이는

$10+2\times$ □ $=$ □ (cm)

05

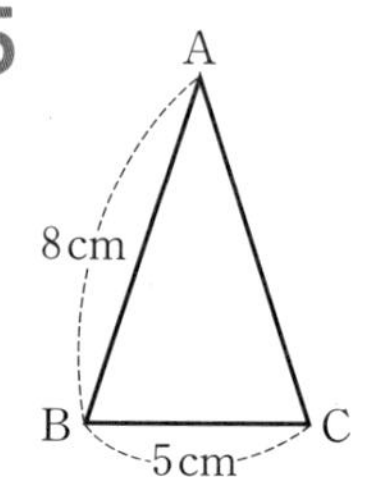

06

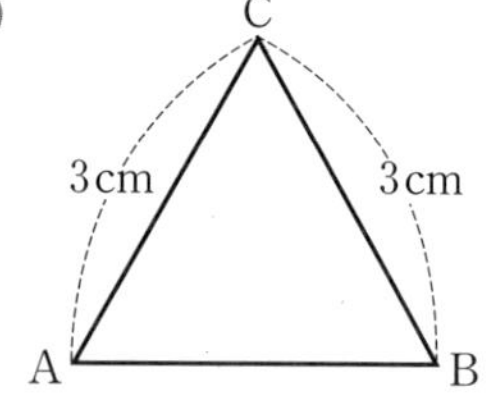

이등변삼각형의 성질 - 밑각의 크기

※ 다음 그림과 같은 이등변삼각형 ABC에 대하여 $\angle x$의 크기를 구하여라.

07

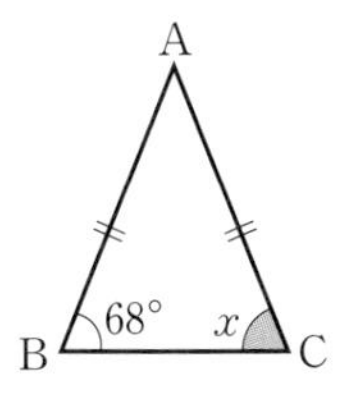

|해설| $\overline{AB}=\overline{AC}$이므로 $\angle B=\angle C$

$\angle x=$ ☐

08

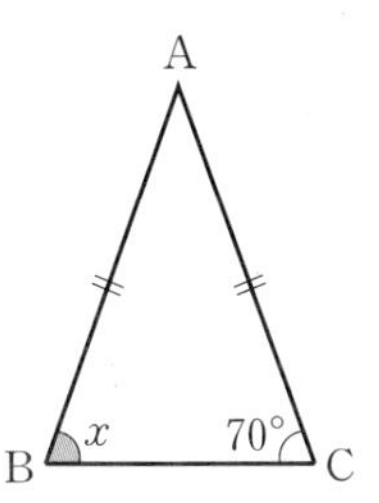

09

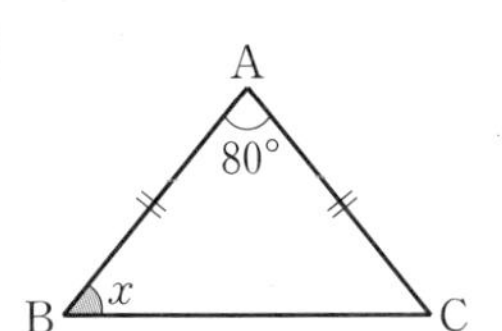

10

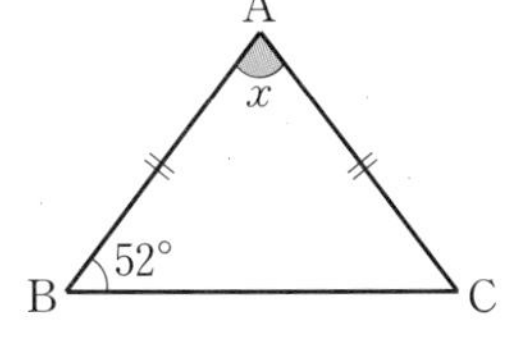

11

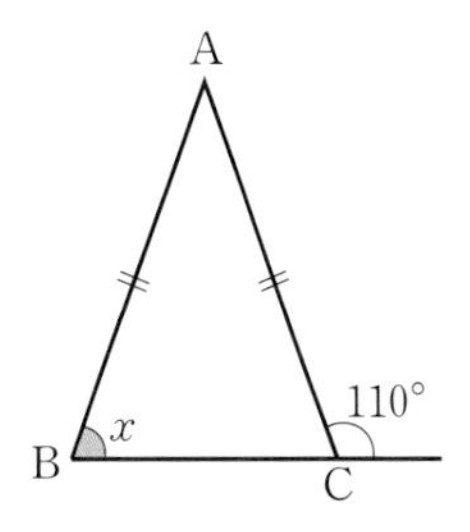

|해설| $\angle C=180°-110°=$ ☐ 이므로

$\angle x=\angle C=$ ☐

12

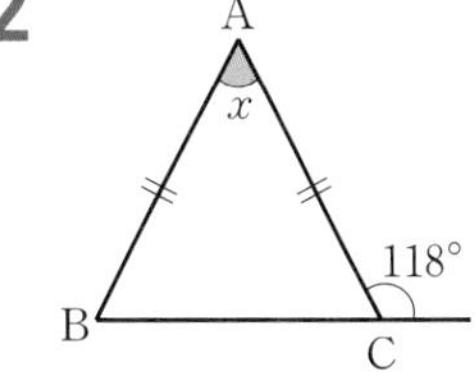

13

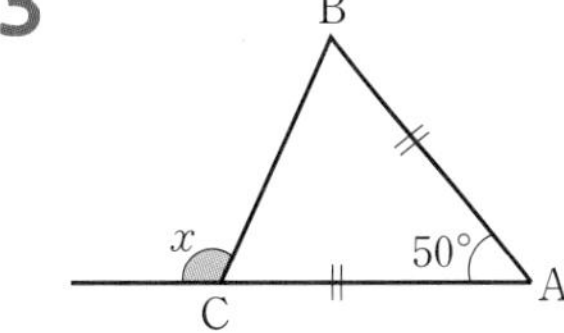

14

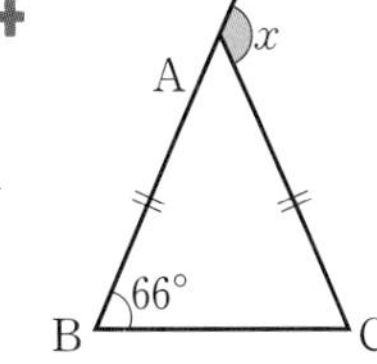

※ 다음 그림과 같이 $\overline{AB}=\overline{AC}$인 이등변삼각형 ABC에서 $\overline{BC}=\overline{BD}$일 때, $\angle x$의 크기를 구하여라.

15

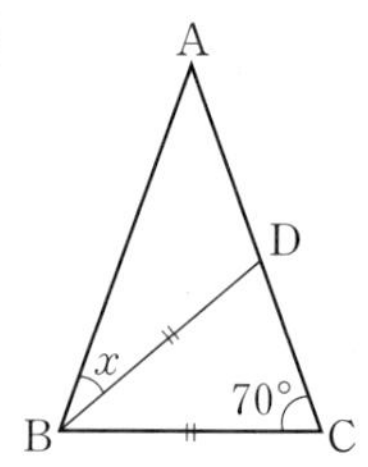

|해설| $\triangle$DBC는 $\overline{BC}=\overline{BD}$인 이등변삼각형이므로

$\angle DBC=180°-(70°+70°)=$ ☐

$\triangle$ABC에서 $\angle ABC=\angle ACB=70°$

$\angle x=\angle ABC-\angle DBC=70°-$ ☐ $=30°$

16

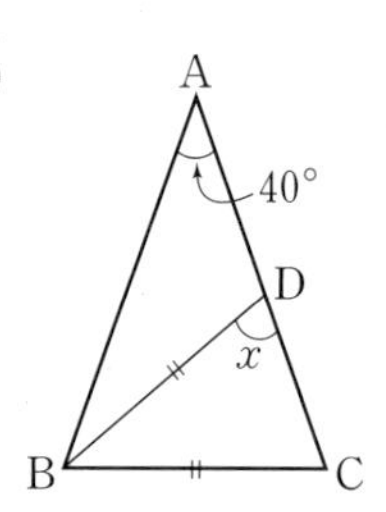

17

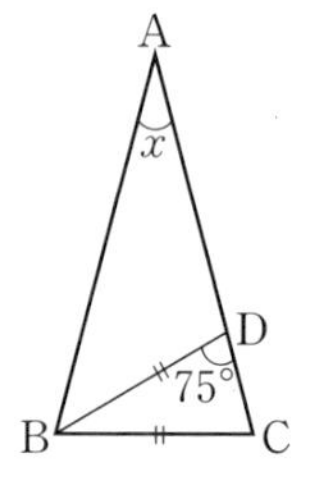

유형 003 이등변삼각형의 성질 - 합동인 삼각형

※ 다음 그림과 같이 $\overline{AB}=\overline{AC}$인 이등변삼각형 ABC에서 $\overline{BD}=\overline{DE}=\overline{EC}$일 때, $\angle x$의 크기를 구하여라.

18

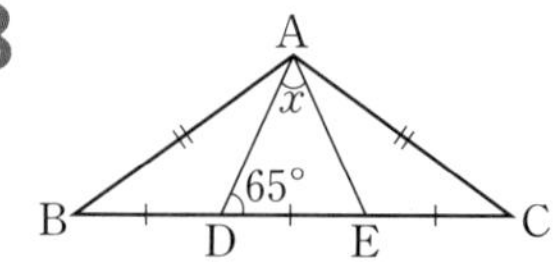

|해설| $\triangle$ABD와 $\triangle$ACE에서

$\overline{AB}=\overline{AC}$, $\angle B=\angle C$, $\overline{BD}=\overline{CE}$이므로

$\triangle ABD\equiv\triangle ACE$ (SAS 합동)이다.

그러므로 $\overline{AD}=$ ☐ 이다.

$\angle x=180°-2\times$ ☐ $=$ ☐

19

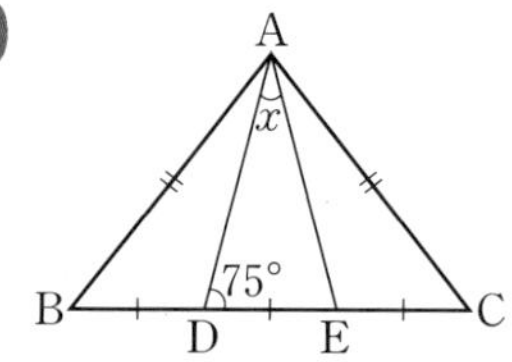

20

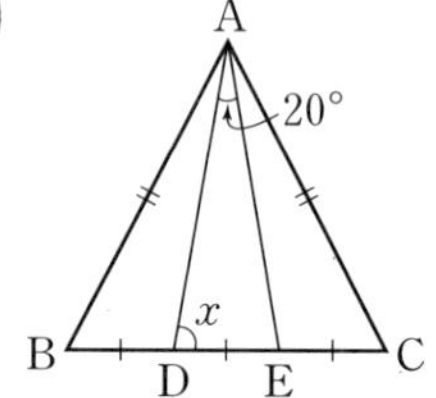

21

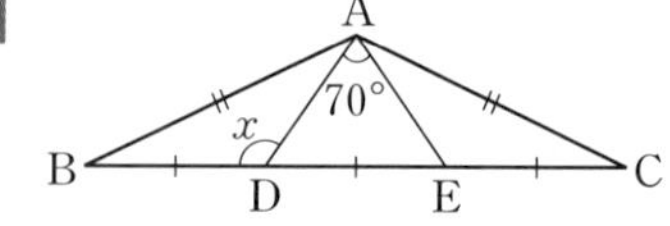

유형 004 이등변삼각형의 성질 - 이웃한 이등변삼각형

※ 다음 그림에서 $\overline{AB}=\overline{AC}=\overline{CD}$일 때, $\angle x$의 크기를 구하여라.

22

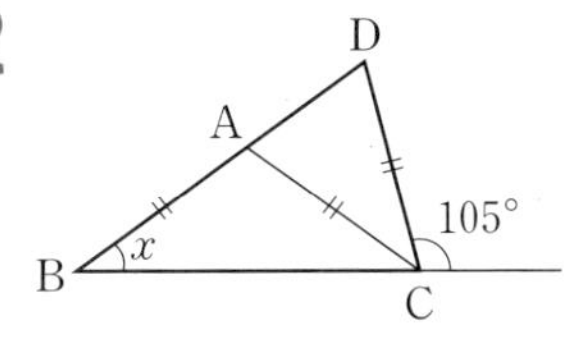

|해설| $\overline{AB}=\overline{AC}=\overline{CD}$이므로 $\angle ACB=\angle x$
$\angle CDA=\angle CAD=\angle x+\angle ACB$
$=\angle x+\angle x=\square\angle x$
$\triangle BCD$에서 $\angle x+\angle CDB=\angle x+2\angle x=105°$이므로
$3\angle x=105°$ $\therefore \angle x=\square$

23

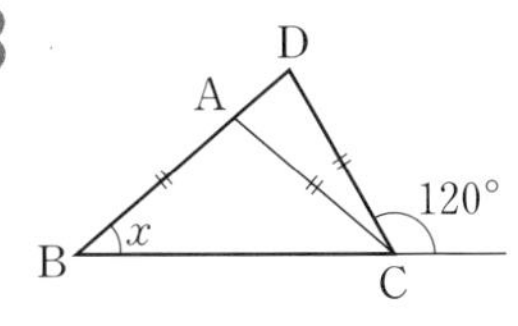

24

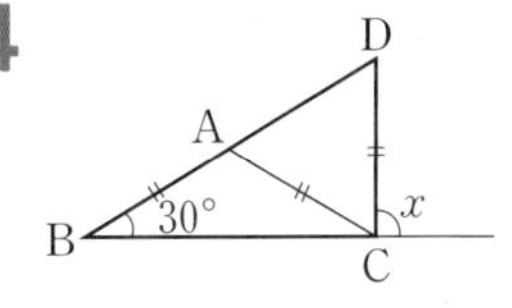

25

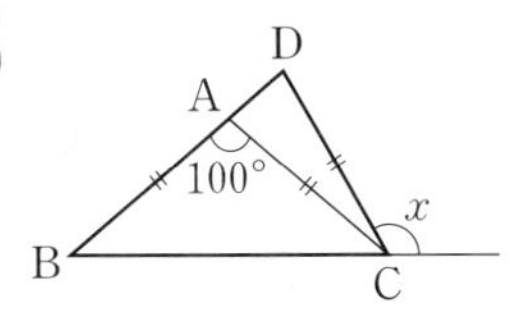

※ 다음 그림에서 $\overline{AD}=\overline{BD}=\overline{CD}$일 때, $\angle x$의 크기를 구하여라.

26

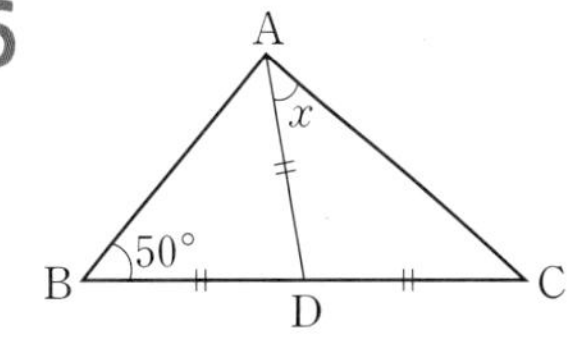

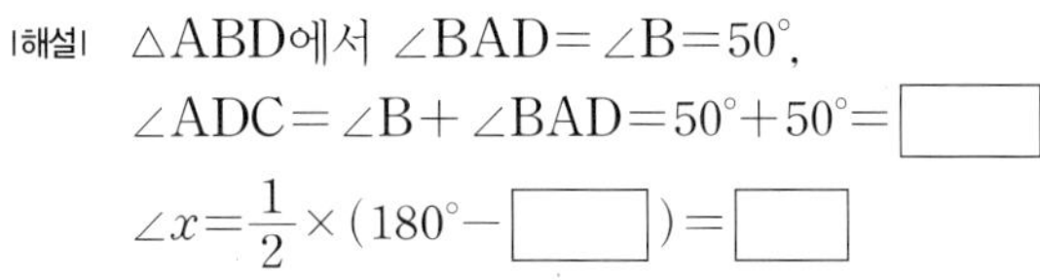

|해설| $\triangle ABD$에서 $\angle BAD=\angle B=50°$,
$\angle ADC=\angle B+\angle BAD=50°+50°=\square$
$\angle x=\frac{1}{2}\times(180°-\square)=\square$

27

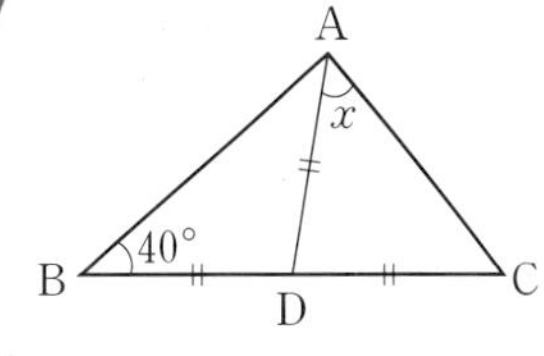

28

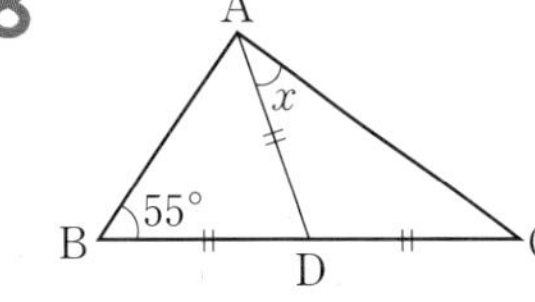

29

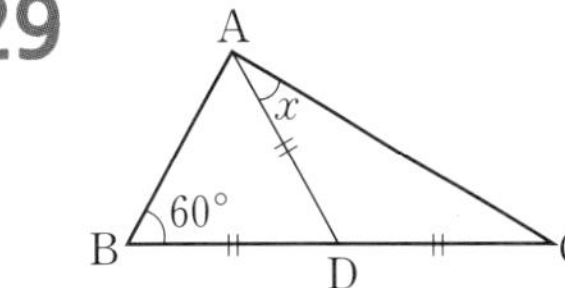

이등변삼각형의 성질 - 각의 이등분선

※ 다음 그림은 $\triangle ABC$와 $\triangle BCD$가 각각 $\overline{AB}=\overline{AC}$, $\overline{CB}=\overline{CD}$인 이등변삼각형이다. $\angle ACD=\angle DCE$일 때, $\angle x$의 크기를 구하여라.

30

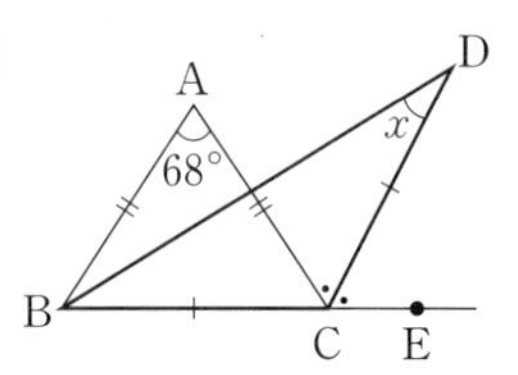

|해설| $\angle ABC=\angle ACB=\frac{1}{2}\times(180°-68°)=56°$

$\angle DCA=\frac{1}{2}\times(180°-56°)=$ ☐

$\triangle BCD$에서 $\angle x+\angle x+56°+$ ☐ $=180°$

$\angle x=$ ☐

31

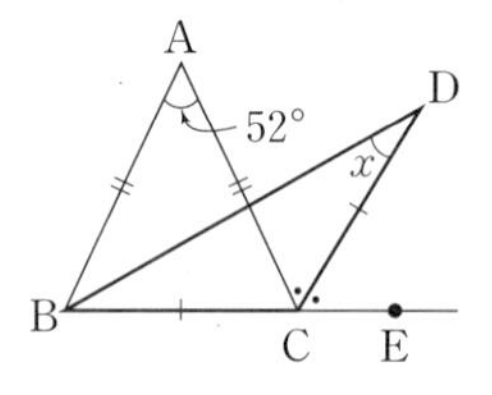

32

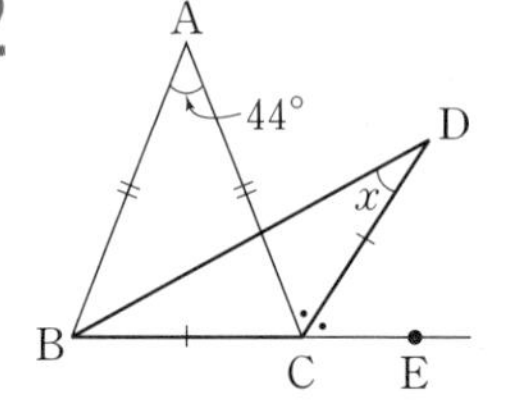

※ 다음 그림의 $\triangle ABC$는 $\overline{AB}=\overline{AC}$인 이등변삼각형이고 $\angle ABD=\angle DBC$, $\angle ACD=\frac{1}{3}\angle ACE$일 때, $\angle D$의 크기를 구하여라.

33

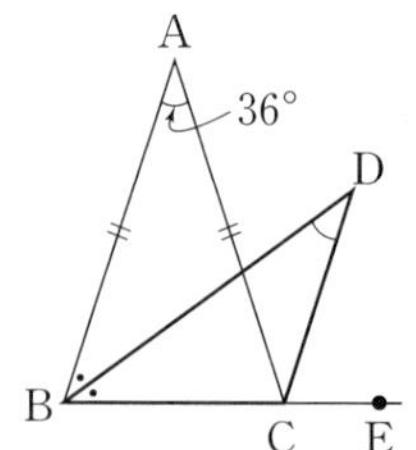

|해설| $\angle ABC=\angle ACB=\frac{1}{2}\times(180°-36°)=72°$이므로

$\angle DBC=\frac{1}{2}\times72°=36°$

$\angle ACD=\frac{1}{3}\times(180°-72°)=$ ☐

$\triangle DBC$에서

$\angle D=180°-(72°+$ ☐ $+36°)=$ ☐

34

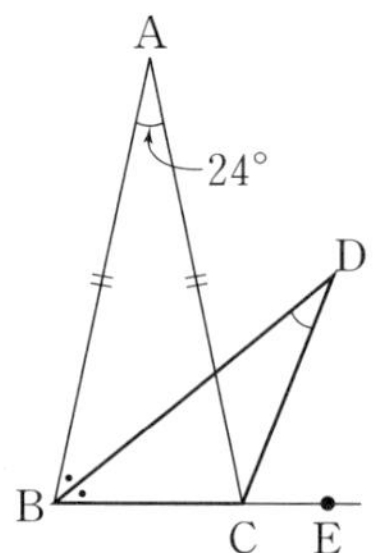

학교시험 필수예제

35 오른쪽 그림과 같이 $\triangle ABC$는 $\overline{AB}=\overline{AC}$인 이등변삼각형이다. $\angle A=68°$, $\angle ABD=\angle CBD$일 때, $\angle ADB$의 크기는?

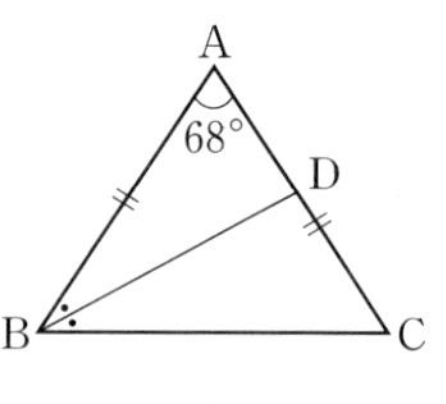

① 44°　② 54°　③ 64°　④ 74°　⑤ 84°

이등변삼각형의 성질 - 꼭지각의 이등분선

※ 다음 그림과 같이 $\overline{AB}=\overline{AC}$인 이등변삼각형 ABC에서 $\angle A$의 이등분선과 $\overline{BC}$의 교점을 D라 할 때, $x+y$의 값을 구하여라.

36

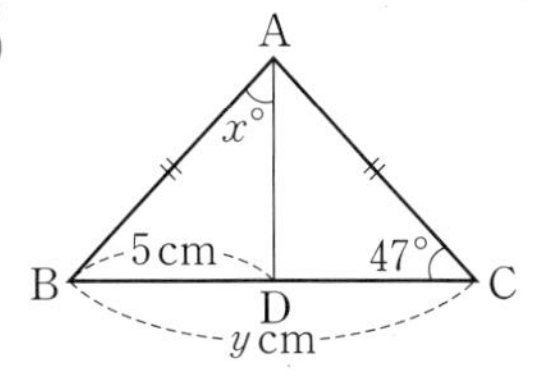

|해설| $\triangle ABD$에서 $\angle ADB=90°$, $\angle B=47°$이므로

$x=180-(90+47)=\square$

$y=5+5=10$

$x+y=\square+10=\square$

37

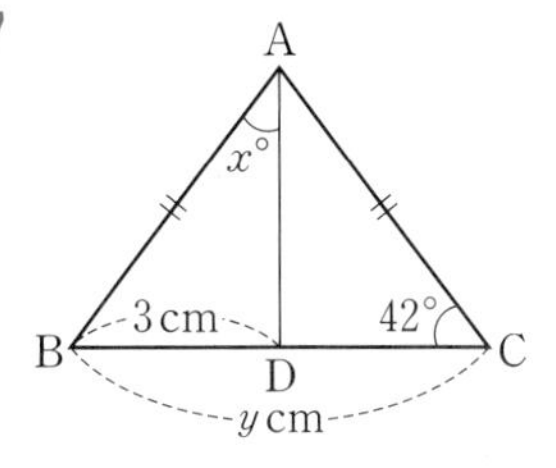

38

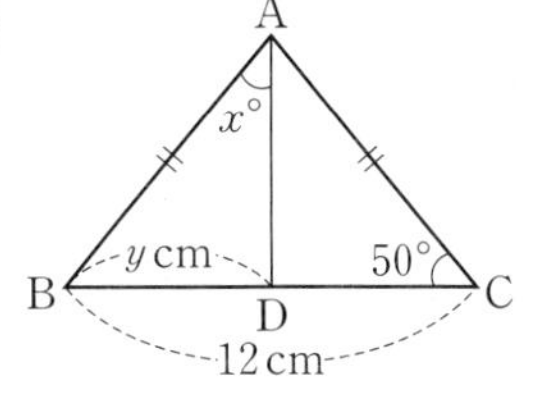

39

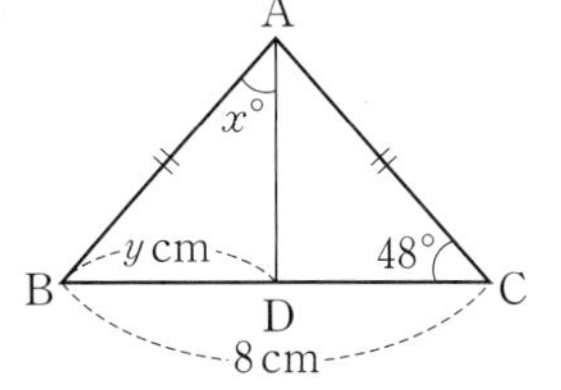

※ 다음 그림과 같이 $\overline{AB}=\overline{AC}$인 이등변삼각형 ABC에서 $\angle A$의 이등분선과 $\overline{BC}$의 교점을 D라 할 때, $\triangle ABD$의 넓이를 구하여라.

40

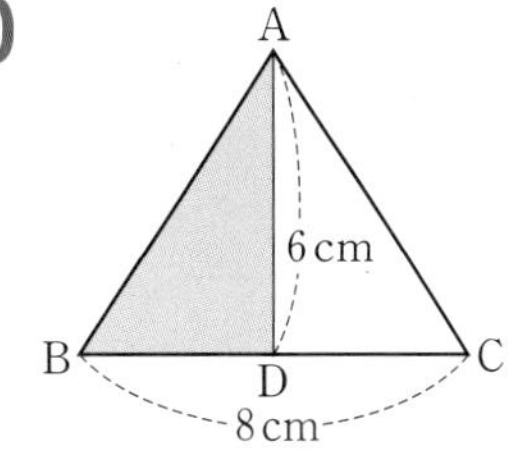

|해설| $\overline{BC}=8$ cm이므로 $\overline{BD}=\frac{1}{2}\times 8=\square$(cm)

$\triangle ABD=\frac{1}{2}\times\square\times 6=\square(\text{cm}^2)$

41

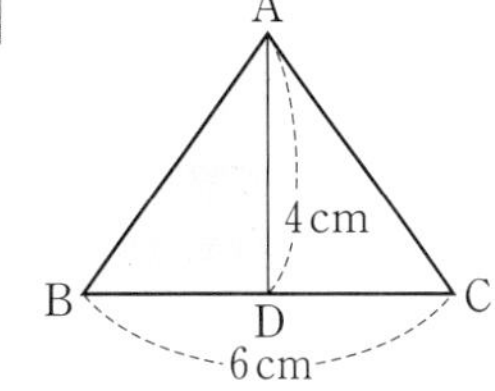

42

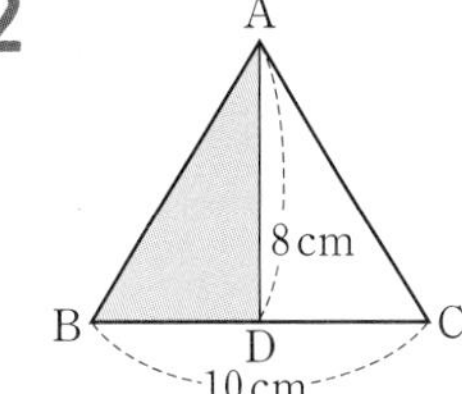

학교시험 필수예제

43 오른쪽 그림과 같이 $\overline{AB}=\overline{AC}$인 이등변삼각형에서 $\overline{AB}=14$ cm, $\angle B=60°$이고 $\overline{AD}$는 $\angle A$의 이등분선일 때, $\overline{CD}$의 길이를 구하여라.

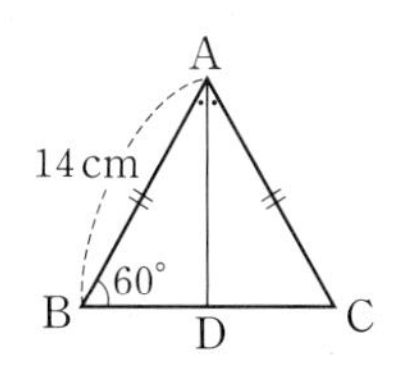

02 이등변삼각형이 되는 조건

빠른 정답 02쪽 / 친절한 해설 11쪽

두 내각의 크기가 같은 삼각형은 이등변삼각형이다.

⇨ △ABC에서 ∠B=∠C이면 $\overline{AB}=\overline{AC}$

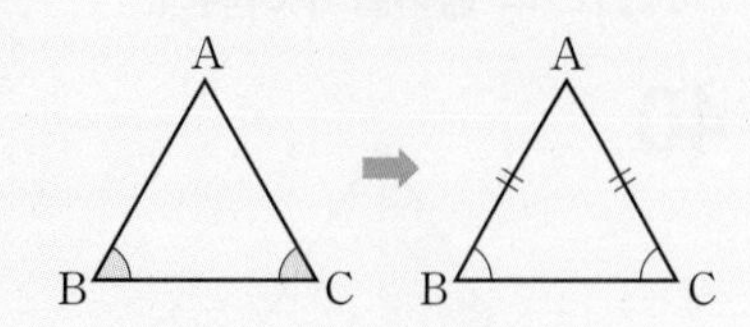

두 내각의 크기가 같은 삼각형은 이등변삼각형이다.

역

이등변삼각형의 두 밑각의 크기는 같다.

이등변삼각형이 되는 조건

※ 다음을 설명하는 과정에서 □ 안에 알맞은 것을 써넣어라.

01 ∠B=∠C인 △ABC는 이등변삼각형이다.

> ∠A의 이등분선과 $\overline{BC}$의 교점을 D라 할 때,
> △ABD와 △ACD에서
> ∠B=∠C이므로
> ∠BAD=□,
> ∠ADB=□,
> □는 공통
> 따라서 △ABD≡△ACD (ASA 합동)이므로
> $\overline{AB}=\overline{AC}$

02 $\overline{AB}=\overline{AC}$인 이등변삼각형 ABC에서 ∠B와 ∠C의 이등분선의 교점을 P라고 할 때, △PBC도 이등변삼각형이다.

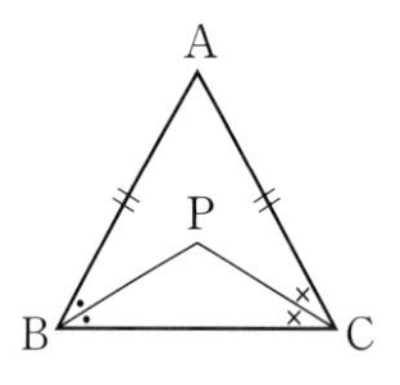

> △ABC에서 $\overline{AB}=\overline{AC}$이므로
> ∠ABC=∠ACB
> $\angle PBC=\frac{1}{2}\angle ABC$
> $\angle PCB=\frac{1}{2}$□
> ∴ ∠PBC=□
> 따라서 △PBC는 이등변삼각형이다.

※ 다음 그림과 같이 ∠B=∠C인 △ABC에 대하여 x의 값을 구하여라.

03

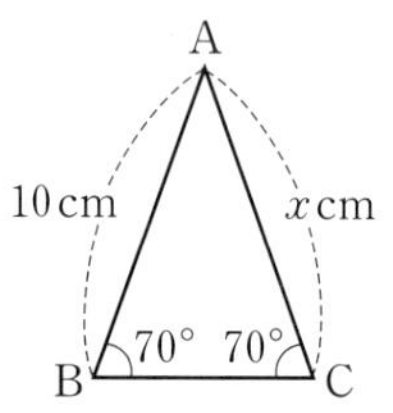

|해설| △ABC는 두 내각의 크기가 □로 같으므로
□삼각형이다.
$x=\overline{AB}=$□

04

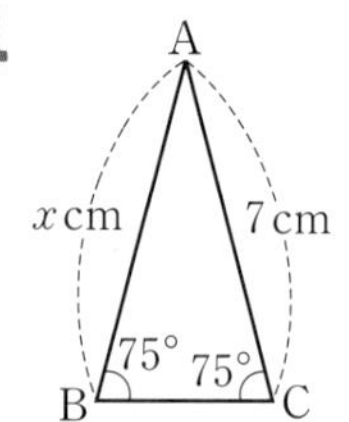

05

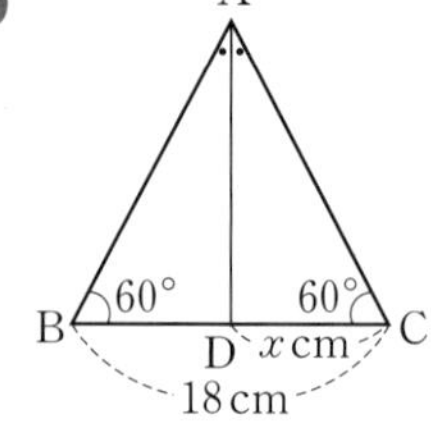

이등변삼각형의 활용

※ 다음 그림에서 $\overline{CD}$의 길이를 구하여라.

06

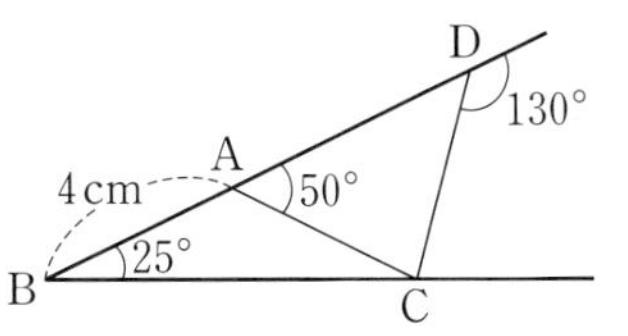

|해설| $\angle ACB=50^\circ-25^\circ=25^\circ$,
$\angle ADC=180^\circ-\square=\square$
$\overline{CD}=\overline{AC}=\overline{AB}=\square$ cm

07

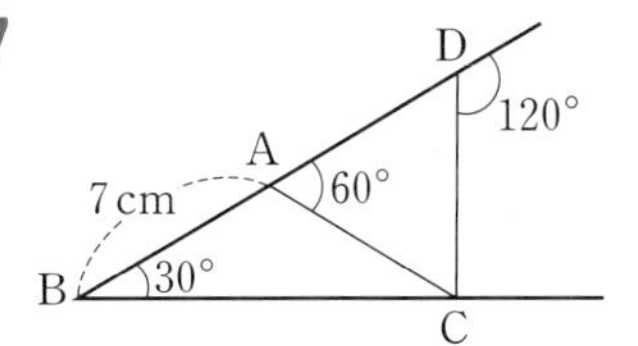

08

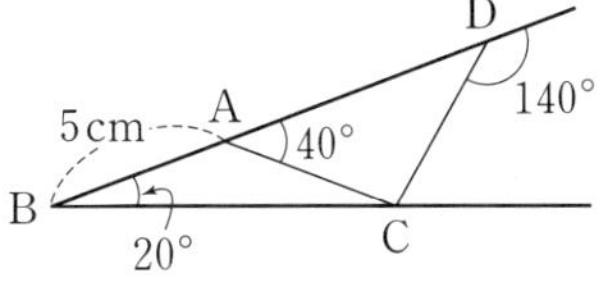

09

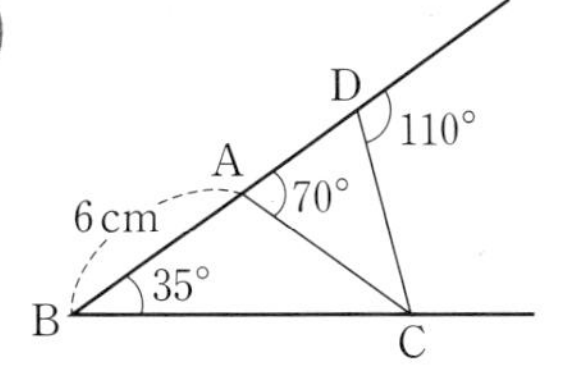

※ 오른쪽 그림과 같이 $\angle C=90^\circ$인 직각삼각형 ABC에서 $\overline{BD}=\overline{CD}$, $\angle A=30^\circ$이고, $\overline{BC}$의 길이가 다음과 같을 때, $\overline{AB}$의 길이를 구하여라.

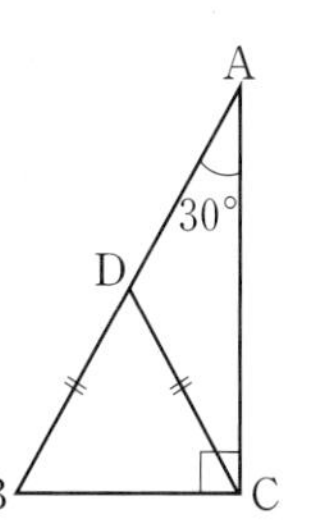

10 $\overline{BC}=6$ cm

|해설| $\angle B=\angle DCB=180^\circ-(30^\circ+90^\circ)=\square$,
$\overline{DB}=\overline{DC}=\overline{BC}=6$ cm
$\angle DCA=90^\circ-\square=\square$이므로
$\overline{AD}=\overline{DC}=\square$ cm
따라서 $\overline{AB}=\overline{AD}+\overline{DB}=\square$ cm

11 $\overline{BC}=5$ cm

12 $\overline{BC}=7$ cm

학교시험 필수예제

13 오른쪽 그림과 같은 $\triangle ABC$에서 $\angle A=70^\circ$, $\angle C=55^\circ$, $\overline{AB}=9$ cm일 때, $\overline{AC}$의 길이를 구하여라.

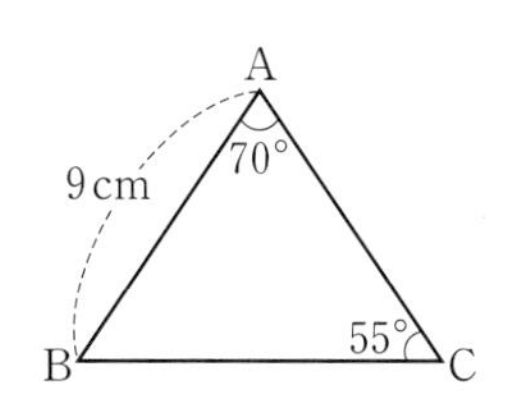

유형 009 폭이 일정한 종이 접기

※ 직사각형 모양의 종이를 다음 그림과 같이 접었을 때, $\angle x$의 크기를 구하여라.

14

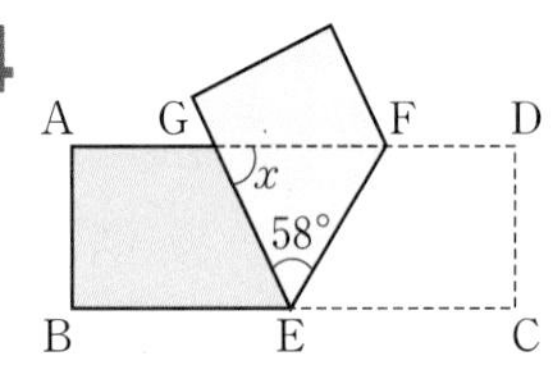

|해설| $\angle FEC = \angle GEF = 58°$ (접은 각),

$\angle GFE = \angle FEC = 58°$ (엇각)

따라서 $\triangle GEF$는 ☐ 삼각형이므로

$\angle x = 180° - 58° \times 2 =$ ☐

15

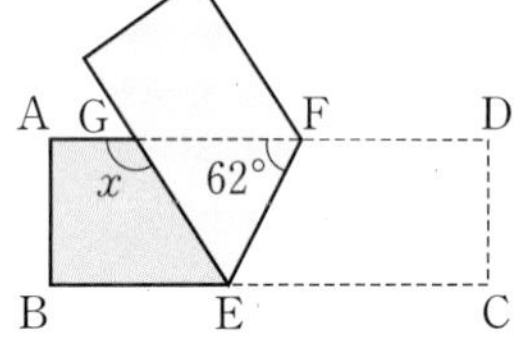

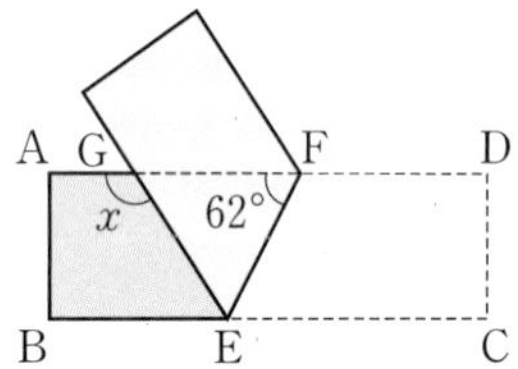

16

17

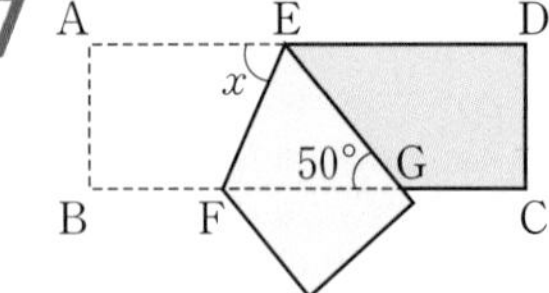

※ 폭이 일정한 종이를 다음 그림과 같이 접었을 때, $\triangle ABC$의 넓이를 구하여라.

18

|해설| $\angle CBD = \angle ABC$ (접은 각),

$\angle ACB = \angle CBD$ (엇각)

따라서 $\triangle ABC$는 $\overline{AB} = \overline{AC}$인 이등변삼각형이므로

$\overline{AC} =$ ☐ cm이다.

$\triangle ABC = \frac{1}{2} \times$ ☐ $\times 4 =$ ☐ (cm^2)

19

20

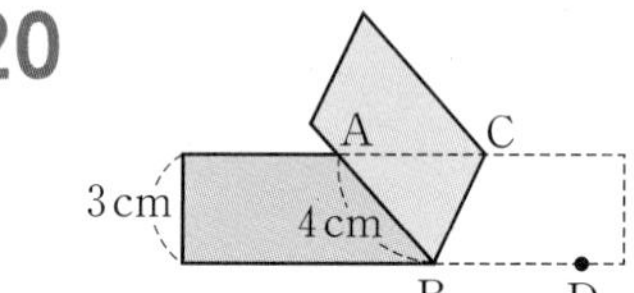

21

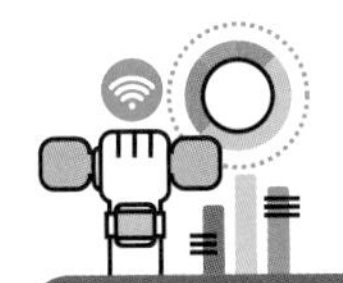

03 직각삼각형의 합동조건

빠른 정답 02쪽 / 친절한 해설 11쪽

1. RHA **합동** : 두 직각삼각형의 빗변의 길이와 한 예각의 크기가 각각 같으면 두 삼각형은 합동이다.
   ⇨ $\angle C=\angle F=90°$, $\overline{AB}=\overline{DE}$, $\angle B=\angle E$이면
   $\triangle ABC\equiv\triangle DEF$ (RHA 합동)

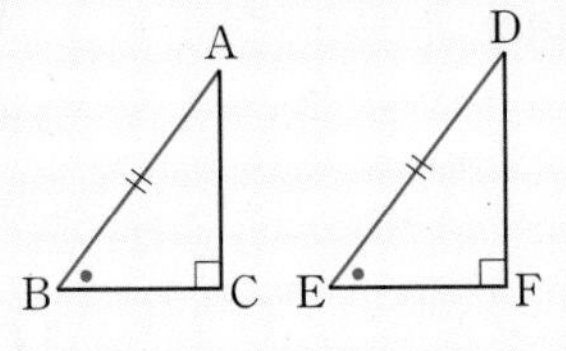

2. RHS **합동** : 두 직각삼각형의 빗변의 길이와 다른 한 변의 길이가 각각 같으면 두 삼각형은 합동이다.
   ⇨ $\angle C=\angle F=90°$, $\overline{AB}=\overline{DE}$, $\overline{AC}=\overline{DF}$이면
   $\triangle ABC\equiv\triangle DEF$ (RHS 합동)

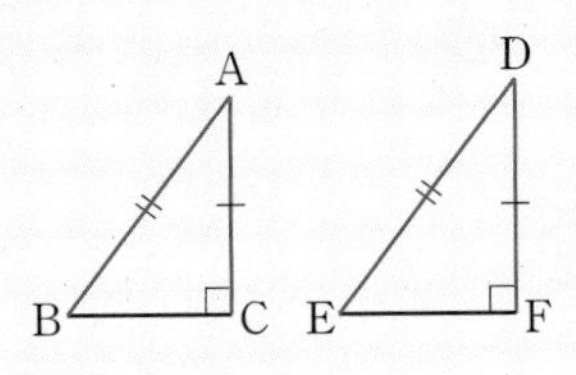

RHA 합동, RHS 합동에서
- R(Right angle) : 직각
- H(Hypotenuse) : 빗변
- A(Angle) : 각
- S(Side) : 변

직각삼각형의 합동조건

01 그림과 같이 $\overline{AB}=\overline{AC}$인 이등변삼각형 ABC의 두 꼭짓점 B, C에서 $\overline{AC}$, $\overline{AB}$에 내린 수선의 발을 각각 D, E라 할 때, $\overline{BD}=\overline{CE}$임을 설명하는 것이다. □ 안에 알맞은 것을 써넣어라.

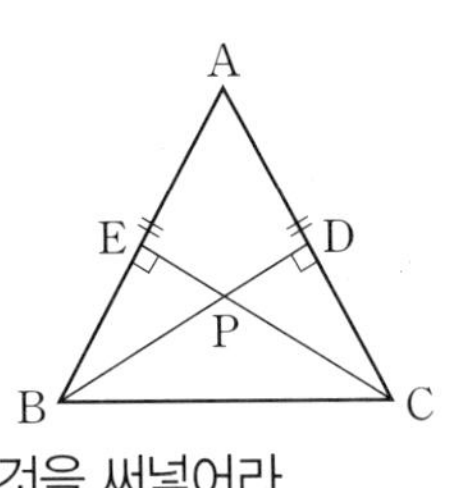

> $\triangle BCD$와 $\triangle CBE$에서
> $\angle BDC=\angle CEB=90°$, □는 공통,
> $\angle BCD=$□
> 따라서 $\triangle BCD\equiv\triangle CBE$ (RHA 합동)이므로
> $\overline{BD}=$□

02 다음 그림과 같은 두 직각삼각형이 서로 합동일 때, 다음을 구하여라.

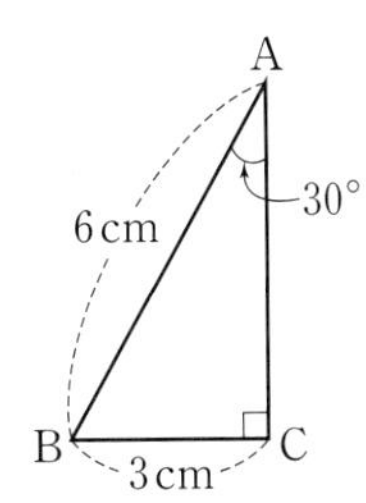

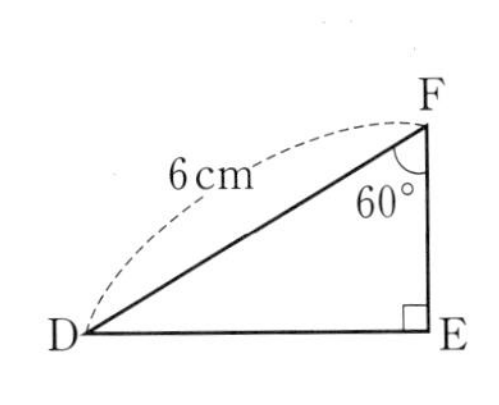

(1) $\angle D$의 크기

(2) $\overline{EF}$의 길이

※ 다음 그림과 같은 두 직각삼각형에 대하여 합동인 두 삼각형의 기호를 나타내고, 합동조건을 써라.

03

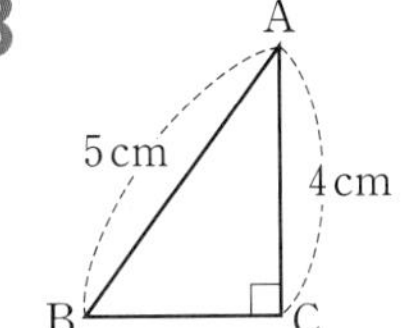

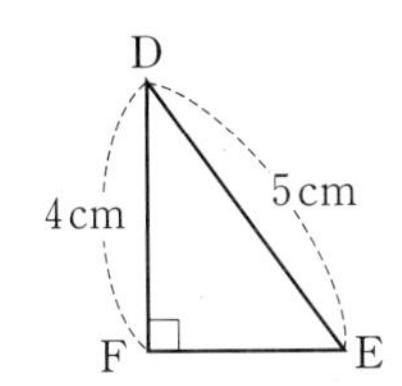

04

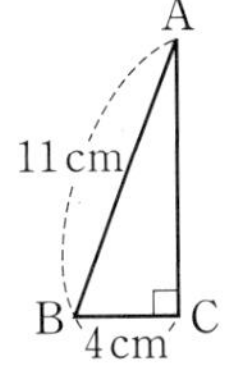

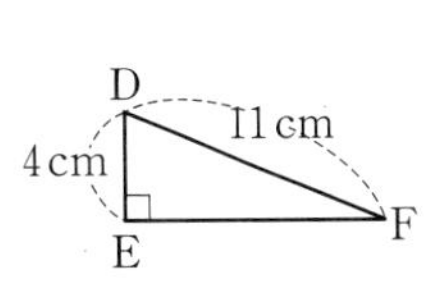

05

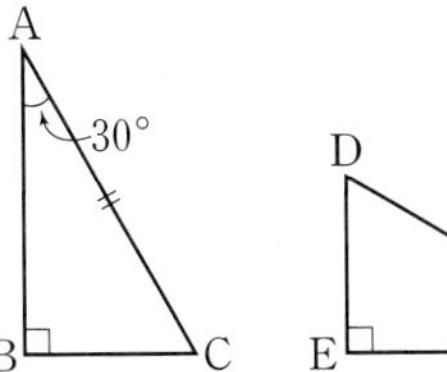

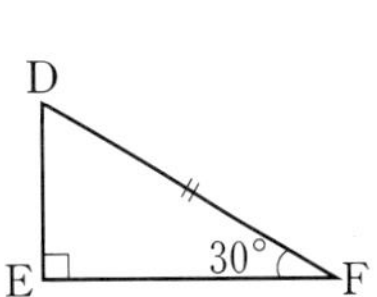

※ 다음 그림과 같은 두 직각삼각형에 대하여 $\triangle ABC \equiv \triangle DEF$일 때, x의 값을 구하여라.

06

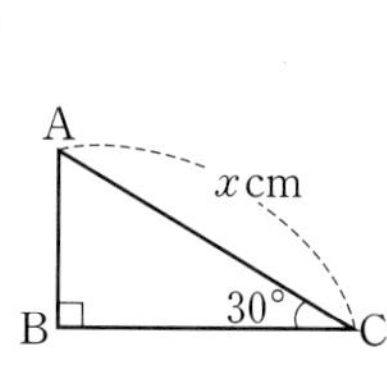

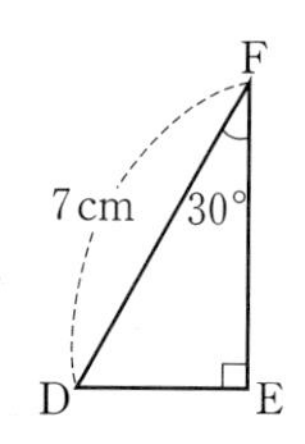

|해설| $\triangle ABC \equiv \triangle DEF$이므로 $\overline{AC}=\square$

$x=\overline{AC}=\square=7$

07

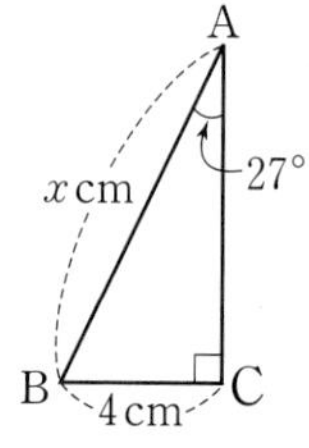

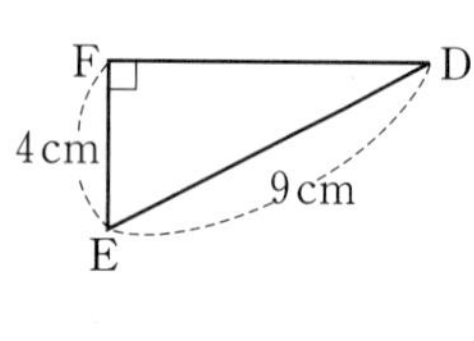

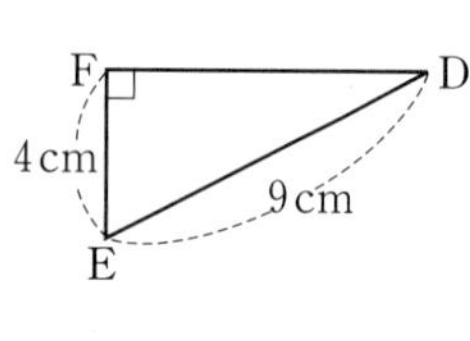

08

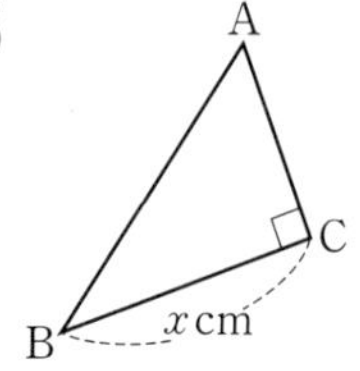

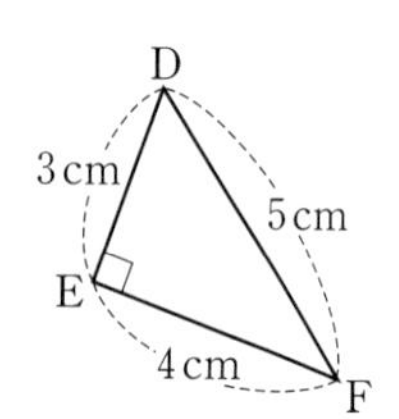

09

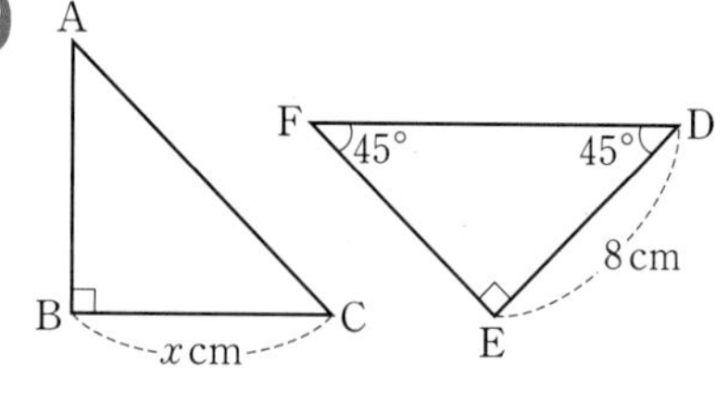

유형 011 직각삼각형의 합동조건의 활용 - RHA 합동

※ 다음 그림의 $\triangle ABC$가 직각이등변삼각형일 때, $\overline{DE}$의 길이를 구하여라.

10

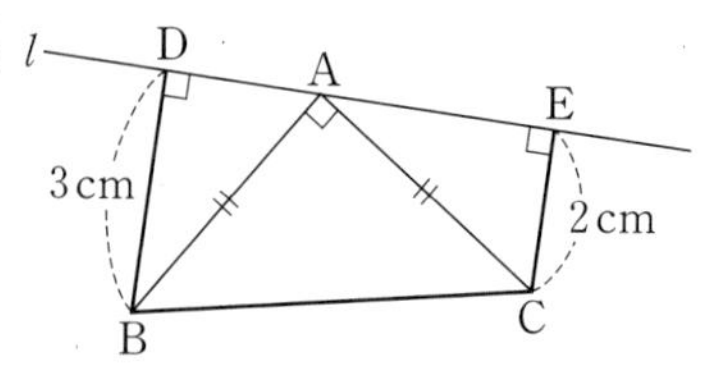

|해설| $\triangle ABD \equiv \triangle CAE$ (RHA 합동)이므로

$\overline{AD}=\overline{CE}=2$ cm, $\overline{AE}=\overline{BD}=\square$ cm

따라서 $\overline{DE}=\overline{DA}+\overline{AE}=2+\square=\square$(cm)이다.

11

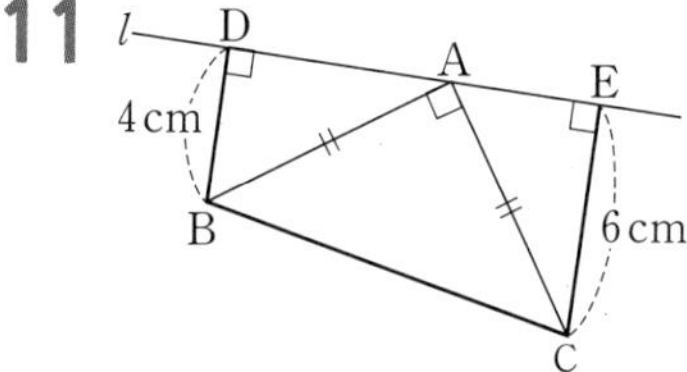

12

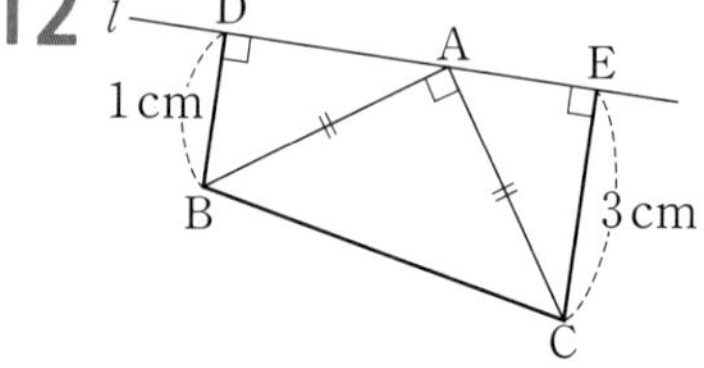

13

유형 012 직각삼각형의 합동조건의 활용 - RHS 합동

※ 다음 그림과 같이 $\triangle ABC$에서 $\overline{AC}$의 중점을 M이라 하고, 점 M에서 $\overline{AB}$, $\overline{BC}$에 내린 수선의 발을 각각 D, E라 하자. $\overline{MD}=\overline{ME}$일 때, $\angle B$의 크기를 구하여라.

14

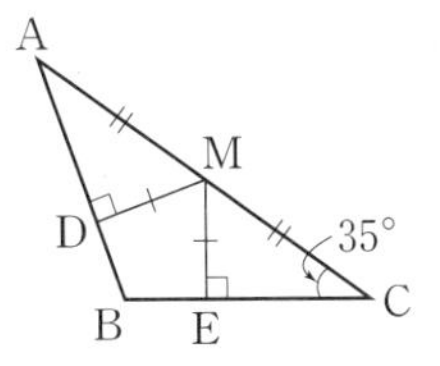

|해설| $\triangle ADM \equiv \triangle CEM$ (RHS 합동)이므로

$\angle A = \angle C = \square$

$\triangle ABC$에서

$\angle B = 180° - 2 \times \square = \square$

15

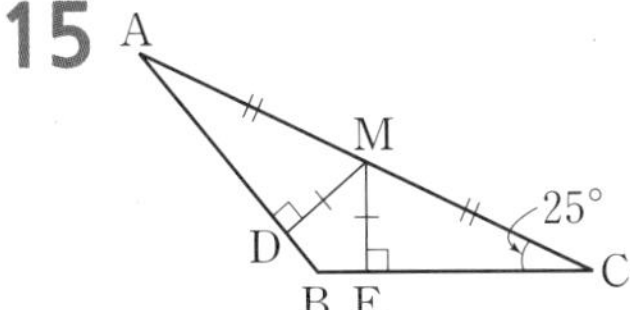

16

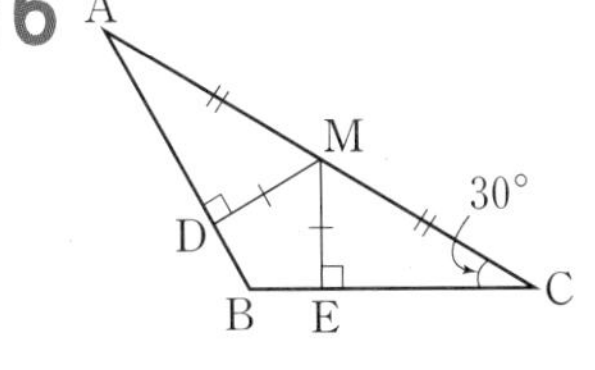

17

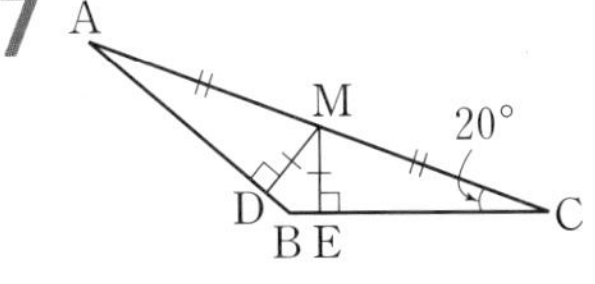

※ 다음 그림과 같이 $\angle B=90°$인 직각삼각형 ABC에서 $\overline{AC} \perp \overline{DE}$이고 $\overline{AB}=\overline{AE}$일 때, $\angle x$의 크기를 구하여라.

18

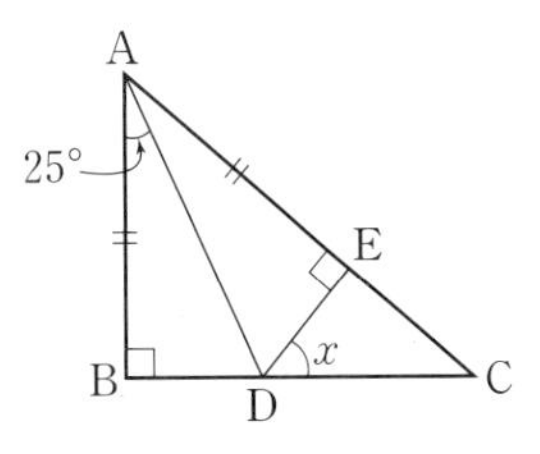

|해설| $\triangle ABD \equiv \triangle AED$ (RHS 합동)이므로

$\angle EDA = \angle BDA = 180° - (90° + 25°) = \square$

$\angle x = 180° - 2 \times \square = \square$

19

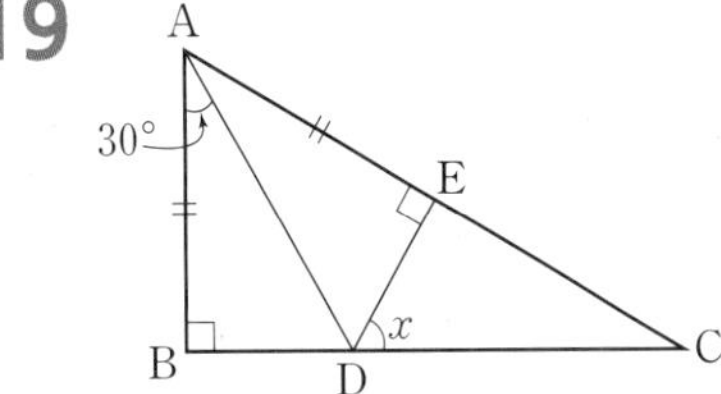

20

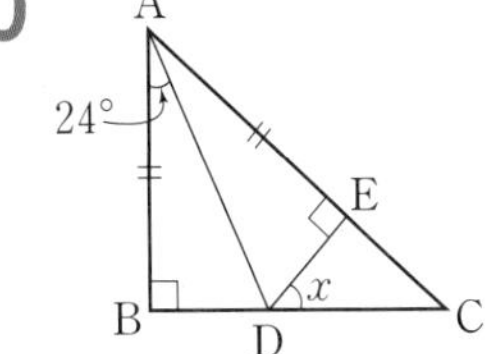

21

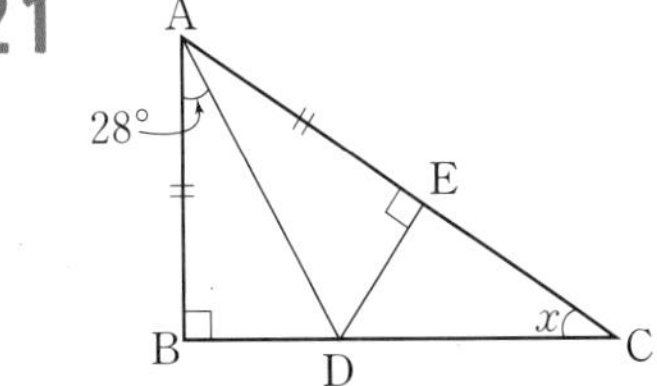

04 각의 이등분선의 성질

빠른 정답 02쪽 / 친절한 해설 11쪽

(1) 각의 이등분선 위의 임의의 점은 그 각의 두 변에서 같은 거리에 있다.
⇨ $\angle AOP=\angle BOP$이면 $\overline{PA}=\overline{PB}$

(2) 각의 두 변에서 같은 거리에 있는 점은 그 각의 이등분선 위에 있다.
⇨ $\overline{PA}=\overline{PB}$이면 $\angle AOP=\angle BOP$

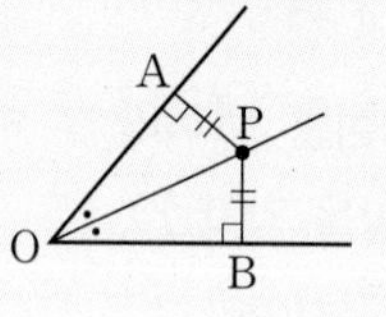

• $\angle AOP=\angle BOP$
⇨ $\triangle AOP\equiv\triangle BOP$(RHA 합동)
⇨ $\overline{PA}=\overline{PB}$

• $\overline{PA}=\overline{PB}$
⇨ $\triangle AOP\equiv\triangle BOP$(RHS 합동)
⇨ $\angle AOP=\angle BOP$

유형 013 각의 이등분선의 성질

01 다음은 $\angle XOY$의 이등분선 위의 한 점 P에서 $\overrightarrow{OX}$, $\overrightarrow{OY}$에 내린 수선의 발을 각각 A, B라고 할 때, $\overline{PA}=\overline{PB}$임을 설명하는 과정이다. □ 안에 알맞은 것을 써넣어라.

> $\triangle AOP$와 $\triangle BOP$에서
> $\angle AOP=\angle BOP$,
> $\angle PAO=$ □ $=90°$,
> □ 는 공통
> 따라서 $\triangle AOP\equiv\triangle BOP$ (RHA 합동)이므로
> $\overline{PA}=$ □

※ 다음 그림에서 x의 값을 구하여라.

02

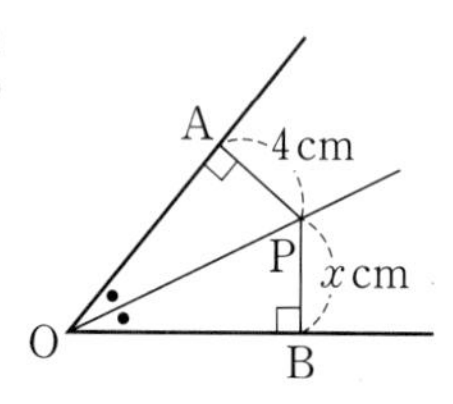

03

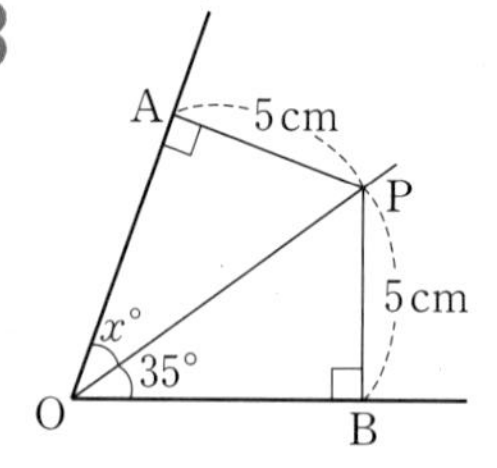

※ 다음 그림과 같은 직각삼각형 ABC에서 x의 값을 구하여라.

04

05

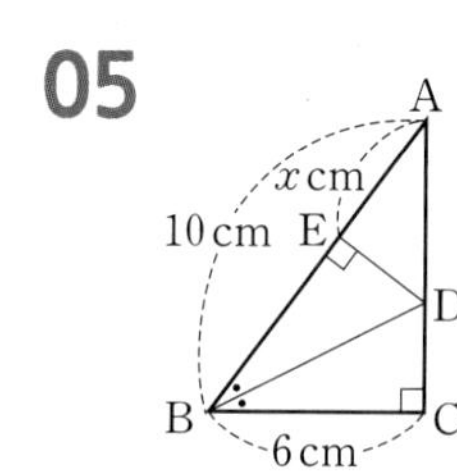

06

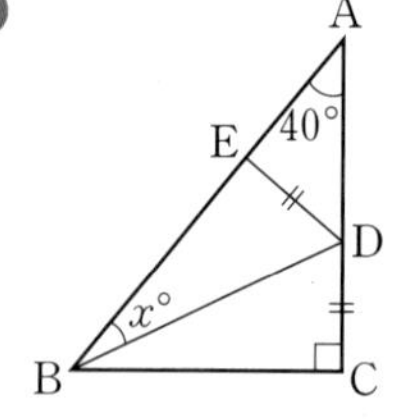

유형 014 각의 이등분선의 성질 응용하기

※ 다음 그림과 같이 $\angle C=90°$인 직각삼각형 ABC에서 $\angle A$의 이등분선과 $\overline{BC}$가 만나는 점을 D라고 할 때, △ABD의 넓이를 구하여라.

07

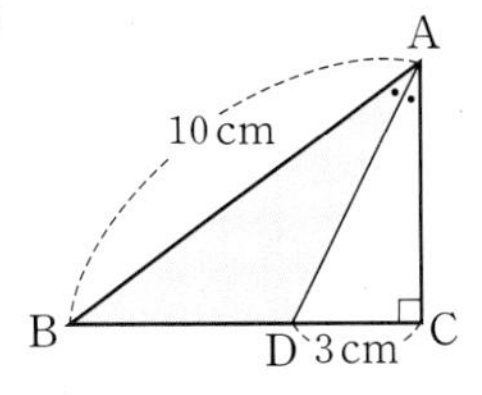

|해설| 점 D에서 $\overline{AB}$에 내린 수선의 발을 E라 하면
△ADE≡△ADC (RHA 합동)이므로
$\overline{DE}=\overline{DC}=\square$ cm
$\triangle ABD=\frac{1}{2}\times 10\times\square=\square(\text{cm}^2)$

08

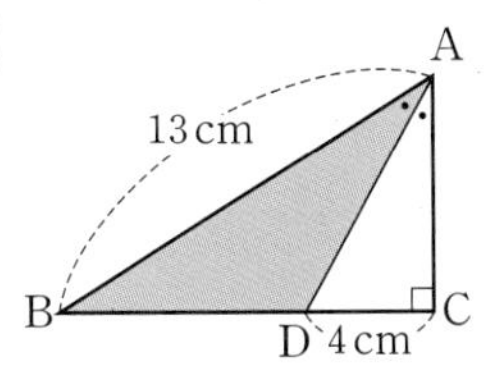

09

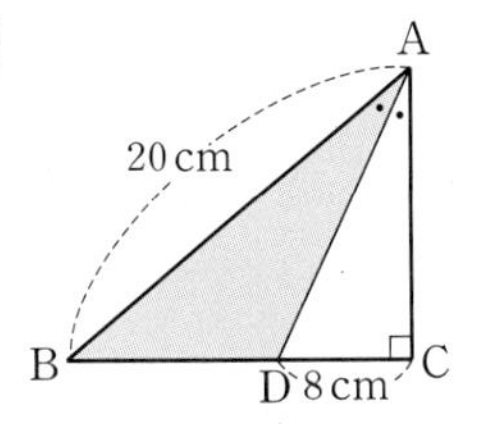

10

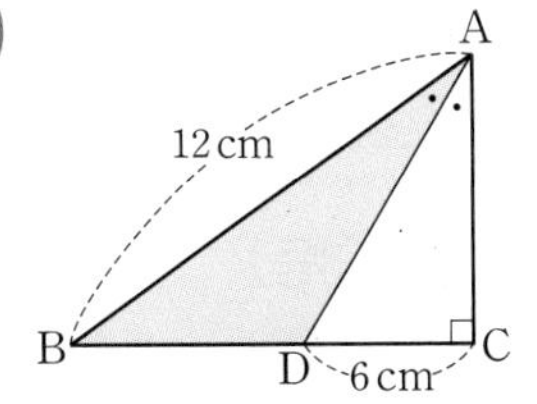

※ 다음 그림과 같이 $\overline{AD}=\overline{CD}$, $\angle A=\angle C=90°$일 때, $\angle x$의 크기를 구하여라.

11

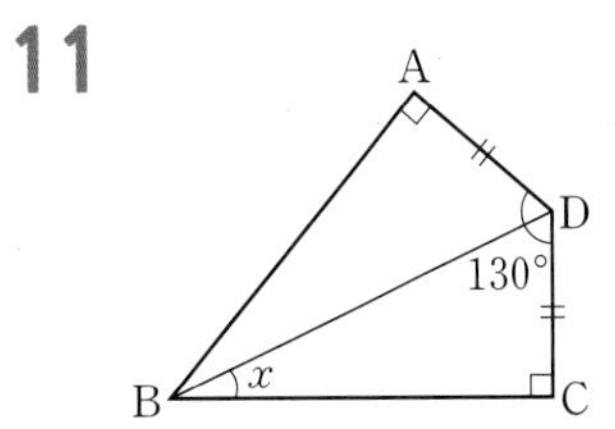

|해설| △ABD≡△CBD (RHS 합동)이므로
$\angle BDC=\frac{1}{2}\angle ADC=\square$
$\angle x=180°-(90°+\square)=\square$

12

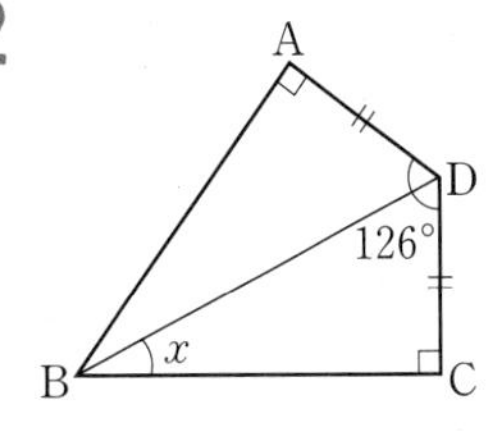

13

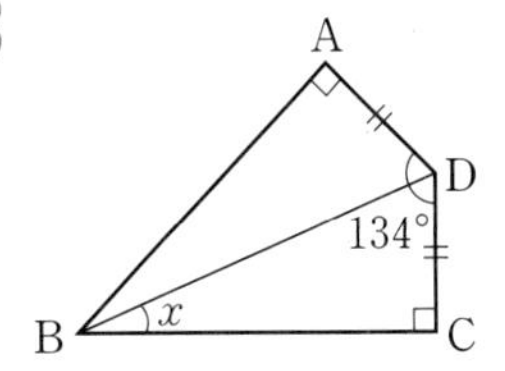

14

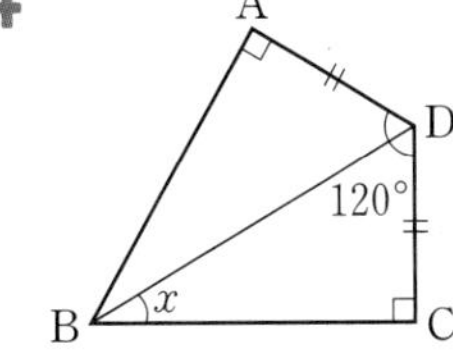

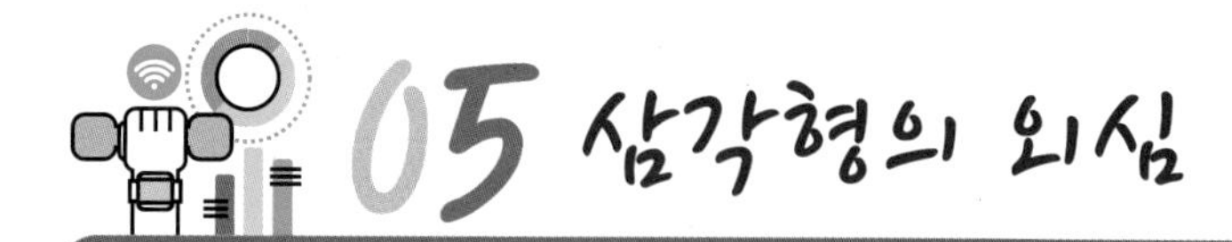

05 삼각형의 외심

빠른 정답 02쪽 / 친절한 해설 12쪽

1. 외접원과 외심

(1) 외접원과 외심 : 한 다각형의 모든 꼭짓점이 한 원 위에 있을 때, 이 원을 주어진 다각형의 외접원이라 하고, 외접원의 중심을 외심이라 한다.

(2) 삼각형의 외심 : 삼각형의 세 변의 수직이등분선의 교점

2. 삼각형의 외심의 성질

(1) 삼각형의 세 변의 수직이등분선은 한 점(외심)에서 만난다.

(2) 외심에서 삼각형의 세 꼭짓점에 이르는 거리는 같다.

⇨ $\overline{OA}=\overline{OB}=\overline{OC}$ (외접원 O의 반지름의 길이)

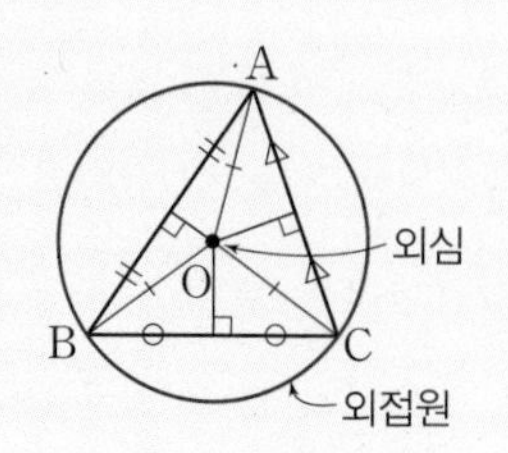

삼각형의 외심의 위치

- 예각삼각형
  ⇨ 삼각형의 내부
- 직각삼각형
  ⇨ 빗변의 중점
- 둔각삼각형
  ⇨ 삼각형의 외부

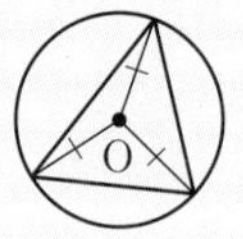

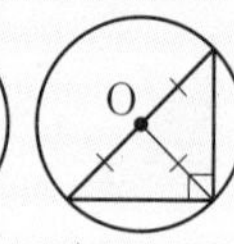

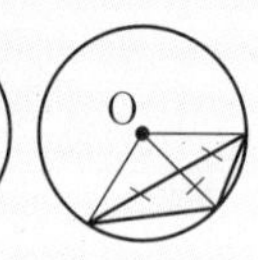

유형 015 삼각형의 외심의 뜻과 성질

01 다음은 삼각형의 세 변의 수직이등분선이 한 점에서 만나는 것을 설명하는 과정이다. □ 안에 알맞은 것을 써넣어라.

> △ABC에서 $\overline{AB}$, $\overline{BC}$의 수직이등분선의 교점을 O라 하면 점 O는 $\overline{AB}$, $\overline{BC}$의 수직이등분선 위의 점이므로
>
> 
>
> $\overline{OA}=\overline{OB}$, $\overline{OB}=$□
>
> ∴ $\overline{OA}=$□ ······ ㉠
>
> 이때, 점 O에서 $\overline{AC}$에 내린 수선의 발을 E라 하면
>
> $\angle OEA=\angle OEC=90^\circ$ ······ ㉡
>
> $\overline{OE}$는 공통 ······ ㉢
>
> ㉠, ㉡, ㉢에 의해서
>
> $\triangle OAE\equiv\triangle OCE$ (RHS 합동)
>
> ∴ $\overline{AE}=$□
>
> 즉, $\overline{OE}$는 $\overline{AC}$의 □이므로 세 변의 수직이등분선은 한 점 O에서 만난다.

※ 오른쪽 그림에서 점 O가 △ABC의 외심일 때, □ 안에 알맞은 것을 써넣어라.

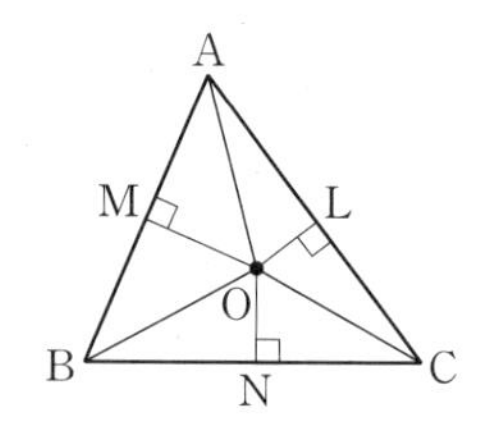

02 $\overline{OA}=$□$=$□

03 $\overline{AL}=$□

04 $\angle OCL=\angle$□

05 $\triangle OAL\equiv\triangle$□ (RHS 합동)

유형 016 삼각형의 외심

※ 다음 그림에서 점 O가 $\triangle ABC$의 외심일 때, $\angle x$의 크기를 구하여라.

06

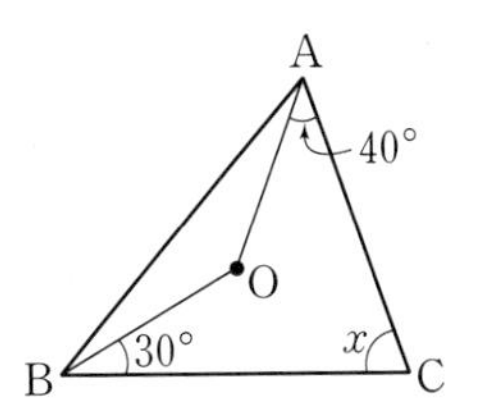

|해설| 점 O와 점 C를 연결하면

$\angle OCA = \angle OAC = 40°$, $\angle OCB = \angle OBC =$ ☐

$\angle x = 40° +$ ☐ $=$ ☐

07

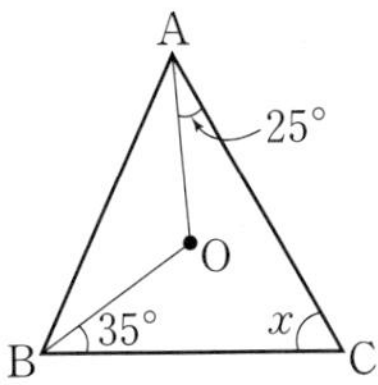

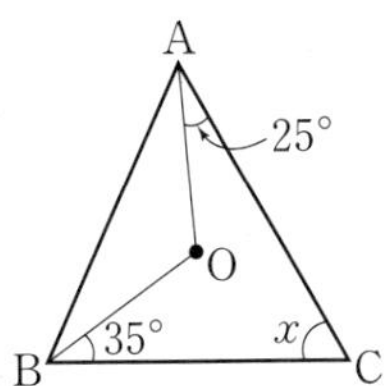

08

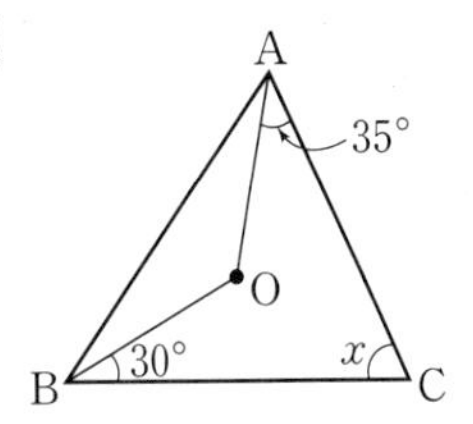

09

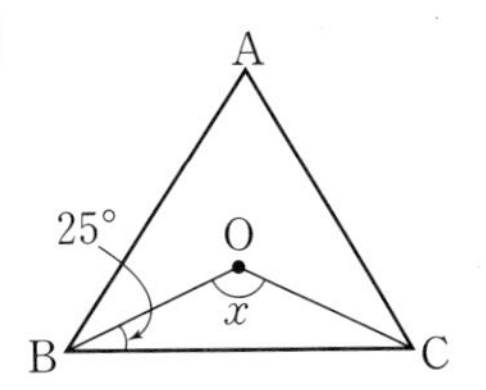

※ 다음 그림에서 점 O가 $\triangle ABC$의 외심일 때, x의 값을 구하여라.

10

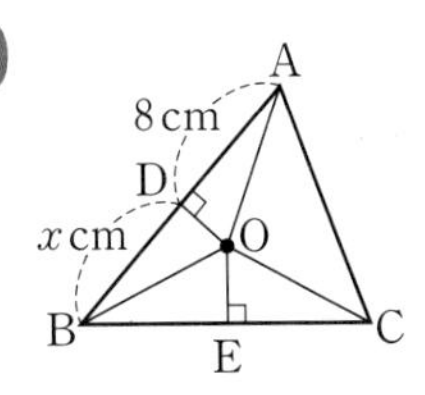

|해설| 삼각형의 외심은 세 변의 수직이등분선의 교점이므로

$\overline{BD} =$ ☐ $\quad \therefore x =$ ☐

11

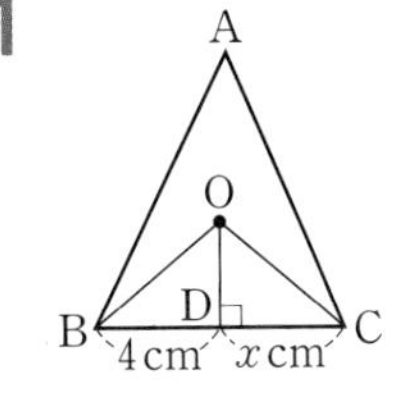

12

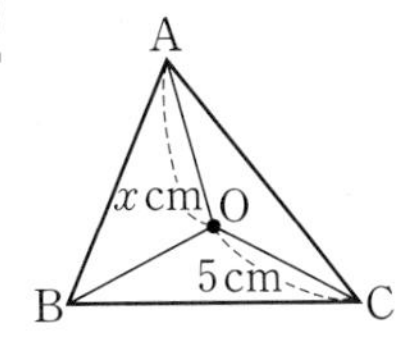

13

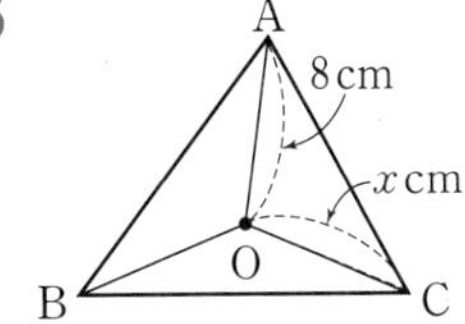

유형 017 직각삼각형의 외심

※ 다음 그림에서 점 O는 $\angle A=90^\circ$인 직각삼각형 ABC의 외심일 때, $\overline{BC}$의 길이를 구하여라.

14

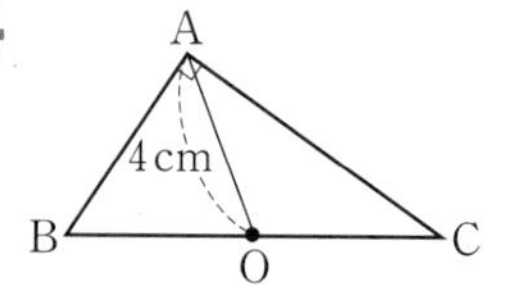

|해설| 점 O가 직각삼각형 ABC의 외심이므로
$\overline{OA}=\overline{OB}=\overline{OC}=4$ cm이다.
$\overline{BC}=\overline{OB}+\overline{OC}=4+\square=\square$(cm)

15

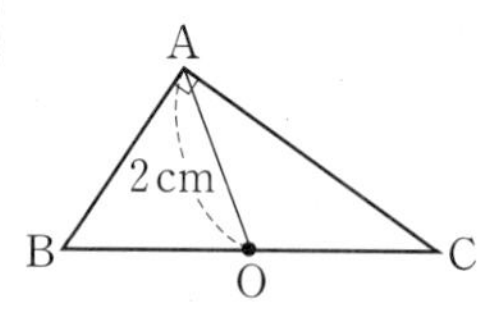

※ 다음 그림에서 점 O는 $\angle A=90^\circ$인 직각삼각형 ABC의 빗변 BC의 중점일 때, $\angle x$의 크기를 구하여라.

18

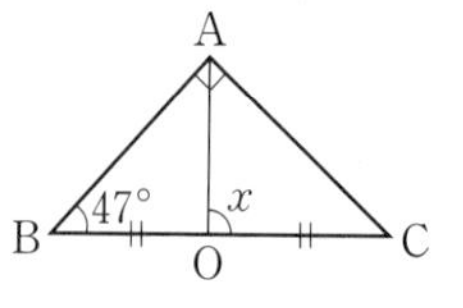

|해설| 점 O가 직각삼각형 ABC의 외심이므로
$\overline{OA}=\overline{OB}$이다.
$\angle OAB=\angle B=\square$이므로
$\angle x=47^\circ+\square=\square$

19

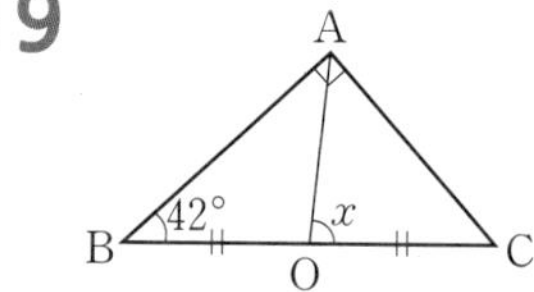

※ 다음 그림과 같이 점 O는 $\angle B=90^\circ$인 직각삼각형 ABC의 외심이다. $\angle C=30^\circ$일 때, $\overline{AC}$의 길이를 구하여라.

16

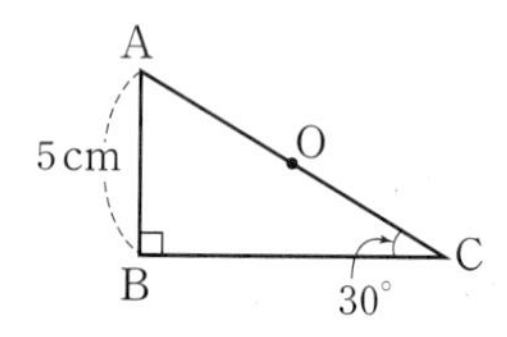

|해설| $\angle A=180^\circ-(90^\circ+30^\circ)=60^\circ$, $\overline{OA}=\overline{OB}$
이므로 $\triangle ABO$는 정삼각형이다.
$\overline{OA}=\overline{OB}=\overline{AB}=\square$cm이므로
$\overline{AC}=2\overline{OA}=2\times\square=\square$(cm)

17

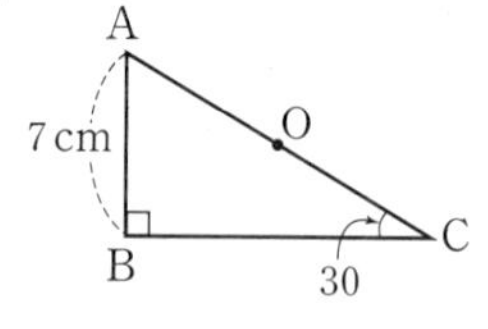

※ 오른쪽 그림에서 점 O는 $\angle A=90^\circ$인 직각삼각형 ABC의 빗변 BC의 중점일 때, 다음을 구하여라.

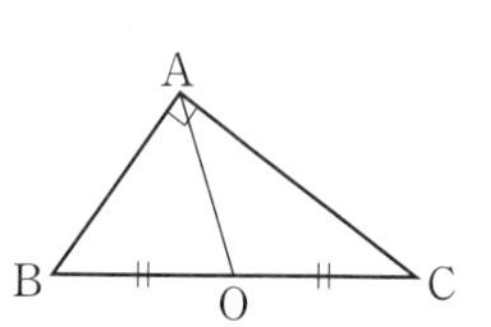

20 $\angle AOB : \angle AOC=2:3$일 때, $\angle C$의 크기

|해설| $\angle AOC=180^\circ\times\frac{3}{5}=\square$
점 O가 직각삼각형 ABC의 외심이므로 $\overline{OA}=\overline{OC}$
$\angle C=\frac{1}{2}\times(180^\circ-\square)=\square$

21 $\angle AOB : \angle AOC=4:5$일 때, $\angle C$의 크기

06 삼각형의 외심의 활용

빠른 정답 02쪽 / 친절한 해설 12쪽

• 점 O가 △ABC의 외심일 때

(1)

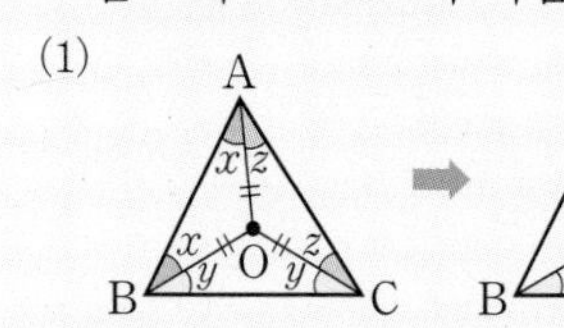

$\angle x+\angle y+\angle z=90^\circ$

(2)

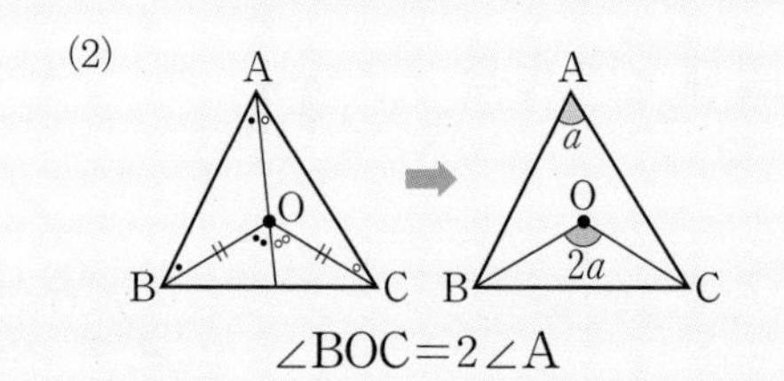

$\angle BOC=2\angle A$

△ABC의 외심 O가 주어진 문제

(1) 외심 O에서 세 꼭짓점 A, B, C에 이르는 보조선을 긋는다.

(2) $\overline{OA}=\overline{OB}=\overline{OC}$

⇨ 삼각형의 외심의 성질

(3) △ABO, △BCO, △CAO는 모두 이등변삼각형이다.

삼각형의 외심의 활용 (1)

※ 다음 그림에서 점 O가 △ABC의 외심일 때, $\angle x$의 크기를 구하여라.

01

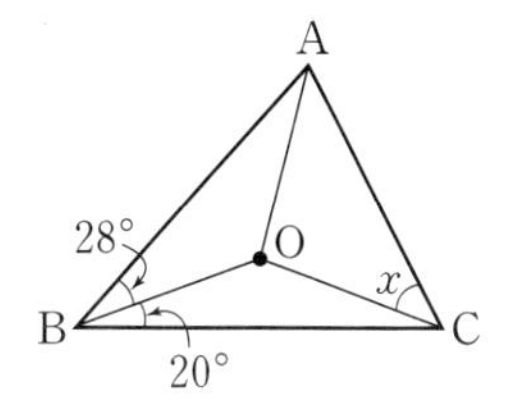

|해설| 점 O가 △ABC의 외심이므로

$28^\circ+20^\circ+\angle x=90^\circ$이다.

$\angle x=90^\circ-28^\circ-$ ☐ $=$ ☐

02

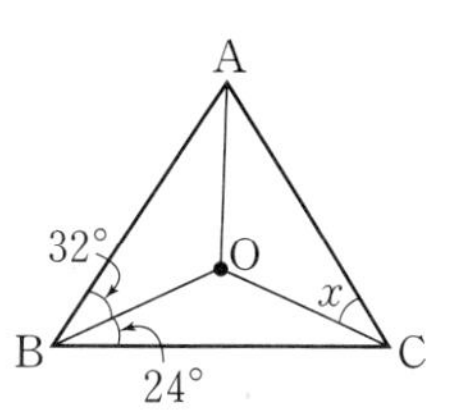

03

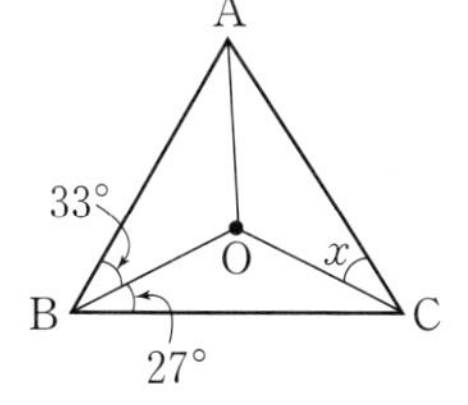

※ 다음 그림에서 점 O는 △ABC의 외심일 때, $\angle x$의 크기를 구하여라.

04

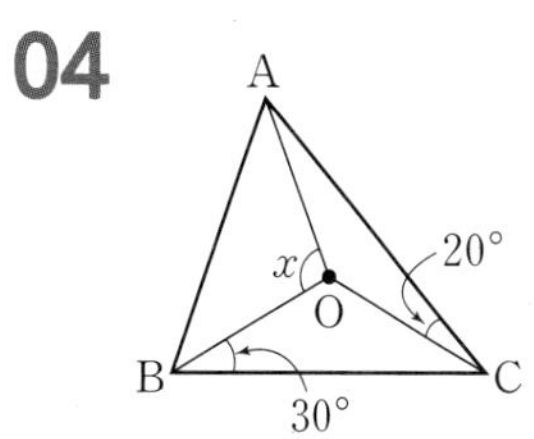

|해설| 점 O가 △ABC의 외심이므로

$\angle OAB=90^\circ-30^\circ-$ ☐ $=$ ☐

$\overline{OA}=\overline{OB}$이므로

$\angle x=180^\circ-2\times$ ☐ $=$ ☐

05

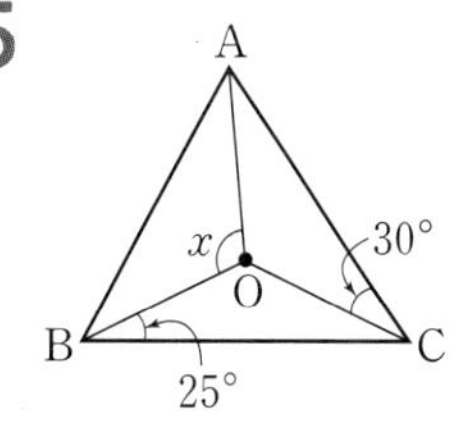

06

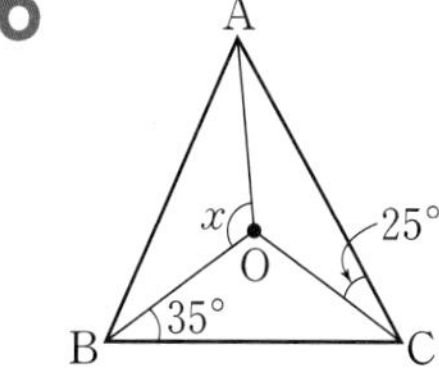

유형 019 삼각형의 외심의 활용 (2)

※ 다음 그림에서 점 O가 $\triangle ABC$의 외심일 때, $\angle BOC$의 크기를 구하여라.

07

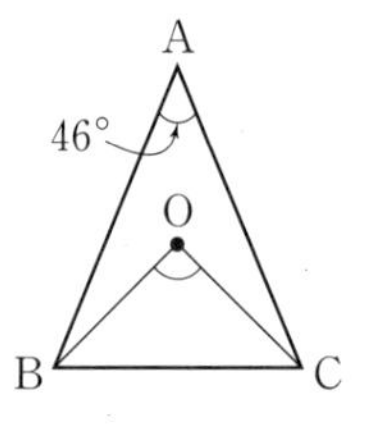

|해설| 점 O가 $\triangle ABC$의 외심이므로
$\angle BOC = 2\angle A = 2 \times \square = \square$

08

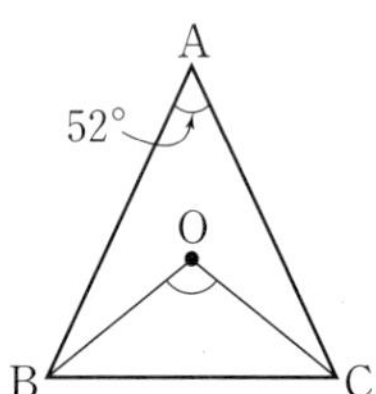
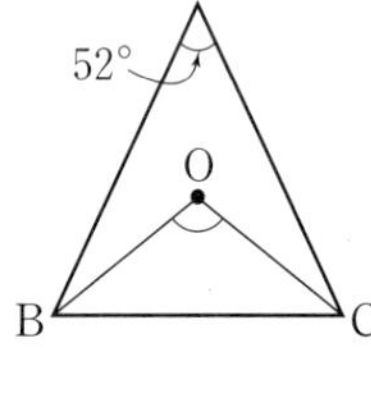

09

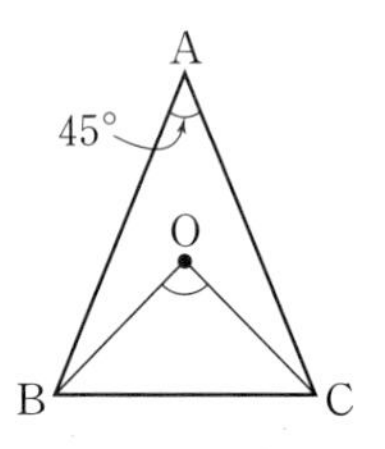

10

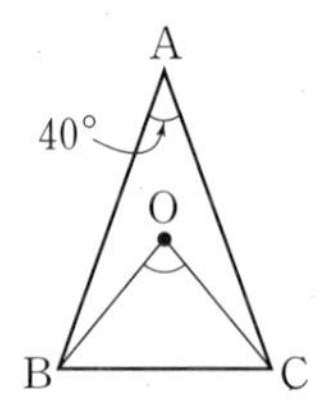

※ 다음 그림에서 점 O가 $\triangle ABC$의 외심일 때, $\angle A$의 크기를 구하여라.

11

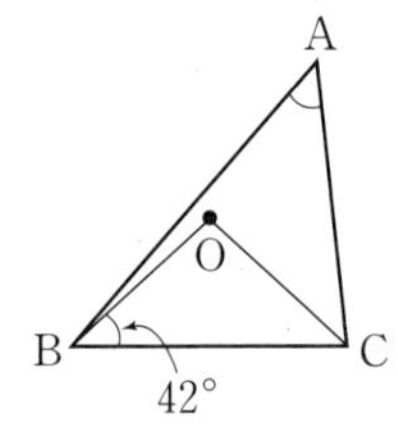

|해설| $\triangle OBC$에서 $\overline{OB} = \overline{OC}$이므로
$\angle OBC = \angle OCB = 42°$
$\angle BOC = 180° - (42° + 42°) = \square$이므로
$\angle A = \frac{1}{2}\angle BOC = \frac{1}{2} \times \square = \square$

12

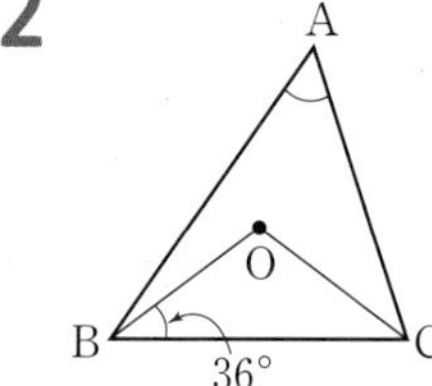

13

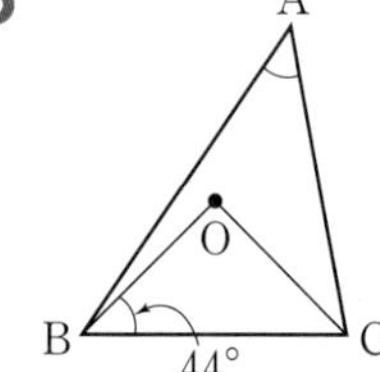

14

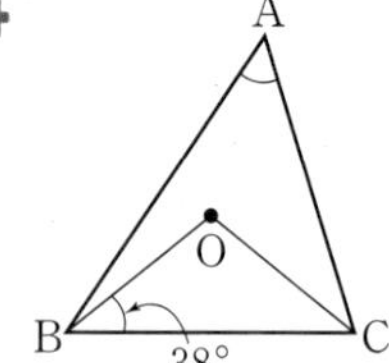

07 삼각형의 내심

빠른 정답 02쪽 / 친절한 해설 12쪽

1. 내접원과 내심
   (1) 내접원과 내심 : 다각형의 모든 변이 한 원에 접할 때, 이 원을 주어진 다각형의 내접원이라 하고, 내접원의 중심을 내심이라 한다.
   (2) 삼각형의 내심 : 삼각형의 세 내각의 이등분선의 교점
2. 삼각형의 내심의 성질
   (1) 삼각형의 세 내각의 이등분선은 한 점(내심)에서 만난다.
   (2) 내심에서 삼각형의 세 변에 이르는 거리는 같다.
   ⇨ $\overline{ID}=\overline{IE}=\overline{IF}=$(내접원 I의 반지름의 길이)

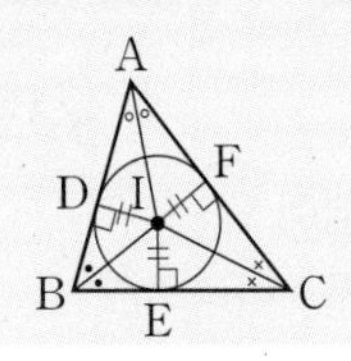

삼각형의 내심의 위치
- 모든 삼각형의 내심은 삼각형의 내부에 있다.
- 이등변삼각형
  ⇨ 꼭지각의 이등분선 위
- 정삼각형 ⇨ (내심)=(외심)

유형 020 삼각형의 내심

※ 오른쪽 그림에서 점 I가 △ABC의 내심일 때, □ 안에 알맞은 것을 써넣어라.

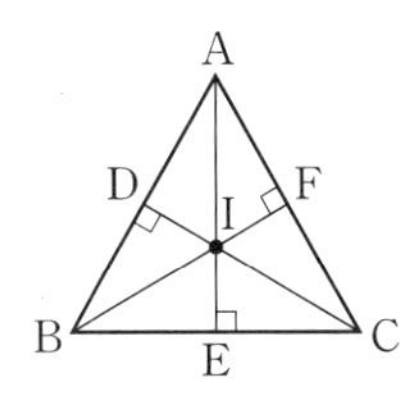

01 $\overline{ID}=\overline{IE}=$ □

02 $\angle DAI=$ □

03 △IEC≡ □ (RHA 합동)

※ 다음 그림에서 점 I가 △ABC의 내심일 때, x의 값을 구하여라.

04

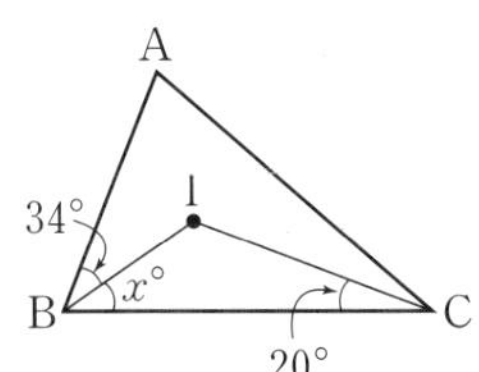

05

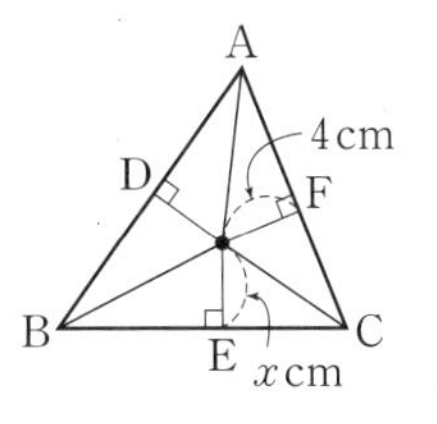

※ 다음 그림에서 점 I가 △ABC의 내심일 때, $\angle x$의 크기를 구하여라.

06

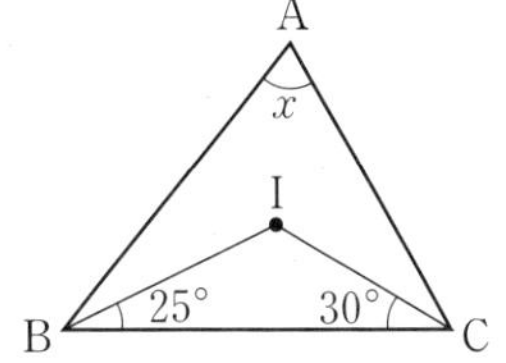

|해설| 점 I가 △ABC의 내심이므로
$\angle ABC=2\times25^\circ=50^\circ$, $\angle ACB=2\times30^\circ=$ □
$\angle x=180^\circ-(50^\circ+$ □ $)=$ □

07

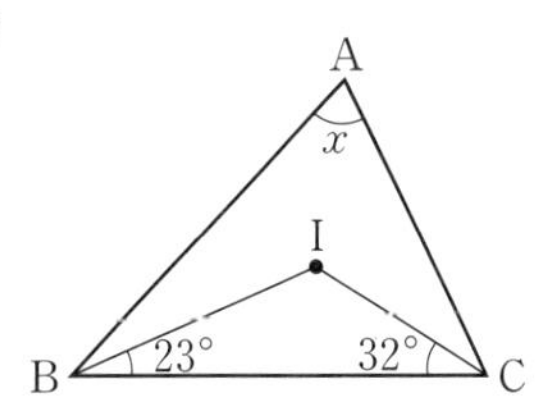

08

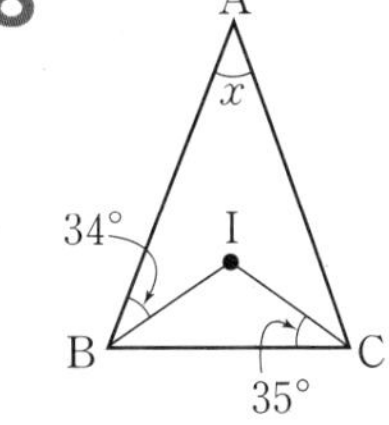

08 삼각형의 내심의 활용

빠른 정답 02쪽 / 친절한 해설 12쪽

1. 점 I가 △ABC의 내심일 때

(1)

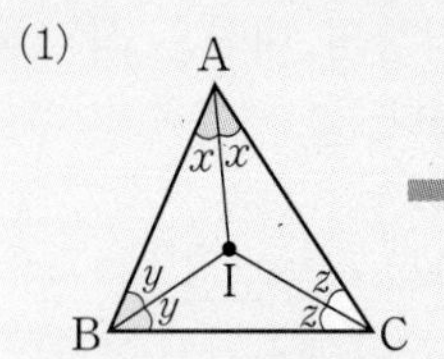

$\angle x+\angle y+\angle z=90°$

(2)

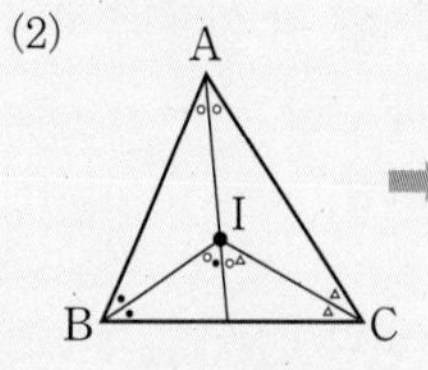

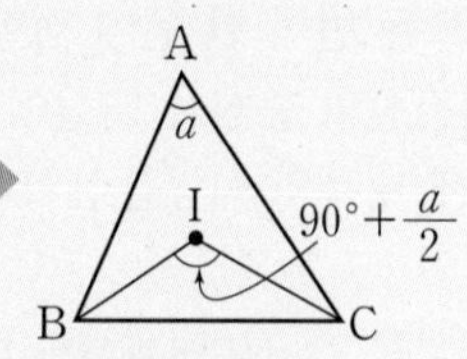

$\angle \mathrm{BIC}=90°+\frac{1}{2}\angle \mathrm{A}$

2. 내접원의 반지름의 길이와 삼각형의 넓이

△ABC의 내접원의 반지름의 길이를 r이라 하면

$\triangle \mathrm{ABC}=\frac{1}{2}r(\overline{\mathrm{AB}}+\overline{\mathrm{BC}}+\overline{\mathrm{CA}})$

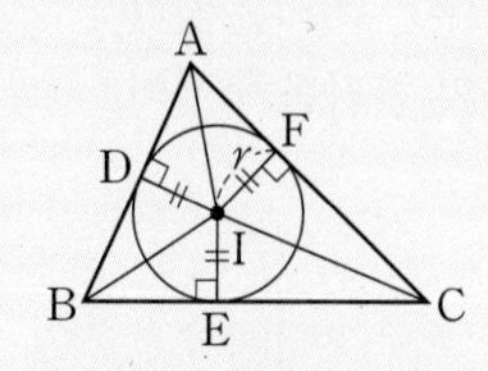

• 내접원과 선분의 길이

△ADI≡△AFI,

△BDI≡△BEI,

△CEI≡△CFI

⇨ $\overline{\mathrm{AD}}=\overline{\mathrm{AF}}$, $\overline{\mathrm{BD}}=\overline{\mathrm{BE}}$, $\overline{\mathrm{CE}}=\overline{\mathrm{CF}}$

삼각형의 내심의 활용 (1)

※ 다음 그림에서 점 I가 △ABC의 내심일 때, $\angle x$의 크기를 구하여라.

01

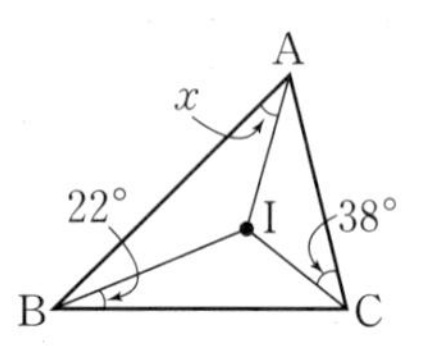

|해설| $\angle x+22°+38°=$ ☐, $\angle x=$ ☐

02

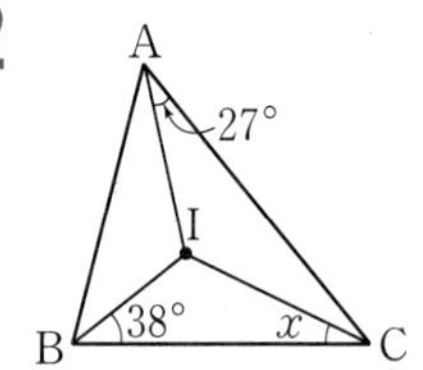

03

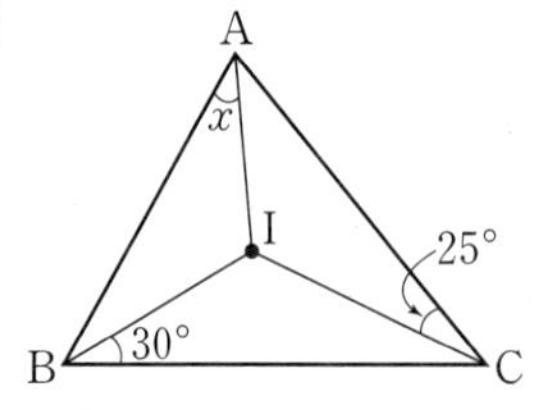

※ 다음 그림에서 점 I가 △ABC의 내심일 때, $\angle x+\angle y$의 크기를 구하여라.

04

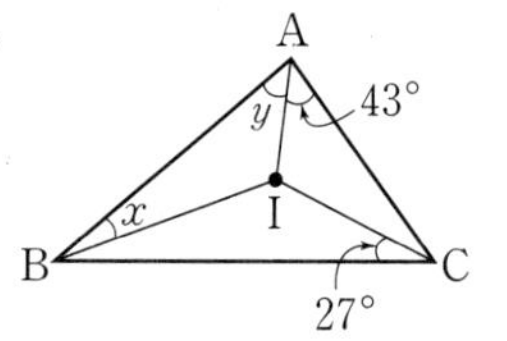

|해설| $\angle x+43°+$ ☐ $=90°$, $\angle x=$ ☐, $\angle y=$ ☐

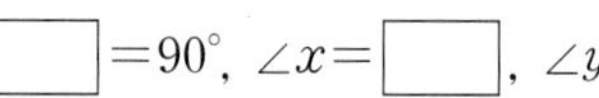

$\angle x+\angle y=$ ☐ $+$ ☐ $=$ ☐

05

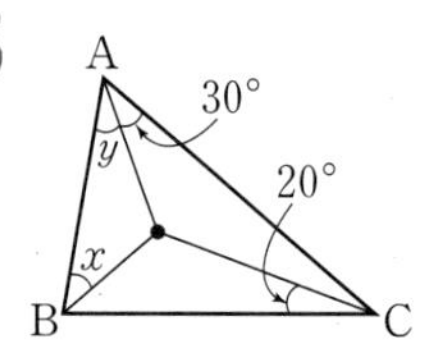

06

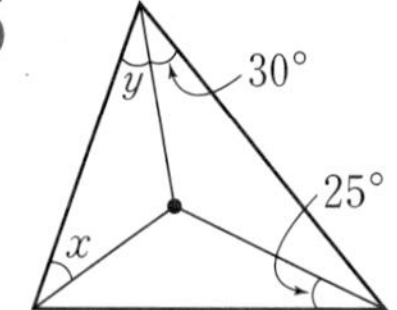

삼각형의 내심의 활용 (2)

※ 다음 그림에서 점 I가 $\triangle$ABC의 내심일 때, $\angle x$의 크기를 구하여라.

07

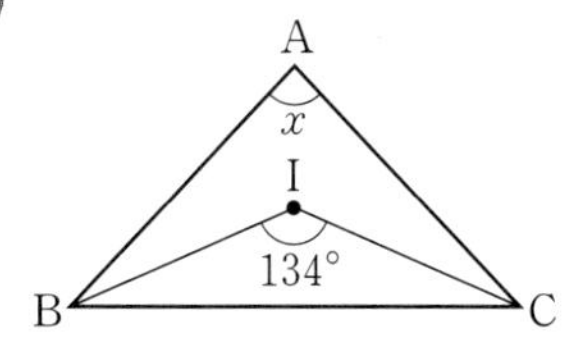

|해설| $134° = 90° + \square\angle x$, $\angle x = \square$

08

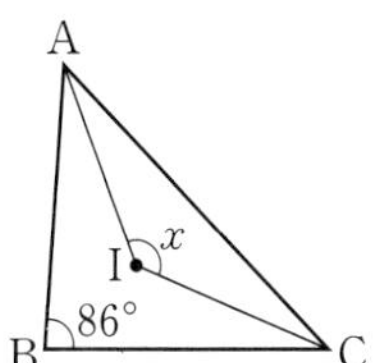
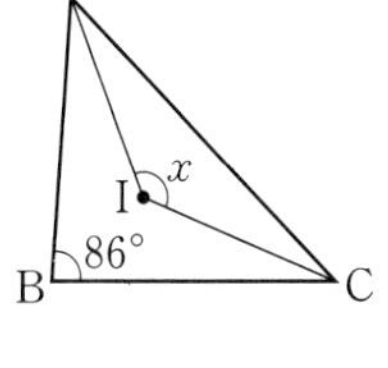

09

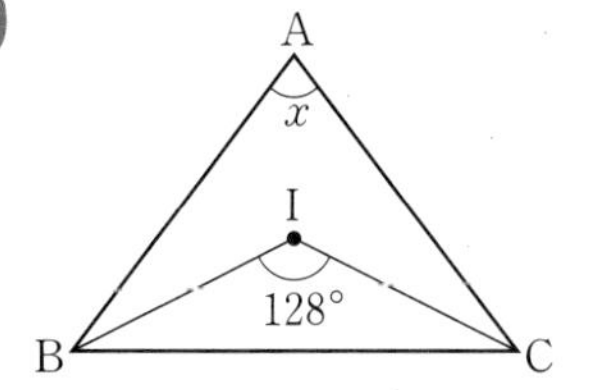

10

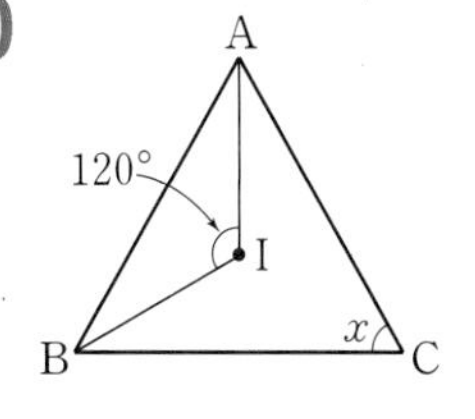

※ 다음 그림에서 점 I가 $\triangle$ABC의 내심일 때, $\angle x$의 크기를 구하여라.

11

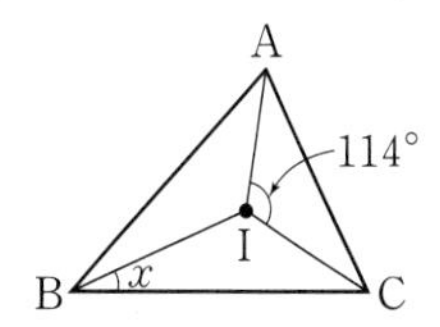

|해설| $\square = 90° + \frac{1}{2}\angle \mathrm{ABC}$, $\angle \mathrm{ABC} = \square$

$\angle x = \frac{1}{2}\angle \mathrm{ABC} = \square$

12

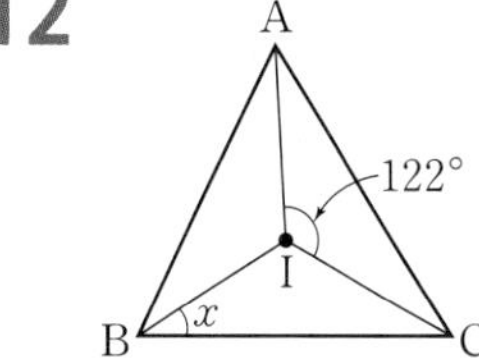

13

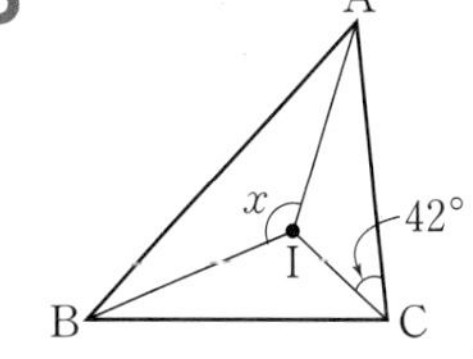

14

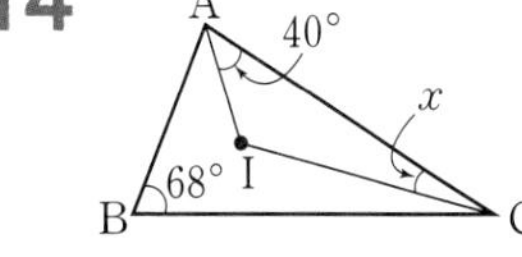

유형 023 삼각형의 내접원의 반지름의 길이

※ 다음 그림에서 점 I가 $\triangle ABC$의 내심이고 세 점 D, E, F는 각각 내접원과 세 변의 접점일 때, 삼각형 ABC의 넓이를 구하여라.

15

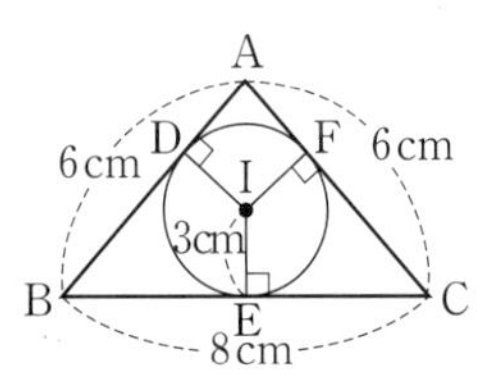

|해설| $\triangle ABC=\frac{1}{2}\times\overline{IE}\times(\overline{AB}+\overline{BC}+\overline{CA})$이므로

$\triangle ABC=\frac{1}{2}\times\square\times(6+\square+6)=\square(cm^2)$

16

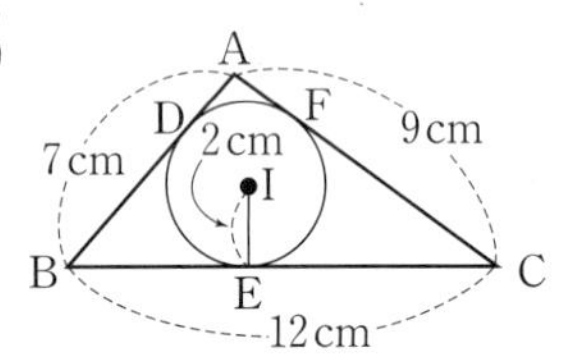

17

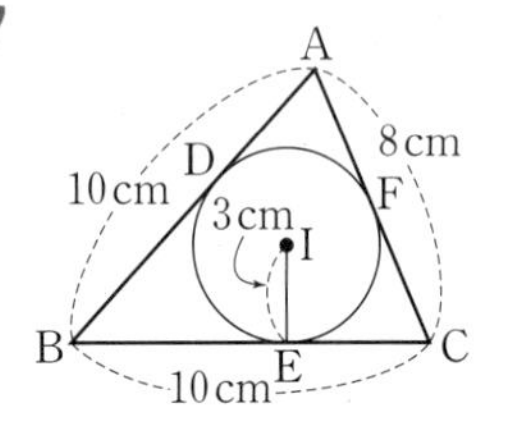

18

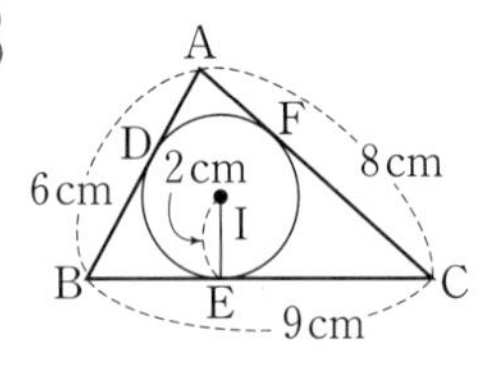

※ 다음 그림에서 점 I가 직각삼각형 ABC의 내심일 때, $\triangle ABC$의 내접원의 반지름의 길이를 구하여라.

19

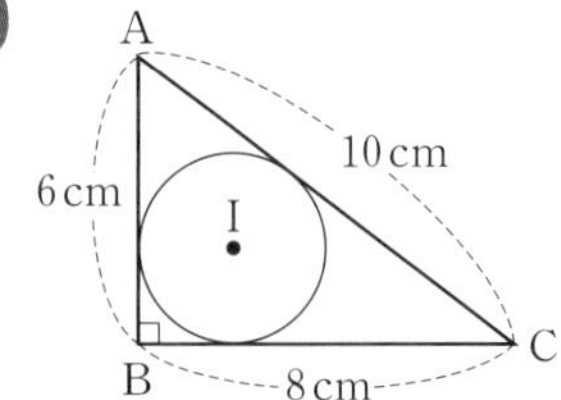

|해설| $\triangle ABC$의 내접원의 반지름의 길이를 r cm라 하면

$\triangle ABC=\frac{1}{2}\times r\times(6+8+10)=12r(cm^2)$

이때, $\triangle ABC=\frac{1}{2}\times8\times6=\square(cm^2)$이므로

$12r=\square$, $r=\square(cm)$

20

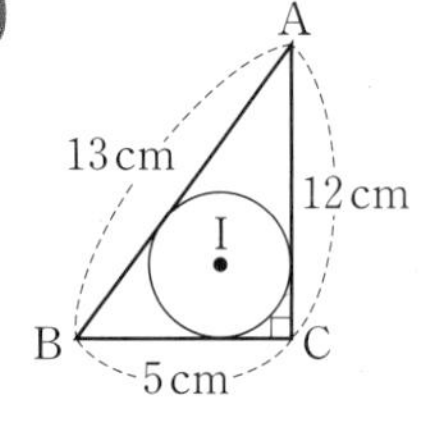

21

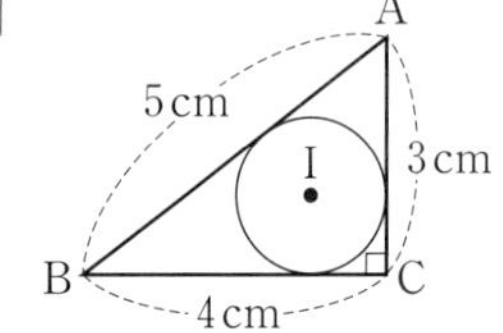

22

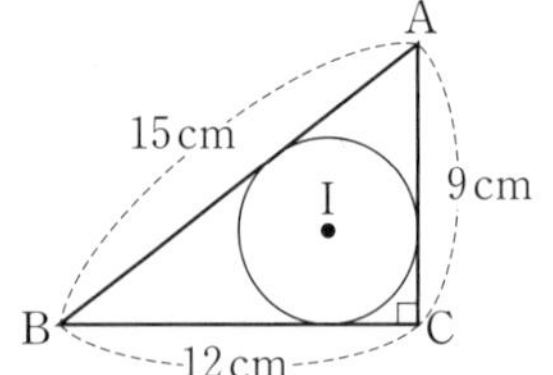

삼각형의 내접원의 선분의 길이

※ 다음 그림에서 점 I는 $\triangle ABC$의 내심이고 세 점 D, E, F는 각각 내접원과 세 변의 접점일 때, $\overline{AD}$의 길이를 구하여라.

23

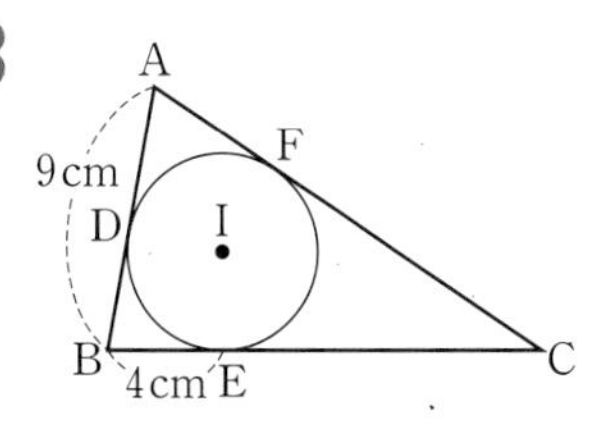

|해설| $\overline{BD}=\overline{BE}=\square$ cm이므로

$\overline{AD}=\overline{AB}-\overline{BD}=9-\square=\square$(cm)

24

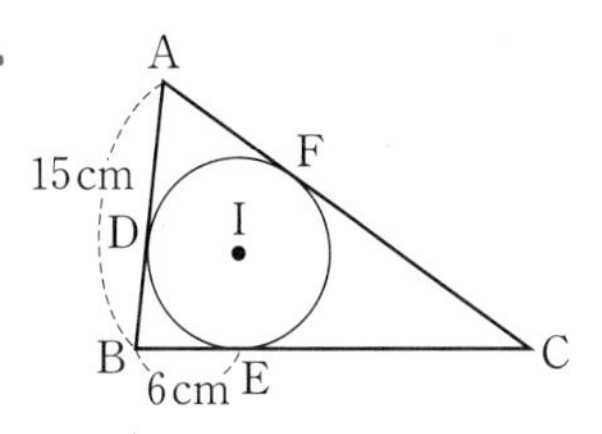

25

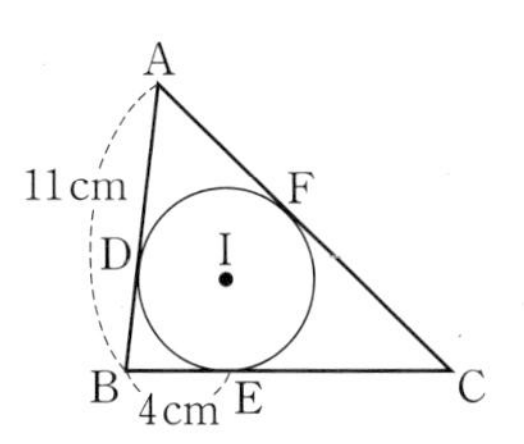

26

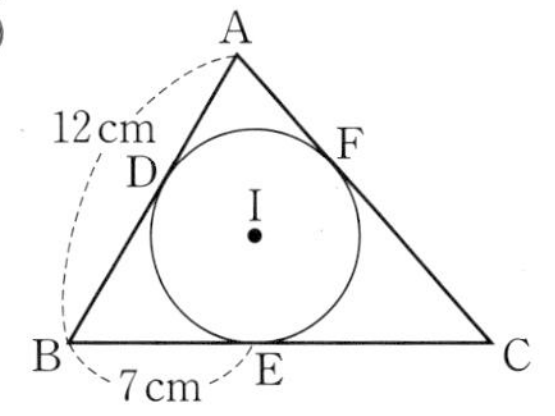

※ 다음 그림에서 점 I는 $\triangle ABC$의 내심이고 세 점 D, E, F는 각각 내접원과 세 변의 접점일 때, $\overline{BC}$의 길이를 구하여라.

27

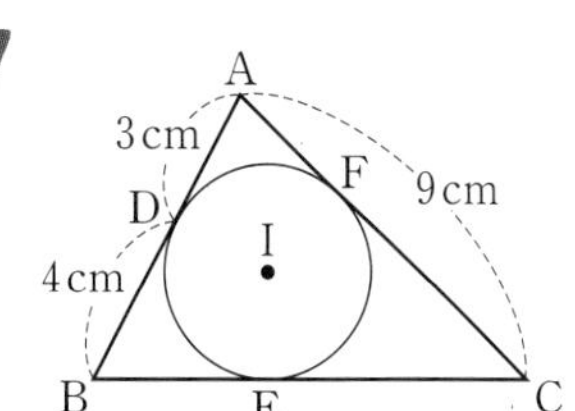

|해설| $\overline{AF}=\overline{AD}=3$ cm이므로

$\overline{CE}=\overline{CF}=\overline{AC}-\overline{AF}=9-3=\square$(cm)

또, $\overline{BE}=\overline{BD}=4$ cm이므로

$\overline{BC}=\overline{BE}+\overline{CE}=4+\square=\square$(cm)

28

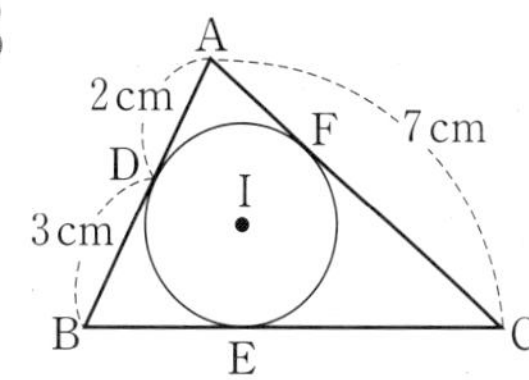

29

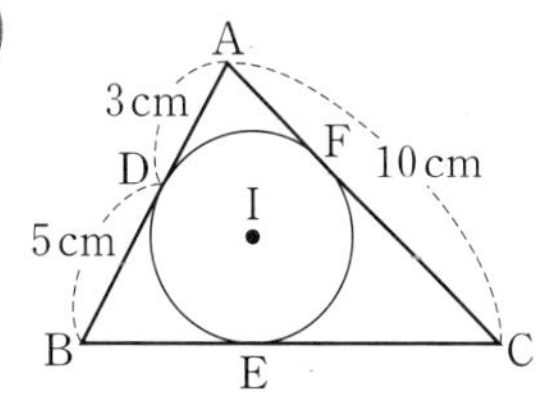

30

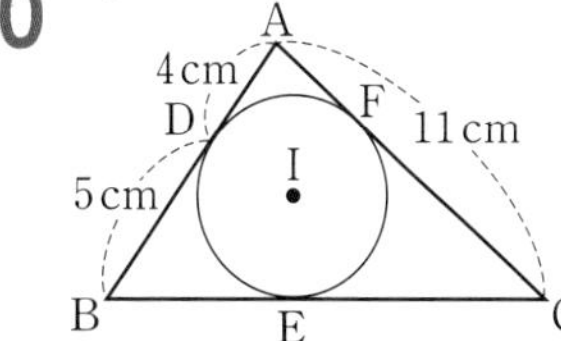

유형 025 삼각형의 내심과 평행선

※ 다음 그림에서 점 I가 $\triangle ABC$의 내심이고 $\overline{DE} /\!/ \overline{BC}$일 때, $\triangle ADE$의 둘레의 길이를 구하여라.

31

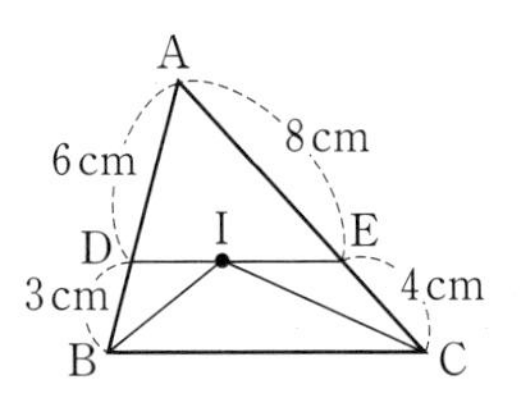

|해설| $\overline{DI}=\square=3\text{ cm}$, $\overline{EI}=\square=\square\text{cm}$이므로

$\overline{DE}=\overline{DI}+\overline{EI}=3+\square=\square(\text{cm})$

$(\triangle ADE$의 둘레의 길이$)=6+\square+8=21(\text{cm})$

32

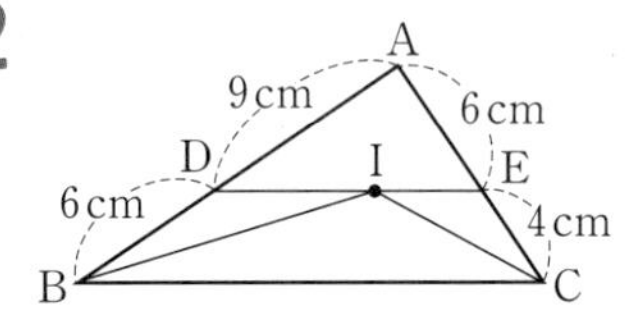

33

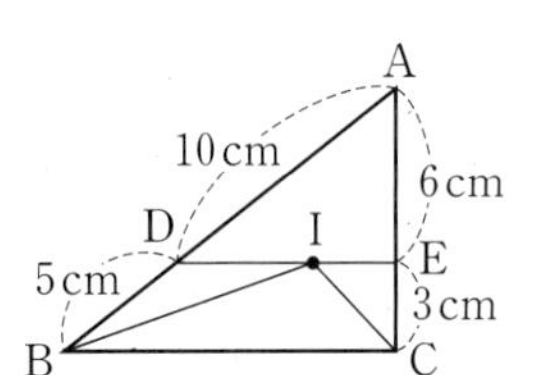

34

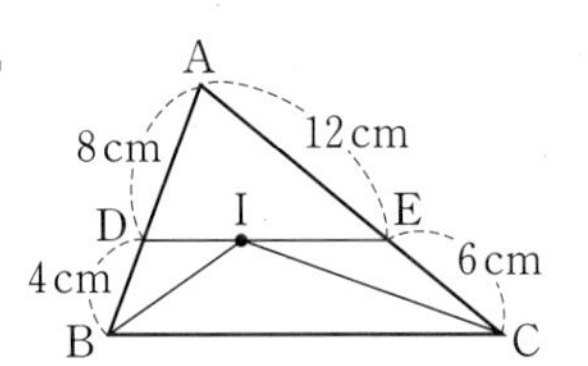

※ 다음 그림에서 점 I가 $\triangle ABC$의 내심이고 $\overline{DE} /\!/ \overline{BC}$일 때, $\overline{DB}$의 길이를 구하여라.

35

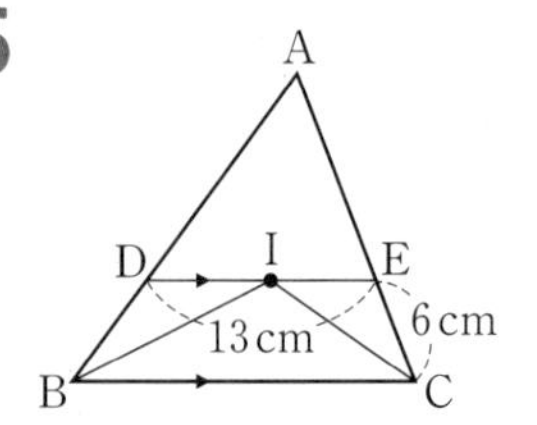

|해설| $\overline{EI}=\overline{EC}=\square\text{cm}$이므로

$\overline{DB}=\overline{DE}-\overline{EC}=13-\square=\square(\text{cm})$

36

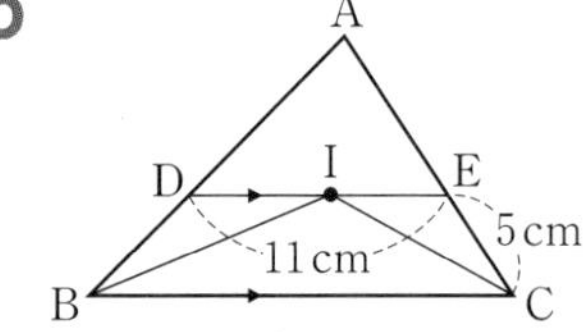

37

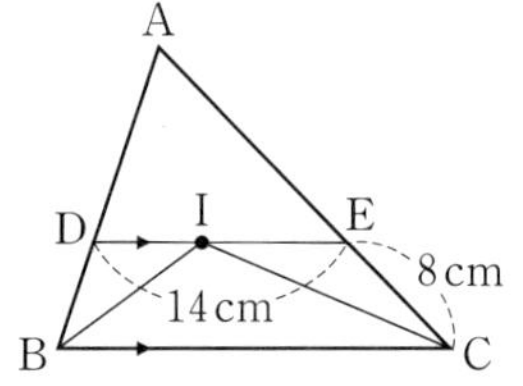

38

A, D, I, E, 15 cm, 7 cm, B, C

삼각형의 외심과 내심

※ 다음 그림에서 두 점 O, I는 각각 △ABC의 외심과 내심이다. $\angle x$의 크기를 구하여라.

39

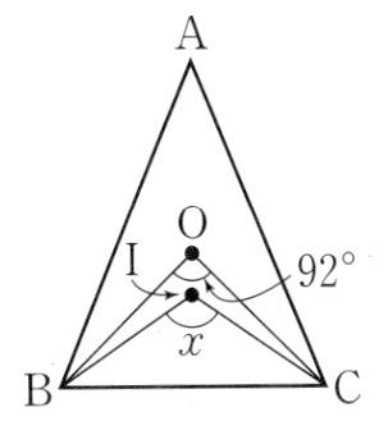

|해설| $\angle A=\frac{1}{2}\angle BOC=\frac{1}{2}\times 92^\circ=\square$

$\angle x=90^\circ+\frac{1}{2}\angle A=90^\circ+\square=\square$

40

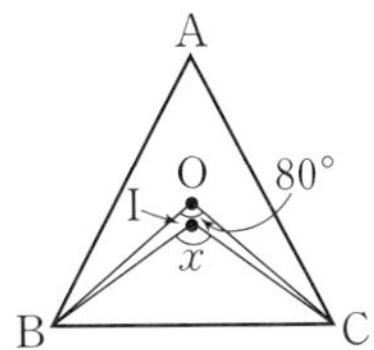
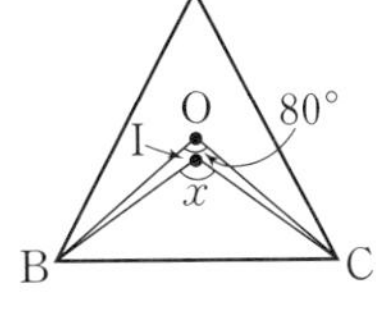

41

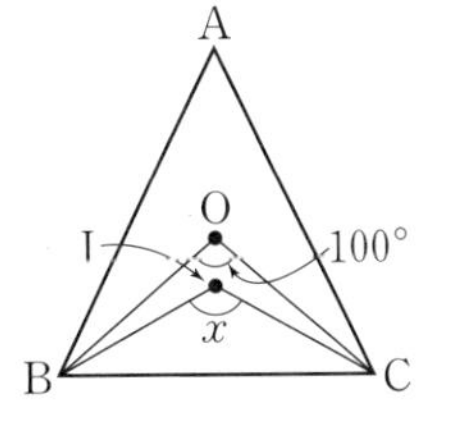

42

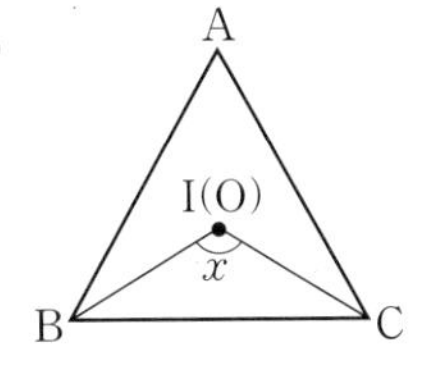

※ 다음 그림에서 두 점 O, I는 각각 △ABC의 외심과 내심이다. ∠BIC－∠BOC의 크기를 구하여라.

43

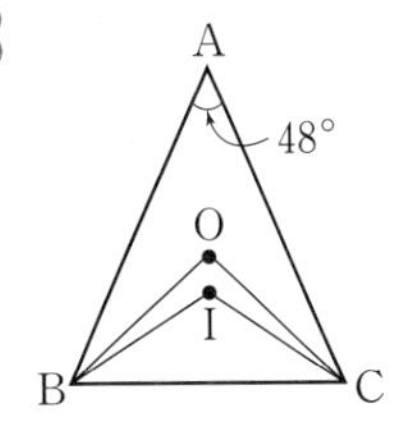

|해설| $\angle BOC=2\angle A=2\times 48^\circ=96^\circ$

$\angle BIC=90^\circ+\frac{1}{2}\angle A=90^\circ+24^\circ=\square$

$\angle BIC-\angle BOC=\square-96^\circ=\square$

44

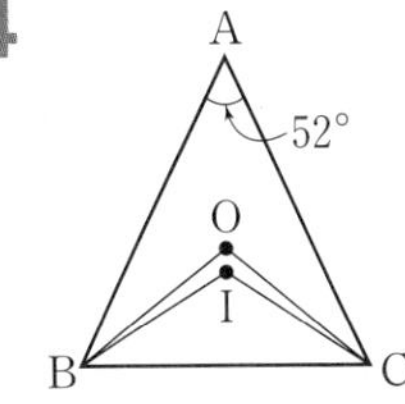

45

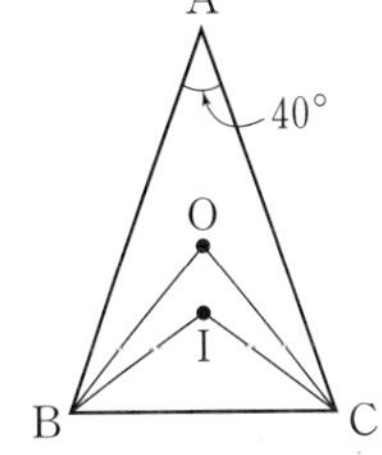

46

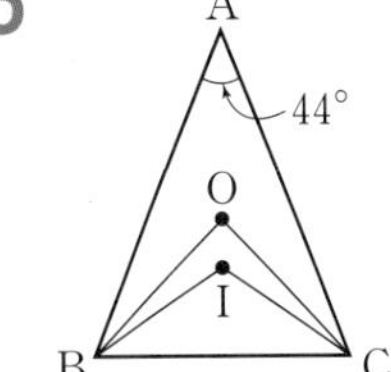

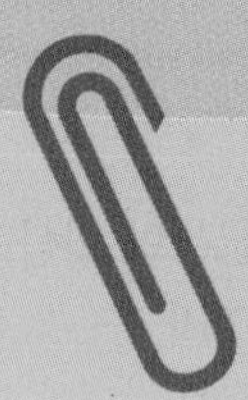

Ⅰ. 도형의 성질 1. 삼각형의 성질

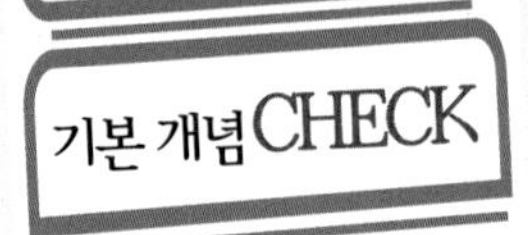

1. 이등변삼각형의 성질

(1) 이등변삼각형의 두 밑각의 크기가 ❶ [ ].

(2) 이등변삼각형의 꼭지각의 이등분선은 밑변을 ❷ [ ] 한다.

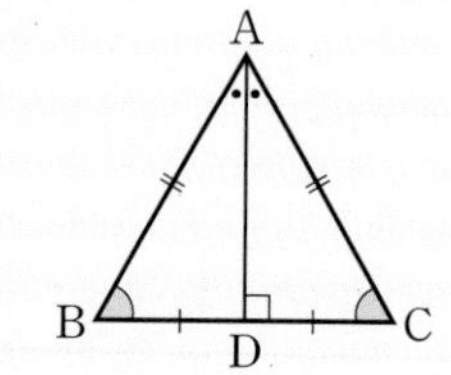

개념 Window

두 변의 길이가 같은 삼각형을 이등변삼각형이라 한다.

2. 이등변삼각형이 되는 조건

두 내각의 크기가 같은 삼각형은 ❸ [ ] 삼각형이다.

3. 직각삼각형의 합동조건

(1) ❹ [ ] 합동 : 두 직각삼각형의 빗변의 길이와 한 예각의 크기가 각각 같으면 두 삼각형은 합동이다.

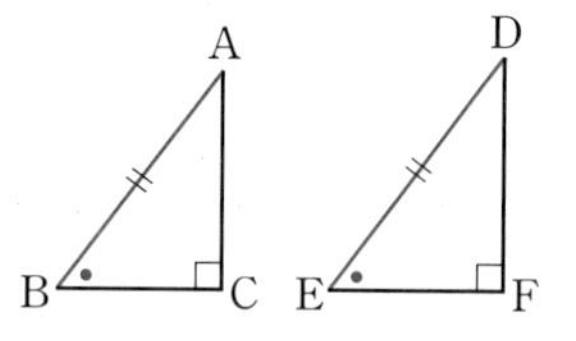

(2) ❺ [ ] 합동 : 두 직각삼각형의 빗변의 길이와 다른 한 변의 길이가 각각 같으면 두 삼각형은 합동이다.

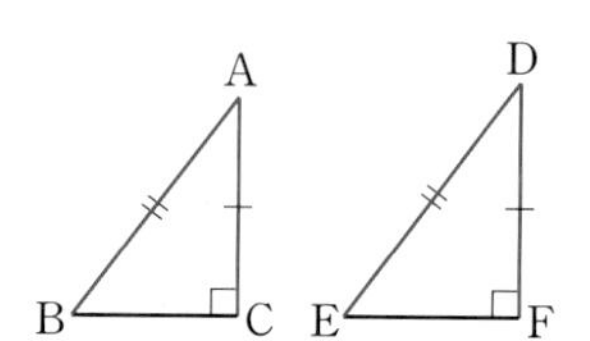

4. 각의 이등분선의 성질

(1) 각의 이등분선 위의 임의의 점은 그 각의 두 변에서 같은 거리에 있다.

⇨ $\angle AOP=\angle BOP$이면 $\overline{PA}=$ ❻ [ ]

(2) 각의 두 변에서 같은 거리에 있는 점은 그 각의 이등분선 위에 있다.

⇨ $\overline{PA}=\overline{PB}$이면 $\angle AOP=$ ❼ [ ]

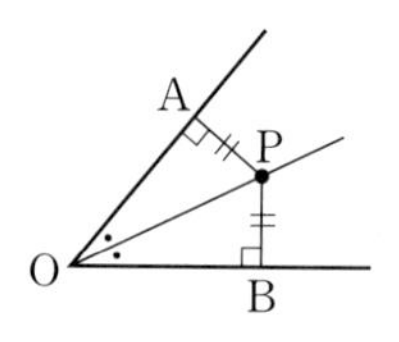

5-1. 삼각형의 외심

(1) 외접원과 외심 : 한 다각형의 모든 꼭짓점이 한 원 위에 있을 때, 이 원을 주어진 다각형의 외접원이라 하고, 외접원의 중심을 ❽ [ ] 이라 한다.

(2) 삼각형의 외심 : 삼각형의 세 변의 ❾ [ ] 의 교점

❶ 같다 ❷ 수직이등분 ❸ 이등변 ❹ RHA ❺ RHS ❻ $\overline{PB}$ ❼ $\angle BOP$ ❽ 외심 ❾ 수직이등분선

개념 Window

5-2. 삼각형의 외심의 성질

(1) 삼각형의 세 변의 수직이등분선은 한 ⑩ [   ] (외심)에서 만난다.

(2) 외심에서 삼각형의 세 꼭짓점에 이르는 ⑪ [   ] 는 같다.

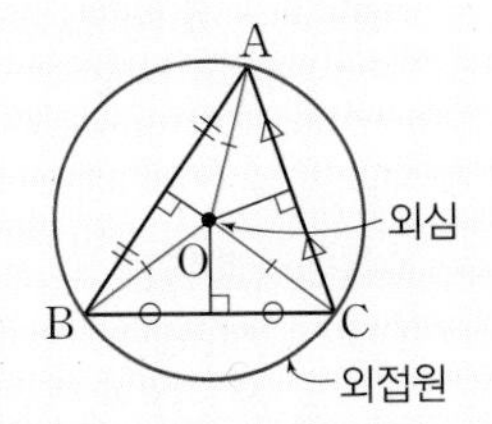

6. 삼각형의 외심의 활용

점 O가 △ABC의 외심일 때

(1)

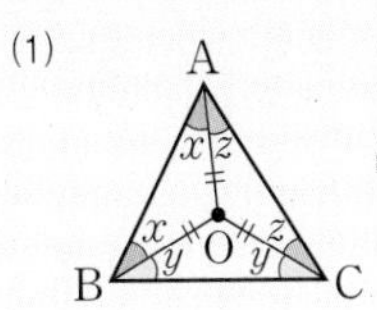

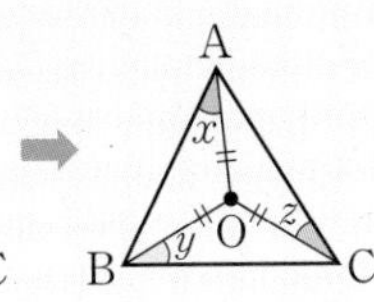

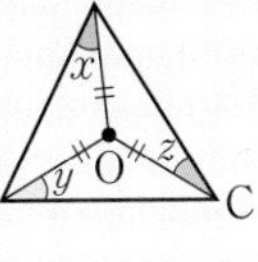

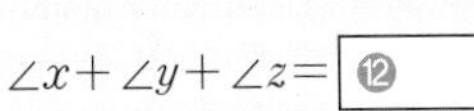

$\angle x+\angle y+\angle z=$ ⑫ [   ]

(2)

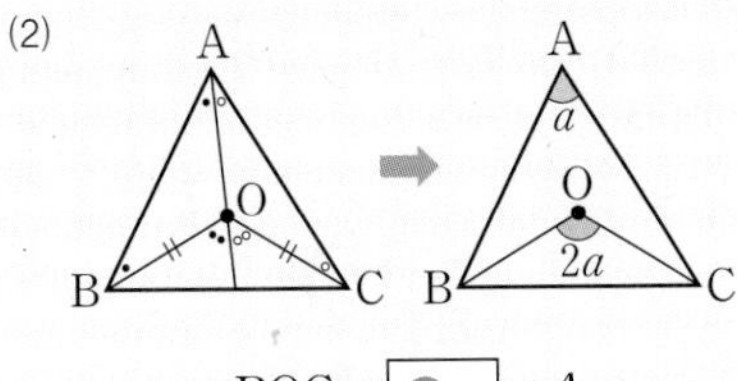

$\angle$BOC$=$ ⑬ [   ] $\angle A$

△ABC의 외심 O가 주어진 문제

(1) 외심 O에서 세 꼭짓점 A, B, C에 이르는 보조선을 긋는다.

(2) $\overline{OA}=\overline{OB}=\overline{OC}$

⇨ 삼각형의 외심의 성질

(3) △ABO, △BCO, △CAO는 모두 이등변삼각형이다.

7-1. 삼각형의 내심

(1) 내접원과 내심 : 다각형의 모든 변이 한 원에 접할 때, 이 원을 주어진 다각형의 내접원이라 하고, 내접원의 중심을 ⑭ [   ] 이라 한다.

(2) 삼각형의 내심 : 삼각형의 세 내각의 ⑮ [   ] 의 교점

삼각형의 내심의 위치

- 모든 삼각형의 내심은 삼각형의 내부에 있다.
- 이등변삼각형
  ⇨ 꼭지각의 이등분선 위
- 정삼각형 ⇨ (내심)=(외심)

7-2. 삼각형의 내심의 성질

(1) 삼각형의 세 내각의 이등분선은 한 ⑯ [   ] (내심)에서 만난다.

(2) 내심에서 삼각형의 세 변에 이르는 ⑰ [   ] 는 같다.

⇨ $\overline{ID}=\overline{IE}=\overline{IF}=$(내접원 I의 반지름의 길이)

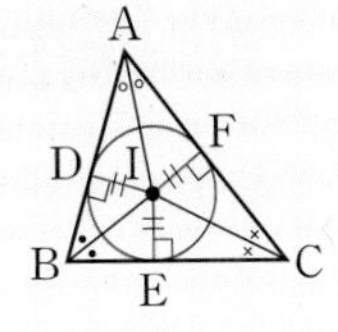

8. 삼각형의 내심의 활용

점 I가 △ABC의 내심일 때

(1)

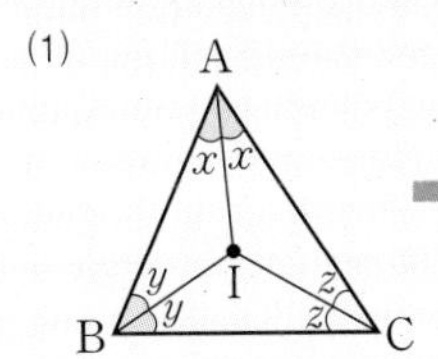

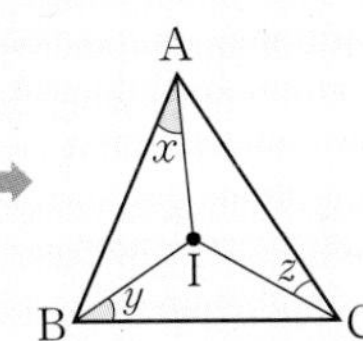

$\angle x+\angle y+\angle z=$ ⑱ [   ]

(2)

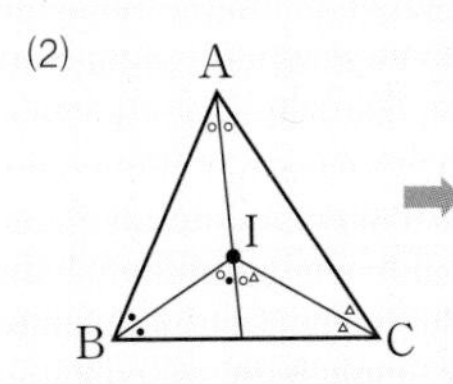

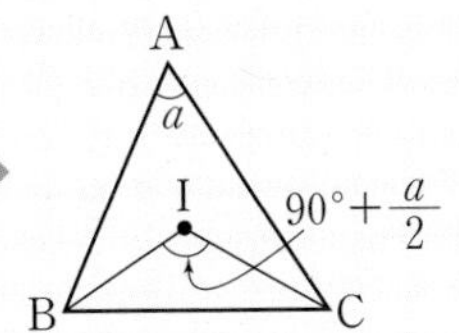

$\angle$BIC$=90^\circ+$ ⑲ [   ] $\angle$A

(3) △ABC의 내접원의 반지름의 길이를 r이라 하면

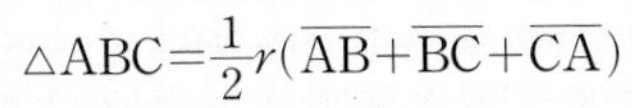

$\triangle ABC=\frac{1}{2}r(\overline{AB}+\overline{BC}+\overline{CA})$

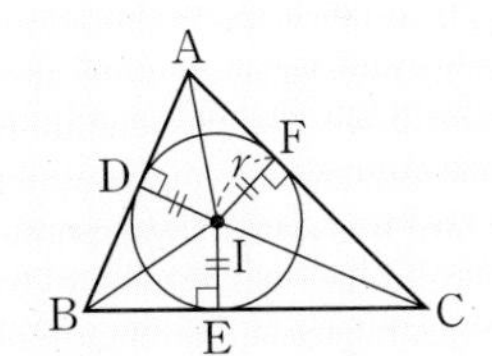

△ADI≡△AFI,
△BDI≡△BEI,
△CEI≡△CFI
⇨ $\overline{AD}=\overline{AF}$, $\overline{BD}=\overline{BE}$, $\overline{CE}=\overline{CF}$

⑩ 점 ⑪ 거리 ⑫ 90° ⑬ 2 ⑭ 내심 ⑮ 이등분선 ⑯ 점 ⑰ 거리 ⑱ 90° ⑲ $\frac{1}{2}$

파르테논 신전

그리스인들은 황금비를 가장 아름답다고 생각하였다. 그중에 유명한 것이 파르테논 신전이다.

여름철의 별자리

여름철 하늘에서 가장 눈에 띄는 별은 견우별, 직녀별, 백조자리의 데네브이다. 이 세 별을 여름철의 대삼각형이라고 부른다.

주상절리

자연을 살펴보면 수학적 현상이나 지하학적인 모양을 찾아볼 수 있다. 주상절리도 다각형과 관련된 자연 현상 중 하나이다.

왜?

황금비를 즐겨 썼을까?
그 답은 바로

가장 아름답다고
생각되는 비율이기 때문

황금비란 직사각형의 가로의 길이와 세로의 길이의 비가 약 1.6 : 1일 때를 말한다. 황금비의 역사는 B.C. 4700년경 건설된 이집트의 피라미드에서 찾아 볼 수 있다.

그리스인들은 황금비를 가장 아름답다고 생각하여 도자기나 의복의 장식은 물론 회화, 건축물에 이르기까지 즐겨 사용하였다. 그중 유명한 것이 파르테논 신전으로 이 신전의 세로의 길이와 가로의 길이(건물의 폭)의 비, 기둥 밑변의 폭과 기둥머리의 길이, 두 기둥의 중심거리와 기둥 밑변의 폭, 기둥의 높이와 두 기둥의 중심거리, 건물의 폭과 기둥의 높이 등이 모두 황금비이다.

이처럼 아름다움의 상징인 황금비는 우리 주변에서 쉽게 찾을 수 있다.

I. 도형의 성질

2. 사각형의 성질

학습 목표

1. 여러가지 사각형의 성질을 이해하고 설명할 수 있다.

01 평행사변형

빠른 정답 03쪽 / 친절한 해설 13쪽

평행사변형 : 두 쌍의 대변이 각각 평행한 사각형
⇨ $\overline{AB} /\!/ \overline{DC}$, $\overline{AD} /\!/ \overline{BC}$

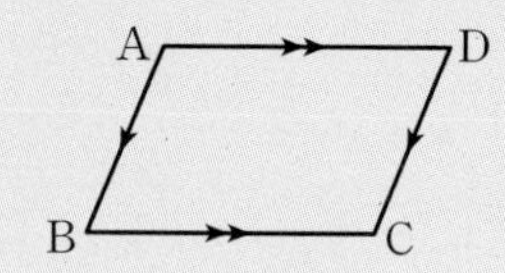

- 대변 : 서로 마주 보는 변
- 대각 : 서로 마주 보는 각

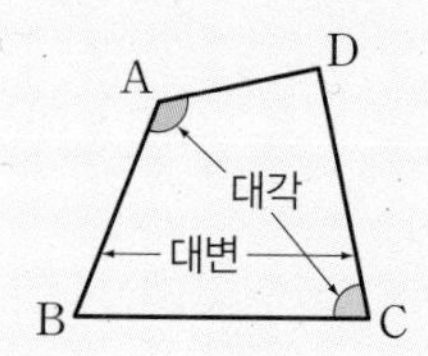

평행사변형

※ 다음 평행사변형 ABCD에서 $\angle x$, $\angle y$의 크기를 구하여라.

01

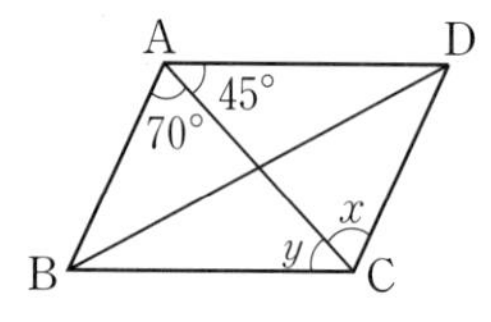

|해설| $\overline{AB} /\!/ \overline{DC}$이므로 $\angle x=$ ☐ (엇각)
$\overline{AD} /\!/ \overline{BC}$이므로 $\angle y=$ ☐ (엇각)

02

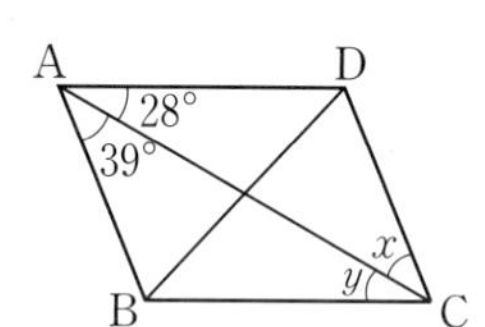

03

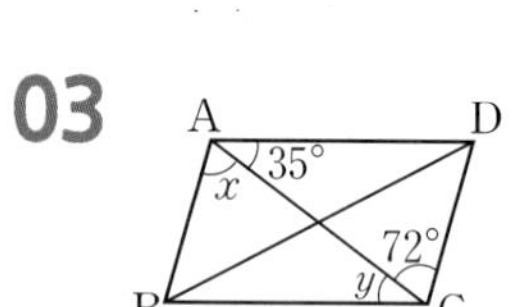

04

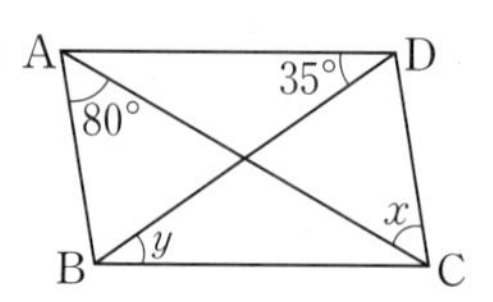

※ 다음 평행사변형 ABCD에서 두 대각선의 교점을 O라 할 때, $\angle x$의 크기를 구하여라.

05

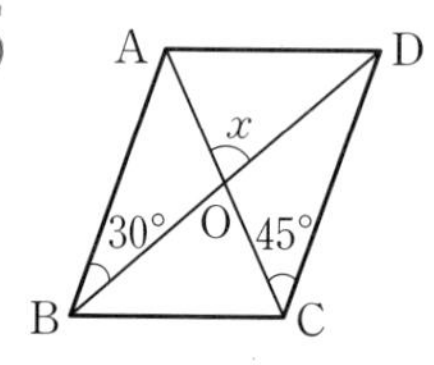

|해설| $\angle CDO=$ ☐ (엇각)이므로
$\triangle OCD$에서 $\angle x=$ ☐ $+45°=$ ☐

06

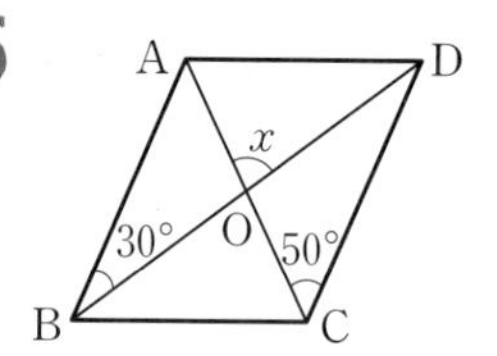

07

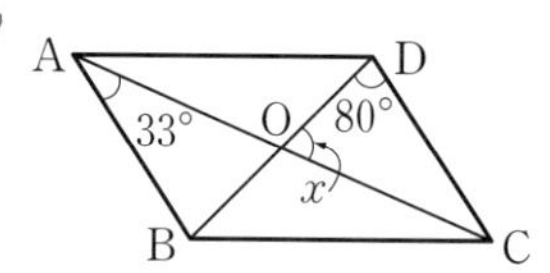

08

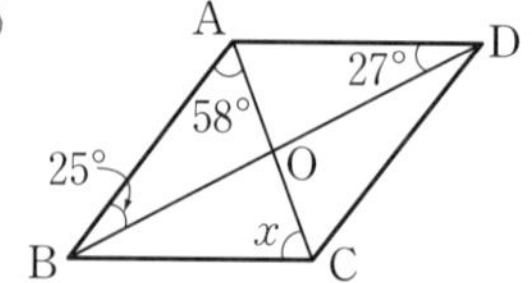

02 평행사변형의 성질

빠른 정답 03쪽 / 친절한 해설 13쪽

(1) 두 쌍의 대변의 길이가 각각 같다. ⇨ $\overline{AB}=\overline{DC}$, $\overline{AD}=\overline{BC}$
(2) 두 쌍의 대각의 크기가 각각 같다. ⇨ $\angle A=\angle C$, $\angle B=\angle D$
(3) 두 대각선은 서로 다른 것을 이등분한다. ⇨ $\overline{AO}=\overline{CO}$, $\overline{BO}=\overline{DO}$

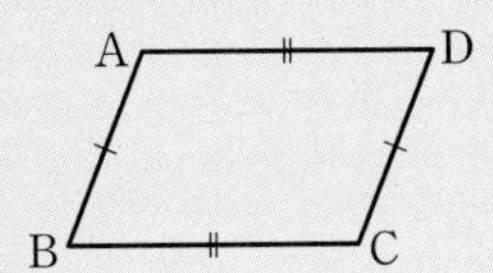

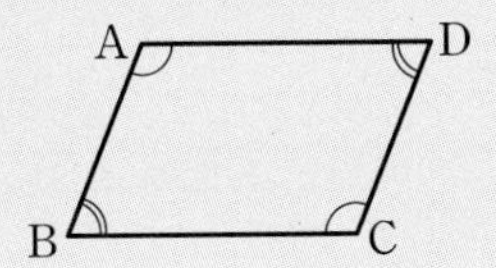

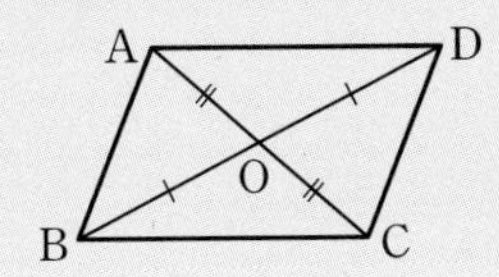

• 평행사변형은 두 쌍의 대변이 각각 평행하므로 이웃하는 두 각의 크기의 합은 180°이다.
⇨ $\angle A+\angle B=\angle B+\angle C$
$=\angle C+\angle D$
$=\angle D+\angle A$
$=180°$

유형 028 평행사변형의 성질 (1)

※ 다음 평행사변형 ABCD에서 x, y의 값을 구하여라.

01

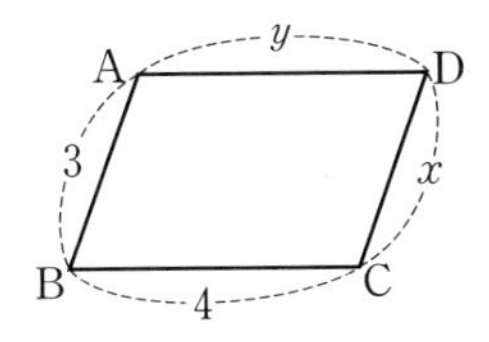

|해설| $\overline{AB}=\overline{DC}$이므로 $x=$☐
$\overline{AD}=\overline{BC}$이므로 $y=$☐

02

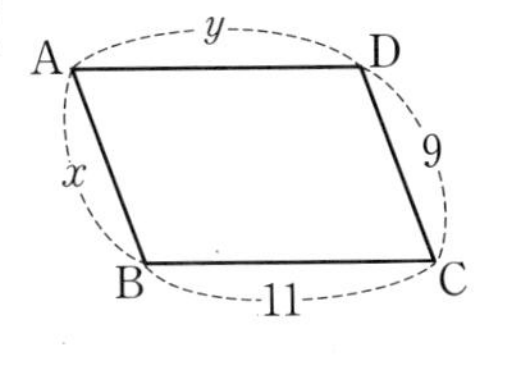

03

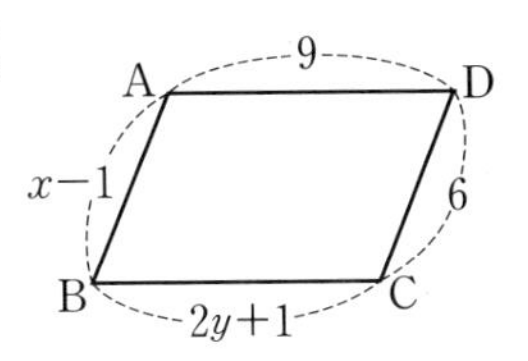

04

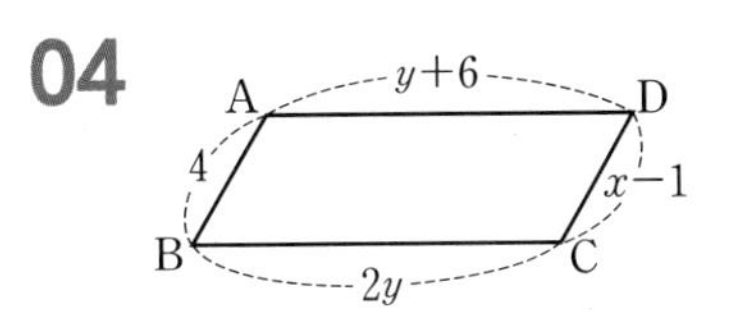

05

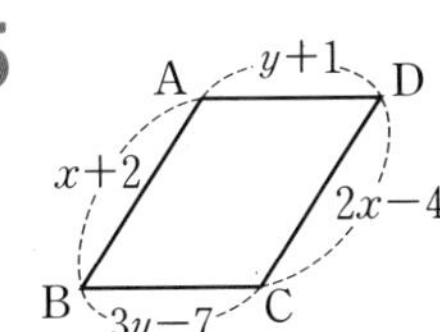

06

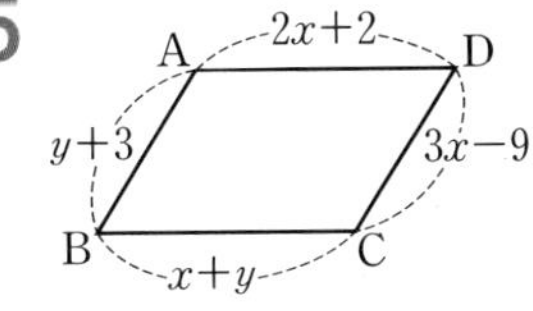

유형 029 평행사변형의 성질 (1) 활용하기

※ 다음 평행사변형 ABCD에서 □ABCD의 둘레의 길이를 구하여라.

07

A, D, 4cm, B, 6cm, C

|해설| $\overline{AB}=\overline{DC}$, $\overline{AD}=\overline{BC}$이므로
□ABCD의 둘레의 길이는
$2\times(4+\square)=\square$(cm)

08

A, D, 6cm, B, 9cm, C

09

A, D, 3cm, B, 5cm, C

10

A, D, 5cm, B, 8cm, C

※ 다음 그림과 같은 평행사변형 ABCD에서 $\overline{AD}$의 중점을 E, $\overline{BE}$의 연장선과 $\overline{CD}$의 연장선이 만나는 점을 F라 할 때, $\overline{CF}$의 길이를 구하여라.

11

F, A, E, D, 5cm, B, 11cm, C

|해설| $\overline{AE}=\overline{DE}$, $\angle A=\angle FDE$ (엇각), $\angle AEB=\angle DEF$이므로 $\triangle ABE\equiv\triangle DFE$ (ASA 합동)
$\overline{DF}=\overline{AB}=5$ cm, $\overline{CD}=\overline{AB}=\square$cm이므로
$\overline{CF}=2\times\square=\square$(cm)

12

F, A, E, D, 7cm, B, 13cm, C

13

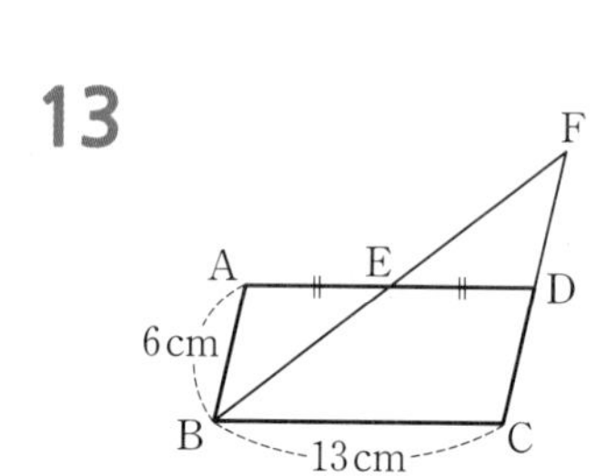

14

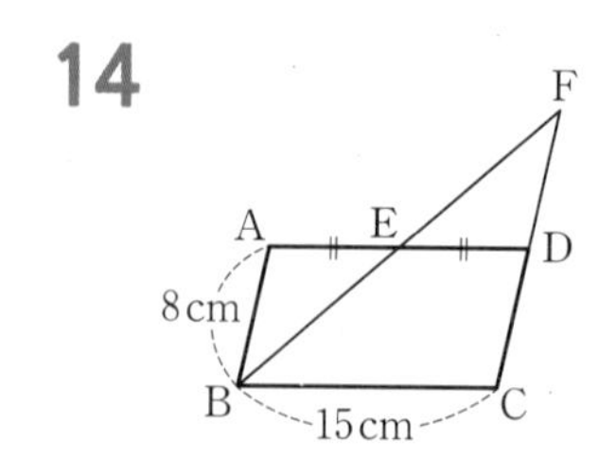

평행사변형의 성질 (2)

※ 다음 평행사변형 ABCD에서 $\angle x$, $\angle y$의 크기를 구하여라.

15

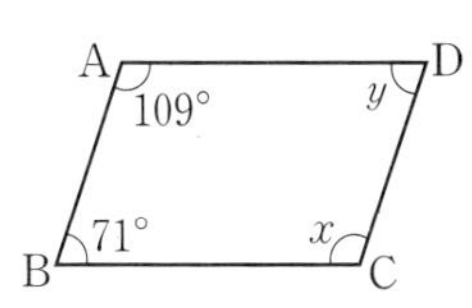

|해설| $\angle A=\angle C$이므로 $\angle x=$ ☐

$\angle B=\angle D$이므로 $\angle y=$ ☐

16

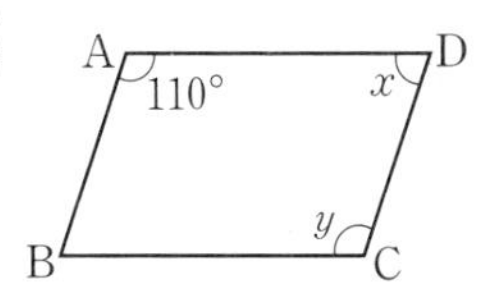

17

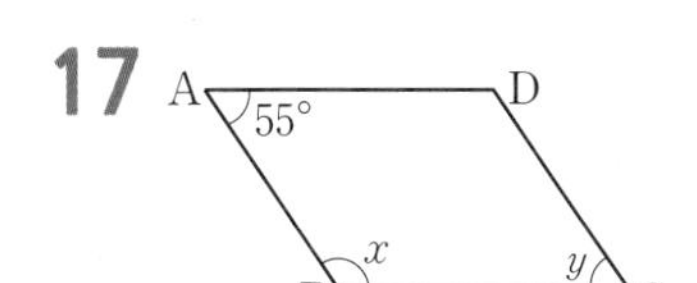

18

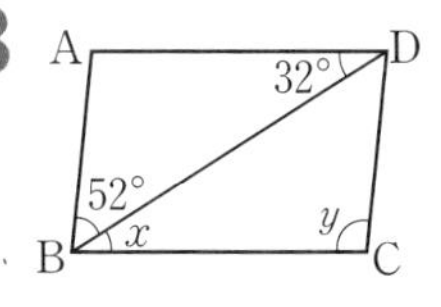

※ 다음 평행사변형 ABCD에서 $\angle x$의 크기를 구하여라.

19

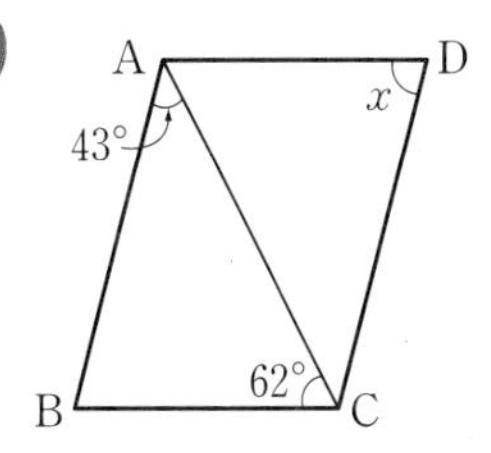

|해설| $\angle B=\angle D=\angle x$이므로 $\triangle ABC$에서

$43°+\angle x+$ ☐ $=180°$이다.

$\angle x=180°-43°-$ ☐ $=$ ☐

20

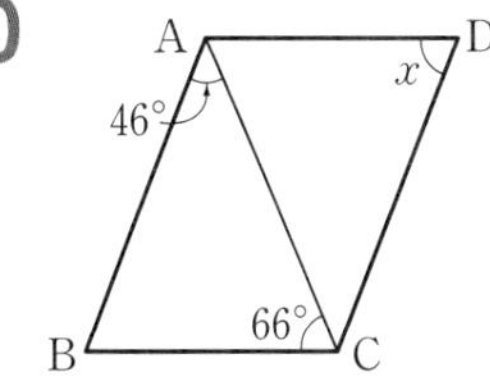

21

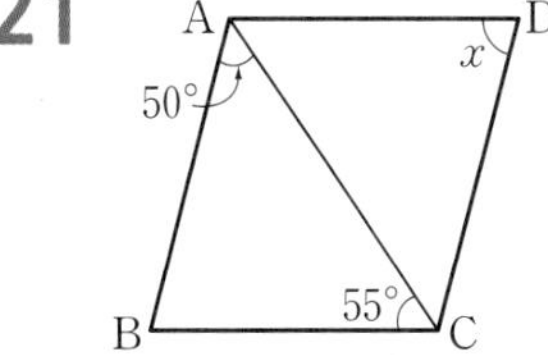

22

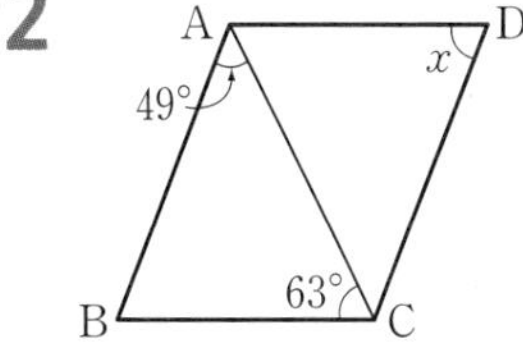

유형 031 평행사변형의 성질 (2) 활용하기

※ 다음 평행사변형 ABCD에서 $\angle$A의 이등분선과 $\overline{CD}$의 연장선의 교점을 E라 할 때, $\angle x$의 크기를 구하여라.

23

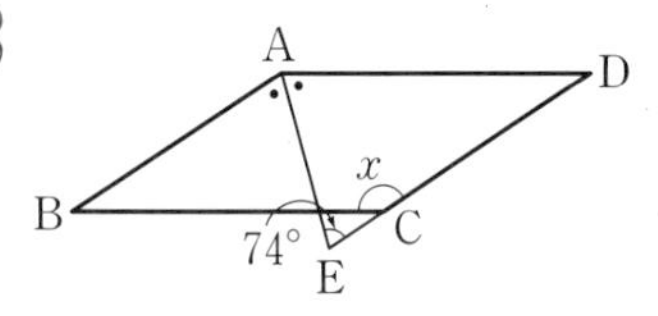

|해설| $\overline{AB} /\!/ \overline{DE}$이므로 $\angle BAE = \angle AED = 74°$ (엇각)

$\angle BAD = 2\angle BAE =$ ☐

$\angle x = \angle BAD =$ ☐

24

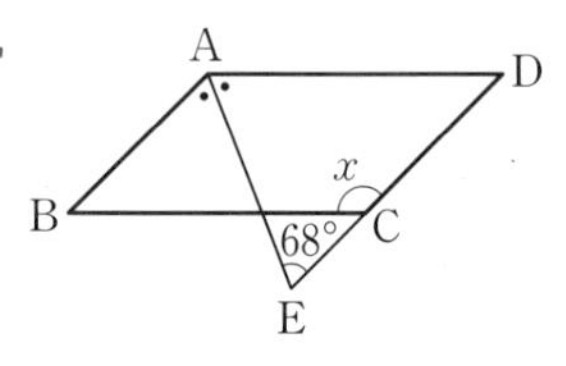

25

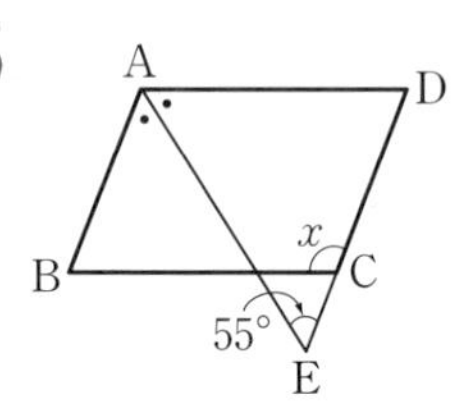

26

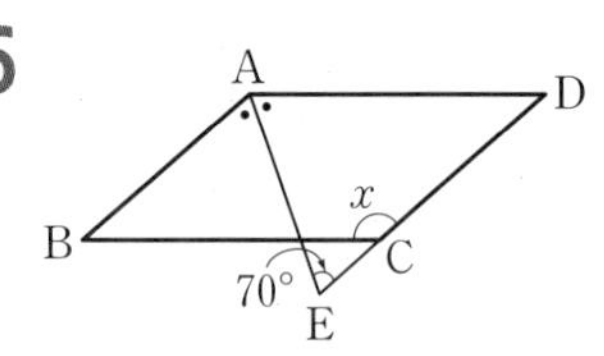

평행사변형의 성질 (3)

※ 다음 평행사변형 ABCD에서 x, y의 값을 구하여라. (단, 점 O는 두 대각선의 교점이다.)

27

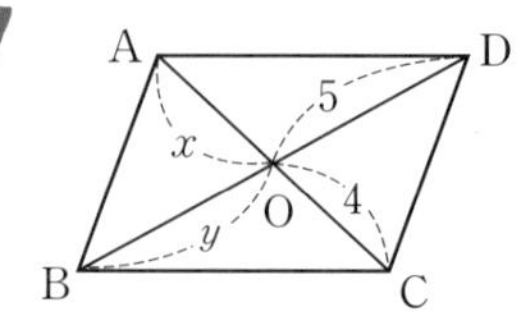

|해설| $\overline{OA} = \overline{OC}$, $\overline{OB} = \overline{OD}$이므로

$x =$ ☐, $y =$ ☐

28

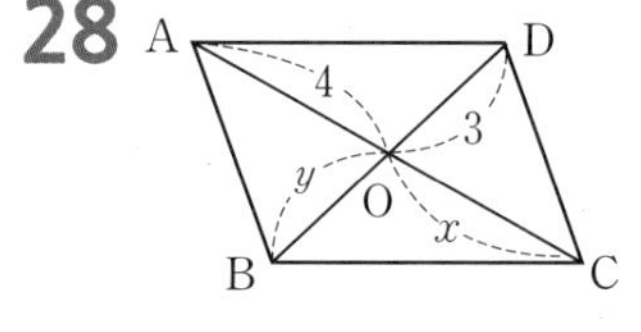

29

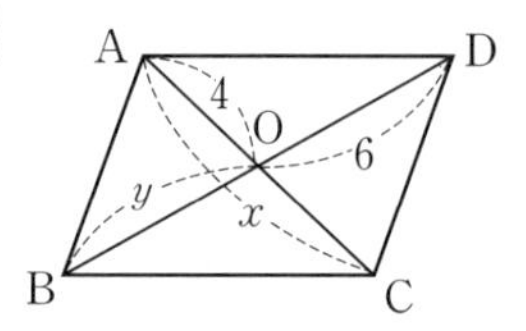

30

A, D, B, C, O, y, 7, x, 16

평행사변형의 성질 (3) 활용하기

※ 다음 평행사변형 ABCD에서 두 대각선의 교점을 O라 할 때, △OAB의 둘레의 길이를 구하여라.

31

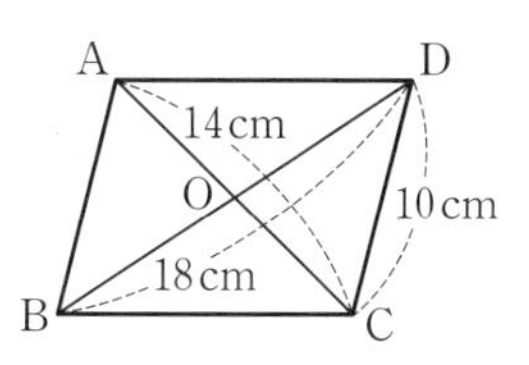

|해설| $\overline{AB}=\overline{DC}=10$ cm, $\overline{AO}=\frac{1}{2}\times14=7$(cm),

$\overline{BO}=\frac{1}{2}\times18=\square$(cm)

(△OAB의 둘레의 길이)

$=10+7+\square=\square$(cm)

32

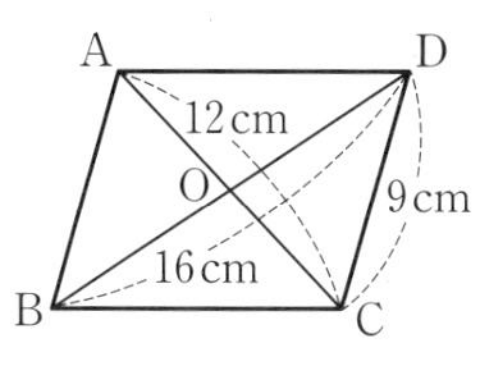

33

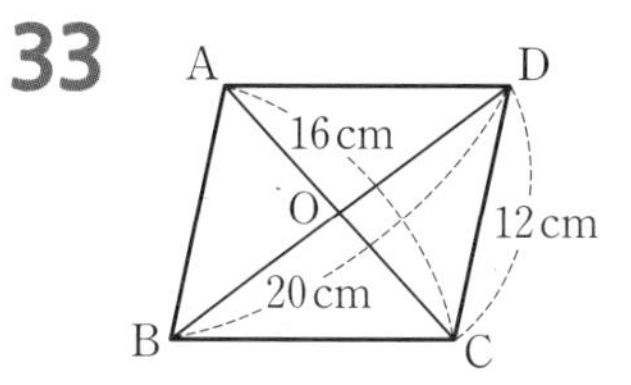

34

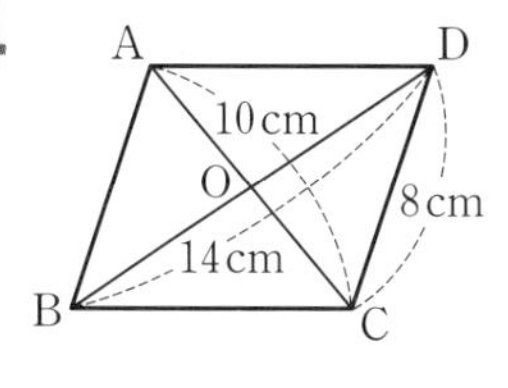

※ 다음 평행사변형 ABCD에서 x의 값을 구하여라.

35

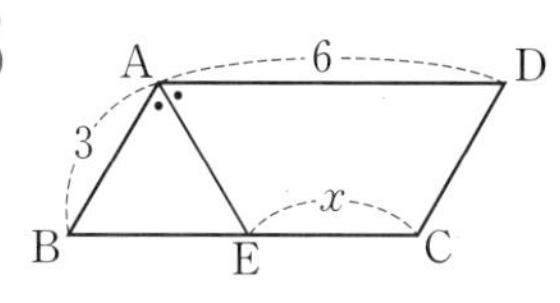

|해설| ∠DAE=∠AEB (엇각)

따라서 △ABE는 이등변삼각형이므로

$\overline{BE}=\overline{BA}=\square$

$\overline{BC}=\overline{AD}=\square$이므로

$x=\overline{BC}-\overline{BE}=\square$

36

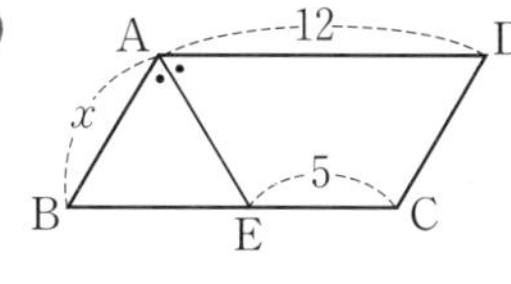

37

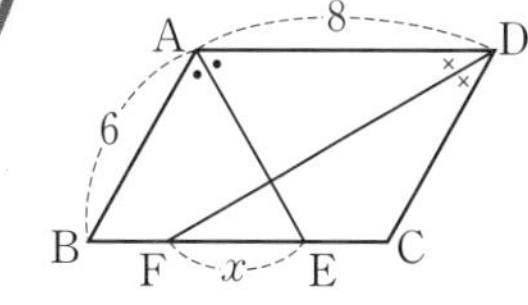

38

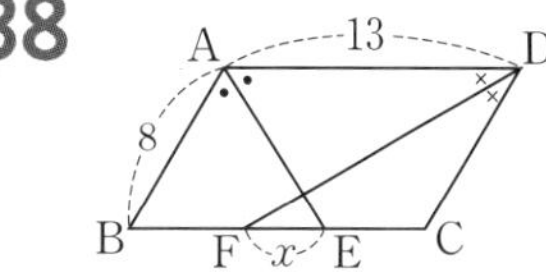

03 평행사변형이 되기 위한 조건

빠른 정답 03쪽 / 친절한 해설 14쪽

다음 조건 중 어느 하나를 만족시키는 사각형은 평행사변형이다.

(1) 두 쌍의 대변이 각각 평행하다. ⇨ $\overline{AB} /\!/ \overline{DC}$, $\overline{AD} /\!/ \overline{BC}$

(2) 두 쌍의 대변의 길이가 각각 같다. ⇨ $\overline{AB}=\overline{DC}$, $\overline{AD}=\overline{BC}$

(3) 두 쌍의 대각의 크기가 각각 같다. ⇨ $\angle A=\angle C$, $\angle B=\angle D$

(4) 두 대각선이 서로 다른 것을 이등분한다. ⇨ $\overline{AO}=\overline{CO}$, $\overline{BO}=\overline{DO}$

(5) 한 쌍의 대변이 평행하고, 그 길이가 같다. ⇨ $\overline{AD} /\!/ \overline{BC}$, $\overline{AD}=\overline{BC}$ (또는 $\overline{AB} /\!/ \overline{DC}$, $\overline{AB}=\overline{DC}$)

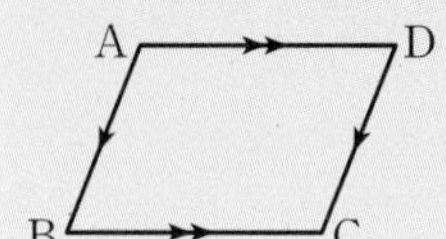

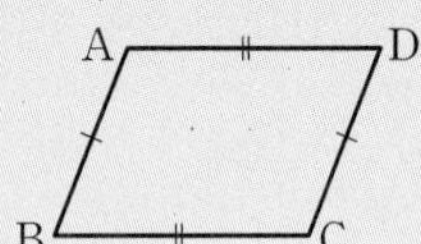

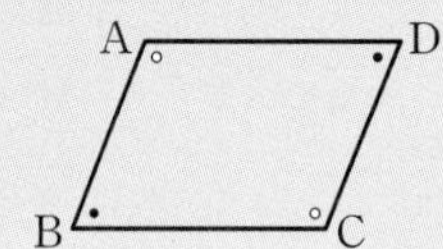

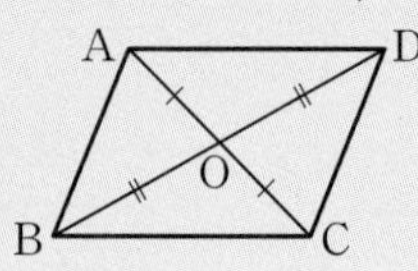

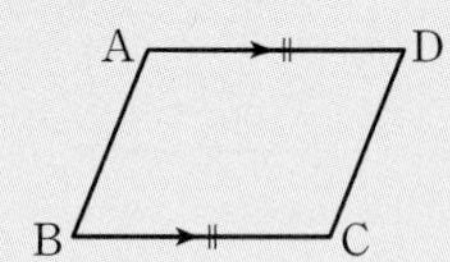

평행사변형이 되기 위한 조건

※ 다음 과정에서 □ 안에 알맞은 것을 써넣어라.

01 다음은 두 쌍의 대변의 길이가 각각 같은 사각형은 평행사변형임을 설명하는 과정이다.

> 대각선 AC를 그으면
> △ABC와 △CDA에서
> $\overline{AB}=\overline{CD}$, $\overline{BC}=\overline{DA}$
> $\overline{AC}$는 공통이므로
> △ABC≡△CDA (□ 합동)
> 따라서 ∠BAC= □ 이므로 $\overline{AB} /\!/ \overline{DC}$ …… ㉠
> ∠ACB= □ 이므로 $\overline{AD} /\!/ \overline{BC}$ …… ㉡
> ㉠, ㉡에 의하여 □ABCD는 평행사변형이다.

02 다음은 두 대각선이 서로 다른 것을 이등분하는 사각형은 평행사변형임을 설명하는 과정이다.

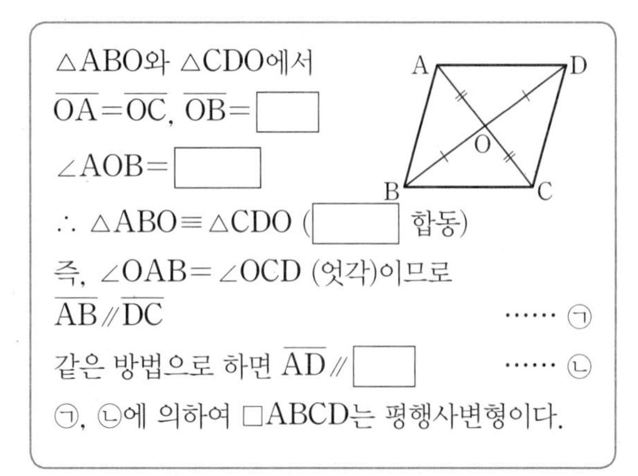

> △ABO와 △CDO에서
> $\overline{OA}=\overline{OC}$, $\overline{OB}=$ □
> ∠AOB= □
> ∴ △ABO≡△CDO (□ 합동)
> 즉, ∠OAB=∠OCD (엇각)이므로
> $\overline{AB} /\!/ \overline{DC}$ …… ㉠
> 같은 방법으로 하면 $\overline{AD} /\!/$ □ …… ㉡
> ㉠, ㉡에 의하여 □ABCD는 평행사변형이다.

※ 다음 □ABCD가 평행사변형이 되는 조건을 아래 그림에 표시하여라. (단, 점 O는 두 대각선의 교점이다.)

03 두 쌍의 대변이 각각 평행하다.

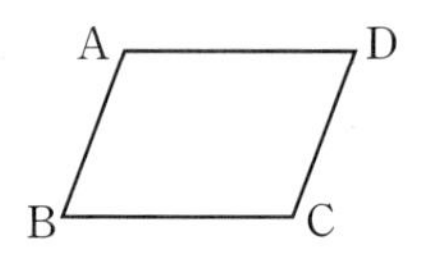

04 두 쌍의 대변의 길이가 각각 같다.

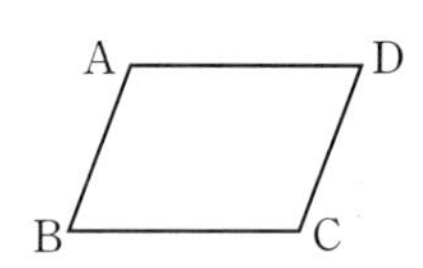

05 두 쌍의 대각의 크기가 각각 같다.

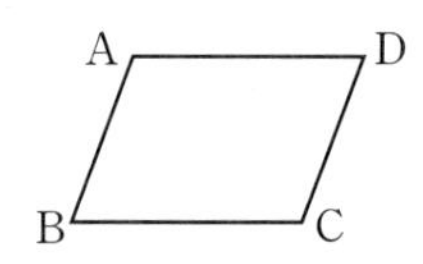

06 두 대각선이 서로 다른 것을 이등분한다.

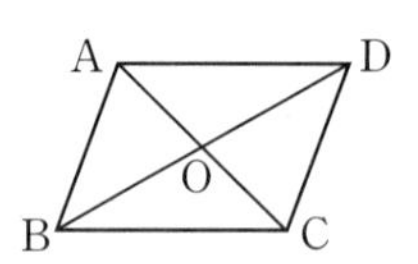

07 한 쌍의 대변이 평행하고, 그 길이가 같다.

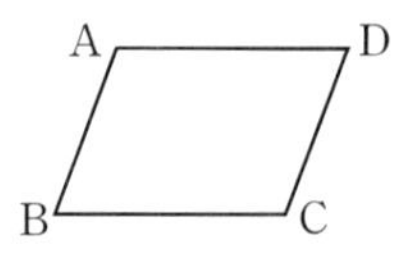

평행사변형이 되기 위한 조건 찾기

※ □ABCD가 평행사변형인 것에는 ○표, 그렇지 않은 것에는 ×표 하여라. (단, 점 O는 두 대각선의 교점이다.)

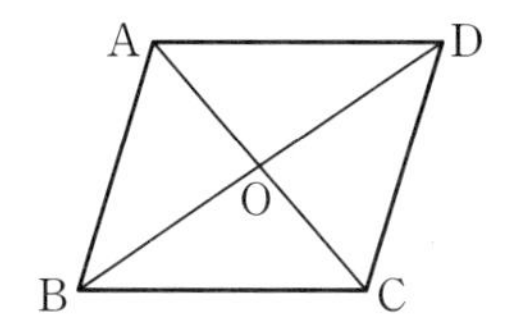

08 $\overline{AB}=\overline{DC}$, $\overline{AD}=\overline{BC}$ (　　)

|해설| 두 쌍의 대변의 ☐가 각각 같다.

09 $\overline{AB}=\overline{DC}$, $\overline{AD}/\!/\overline{BC}$ (　　)

10 $\overline{AB}/\!/\overline{DC}$, $\overline{AD}/\!/\overline{BC}$ (　　)

11 $\overline{OA}=\overline{OD}$, $\overline{AD}/\!/\overline{BC}$ (　　)

12 $\overline{AD}=\overline{BC}$, $\overline{AD}/\!/\overline{BC}$ (　　)

13 $\overline{OA}=\overline{OB}$, $\overline{OC}=\overline{OD}$ (　　)

14 $\overline{AB}=\overline{DC}$, $\overline{AC}=\overline{BD}$ (　　)

15 $\angle A=\angle C$, $\angle B=\angle D$ (　　)

16 $\angle OAB=\angle OCD$, $\angle OAD=\angle OCB$ (　　)

※ 다음 사각형 중에서 평행사변형인 것에는 ○표, 그렇지 않은 것에는 ×표 하여라.

17 (　　)

|해설| 두 쌍의 대변의 ☐가 각각 같다.

18 (　　)

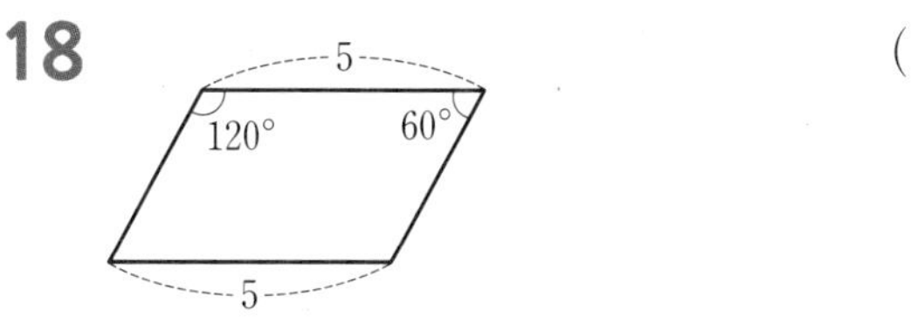

19 (　　)

20 (　　)

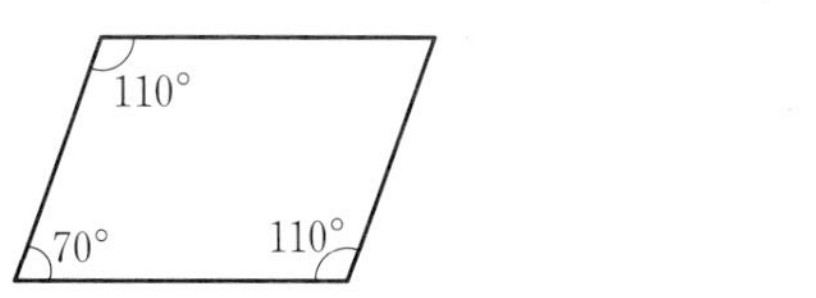

21 (　　)

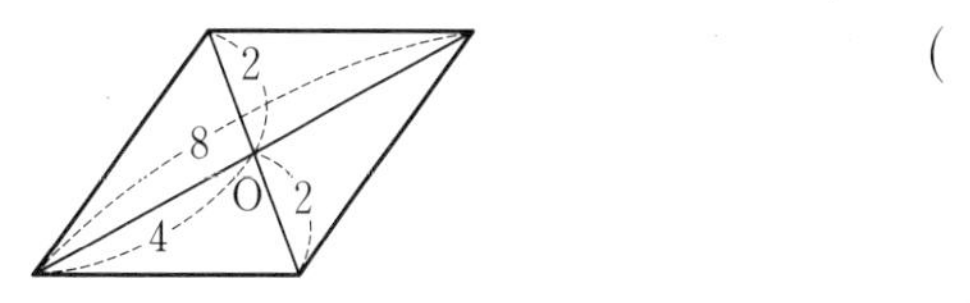

22 (　　)

유형 036 평행사변형이 되도록 하는 미지수의 값 구하기

※ 다음 그림과 같은 □ABCD가 평행사변형이 되도록 하는 $\angle x$, $\angle y$의 크기를 각각 구하여라.

23

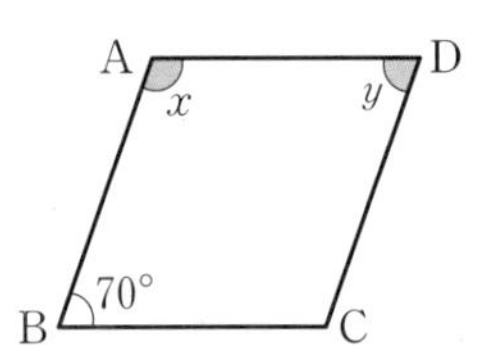

|해설| $\angle A + \angle B = 180°$이므로
$\angle x = 180° - 70° = $ ☐
$\angle B = \angle D$이므로 $\angle y = $ ☐

24

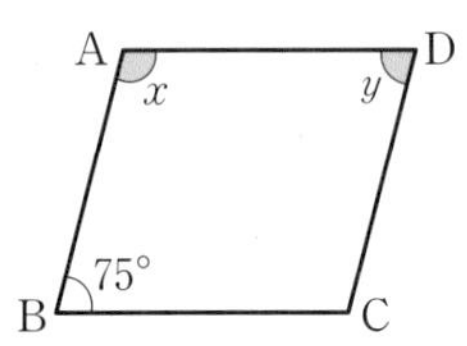

25

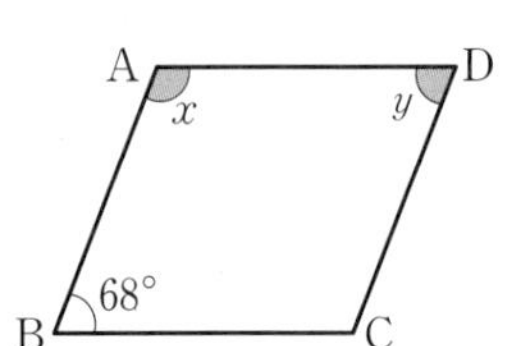

26

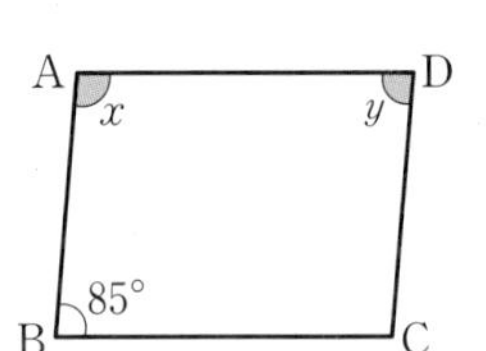

※ 다음 그림과 같은 □ABCD가 평행사변형이 되도록 하는 x, y에 대하여 $x+y$의 값을 구하여라.

27

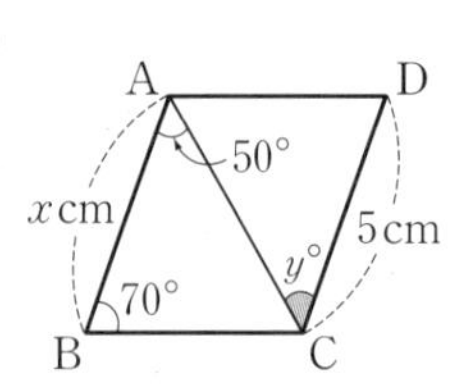

|해설| $\overline{AB} = \overline{DC}$이므로 $x = 5$
$\overline{AB} /\!/ \overline{DC}$이므로 $\angle DCA = \angle BAC$에서 $y = $ ☐
$x + y = 5 + $ ☐ $=$ ☐

28

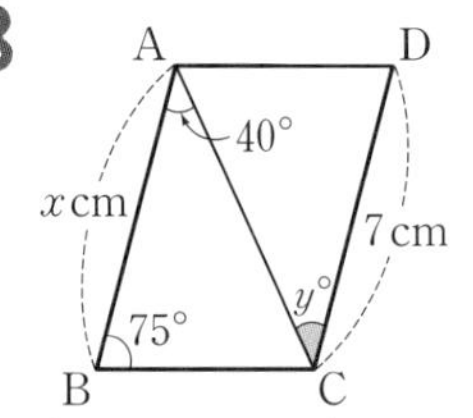

29

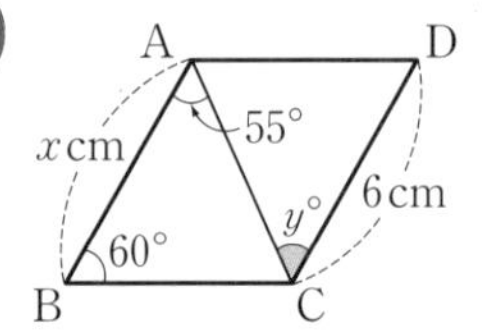

30

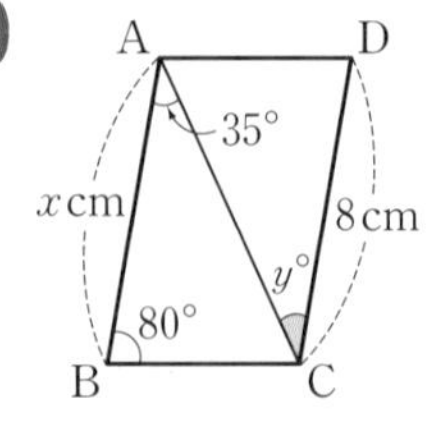

04 평행사변형이 되기 위한 조건의 활용

빠른 정답 03쪽 / 친절한 해설 14쪽

□ABCD가 평행사변형일 때, □EBFD는 모두 평행사변형이다.

(1) $\angle ABE = \angle EBF$, $\angle EDF = \angle FDC$이면
$\angle EBF = \angle EDF$, $\angle BED = \angle BFD$
⇨ 두 쌍의 대각의 크기가 각각 같다.

(2) $\overline{OE} = \overline{OF}$ (또는 $\overline{AE} = \overline{CF}$)이면
$\overline{OE} = \overline{OF}$, $\overline{OB} = \overline{OD}$
⇨ 두 대각선이 서로 다른 것을 이등분한다.

(3) $\overline{AE} = \overline{CF}$ (또는 $\overline{EB} = \overline{DF}$)이면
$\overline{EB} /\!/ \overline{DF}$, $\overline{EB} = \overline{DF}$
⇨ 한 쌍의 대변이 평행하고, 그 길이가 같다.

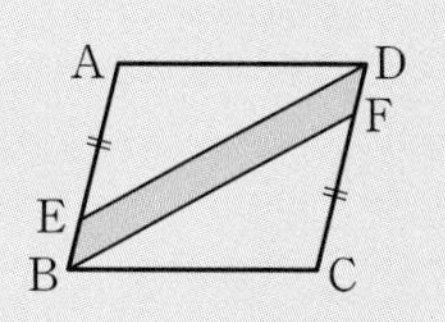

(4) $\angle AEB = \angle CFD = 90°$이면
$\overline{EB} /\!/ \overline{DF}$, $\overline{EB} = \overline{DF}$
⇨ 한 쌍의 대변이 평행하고, 그 길이가 같다.

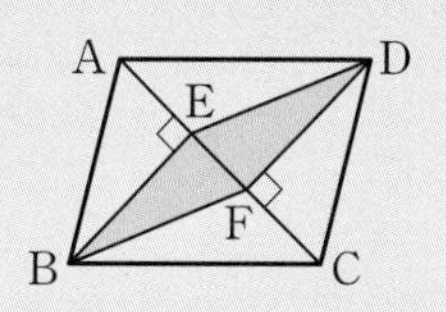

(5) $\overline{AS} = \overline{SD} = \overline{BQ} = \overline{QC}$, $\overline{AP} = \overline{PB} = \overline{DR} = \overline{RC}$이면
$\overline{EB} /\!/ \overline{DF}$, $\overline{ED} /\!/ \overline{BF}$
⇨ 두 쌍의 대변이 각각 평행하다.

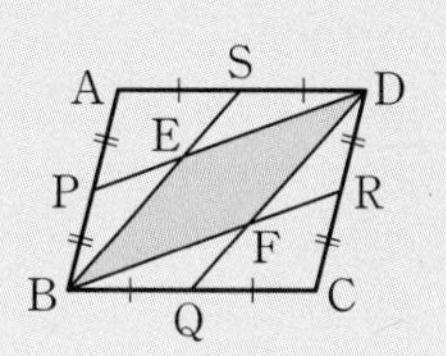

• 평행사변형의 성질과 삼각형의 합동 조건, 평행선과 엇각의 성질을 이용하여 평행사변형이 되는 조건을 찾는다.
• 어떤 사각형이 평행사변형임을 설명할 때, 평행사변형이 되는 조건 중 하나가 성립함을 보인다.

새로운 사각형이 평행사변형이 되기 위한 조건

01 다음은 오른쪽 그림과 같은 평행사변형 ABCD에서 $\angle B$, $\angle D$의 이등분선이 $\overline{AD}$, $\overline{BC}$와 만나는 점을 각각 P, Q라고 할 때, □PBQD가 평행사변형임을 설명하는 과정이다. □ 안에 알맞은 것을 써넣어라.

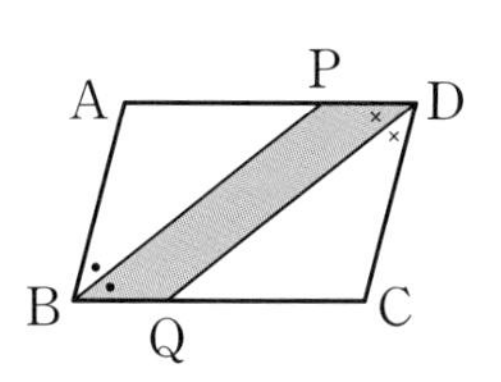

> $\angle B = \angle D$이므로
> $\angle PBQ = \frac{1}{2}\angle B = \frac{1}{2}\angle D = \angle PDQ$ ...... ㉠
> $\overline{AD} /\!/ \overline{BC}$이므로 $\angle APB = \angle PBQ$ (엇각),
> $\angle DQC = \angle PDQ$ (엇각)
> 따라서 $\angle APB =$ □이므로
> $\angle DPB =$ □ ...... ㉡
> ㉠, ㉡에 의하여 두 쌍의 대각의 크기가 각각 같으므로 □PBQD는 평행사변형이다.

02 다음은 오른쪽 그림과 같은 평행사변형 ABCD의 각 변의 중점을 각각 P, Q, R, S라 하고 $\overline{AQ}$와 $\overline{PC}$의 교점을 E, $\overline{AR}$와 $\overline{CS}$의 교점을 F라고 할 때, □AECF가 평행사변형임을 설명하는 과정이다. □ 안에 알맞은 것을 써넣어라.

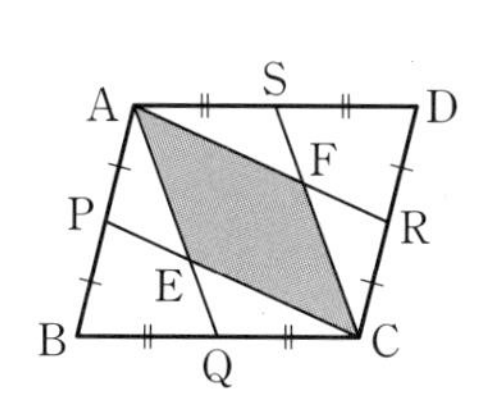

> □AQCS에서 $\overline{AS} /\!/ \overline{QC}$, $\overline{AS} =$ □
> 즉, □AQCS는 평행사변형이므로
> $\overline{AE} /\!/$ □ ...... ㉠
> □APCR에서 $\overline{AP} /\!/ \overline{RC}$, $\overline{AP} =$ □
> 즉, □APCR는 평행사변형이므로
> $\overline{AF} /\!/$ □ ...... ㉡
> ㉠, ㉡에 의하여 두 쌍의 대변이 각각 평행하므로 □AECF는 평행사변형이다.

유형 038 평행사변형이 되기 위한 조건의 활용

※ 평행사변형 ABCD에서 두 꼭짓점 ∠C, ∠A의 이등분선이 $\overline{AD}$, $\overline{BC}$와 만나는 점을 각각 E, F라 할 때, □ 안에 알맞은 것을 써넣어라.

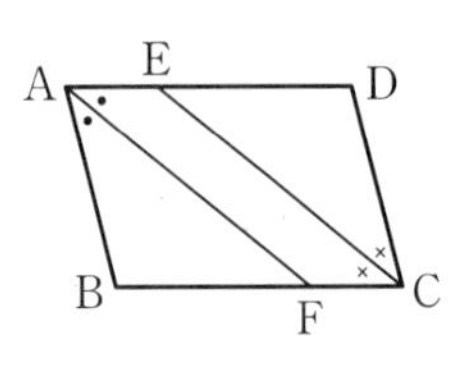

03 $\overline{AF}=$ ☐

|해설| 한 쌍의 대변이 평행하고 그 길이가 같으면 평행사변형임을 이용한다.
□AFCE가 평행사변형이므로 $\overline{AF}=$ ☐ 이다.

04 $\overline{AE}=$ ☐

05 ∠AFC= ☐

06 ∠FAE= ☐

학교시험 필수예제

07 오른쪽 그림과 같은 평행사변형 ABCD에서 ∠A, ∠C의 이등분선이 $\overline{BC}$, $\overline{AD}$와 만나는 점을 각각 E, F라고 할 때, □AECF의 둘레의 길이를 구하여라.

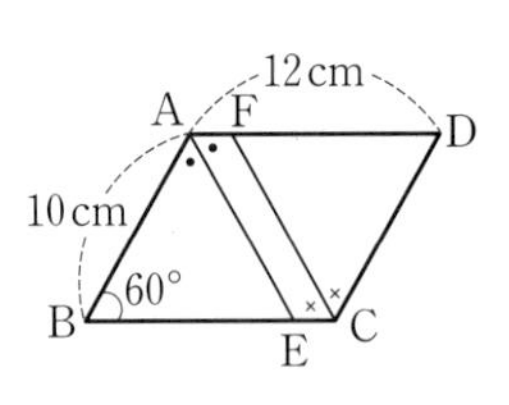

※ 다음 그림은 평행사변형 ABCD에서 변 AD, BC 위에 $\overline{AE}=\overline{CF}$가 되도록 두 점 E, F를 잡은 것이다. $\angle x$의 크기를 구하여라.

08

A, E, D, x, B, 65°, F, C

|해설| $\angle AFC=180°-65°=$ ☐
□AFCE가 평행사변형이므로
$\angle x=\angle AFC=$ ☐

09

A, E, D, x, B, 60°, F, C

10

11

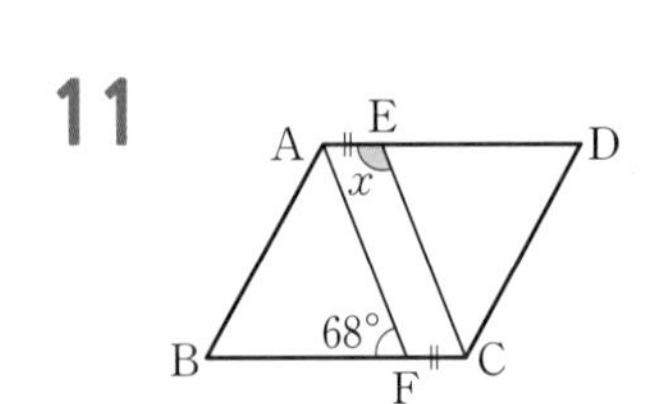

05 평행사변형과 넓이

빠른 정답 03쪽 / 친절한 해설 15쪽

평행사변형 ABCD에서

(1) 평행사변형의 넓이는 한 대각선에 의해 이등분된다.

$\triangle ABC = \triangle CDA$

$= \frac{1}{2}\square ABCD$

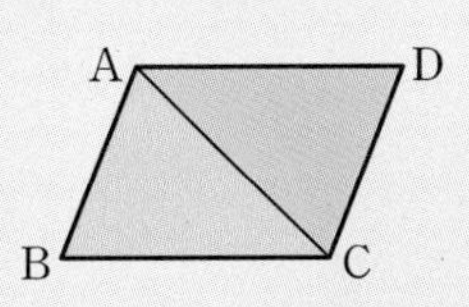

(2) 평행사변형의 넓이는 두 대각선에 의하여 사등분된다.

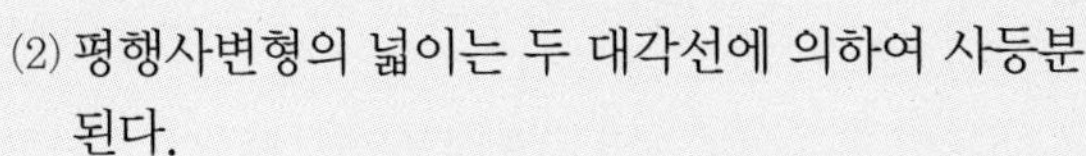

$\triangle ABO = \triangle BCO = \triangle CDO = \triangle DAO$

$= \frac{1}{4}\square ABCD$

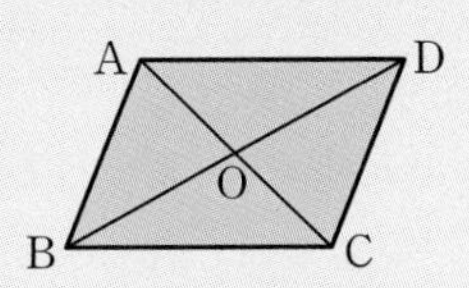

(3) 평행사변형의 내부의 한 점 P에 대하여

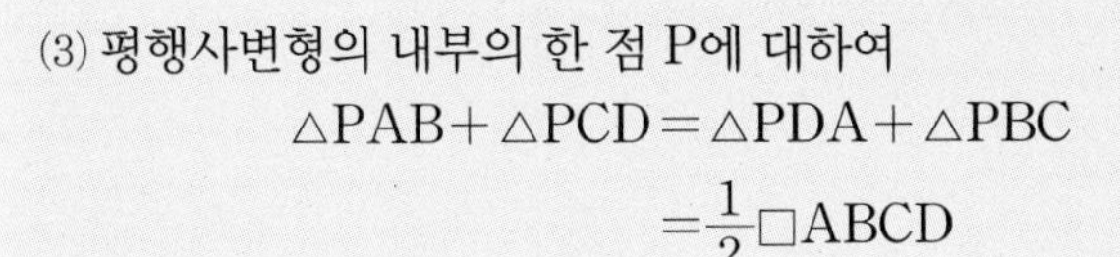

$\triangle PAB + \triangle PCD = \triangle PDA + \triangle PBC$

$= \frac{1}{2}\square ABCD$

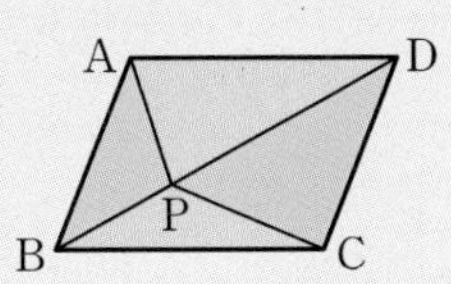

• 평행사변형 ABCD에서 다음이 성립한다.

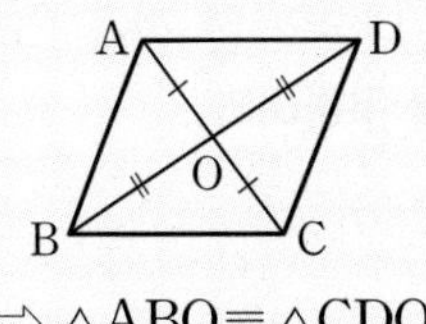

⇨ $\triangle ABO \equiv \triangle CDO$,
$\triangle BCO \equiv \triangle DAO$

평행사변형의 넓이 (1)

※ 오른쪽 그림과 같은 평행사변형 ABCD에서 두 대각선의 교점을 O라 할 때, 다음을 구하여라.

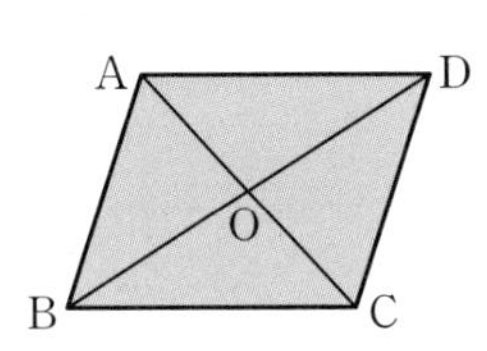

01 $\triangle ABC$의 넓이가 5 cm^2일 때, $\square ABCD$의 넓이

|해설| $\square ABCD = 2\triangle ABC = 2\times\square = \square(cm^2)$

02 $\triangle BCD$의 넓이가 3 cm^2일 때, $\square ABCD$의 넓이

03 $\triangle CDO$의 넓이가 6 cm^2일 때, $\square ABCD$의 넓이

|해설| $\square ABCD = 4\triangle CDO = 4\times\square = \square(cm^2)$

04 $\triangle DAO$의 넓이가 7 cm^2일 때, $\square ABCD$의 넓이

※ 오른쪽 그림과 같은 평행사변형 ABCD에서 두 대각선의 교점을 O라 할 때, 다음을 구하여라.

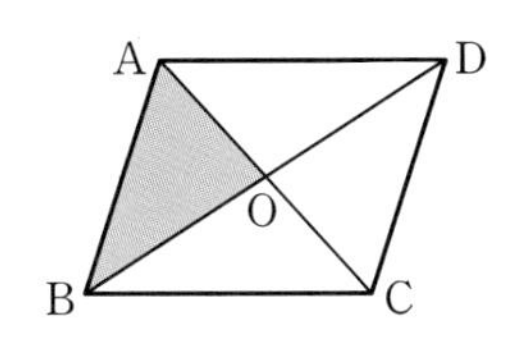

05 $\square ABCD$의 넓이가 36 cm^2일 때, $\triangle ABO$의 넓이

|해설| $\triangle ABO = \frac{1}{4}\square ABCD$

$= \frac{1}{4}\times\square = \square(cm^2)$

06 $\square ABCD$의 넓이가 40 cm^2일 때, $\triangle OBC$의 넓이

07 $\square ABCD$의 넓이가 32 cm^2일 때, $\triangle OAB$와 $\triangle OCD$의 넓이의 합

08 $\square ABCD$의 넓이가 60 cm^2일 때, $\triangle OBC$와 $\triangle OAD$의 넓이의 합

평행사변형의 넓이 (2)

※ 오른쪽 그림과 같은 평행사변형 ABCD의 내부의 한 점을 P라 할 때, 다음을 구하여라.

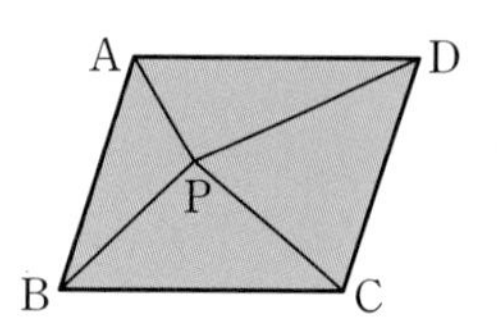

09 $\triangle PAB=10\text{ cm}^2$, $\triangle PCD=15\text{ cm}^2$일 때, $\square ABCD$의 넓이

|해설| $\triangle PAB+\triangle PCD=\frac{1}{2}\square ABCD$이므로

$10+\square=\frac{1}{2}\square ABCD$

$\square ABCD=\square(\text{cm}^2)$

10 $\triangle PAB=8\text{ cm}^2$, $\triangle PCD=14\text{ cm}^2$일 때, $\square ABCD$의 넓이

11 $\triangle PAB=9\text{ cm}^2$, $\triangle PCD=17\text{ cm}^2$일 때, $\square ABCD$의 넓이

12 $\triangle PBC=11\text{ cm}^2$, $\triangle PDA=17\text{ cm}^2$일 때, $\square ABCD$의 넓이

13 $\triangle PBC=5\text{ cm}^2$, $\triangle PDA=11\text{ cm}^2$일 때, $\square ABCD$의 넓이

※ 오른쪽 그림과 같은 평행사변형 ABCD의 내부의 한 점을 P라 할 때, 다음을 구하여라.

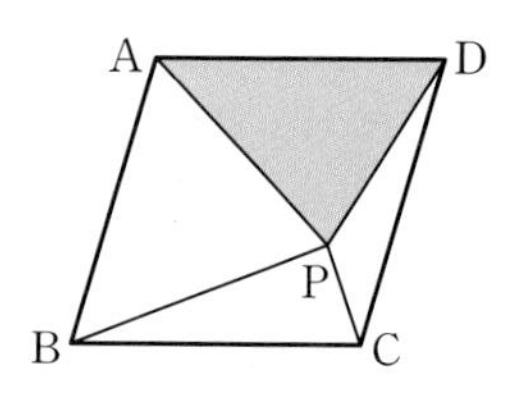

14 $\square ABCD=30\text{ cm}^2$, $\triangle PBC=6\text{ cm}^2$일 때, $\triangle PDA$의 넓이

|해설| $\triangle PDA+\triangle PBC=\frac{1}{2}\square ABCD$이므로

$\triangle PDA+\square=\frac{1}{2}\times 30$

$\triangle PDA=15-\square=\square(\text{cm}^2)$

15 $\square ABCD=50\text{ cm}^2$, $\triangle PBC=10\text{ cm}^2$일 때, $\triangle PDA$의 넓이

16 $\square ABCD=60\text{ cm}^2$, $\triangle PBC=13\text{ cm}^2$일 때, $\triangle PDA$의 넓이

학교시험 필수예제

17 오른쪽 그림과 같은 평행사변형 ABCD의 내부의 한 점 P에 대하여 $\triangle PAB=x\text{ cm}^2$, $\triangle PBC=10\text{ cm}^2$, $\triangle PCD=4\text{ cm}^2$, $\triangle PDA=y\text{ cm}^2$일 때, $x-y$의 값은?

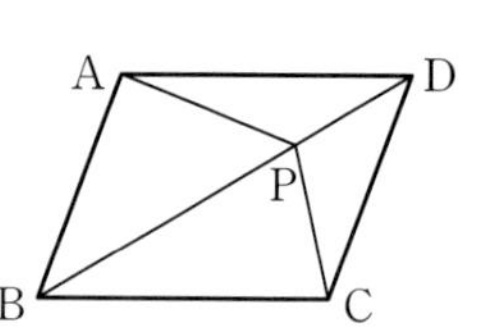

① 2 ② 3 ③ 4
④ 5 ⑤ 6

빠른 정답 03쪽 / 친절한 해설 15쪽

1. **직사각형의 뜻** : 네 내각의 크기가 같은 사각형
2. **직사각형의 성질** : 두 대각선의 길이가 같고, 서로 다른 것을 이등분한다.
   ⇨ $\overline{AC}=\overline{BD}$, $\overline{AO}=\overline{BO}=\overline{CO}=\overline{DO}$
3. **평행사변형이 직사각형이 되는 조건**
   (1) 한 내각이 직각이다.
   (2) 두 대각선의 길이가 같다.

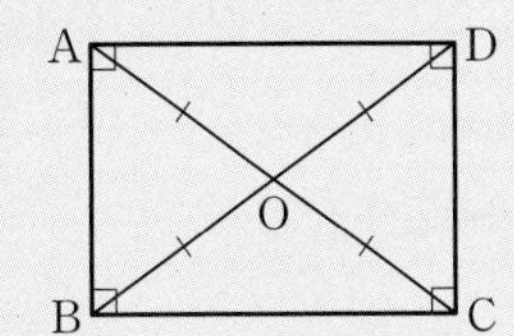

• 직사각형은 두 쌍의 대각의 크기가 각각 같으므로 평행사변형이다.

직사각형의 뜻과 성질

※ 다음 그림과 같은 직사각형 ABCD에 대하여 x의 값을 구하여라.

01

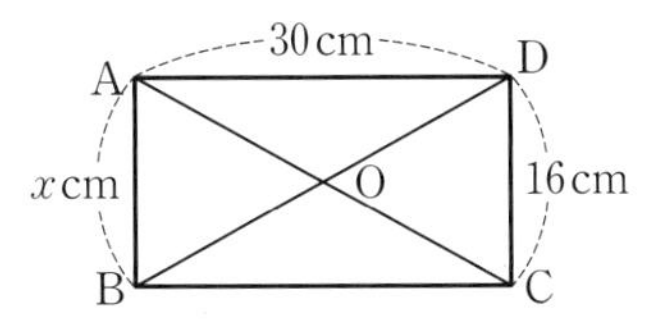

|해설| 직사각형의 대변의 길이는 같으므로
$x=$ ☐

02

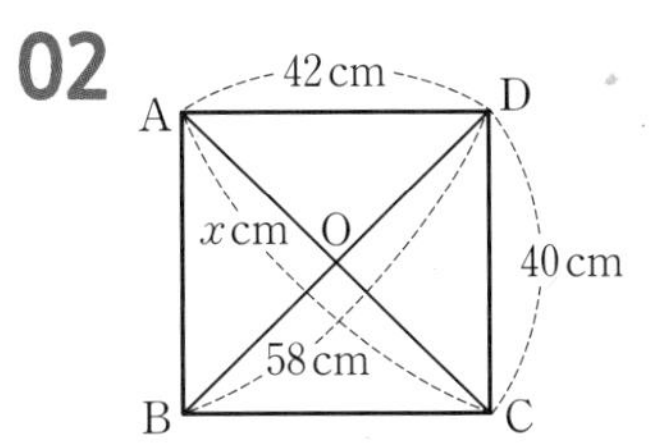

03

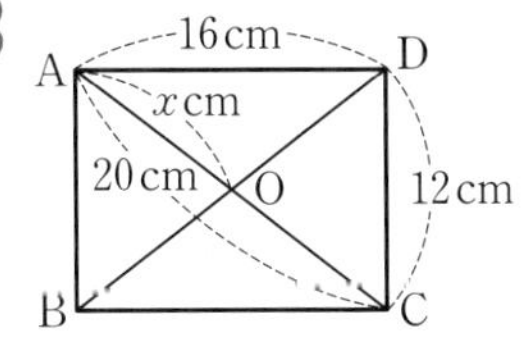

|해설| 직사각형의 두 대각선은 길이가 같고, 서로 다른 것을 이등분하므로
$x=\frac{1}{2}\times\overline{AC}=\frac{1}{2}\times$ ☐ $=$ ☐

04

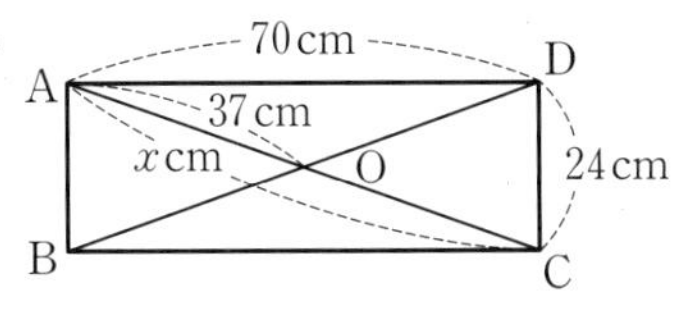

※ 다음 그림에서 □ABCD가 직사각형이고 두 대각선의 교점이 O일 때, $x+y$의 값을 구하여라.

05

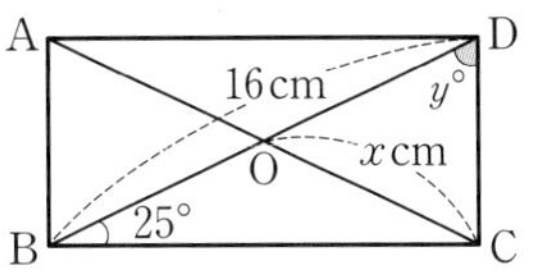

A, D, 16 cm, $y°$, O, x cm, B, 25°, C

|해설| $x=\frac{1}{2}\times16=$ ☐
$y=90-25=$ ☐
$x+y=$ ☐ $+$ ☐ $=$ ☐

06

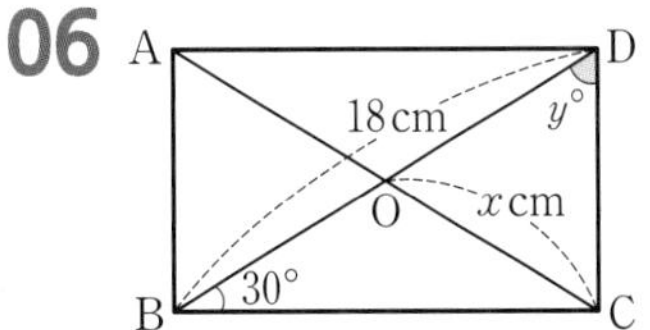

07

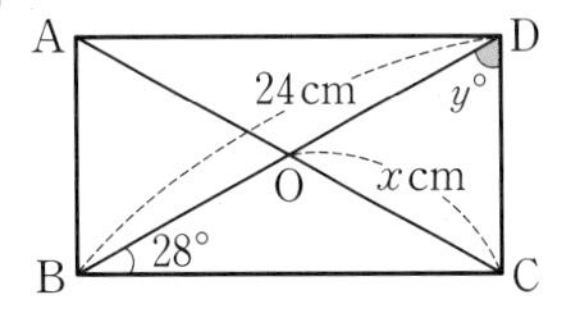

08

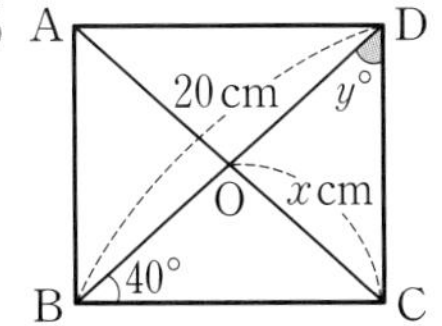

평행사변형이 직사각형이 되는 조건

09 다음은 두 대각선의 길이가 같은 평행사변형이 직사각형이 됨을 설명하는 과정이다. □ 안에 알맞은 것을 써넣어라.

> 평행사변형 ABCD에서 두 대각선을 AC, BD라 하자.
> △ABC와 △DCB에서
> $\overline{AC}=\overline{BD}$, $\overline{AB}=$□
> $\overline{BC}$는 공통이므로
> △ABC≡△DCB (SSS 합동)
> ∴ ∠ABC=∠□
> □ABCD는 평행사변형이므로
> ∠A=∠C, ∠B=∠D이다.
> ∴ ∠A=∠B=∠□=∠D
> 따라서 □ABCD는 직사각형이다.

※ 오른쪽 그림의 평행사변형 ABCD가 직사각형이 되는 조건을 □ 안에 알맞게 써넣어라. (단, 점 O는 두 대각선의 교점이다.)

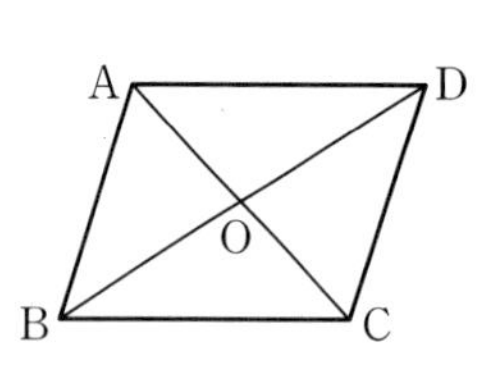

10 ∠A=□

11 ∠A=∠B 또는 ∠B=∠□ (또는 ∠□)

12 $\overline{AC}=$□

13 $\overline{OB}=$□ 또는 $\overline{OB}=$□

※ 오른쪽 그림의 평행사변형 ABCD가 직사각형이 되기 위한 조건인 것에는 ○표, 그렇지 않은 것에는 ×표 하여라.

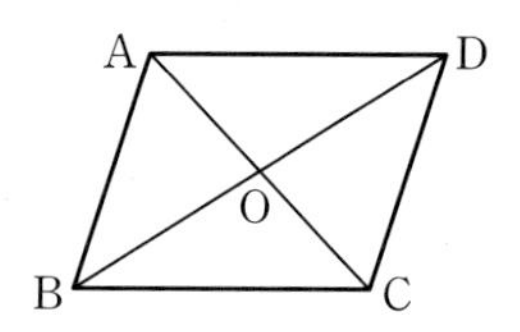

14 $\overline{AC}=\overline{BD}$ (　　)

|해설| 평행사변형에서 두 대각선의 □가 같으면 직사각형이다.

15 $\overline{AO}=\overline{DO}$ (　　)

16 $\overline{AO}=\overline{CO}$ (　　)

17 ∠ABC=90° (　　)

18 $\overline{AC}\perp\overline{BD}$ (　　)

19 ∠BCD=∠ADC (　　)

20 ∠ABC=∠CDA (　　)

07 마름모

빠른 정답 03쪽 / 친절한 해설 15쪽

1. **마름모의 뜻 :** 네 변의 길이가 모두 같은 사각형
2. **마름모의 성질 :** 두 대각선이 서로 다른 것을 수직이등분한다.
   ⇨ $\overline{AO}=\overline{CO}$, $\overline{BO}=\overline{DO}$, $\overline{AC}\perp\overline{BD}$
3. **평행사변형이 마름모가 되는 조건**
   (1) 이웃하는 두 변의 길이가 같다.
   (2) 두 대각선이 수직으로 만난다.

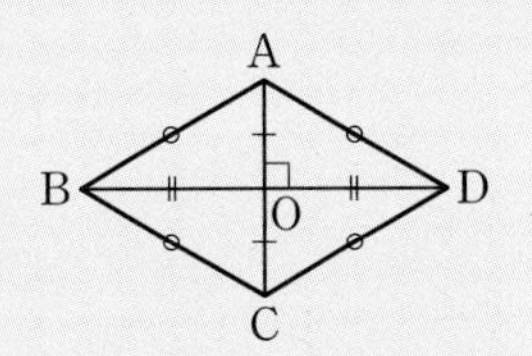

• 마름모는 두 쌍의 대변의 길이가 각각 같으므로 평행사변형이다.

마름모의 뜻과 성질

※ 다음 마름모에서 x의 값을 구하여라. (단, 점 O는 두 대각선의 교점이다.)

01

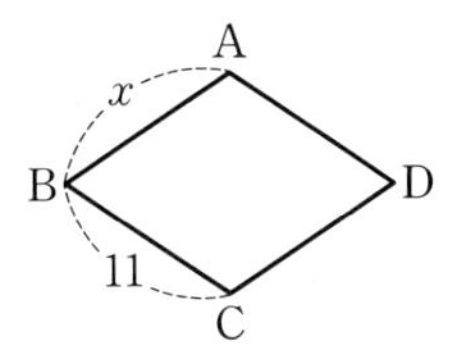

02

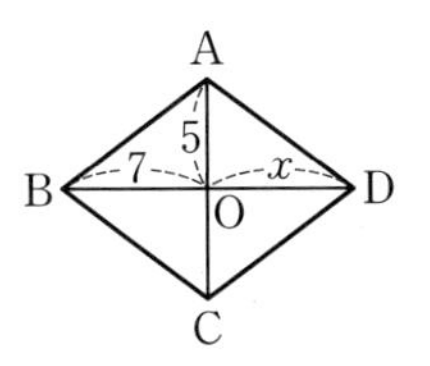

03

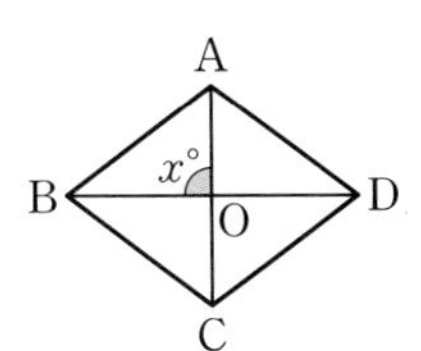

04

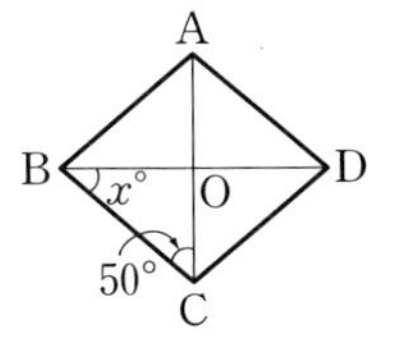

※ 다음 그림에서 □ABCD가 마름모일 때, $x+y$의 값을 구하여라.

05

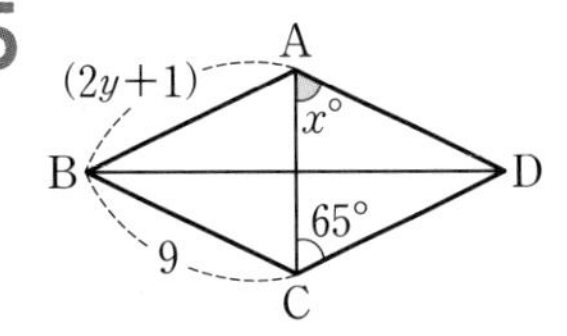

|해설| △ACD는 이등변삼각형이므로 $x°=\angle ACD=$ □°
마름모에서 네 변의 길이는 같으므로
$2y+1=9$에서 $y=$ □
$x+y=$ □ $+$ □ $=$ □

06

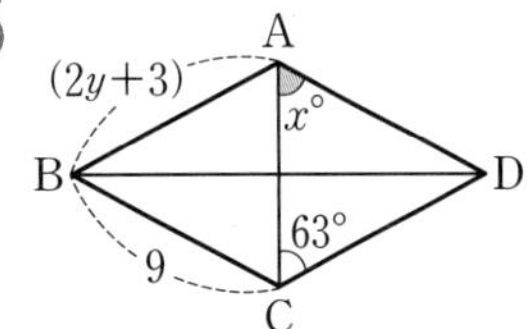

07

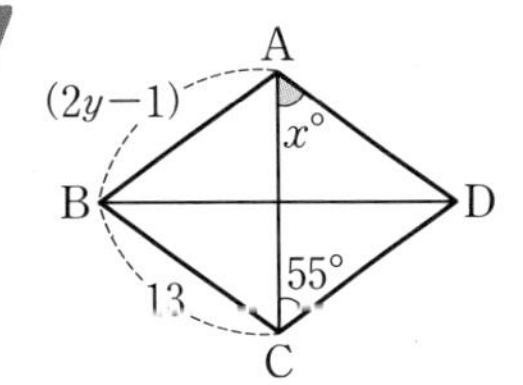

08

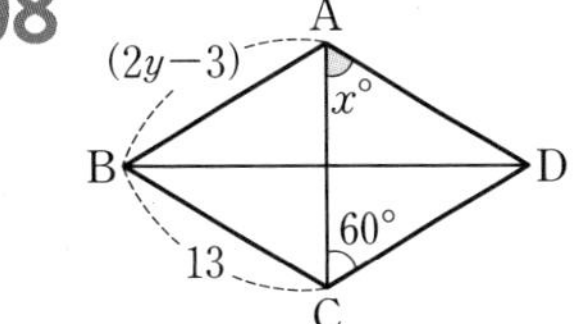

※ 다음 그림과 같은 마름모 ABCD에서 $x+y$의 값을 구하여라.

09

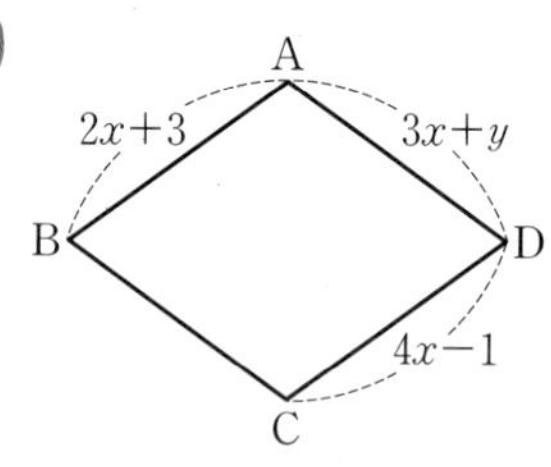

|해설| $\overline{AB}=\overline{DC}$에서 $2x+3=4x-1$, $x=$ □
이때, $\overline{AB}=\overline{AD}$이므로
$2x+3=3x+y$, $y=$ □
$x+y=$ □ $+$ □ $=$ □

10

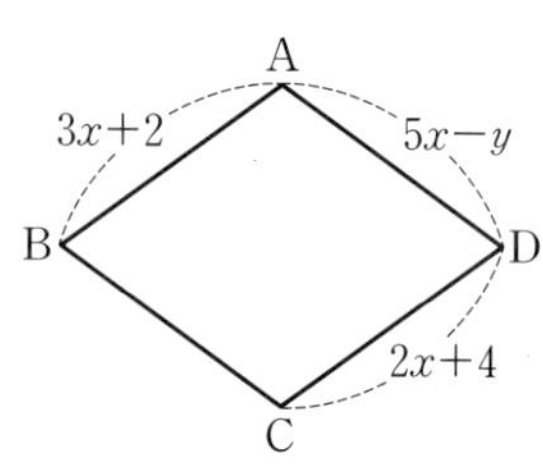

11

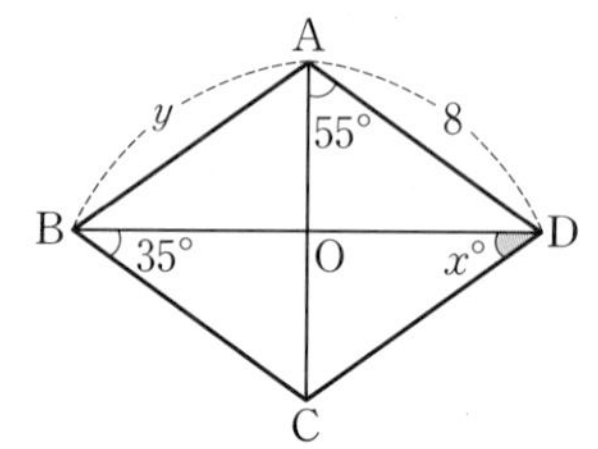

|해설| △CBD는 이등변삼각형이므로 $x°=$ □
$\overline{AB}=\overline{AD}$이므로 $y=$ □
$x+y=$ □

12

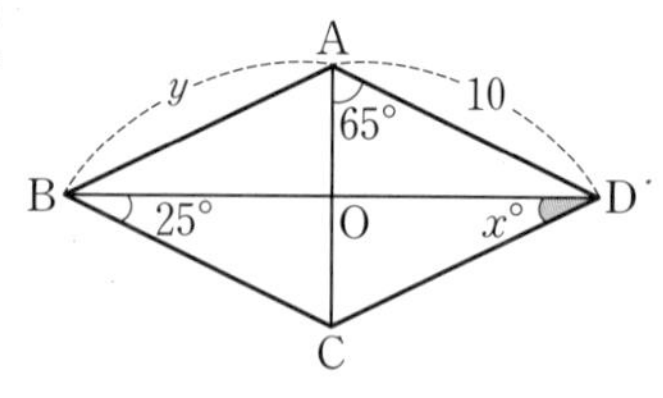

유형 044 평행사변형이 마름모가 되는 조건

13 다음은 마름모의 두 대각선이 서로 수직임을 설명하는 과정이다. □ 안에 알맞은 것을 써넣어라.

> 마름모 ABCD에서
> $\overline{AB}=\overline{BC}=\overline{CD}=\overline{DA}$
> △ABC와 △ADC에서
> $\overline{AB}=\overline{AD}$, $\overline{BC}=\overline{DC}$
> □는 공통이므로
> 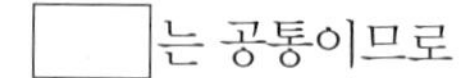
> △ABC≡△ADC (SSS 합동)
> ∴ ∠BAC=∠□
> 따라서 $\overline{AC}$는 이등변삼각형 ABD의 꼭지각인 ∠A의 이등분선이 되어 밑변 BD를 수직이등분한다.
> ∴ $\overline{AC}\perp$ □

※ 오른쪽 그림의 평행사변형 ABCD가 마름모가 되는 조건을 □ 안에 알맞게 써넣어라. (단, 점 O는 두 대각선의 교점이다.)

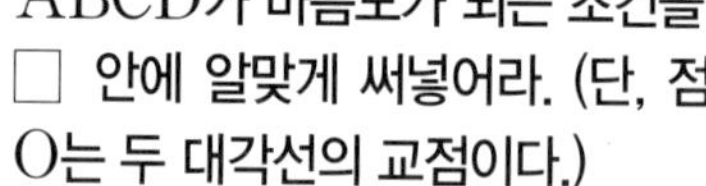

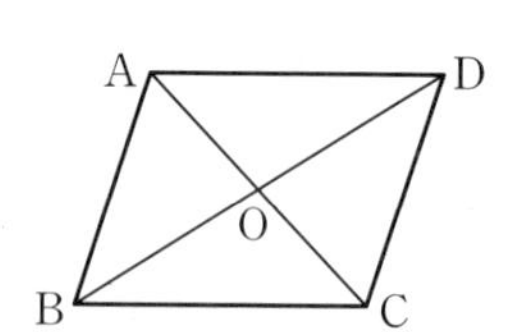

14 $\overline{AB}=$ □ 또는 $\overline{AB}=$ □

15 $\overline{AC}\perp$ □

16 ∠AOB= □

08 정사각형

빠른 정답 03쪽 / 친절한 해설 16쪽

1. **정사각형의 뜻** : 네 내각의 크기가 모두 같고, 네 변의 길이가 모두 같은 사각형
2. **정사각형의 성질** : 두 대각선의 길이가 같고, 서로 다른 것을 수직이등분한다.
   ⇨ $\overline{AC}=\overline{BD}$, $\overline{AO}=\overline{BO}=\overline{CO}=\overline{DO}$, $\overline{AC}\perp\overline{BD}$
3. **직사각형이 정사각형이 되는 조건**
   (1) 이웃하는 두 변의 길이가 같다.
   (2) 두 대각선이 수직으로 만난다.
4. **마름모가 정사각형이 되는 조건**
   (1) 한 내각이 직각이다.
   (2) 두 대각선의 길이가 같다.

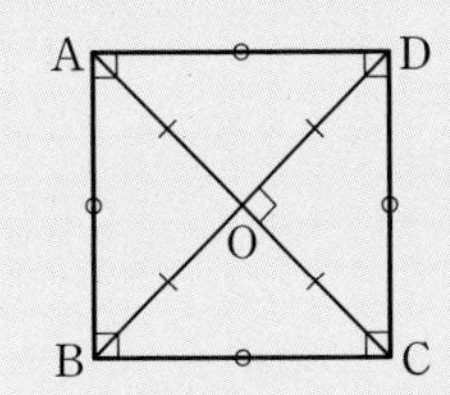

• 정사각형은 직사각형과 마름모의 성질을 모두 만족한다.

유형 045 정사각형의 뜻과 성질

※ 다음 정사각형 ABCD에서 x의 값을 구하여라. (단, 점 O는 두 대각선의 교점이다.)

01

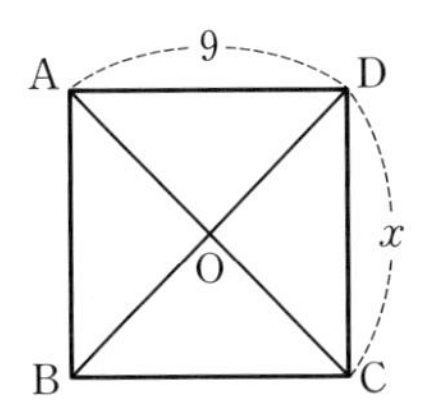

|해설| $\overline{DC}=\overline{AD}$이므로 $x=$☐

02

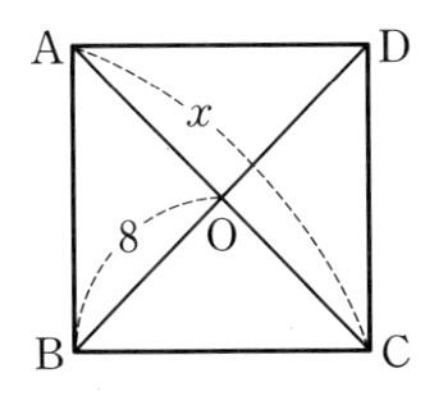

03

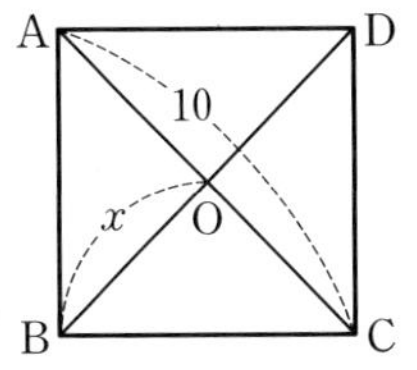

04

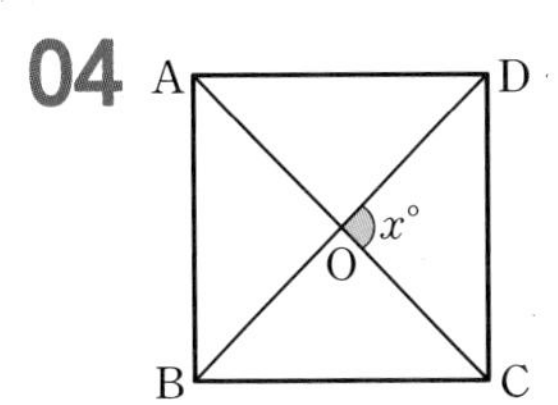

05

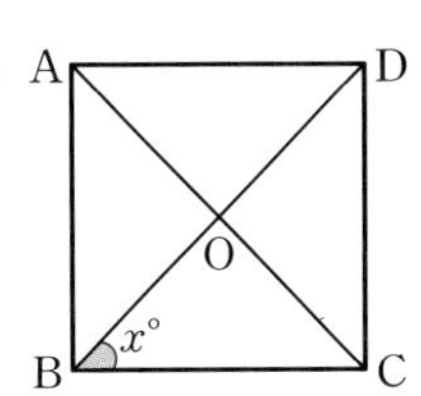

06

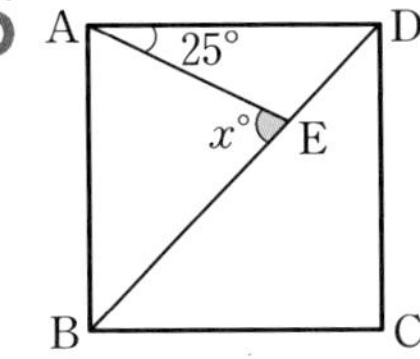

※ 다음 그림과 같은 정사각형 ABCD의 넓이를 구하여라.

07

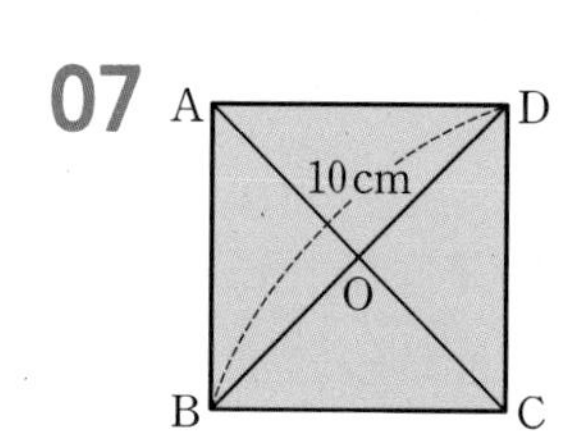

|해설| $\overline{OA}=\frac{1}{2}\overline{BD}=\square$(cm)이고 $\angle AOB=90^\circ$이므로

$\square ABCD=\triangle ABD+\triangle BCD=2\triangle ABD$

$=2\times\left(\frac{1}{2}\times 10\times\square\right)=\square(cm^2)$

08

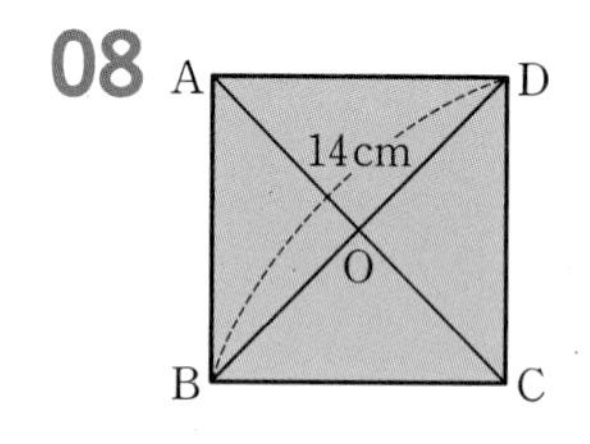

09

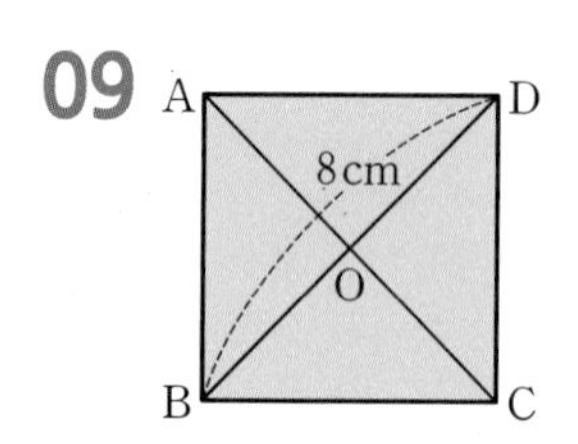

10

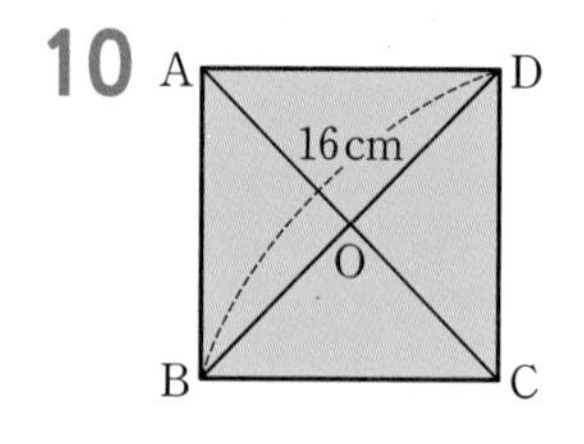

정사각형이 되는 조건

※ 다음 그림의 직사각형 ABCD가 정사각형이 되도록 하는 x의 값을 구하여라. (단, 점 O는 두 대각선의 교점이다.)

11

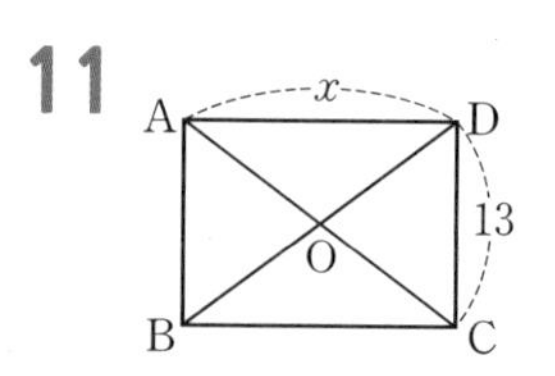

|해설| $x=\square$이면 $\overline{DA}=\overline{CD}$

이웃하는 두 변의 길이가 같은 직사각형이 되므로

$\square$이다.

12

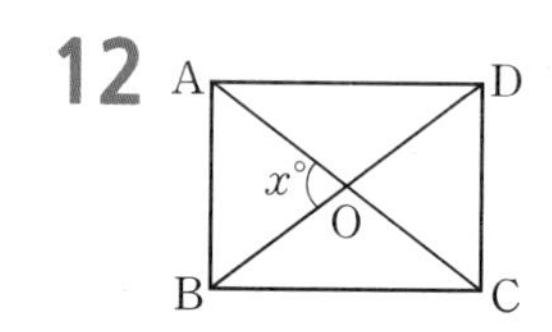

※ 오른쪽 그림의 직사각형 ABCD가 정사각형이 되기 위한 조건을 만족하면 ○표, 아니면 ×표를 하여라. (단, 점 O는 두 대각선의 교점이다.)

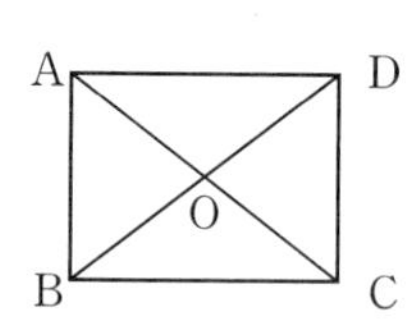

13 $\overline{AB}=\overline{BC}$ ( )

14 $\overline{AC}\perp\overline{BD}$ ( )

15 $\angle AOD=\angle BOC$ ( )

16 $\angle AOB=\angle AOD$ ( )

17 $\overline{OA}=\overline{OB}$ ( )

※ 다음 그림의 마름모 ABCD가 정사각형이 되도록 하는 x의 값을 구하여라. (단, 점 O는 두 대각선의 교점이다.)

18

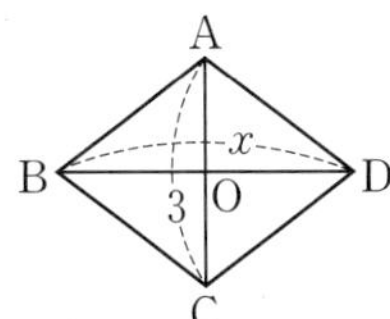

|해설| $x=$ □ 이면 $\overline{AC}=\overline{BD}$
두 대각선의 길이가 같은 마름모가 되므로 □ 이다.

19

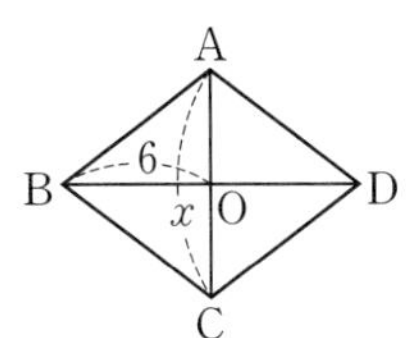

20

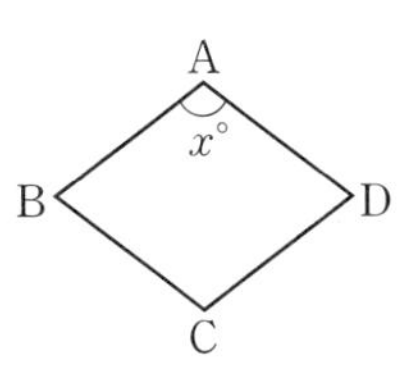

※ 오른쪽 그림과 같은 마름모 ABCD가 정사각형이 되기 위한 조건을 만족하면 ○표, 아니면 ×표를 하여라. (단, 점 O는 두 대각선의 교점이다.)

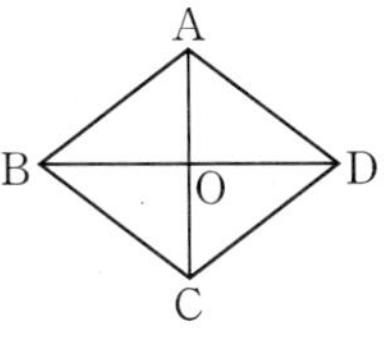

21 $\angle BAC=\angle DAC$ (   )

22 $\angle DAB=\angle ABC$ (   )

23 $\overline{OA}=\overline{OC}$ (   )

24 $\overline{OA}=\overline{OB}$ (   )

※ 오른쪽 그림의 사각형 ABCD가 다음 조건을 만족하면 어떤 사각형이 되는지 써라.

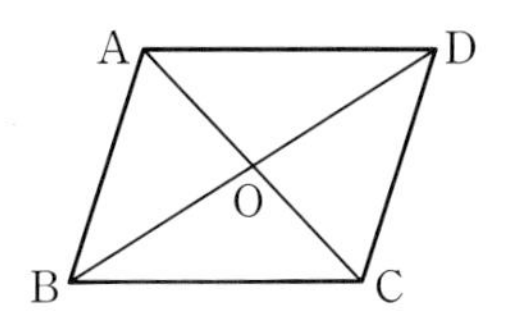

25 $\overline{AD}/\!/\overline{BC}$, $\overline{AD}=\overline{BC}$, $\overline{AC}\perp\overline{BD}$

|해설| $\overline{AD}/\!/\overline{BC}$, $\overline{AD}=\overline{BC}$를 만족하는 사각형은 □ 이고, 이 중 두 대각선이 직교하면 □ 이다.

26 $\angle A=\angle B=\angle C=\angle D$

27 $\overline{AB}=\overline{DC}$, $\overline{AD}=\overline{BC}$, $\overline{AC}\perp\overline{BD}$

28 $\overline{AO}=\overline{BO}=\overline{CO}=\overline{DO}$, $\overline{AB}=\overline{BC}$

29 $\angle A=\angle C$, $\angle B=\angle D$, $\overline{CD}=\overline{DA}$

30 $\overline{AB}=\overline{CD}$, $\overline{AD}=\overline{BC}$, $\overline{AO}=\overline{BO}$

09 사다리꼴

빠른 정답 04쪽 / 친절한 해설 16쪽

1. **사다리꼴의 뜻** : 한 쌍의 대변이 평행한 사각형
2. **등변사다리꼴의 뜻** : 아랫변의 양 끝각의 크기가 같은 사다리꼴 ⇨ $\angle B = \angle C$
3. **등변사다리꼴의 성질**
   (1) 평행하지 않은 한 쌍의 대변의 길이가 같다.
   ⇨ $\overline{AB} = \overline{DC}$
   (2) 두 대각선의 길이가 같다.
   ⇨ $\overline{AC} = \overline{BD}$

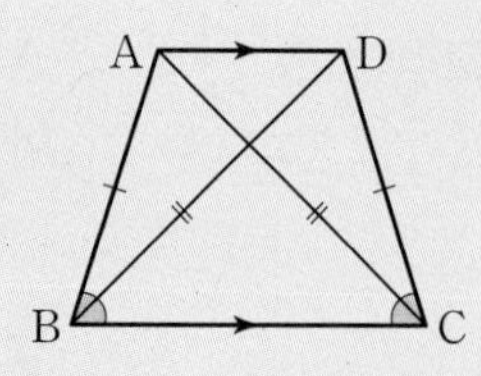

• $\overline{AD} /\!/ \overline{BC}$인 등변사다리꼴 ABCD에서 다음이 성립한다.
(1) $\angle A = \angle D$, $\angle B = \angle C$
(2) $\angle A + \angle B = 180°$, $\angle C + \angle D = 180°$
(3) $\triangle ABC \equiv \triangle DCB$ (SAS 합동)
(4) $\triangle ABD \equiv \triangle DCA$ (SAS 합동)

유형 047 등변사다리꼴의 뜻과 성질

※ 오른쪽 그림의 사각형 ABCD가 $\overline{AD} /\!/ \overline{BC}$인 등변사다리꼴일 때, □ 안에 알맞은 것을 써넣어라. (단, 점 O는 두 대각선의 교점이다.)

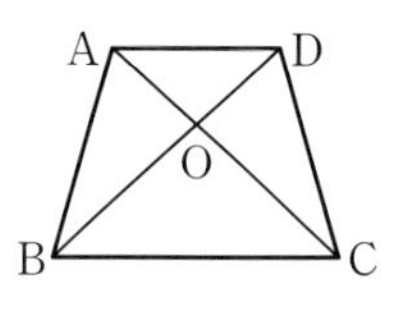

01 $\overline{AB} =$ □

02 $\overline{AC} =$ □

03 $\angle B = \angle$□

04 $\angle ABD = \angle$□

05 $\angle OBC = \angle$□

06 $\overline{OB} =$ □

07 $\angle A + \angle B =$ □

※ 다음 그림의 □ABCD가 $\overline{AD} /\!/ \overline{BC}$인 등변사다리꼴일 때, $\angle x$의 크기를 구하여라.

08

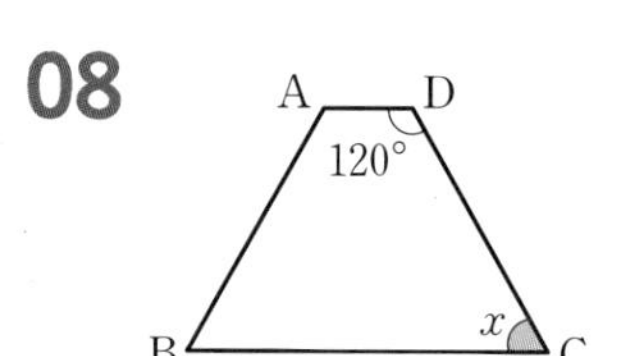

|해설| $\angle ADC + \angle DCB =$ □이므로
$\angle x =$ □ $- 120° =$ □

09

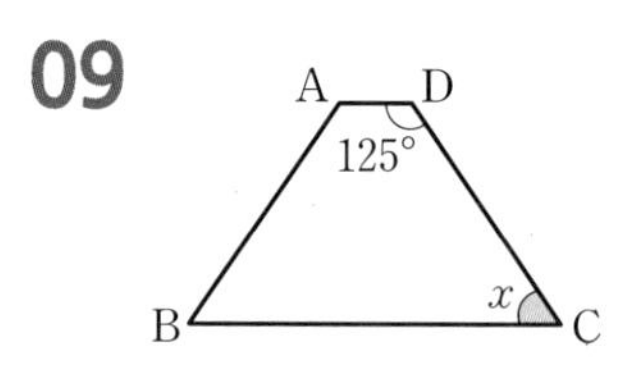

10

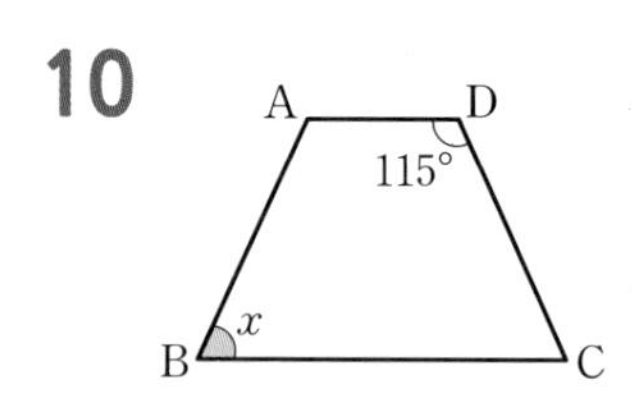

11

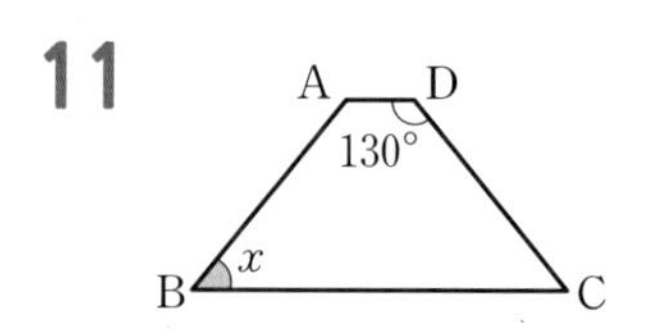

※ 다음 그림의 □ABCD가 $\overline{AD}/\!/\overline{BC}$인 등변사다리꼴일 때, x의 값을 구하여라.

12

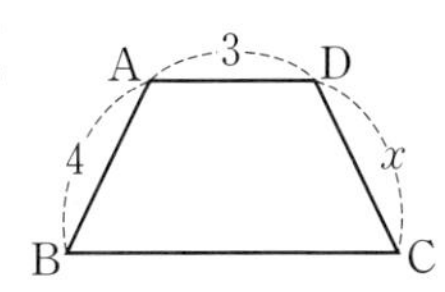

|해설| $\overline{DC}=\overline{AB}$이므로 $x=$ □

13

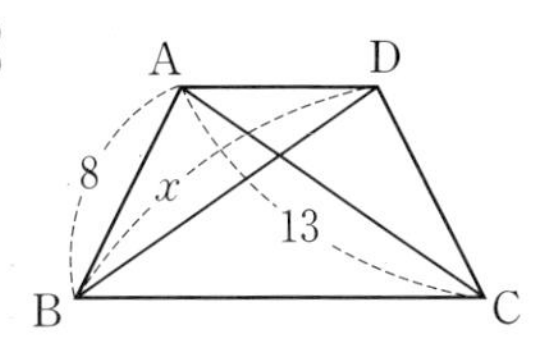

14

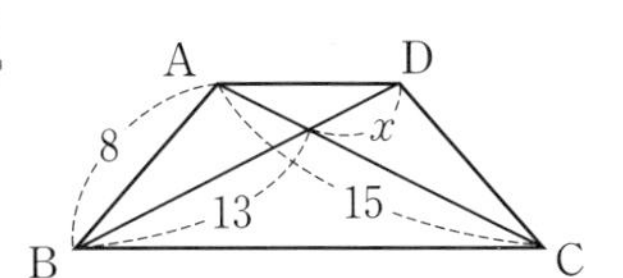

15

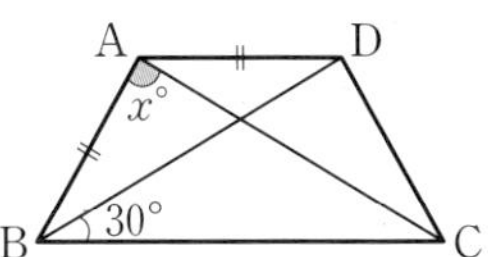

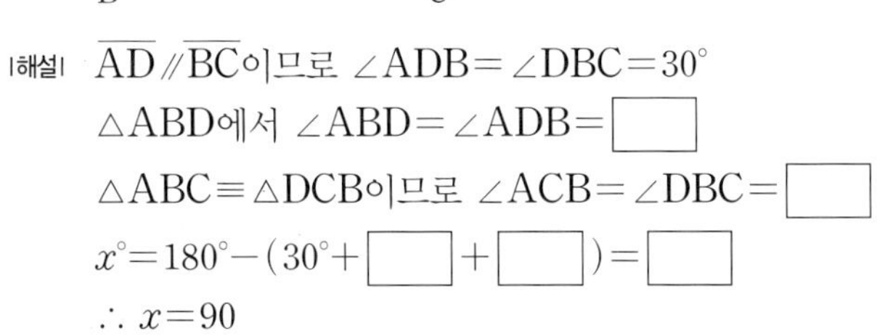
|해설| $\overline{AD}/\!/\overline{BC}$이므로 $\angle ADB=\angle DBC=30°$
$\triangle ABD$에서 $\angle ABD=\angle ADB=$ □
$\triangle ABC\equiv\triangle DCB$이므로 $\angle ACB=\angle DBC=$ □
$x°=180°-(30°+$ □ $+$ □ $)=$ □
$\therefore x=90$

16

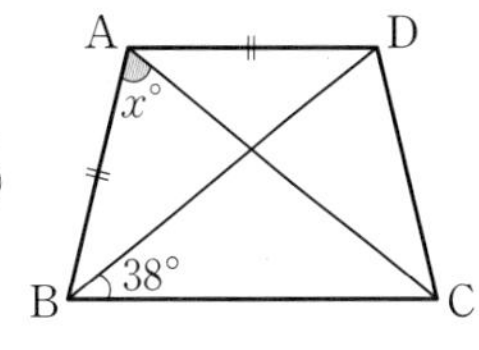

17

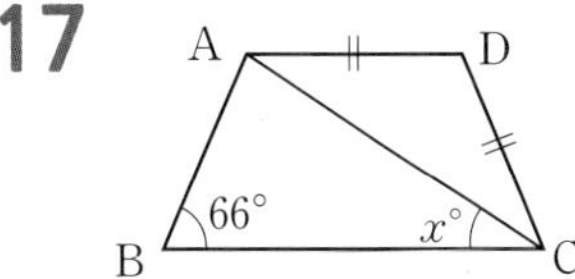

18

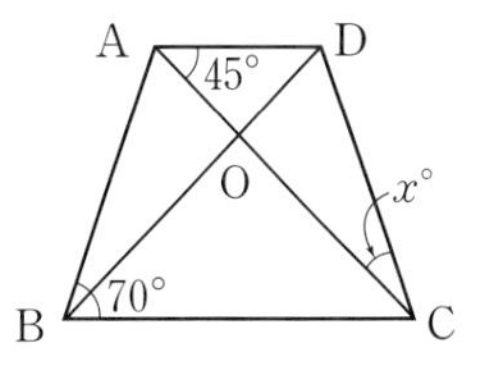

19

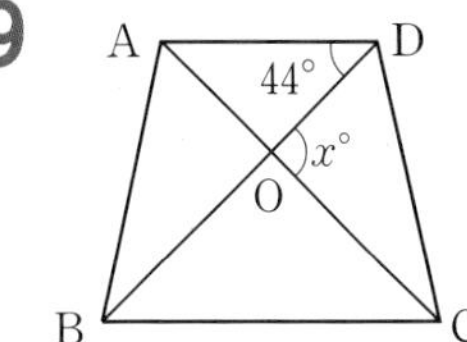

유형 048 등변사다리꼴의 성질의 활용

※ 다음 그림과 같이 $\overline{AD} /\!/ \overline{BC}$인 등변사다리꼴 ABCD의 꼭짓점 D에서 $\overline{BC}$에 내린 수선의 발을 E라 할 때, $\overline{EC}$의 길이를 구하여라.

20

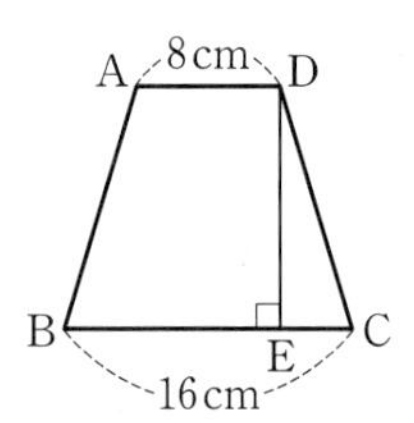

|해설| 점 A에서 $\overline{BC}$에 내린 수선의 발을 F라 하면

$\overline{FE}=\overline{AD}=\square$ cm

$\triangle ABF \equiv \triangle DCE$ (RHA 합동)이므로 $\overline{BF}=\overline{CE}$

$\overline{EC}=\frac{1}{2}\times(16-\square)=\square$(cm)

21

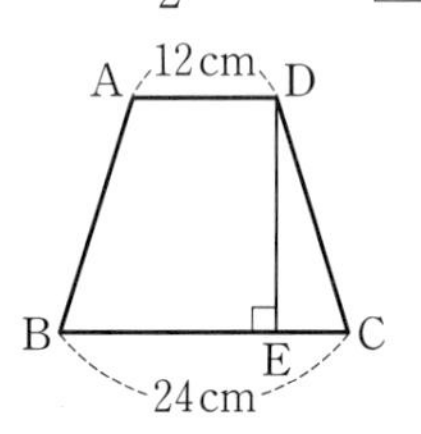

22

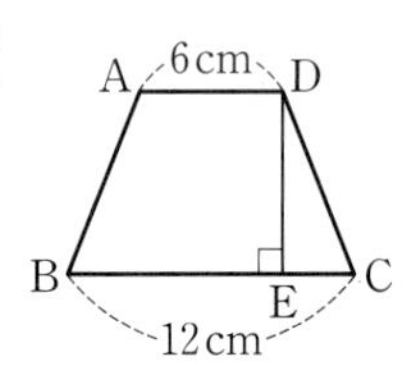

23

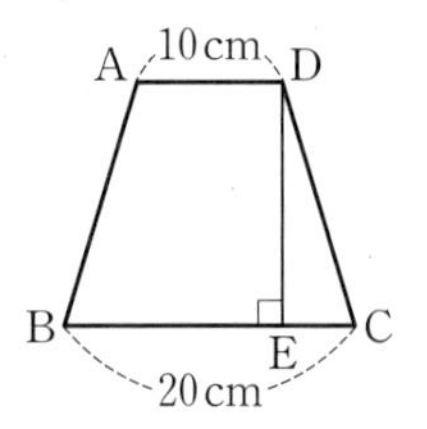

※ 다음 그림과 같이 $\overline{AD} /\!/ \overline{BC}$인 등변사다리꼴 ABCD에서 □ABCD의 둘레의 길이를 구하여라.

24

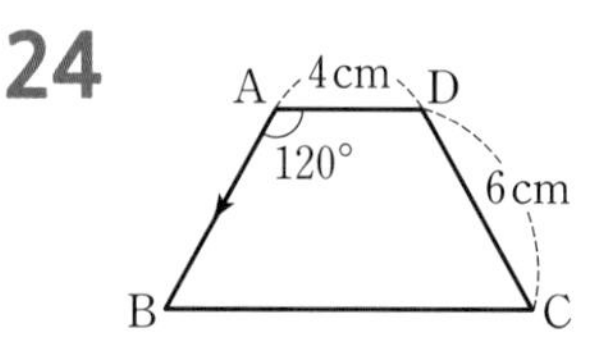

|해설| 점 D에서 $\overline{AB}$에 평행한 직선을 그어 $\overline{BC}$와 만나는 점을 E라 하면 $\overline{BE}=\overline{AD}=4$ cm

$\triangle DEC$는 정삼각형이므로

$\overline{EC}=\overline{DC}=\square$ cm

(□ABCD의 둘레의 길이)

$=\square+4+\square+\square+4=\square$(cm)

25

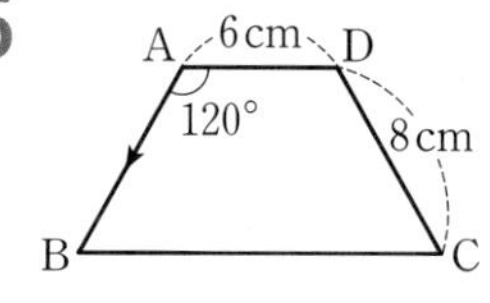

26

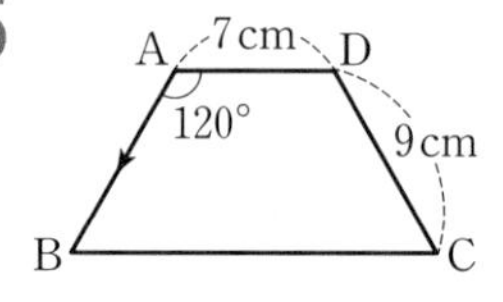

27

10 여러 가지 사각형 사이의 관계

빠른 정답 04쪽 / 친절한 해설 17쪽

- 사각형, 사다리꼴, 평행사변형, 직사각형, 마름모, 정사각형 사이의 관계는 다음과 같다.

사각형 → (한 쌍의 대변이 평행하다.) 사다리꼴 → (다른 한 쌍의 대변이 평행하다.) 평행사변형 → (한 내각이 직각이거나 두 대각선의 길이가 같다.) 직사각형 → (이웃하는 두 변의 길이가 같거나 두 대각선이 직교한다.) 정사각형

평행사변형 → (이웃하는 두 변의 길이가 같거나 두 대각선이 직교한다.) 마름모 → (한 내각이 직각이거나 두 대각선의 길이가 같다.) 정사각형

- 여러 가지 사각형의 대각선의 성질

평행사변형, 직사각형, 마름모, 정사각형, 등변사다리꼴

유형 049 여러 가지 사각형 사이의 관계

※ 다음 사각형에 대한 설명 중 옳은 것에는 ○표, 옳지 않은 것에는 ×표 하여라.

01 직사각형은 평행사변형이다. ( )

|해설| 직사각형은 두 쌍의 □의 크기가 각각 같으므로 평행사변형이다.

02 직사각형은 정사각형이다. ( )

03 평행사변형은 사다리꼴이다. ( )

04 정사각형은 마름모이다. ( )

05 마름모는 정사각형이다. ( )

06 다음 조건을 모두 만족하는 □ABCD는 어떤 사각형인지 말하여라.

조건

(가) $\overline{AB} /\!/ \overline{CD}$ (나) $\overline{AD} /\!/ \overline{BC}$

(다) $\overline{AC} = \overline{BD}$ (라) $\overline{AC} \perp \overline{BD}$

07 □ABCD에 대한 다음 설명 중 옳은 것을 모두 고르면? (정답 2개)

① $\angle A = 90°$인 평행사변형 ABCD는 마름모이다.

② $\overline{AC} = \overline{BD}$인 평행사변형 ABCD는 직사각형이다.

③ $\overline{AB} = \overline{BC}$인 평행사변형 ABCD는 직사각형이다.

④ $\overline{AC} \perp \overline{BD}$, $\overline{AB} = \overline{BC}$인 평행사변형 ABCD는 정사각형이다.

⑤ $\angle A = 90°$, $\overline{AC} \perp \overline{BD}$인 평행사변형 ABCD는 정사각형이다.

유형 050 여러 가지 사각형의 대각선의 성질

※ 다음 중에서 두 대각선의 길이가 같은 사각형에는 ○표, 그렇지 않은 것에는 ×표 하여라.

08 사다리꼴 ( )

|해설| 두 대각선의 길이가 같지 [ ].

09 정사각형 ( )

10 직사각형 ( )

11 마름모 ( )

12 등변사다리꼴 ( )

13 평행사변형 ( )

※ 다음 중에서 두 대각선이 서로 다른 것을 이등분하는 사각형에는 ○표, 그렇지 않은 것에는 ×표 하여라.

14 마름모 ( )

15 직사각형 ( )

16 등변사다리꼴 ( )

17 평행사변형 ( )

※ 다음 중에서 두 대각선이 서로 다른 것을 수직이등분하는 사각형에는 ○표, 그렇지 않은 것에는 ×표 하여라.

18 직사각형 ( )

19 등변사다리꼴 ( )

20 마름모 ( )

21 정사각형 ( )

11 사각형의 각 변의 중점을 연결하여 만든 사각형

빠른 정답 04쪽 / 친절한 해설 17쪽

• 사각형의 각 변의 중점을 연결하여 만든 사각형은 다음과 같다.

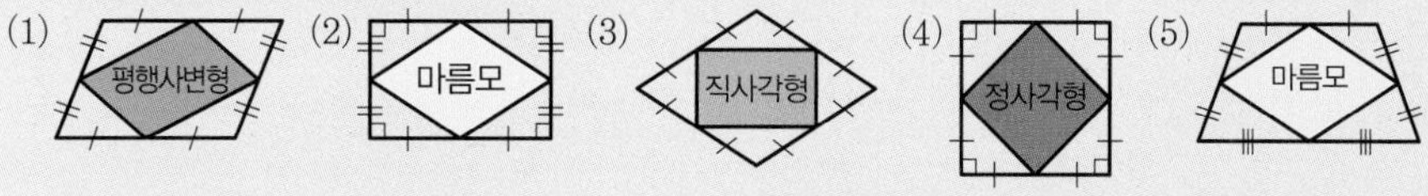

(1) 평행사변형 (2) 마름모 (3) 직사각형 (4) 정사각형 (5) 마름모

(1) 평행사변형 → 평행사변형　(2) 직사각형 → 마름모　(3) 마름모 → 직사각형
(4) 정사각형 → 정사각형　(5) 등변사다리꼴 → 마름모

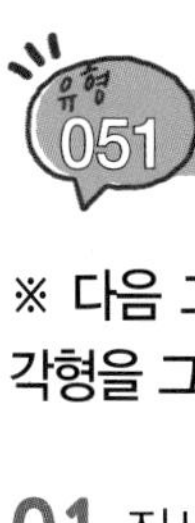

유형 051 사각형의 각 변의 중점을 연결하여 만든 사각형

※ 다음 그림과 같은 사각형의 각 변의 중점을 연결하여 사각형을 그리고, 어떤 사각형인지 써라.

01 직사각형

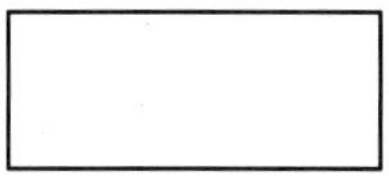

02 마름모

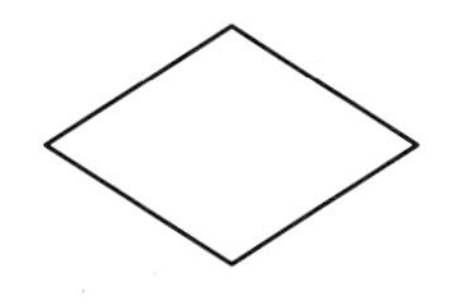

03 평행사변형

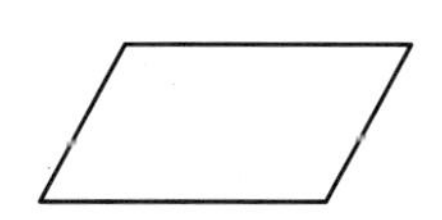

04 등변사다리꼴

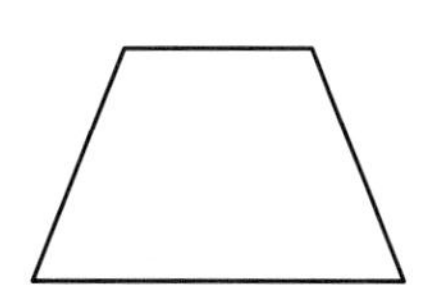

※ 다음 중에서 직사각형의 각 변의 중점을 연결하여 만든 사각형의 성질에는 ○표, 그렇지 않은 것에는 ×표 하여라.

05 두 대각선의 길이는 서로 같다. (　　)

|해설| 직사각형의 각 변의 중점을 연결하여 만든 사각형은 [　　]이다. 따라서 [　　]의 두 대각선의 길이는 서로 같지 않다.

06 두 대각선이 수직으로 만난다. (　　)

07 네 변의 길이가 모두 같다. (　　)

08 두 쌍의 대변이 각각 평행하다. (　　)

09 네 각이 모두 직각이다. (　　)

12 평행선과 넓이

빠른 정답 04쪽 / 친절한 해설 17쪽

1. 평행선과 삼각형의 넓이

두 평행선 사이에 있고, 밑변의 길이가 같은 두 삼각형의 넓이는 같다.

⇨ $\triangle ABC = \triangle DBC$

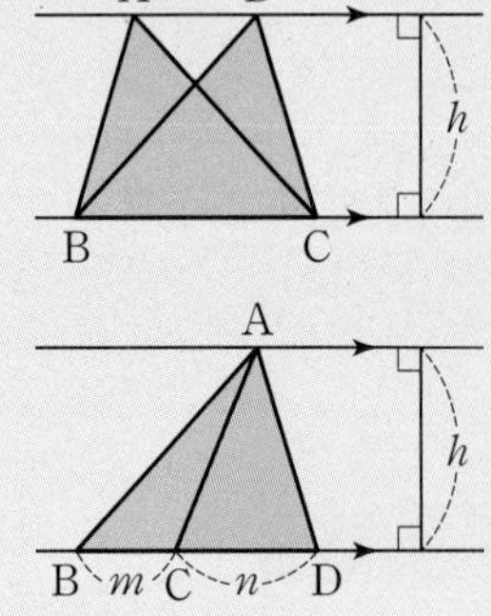

2. 높이가 같은 삼각형의 넓이의 비

높이가 같은 두 삼각형의 넓이의 비는 밑변의 길이의 비와 같다.

⇨ $\triangle ABC : \triangle ACD = m : n$

• 평행한 두 직선 사이의 거리는 일정하다.

• 점 C가 $\overline{BD}$의 중점일 때, $\triangle ABC$의 넓이는 $\triangle ACD$의 넓이와 같다.

유형 052 평행선과 삼각형의 넓이

※ 다음 그림의 □ABCD에서 두 대각선의 교점이 O일 때, 색칠한 부분과 넓이가 같은 삼각형을 찾아라.

01

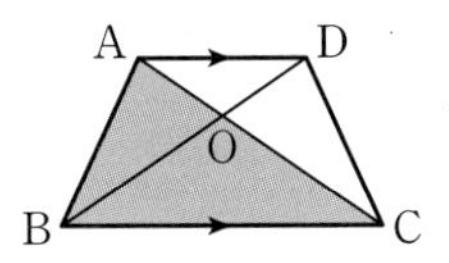

|해설| $\overline{AD} /\!/ \overline{BC}$이므로 $\triangle ABC$와 밑변의 길이가 같은 [   ]의 넓이가 같다.

02

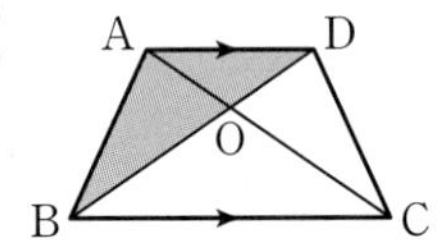

03

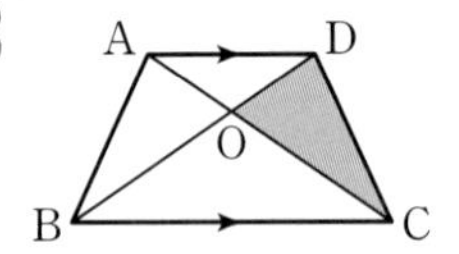

※ 다음 그림과 같이 □ABCD의 꼭짓점 D를 지나고 $\overline{AC}$에 평행한 직선이 $\overline{BC}$의 연장선과 만나는 점을 E라 할 때, □ABCD의 넓이를 구하여라.

04

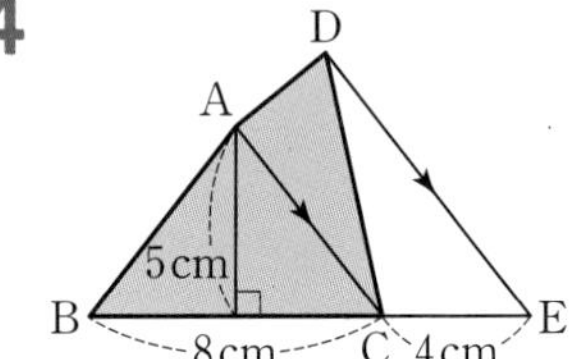

|해설| □ABCD $= \triangle ABC + \triangle ACD = \triangle ABC + \triangle ACE$

$= \triangle ABE = \frac{1}{2} \times (\square + 4) \times 5$

$= \square\,(\text{cm}^2)$

05

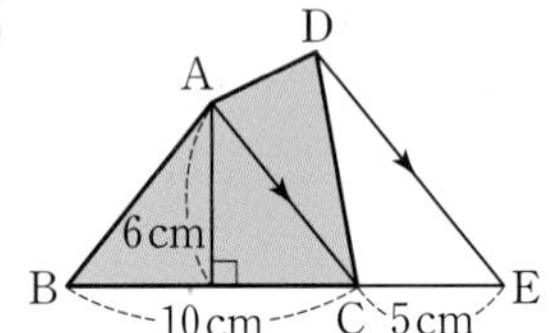

06

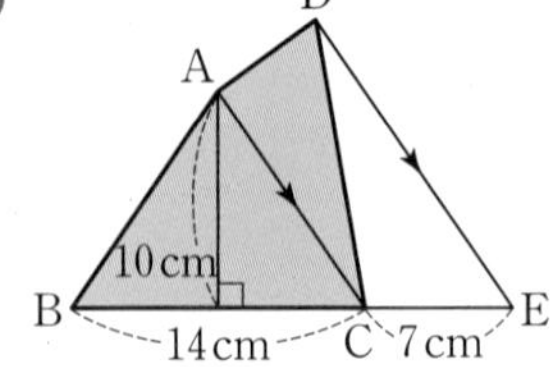

높이가 같은 두 삼각형의 넓이

※ 오른쪽 그림에서 $\triangle ABC$의 넓이가 다음과 같고 $\overline{BP} : \overline{PC} = 5 : 4$일 때, $\triangle APC$의 넓이를 구하여라.

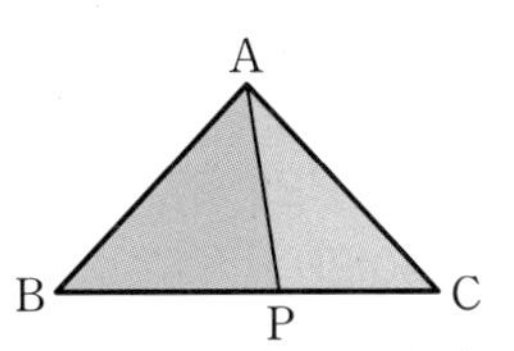

07 $\triangle ABC = 45\text{ cm}^2$

|해설| $\overline{BP} : \overline{PC} = 5 : 4$이므로

$\triangle APC = \frac{4}{9}\triangle ABC = \frac{4}{9} \times \square = \square(\text{cm}^2)$

08 $\triangle ABC = 27\text{ cm}^2$

09 $\triangle ABC = 36\text{ cm}^2$

10 $\triangle ABC = 54\text{ cm}^2$

11 $\triangle ABC = 18\text{ cm}^2$

※ 오른쪽 그림에서 점 M은 $\overline{BC}$의 중점이고 $\overline{AP} : \overline{PM} = 1 : 3$이다. $\triangle ABC$의 넓이가 다음과 같을 때, $\triangle PBM$의 넓이를 구하여라.

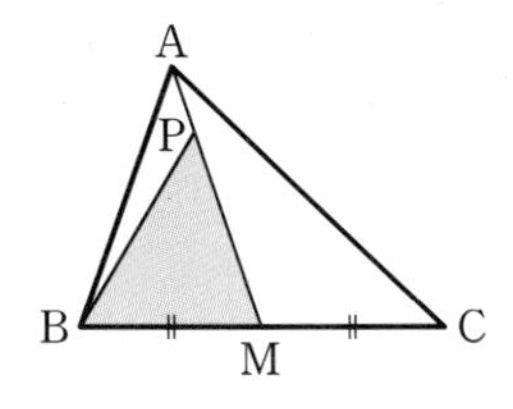

12 $\triangle ABC = 40\text{ cm}^2$

|해설| $\triangle ABM = \frac{1}{2}\triangle ABC = \square(\text{cm}^2)$

$\triangle ABP : \triangle PBM = 1 : 3$이므로

$\triangle PBM = \frac{3}{4}\triangle ABM = \frac{3}{4} \times \square = \square(\text{cm}^2)$

13 $\triangle ABC = 48\text{ cm}^2$

14 $\triangle ABC = 72\text{ cm}^2$

15 $\triangle ABC = 32\text{ cm}^2$

16 $\triangle ABC = 80\text{ cm}^2$

평행사변형에서 높이가 같은 두 삼각형의 넓이

※ 오른쪽 그림과 같은 평행사변형 ABCD에서

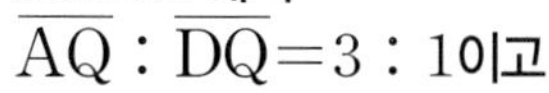

$\overline{AQ}:\overline{DQ}=3:1$이고 □ABCD의 넓이가 다음과 같을 때, △PDQ의 넓이를 구하여라.

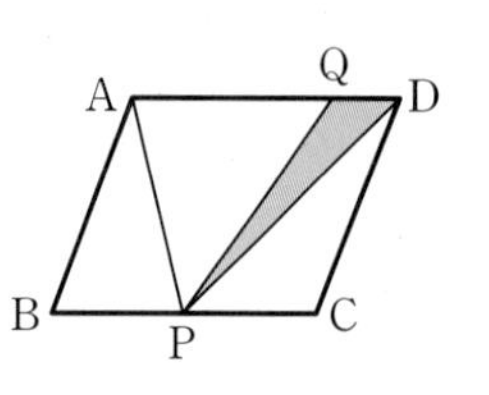

17 □ABCD$=16\text{ cm}^2$

|해설| $\triangle APD=\frac{1}{2}$□ABCD$=\frac{1}{2}\times 16=\square(\text{cm}^2)$이고

$\overline{AQ}:\overline{DQ}=3:1$이므로

$\triangle PDQ=\frac{1}{4}\triangle APD=\frac{1}{4}\times\square=\square(\text{cm}^2)$

18 □ABCD$=24\text{ cm}^2$

19 □ABCD$=64\text{ cm}^2$

20 □ABCD$=40\text{ cm}^2$

21 □ABCD$=48\text{ cm}^2$

※ 오른쪽 그림과 같은 평행사변형 ABCD에서 대각선 $\overline{BD}$위의 점 P에 대하여 $\overline{BP}:\overline{DP}=2:3$이고 △ABP의 넓이가 다음과 같을 때, □APCD의 넓이를 구하여라.

22 $\triangle ABP=30\text{ cm}^2$

|해설| $\overline{BP}:\overline{DP}=2:3$이므로

$\triangle APD=\frac{3}{2}\triangle ABP=\frac{3}{2}\times 30=\square(\text{cm}^2)$

□APCD$=2\triangle APD=2\times\square=\square(\text{cm}^2)$

23 $\triangle ABP=24\text{ cm}^2$

24 $\triangle ABP=28\text{ cm}^2$

25 $\triangle ABP=36\text{ cm}^2$

26 $\triangle ABP=40\text{ cm}^2$

사다리꼴에서 높이가 같은 두 삼각형의 넓이

※ 오른쪽 그림과 같이 $\overline{AD} /\!/ \overline{BC}$인 사다리꼴 ABCD에서 두 대각선의 교점을 O라 하자.
$\triangle ABC$와 $\triangle OCD$의 넓이가 각각 다음과 같을 때, $\triangle OBC$의 넓이를 구하여라.

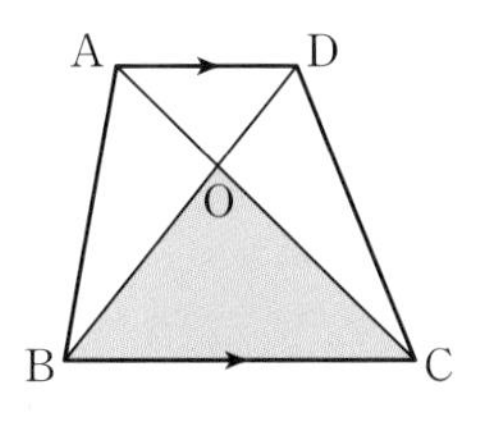

27 $\triangle ABC = 30\ cm^2$, $\triangle OCD = 20\ cm^2$

|해설| $\overline{AD} /\!/ \overline{BC}$이므로 $\triangle ABC = \triangle DBC$
$\triangle OBC = \triangle ABC - \triangle ABO$
$= \triangle DBC - \triangle OCD$
$= 30 - \square = \square (cm^2)$

28 $\triangle ABC = 45\ cm^2$, $\triangle OCD = 30\ cm^2$

29 $\triangle ABC = 75\ cm^2$, $\triangle OCD = 50\ cm^2$

30 $\triangle ABC = 24\ cm^2$, $\triangle OCD = 16\ cm^2$

31 $\triangle ABC = 36\ cm^2$, $\triangle OCD = 24\ cm^2$

※ 오른쪽 그림과 같이 $\overline{AD} /\!/ \overline{BC}$인 사다리꼴 ABCD에서 $\overline{AO} : \overline{CO} = 1 : 2$이고 $\triangle ABO$의 넓이가 다음과 같을 때, $\triangle DBC$의 넓이를 구하여라.

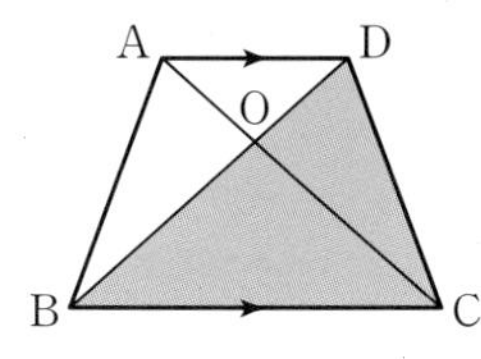

32 $\triangle ABO = 12\ cm^2$

|해설| $\overline{AO} : \overline{CO} = 1 : 2$이므로
$\triangle OBC = 2\triangle ABO = 2 \times 12 = \square (cm^2)$
$\triangle DOC = \triangle ABO = 12(cm^2)$
$\triangle DBC = \triangle DOC + \triangle OBC$
$= 12 + \square = \square (cm^2)$

33 $\triangle ABO = 16\ cm^2$

34 $\triangle ABO = 10\ cm^2$

35 $\triangle ABO = 18\ cm^2$

36 $\triangle ABO = 20\ cm^2$

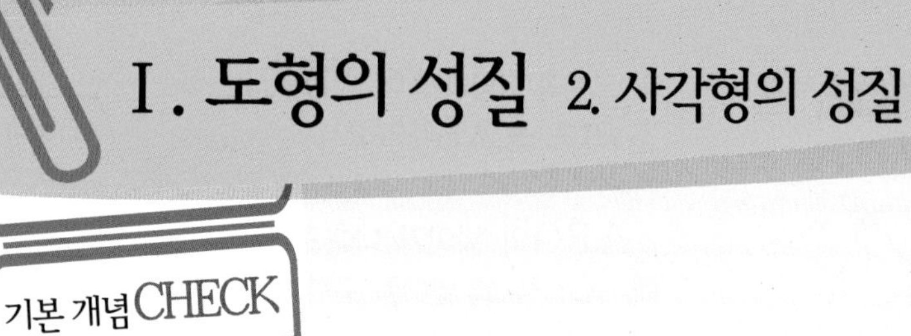

1. 평행사변형 : 두 쌍의 대변이 각각 ❶ ＿＿ 한 사각형

2. 평행사변형의 성질

(1) 두 쌍의 ❷ ＿＿ 의 길이가 각각 같다.

(2) 두 쌍의 ❸ ＿＿ 의 크기가 각각 같다.

(3) 두 대각선은 서로 다른 것을 이등분한다.

- 사각형에서 서로 마주 보는 변을 대변, 서로 마주 보는 각을 대각이라 한다.

3. 평행사변형이 되기 위한 조건

다음 조건 중 어느 하나를 만족시키는 사각형은 평행사변형이다.

(1) 두 쌍의 대변이 각각 평행하다.

(2) 두 쌍의 대변의 길이가 각각 같다.

(3) 두 쌍의 대각의 크기가 각각 같다.

(4) 두 대각선이 서로 다른 것을 ❹ ＿＿ 한다.

(5) 한 쌍의 대변이 ❺ ＿＿ 하고, 그 길이가 같다.

5. 평행사변형과 넓이

(1) 평행사변형의 넓이는 한 대각선에 의해 ❻ ＿＿ 된다.

(2) 평행사변형의 넓이는 두 대각선에 의하여 사등분된다.

6. 직사각형

(1) ❼ ＿＿ 의 뜻 : 네 내각의 크기가 같은 사각형

(2) 직사각형의 성질 : 두 대각선이 길이가 같고, 서로 다른 것을 이등분한다.

- 직사각형은 두 쌍의 대각의 크기가 각각 같으므로 평행사변형이다.

7. 마름모

(1) 마름모의 뜻 : 네 변의 길이가 모두 같은 사각형

(2) 마름모의 성질 : 두 대각선이 서로 다른 것을 ❽ ＿＿ 한다.

- 마름모는 두 쌍의 대변의 길이가 각각 같으므로 평행사변형이다.

8. 정사각형

(1) 정사각형의 뜻 : 네 내각의 크기가 모두 같고, 네 변의 길이가 모두 같은 사각형

(2) 정사각형의 성질 : 두 대각선의 길이가 같고, 서로 다른 것을 ❾ ＿＿ 한다.

- 정사각형은 직사각형과 마름모의 성질을 모두 만족한다.

❶ 평행 ❷ 대변 ❸ 대각 ❹ 이등분 ❺ 평행 ❻ 이등분 ❼ 직사각형 ❽ 수직이등분 ❾ 수직이등분

개념 Window

9. 사다리꼴

(1) 사다리꼴의 뜻 : 한 쌍의 대변이 평행한 사각형

(2) 등변사다리꼴의 뜻 : 아랫변의 양 끝각의 ⑩ [　　] 가 같은 사다리꼴

(3) 등변사다리꼴의 성질

① 평행하지 않은 두 쌍의 ⑪ [　　] 의 길이가 같다.

② 두 대각선의 길이가 같다.

10. 여러 가지 사각형 사이의 관계

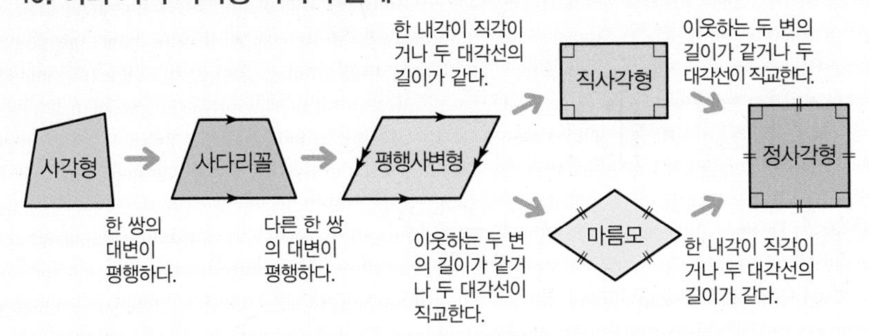

• 여러 가지 사각형의 대각선의 성질

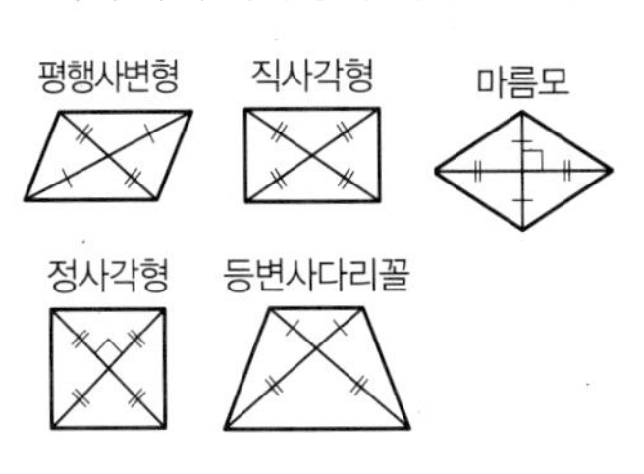

11. 사각형의 각 변의 중점을 연결하여 만든 사각형

사각형의 각 변의 중점을 연결하여 만든 사각형은 다음과 같다.

(1) 사각형 → 평행사변형

(2) 평행사변형 → ⑫ [　　]

(3) 직사각형 → 마름모

(4) 마름모 → 직사각형

(5) 정사각형 → 정사각형

(6) 등변사다리꼴 → ⑬ [　　]

12. 평행선과 넓이

(1) 두 평행선 사이에 있고, 밑변의 길이가 같은 두 삼각형의 ⑭ [　　] 는 같다.

⇨ $\triangle ABC = \triangle DBC$

(2) 높이가 같은 삼각형의 넓이의 비

높이가 같은 두 삼각형의 넓이의 비는 밑변의 ⑮ [　　] 의 비와 같다.

⇨ $\triangle ABC : \triangle ACD = m : n$

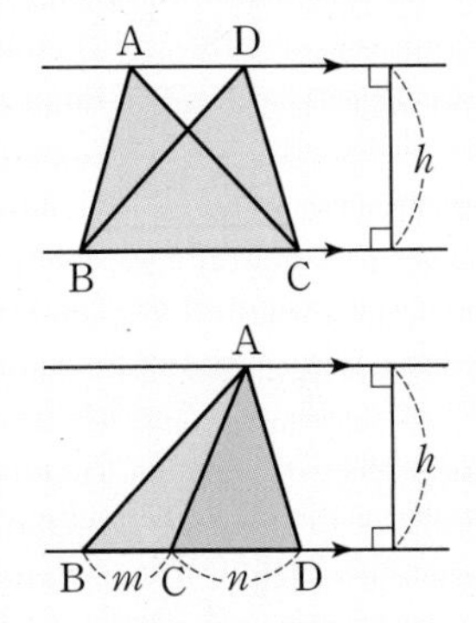

• 평행한 두 직선 사이의 거리는 일정하다.

⑩ 크기　⑪ 대변　⑫ 평행사변형　⑬ 마름모　⑭ 넓이　⑮ 길이

복사기
축소 및 확대는 기본으로 가능하기에 얼마든지 원하는 크기로 복사할 수 있다. 크기만 다를 뿐 모양은 모두 같은 닮음이다.

직지
유럽 최초의 금속활자보다 약 200년 앞선, 세계 최초의 금속활자로 우리나라의 '직지'이다.

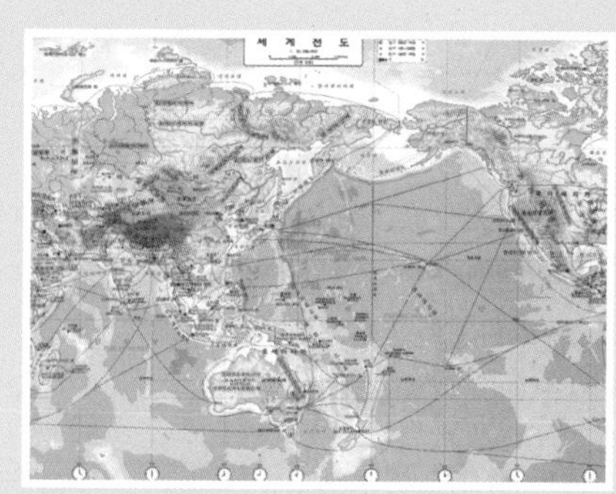

지도
큰 땅의 실제 지형을 작은 종이에 옮겨 놓아 한 눈에 그 성질을 알 수 있게 해준다. 용도에 따라 크기가 다른 것을 사용한다.

어떻게?

시골 외갓집까지 찾아 갈 수 있을까? 그 답은 바로

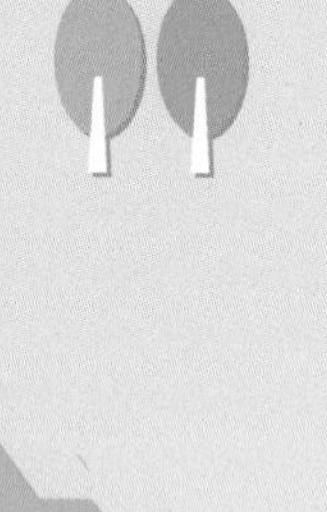

지도나 약도를 사용하기 때문

우리는 생활하면서 크고 작은 지도나 약도를 늘 접하며 생활하고 있다.

지도는 큰 땅의 실제 지형을 작은 종이에 옮겨 놓아 한 눈에 그 성질을 알 수 있게 해준다. 지도는 용도에 따라 크기가 다른 것을 사용하기도 한다. 그러나 모양은 언제나 일정하다.

지도를 보면 한 쪽에 1 : 5000, 1 : 50,000, 1 : 100,000 등으로 표시되어 있는 것을 볼 수 있다. 이것을 축척이라고 하는데, 이 축척은 지도의 제작에서 가장 밑바탕이 되고, 또 중요한 것이다. 축척이 있기 때문에 비로소 지도 제작이 가능해지는 것이다. 축척이란 지도를 만들 때 어떤 곳을 실제보다 축소한 정도를 가리킨다.

보통 교실에 걸려있는 대한민국 전도는 축척이 1 : 1,000,000이다. 즉, 지도의 크기가 1이면 대한민국의 실제 크기는 1,000,000배라는 것이다. 대한민국을 100만분의 1로 줄여서 지도로 그린 것이다.

축척이란, 실제의 거리를 일정한 비율로 줄인 정도를 말한다. 이 축척을 사용하여 지도를 그리면 크기는 다르지만 실제의 모양과 똑같은 지도를 얻을 수 있다.

II. 도형의 닮음

1. 도형의 닮음

학습 목표

1. 도형의 닮음의 뜻을 안다.
2. 닮은 도형의 성질을 이해한다.
3. 삼각형의 닮음조건을 이해하고, 이를 이용하여 두 삼각형이 닮음인지 판별할 수 있다.

01 닮은 도형

빠른 정답 04쪽 / 친절한 해설 18쪽

1. **닮은 도형** : 한 도형을 일정한 비율로 확대 또는 축소하여 다른 도형과 합동이 될 때, 이 두 도형은 닮음인 관계에 있다고 하고, 서로 닮음인 관계에 있는 두 도형을 닮은 도형이라 한다.

2. **닮음의 기호** : 두 삼각형 ABC와 DEF가 닮은 도형일 때, 닮음의 기호 ∽를 사용하여 다음과 같이 나타낸다.
   ⇨ △ABC∽△DEF

- 항상 닮음인 평면도형
  ⇨ 원, 직각이등변삼각형, 정 n각형($n=3$, 4, …), 중심각의 크기가 같은 부채꼴
- 항상 닮음인 입체도형
  ⇨ 구, 정다면체

유형 056 닮은 도형

※ 아래의 그림에서 △ABC∽△DEF일 때, 다음을 구하여라.

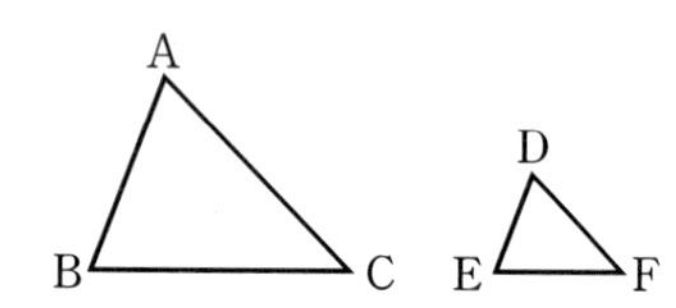

01 점 A에 대응하는 점

02 변 BC에 대응하는 변

03 ∠C에 대응하는 각

※ 아래의 그림에서 □ABCD∽□EFGH일 때, 다음을 구하여라.

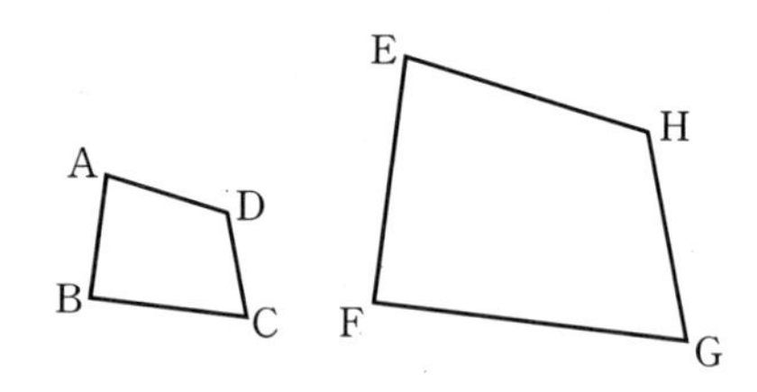

04 점 C에 대응하는 점

05 변 FG에 대응하는 변

06 ∠B에 대응하는 각

02 닮은 도형의 성질과 닮음비

빠른 정답 04쪽 / 친절한 해설 18쪽

1. 평면도형에서의 닮음의 성질

닮은 두 평면도형에서

(1) 대응하는 변의 길이의 비는 일정하다.

⇨ $\overline{AB}:\overline{DE}=\overline{BC}:\overline{EF}=\overline{CA}:\overline{FD}$

(2) 대응하는 각의 크기는 각각 같다.

⇨ $\angle A=\angle D$, $\angle B=\angle E$, $\angle C=\angle F$

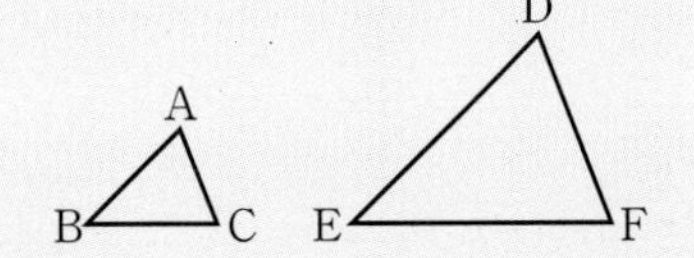

2. 닮음비 : 닮은 두 도형에서 대응하는 변의 길이의 비

3. 입체도형에서의 닮음의 성질

닮은 두 입체도형에서

(1) 대응하는 모서리의 길이의 비는 일정하다.

⇨ $\overline{AB}:\overline{EF}=\overline{BC}:\overline{FG}=\overline{AC}:\overline{EG}\cdots$

(2) 대응하는 면은 각각 닮은 도형이다.

⇨ $\triangle ABC \backsim \triangle EFG$, $\triangle ABD \backsim \triangle EFH$, $\cdots$

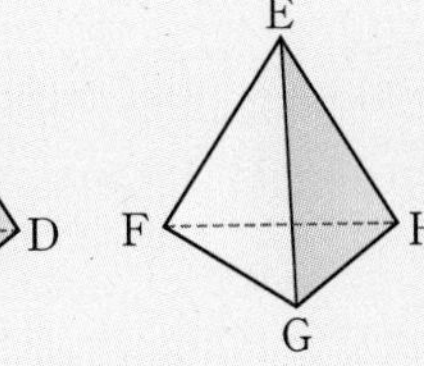

• 닮음비는 가장 간단한 자연수의 비로 나타낸다.

평면도형에서 닮음의 성질

※ 아래 그림에서 $\triangle ABC \backsim \triangle DEF$일 때, 다음을 구하여라.

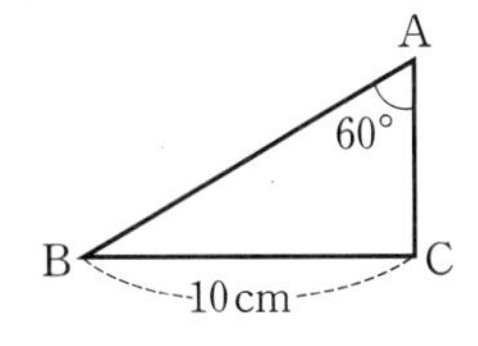

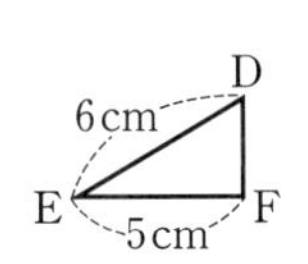

01 $\triangle ABC$와 $\triangle DEF$의 닮음비

|해설| $\overline{BC}:\overline{EF}=10:5=\square:1$이므로
닮음비는 $\square:1$이다.

02 $\overline{AB}$의 길이

03 $\angle D$의 크기

※ 아래 그림에서 $\square ABCD \backsim \square EFGH$일 때, 다음을 구하여라.

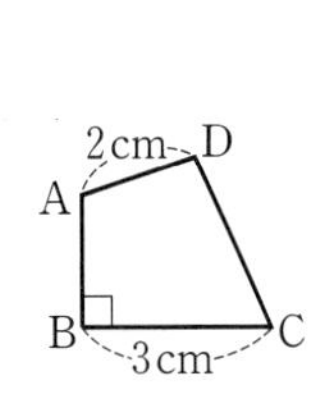

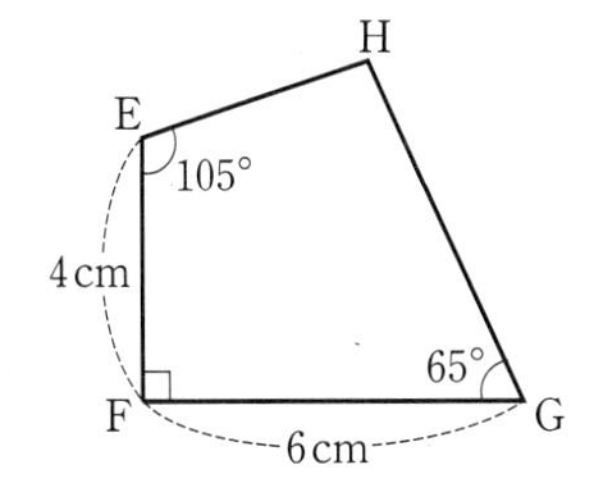

04 $\square ABCD$와 $\square EFGH$의 닮음비

|해설| $\overline{BC}:\overline{FG}=3:\square=1:\square$이므로
닮음비는 $1:\square$이다.

05 $\overline{EH}$의 길이

06 $\angle C$의 크기

07 $\angle D$의 크기

평면도형에서 닮음비의 활용

※ 아래 그림에서 $\triangle ABC \backsim \triangle DEF$이고 닮음비가 $2:1$일 때, 다음을 구하여라.

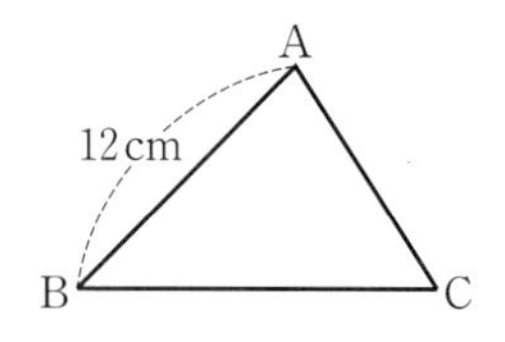

08 $\overline{DE}$의 길이

09 $\overline{AC}$의 길이

10 $\overline{BC}$의 길이

11 $\triangle ABC$의 둘레의 길이

12 $\triangle DEF$의 둘레의 길이

13 $\triangle ABC$와 $\triangle DEF$의 둘레의 길이의 비

※ 아래 그림에서 $\square ABCD \backsim \square EFGH$이고 닮음비가 $4:3$일 때, 다음을 구하여라.

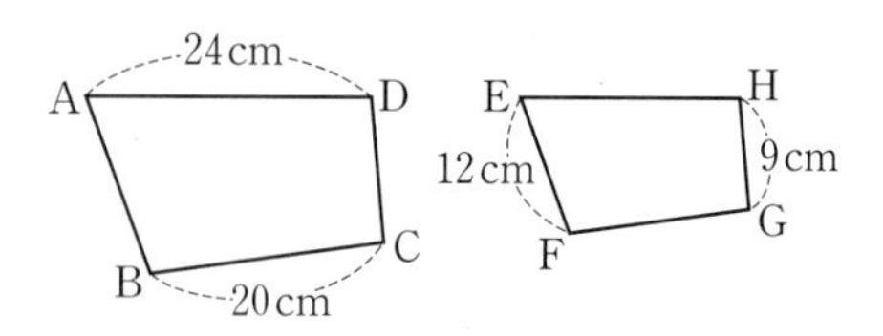

14 $\overline{AB}$의 길이

15 $\overline{CD}$의 길이

16 $\overline{FG}$의 길이

17 $\overline{HE}$의 길이

18 $\square ABCD$의 둘레의 길이

19 $\square EFGH$의 둘레의 길이

20 $\square ABCD$와 $\square EFGH$의 둘레의 길이의 비

유형 059 입체도형에서 닮음비의 성질

※ 아래 그림에서 두 삼각기둥은 닮은 도형이다. $\overline{AB}$에 대응하는 모서리가 $\overline{A'B'}$일 때, 다음을 구하여라.

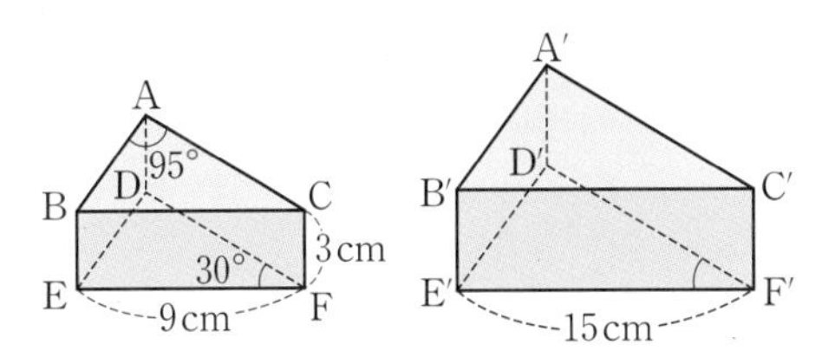

21 면 ABED에 대응하는 면

22 두 삼각기둥의 닮음비

23 $\overline{C'F'}$의 길이

24 $\angle F'$의 크기

25 $\angle A'B'C'$의 크기

※ 아래 그림의 서로 닮은 두 직육면체에 대하여 $\overline{AB}$에 대응하는 모서리가 $\overline{A'B'}$일 때, 다음을 구하여라.

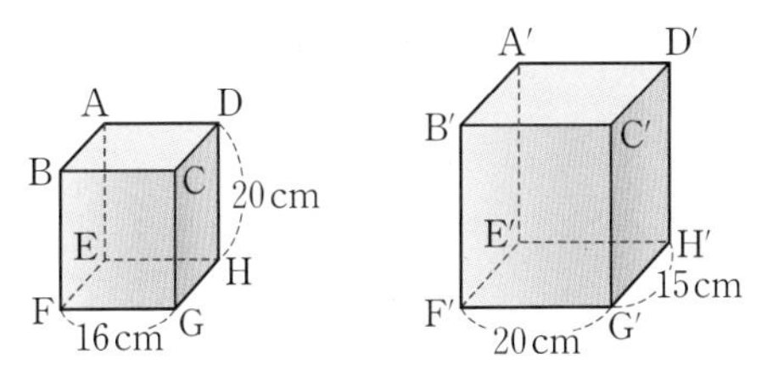

26 면 BFGC에 대응하는 면

27 두 직육면체의 닮음비

28 $\overline{D'H'}$의 길이

29 $\overline{GH}$의 길이

Tip
입체도형에서는 모서리의 길이, 높이, 반지름의 길이, 모선의 길이 등으로 닮음비를 구할 수 있다.

입체도형에서 닮음비의 활용

※ 아래 그림에서 두 원뿔 A, B가 서로 닮은 도형일 때, 다음을 구하여라.

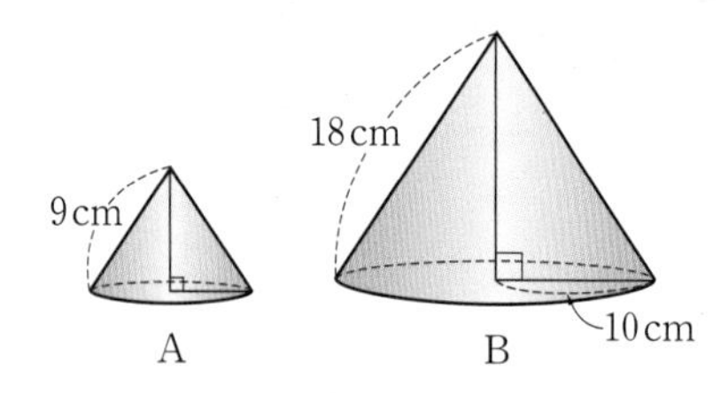

30 두 원뿔 A, B의 닮음비

|해설| 두 원뿔 A, B의 닮음비는 모선의 길이의 비와 같으므로
$9:18=1:\square$

31 원뿔 A의 밑면의 반지름의 길이

32 원뿔 B의 밑면의 둘레의 길이

33 원뿔 A의 밑면의 둘레의 길이

34 원뿔 A, B의 밑면의 둘레의 길이의 비

※ 아래 그림에서 두 원기둥 A, B가 서로 닮은 도형일 때, 다음을 구하여라.

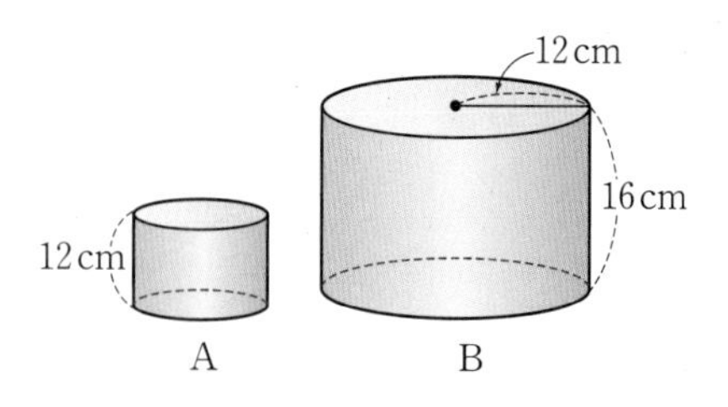

35 두 원기둥 A, B의 닮음비

|해설| 두 원기둥 A, B의 닮음비는 높이의 비와 같으므로
$12:16=\square:\square$

36 원기둥 A의 밑면의 반지름의 길이

37 원기둥 A의 밑면의 둘레의 길이

38 원기둥 B의 밑면의 둘레의 길이

39 원기둥 A, B의 밑면의 둘레의 길이의 비

03 삼각형의 닮음조건

빠른 정답 04쪽 / 친절한 해설 18쪽

• 두 삼각형이 다음 중 어느 한 조건을 만족하면 서로 닮은 도형이다.

(1) 세 쌍의 대응하는 변의 길이의 비가 같다. (SSS 닮음)

⇨ $a : a'=b : b'=c : c'$

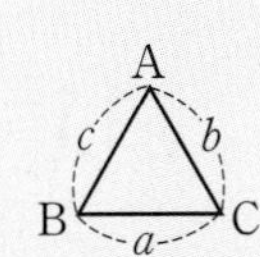

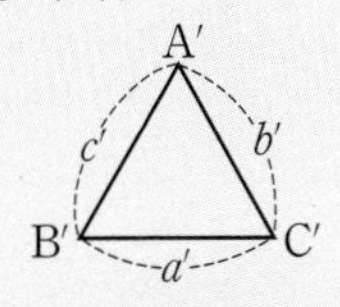

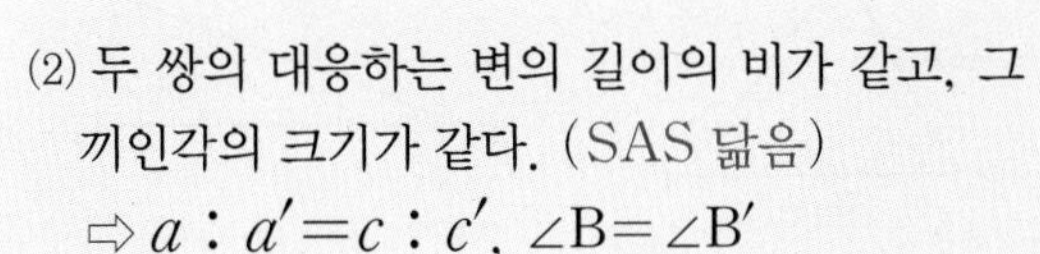

(2) 두 쌍의 대응하는 변의 길이의 비가 같고, 그 끼인각의 크기가 같다. (SAS 닮음)

⇨ $a : a'=c : c'$, $\angle B=\angle B'$

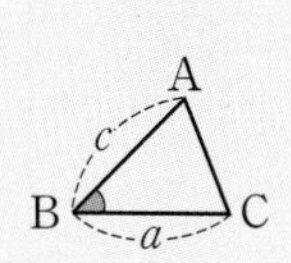

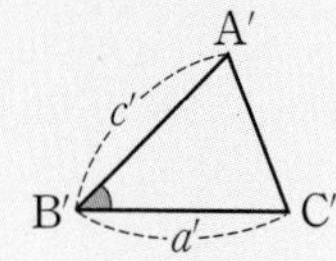

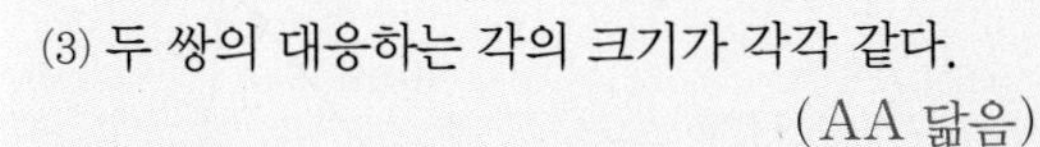

(3) 두 쌍의 대응하는 각의 크기가 각각 같다. (AA 닮음)

⇨ $\angle B=\angle B'$, $\angle C=\angle C'$

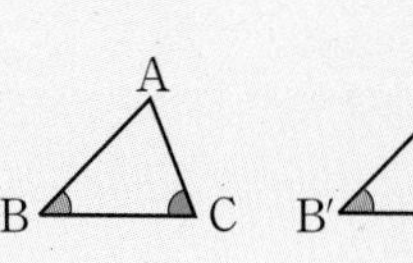

삼각형의 합동조건

• 세 쌍의 대응하는 변의 길이가 각각 같다. (SSS 합동)

• 두 쌍의 대응하는 변의 길이가 각각 같고, 그 끼인각의 크기가 같다. (SAS 합동)

• 한 쌍의 대응하는 변의 길이가 같고, 그 양 끝각의 크기가 같다. (ASA 합동)

삼각형의 닮음조건

※ 오른쪽 삼각형과 닮은 삼각형인 것에는 ○표, 그렇지 않은 것에는 ×표 하여라.

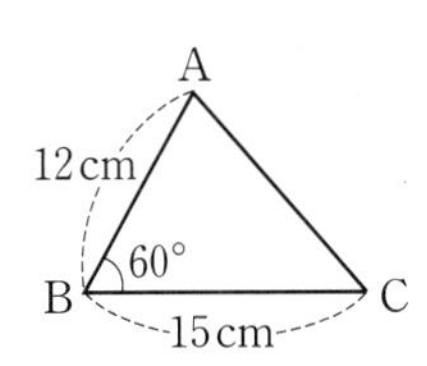

01

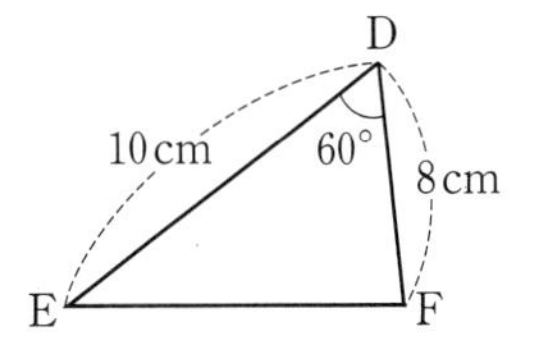

( )

|해설| 두 쌍의 대응하는 ☐의 길이의 비가 같고, 그 끼인각의 크기가 같으므로 주어진 삼각형과 ☐ 삼각형이다.

02

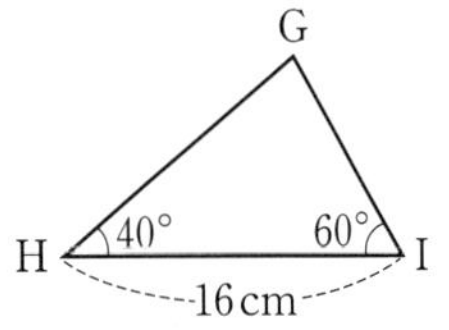

( )

03

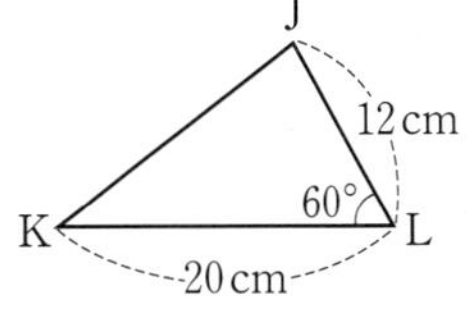

( )

※ 다음 두 삼각형이 닮은 도형일 때, 닮음조건을 써라.

04

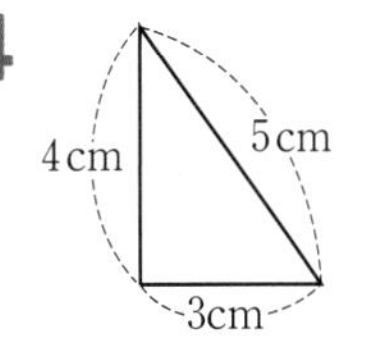

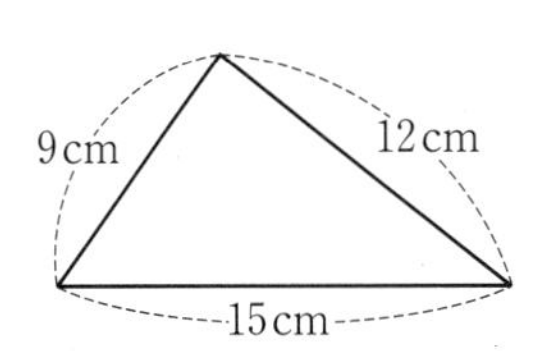

|해설| 세 쌍의 대응하는 ☐의 길이의 비가 각각 같으므로 ☐ 닮음이다.

05

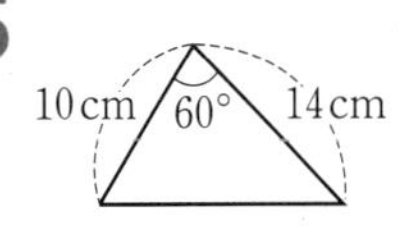

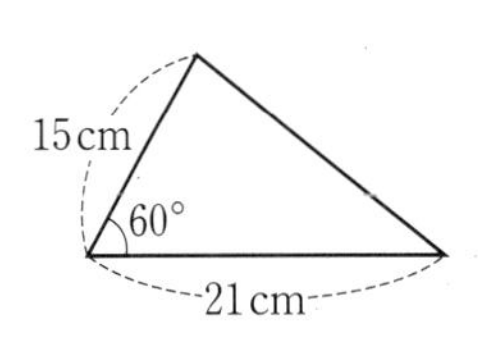

06

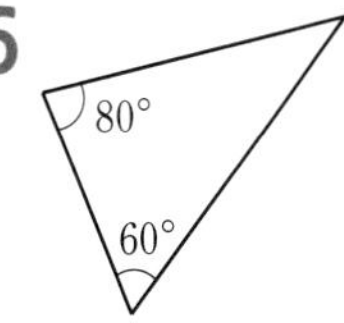

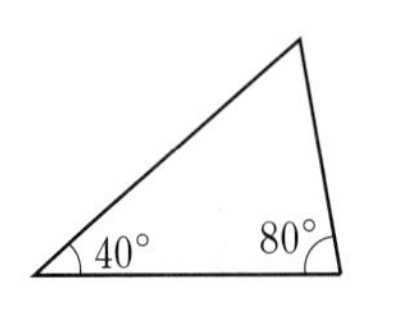

※ 다음 그림에서 닮음인 삼각형을 기호를 사용하여 나타내고, 닮음조건을 써라.

07

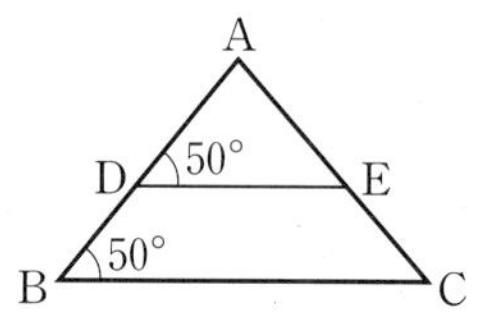

|해설| △ABC와 △ADE에서
∠A는 공통, ∠B=∠D
∴ △ABC☐△ADE (☐ 닮음)

08

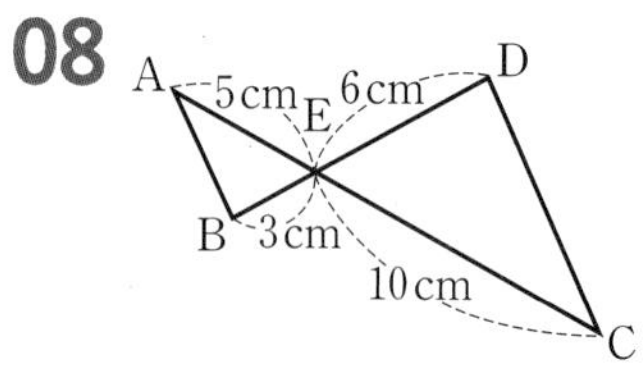

09

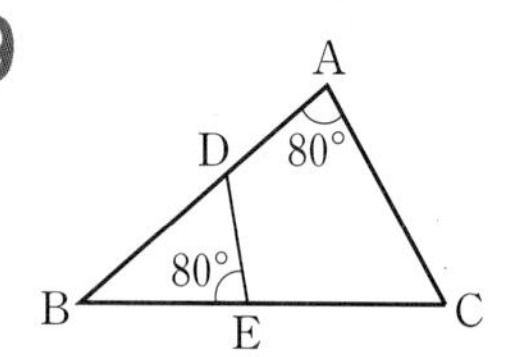

10

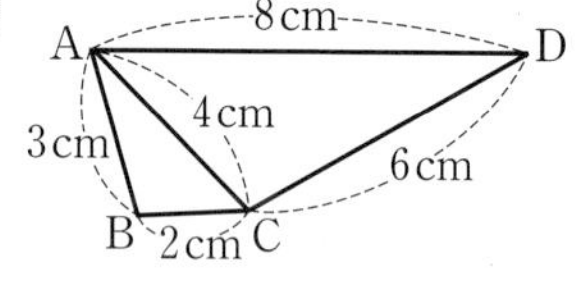

※ 다음 중에서 서로 닮음인 관계에 있는 삼각형을 찾고, 닮음조건을 써라.

11

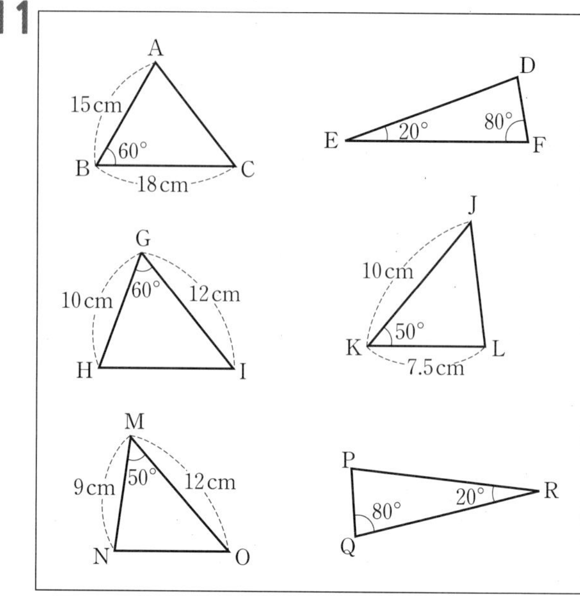

|해설| △ABC와 △HGI에서
$\overline{AB}:\overline{HG}=\overline{BC}:\overline{GI}=3:2$, ∠B=∠G=60°
△ABC∽△HGI (☐ 닮음)
△DEF와 △PRQ에서 ∠E=∠R, ∠F=∠Q
△DEF∽△PRQ (☐ 닮음)
△JKL과 △OMN에서
$\overline{JK}:\overline{OM}=\overline{KL}:\overline{MN}=5:6$, ∠K=∠M=50°
△JKL∽△OMN (☐ 닮음)

12

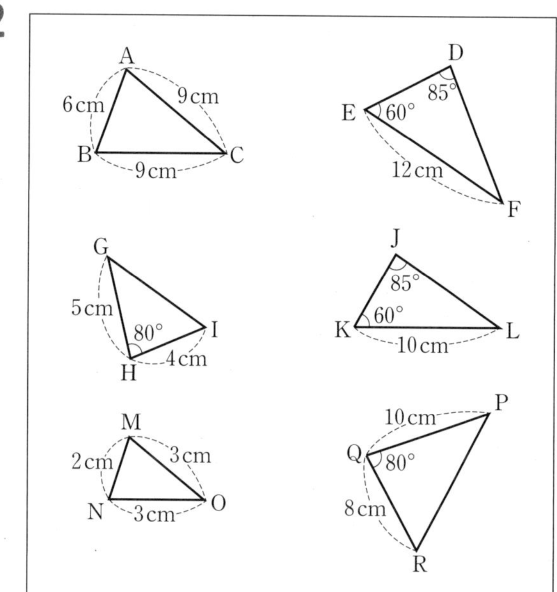

SAS 닮음을 이용하여 변의 길이 구하기

※ 아래 그림에서 $\triangle ABC \backsim \triangle ADB$일 때, 다음을 구하여라.

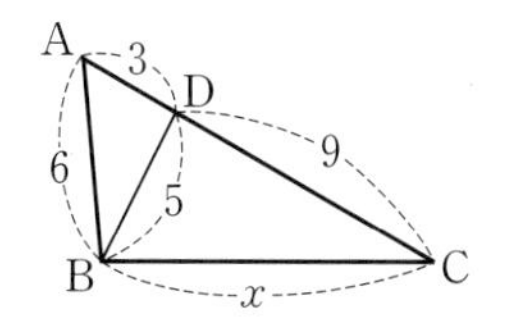

13 공통인 각

14 대응하는 두 쌍의 변

15 대응하는 변의 길이의 비

16 닮음조건

17 닮음비

18 x의 값

※ 다음 그림에서 x의 값을 구하여라.

19 $\triangle ABC \backsim \triangle ADB$

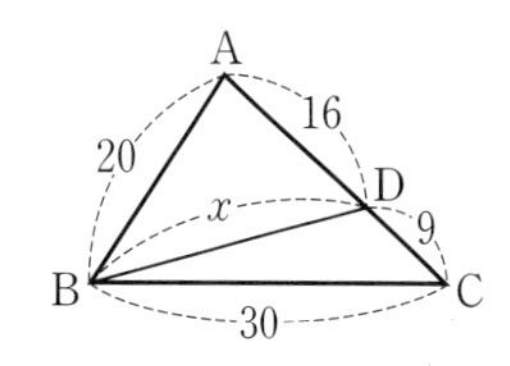

|해설| $\triangle ABC$와 $\triangle ADB$의 닮음비는

$\overline{AB} : \overline{AD} = 5 : \square$

$\overline{BC} : \overline{DB} = 5 : \square$이므로 $30 : x = 5 : \square$

$\therefore x = \square$

20 $\triangle ABC \backsim \triangle EBD$

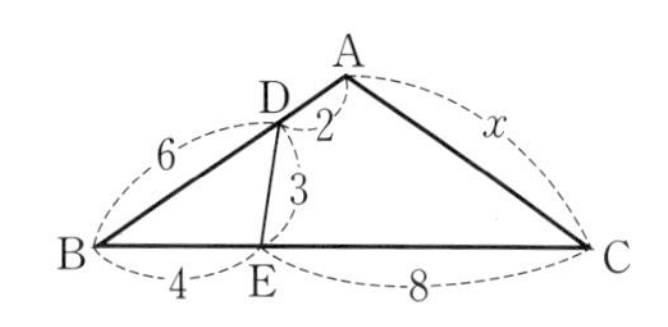

21 $\triangle AEB \backsim \triangle CED$

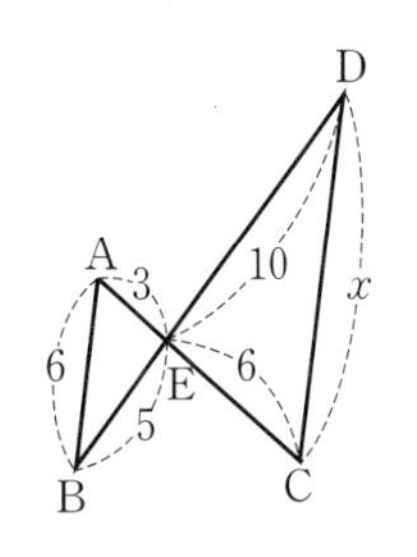

22 $\triangle ABE \backsim \triangle CDE$

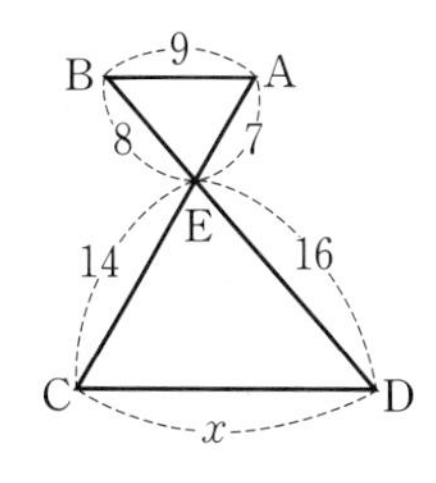

유형 063 AA 닮음을 이용하여 변의 길이 구하기

※ 아래 그림에서 $\triangle ABC \backsim \triangle AED$일 때, 다음을 구하여라.

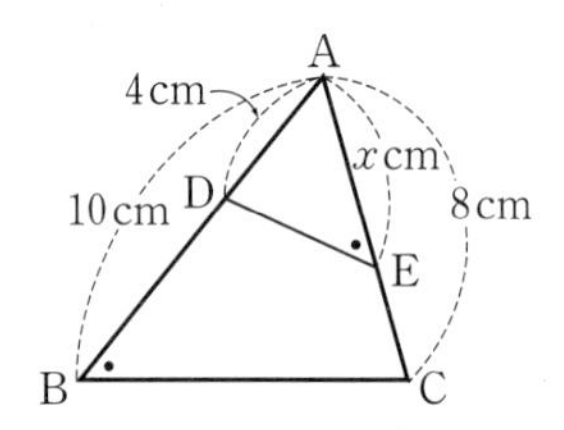

23 공통인 각

24 $\angle B$에 대응하는 각

25 닮음조건

26 닮음비

27 x의 값

※ 다음 그림에서 x의 값을 구하여라.

28

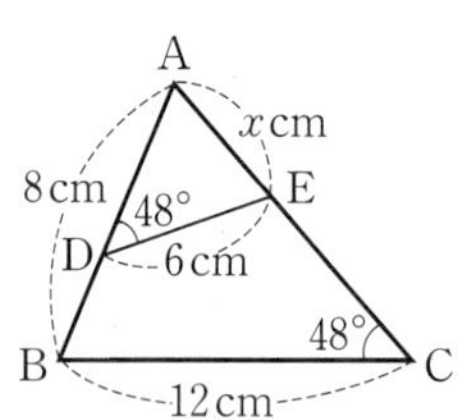

|해설| $\triangle ABC$와 $\triangle AED$에서 $\angle A$는 공통, $\angle C = \angle ADE$

$\therefore \triangle ABC \backsim \triangle AED$ (☐ 닮음)

$\overline{BC} : \overline{ED} = 2 :$ ☐ 이므로 닮음비는 $2 :$ ☐

따라서 $\overline{AB} : \overline{AE} = 2 :$ ☐ 이므로

$8 : x = 2 : 1$, $x =$ ☐

29

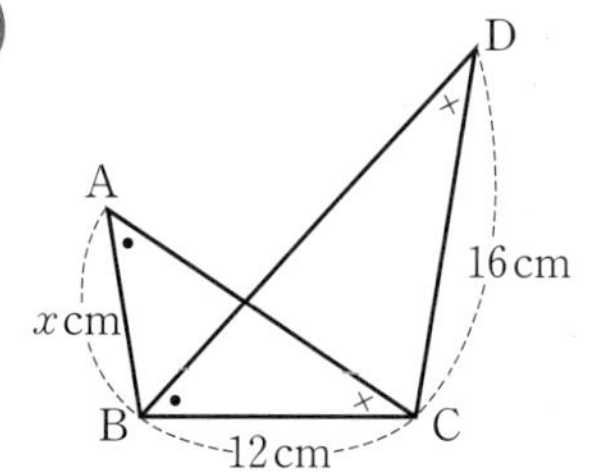

30

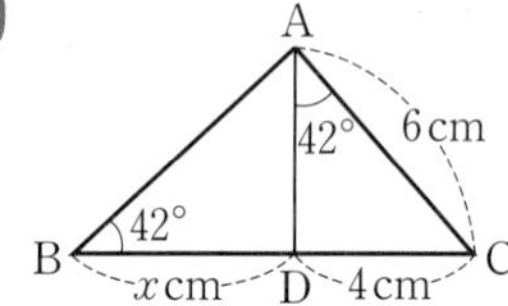

31

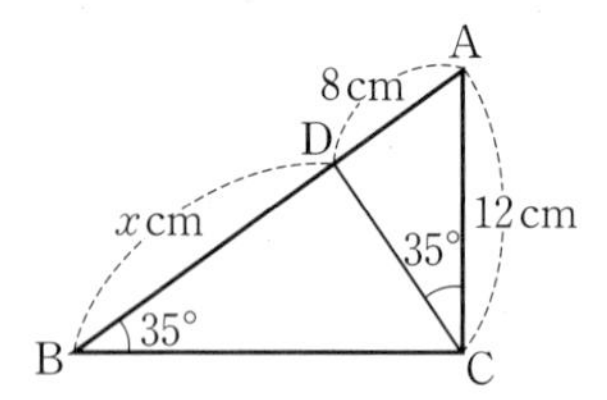

04 직각삼각형의 닮음

빠른 정답 05쪽 / 친절한 해설 19쪽

$\angle A=90°$인 직각삼각형 ABC의 꼭짓점 A에서 빗변 BC에 내린 수선의 발을 H라 할 때

(1) 직각삼각형의 닮음 관계

$\triangle ABC \backsim \triangle HBA \backsim \triangle HAC$ (AA 닮음)

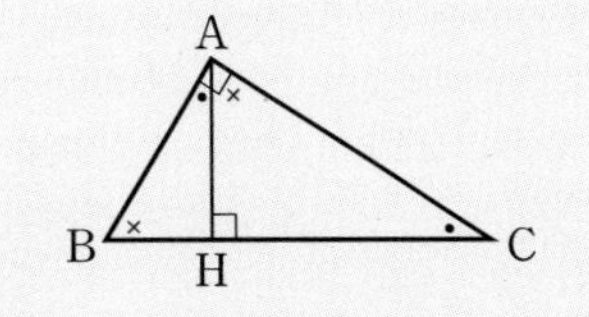

(2) 직각삼각형의 닮음의 활용

① $\triangle ABC \backsim \triangle HBA$이므로 $\overline{AB} : \overline{HB} = \overline{BC} : \overline{BA}$

⇨ $\overline{AB}^2 = \overline{BH} \times \overline{BC}$

② $\triangle ABC \backsim \triangle HAC$이므로 $\overline{AC} : \overline{HC} = \overline{BC} : \overline{AC}$

⇨ $\overline{AC}^2 = \overline{CH} \times \overline{CB}$

③ $\triangle HBA \backsim \triangle HAC$이므로 $\overline{HB} : \overline{HA} = \overline{AH} : \overline{CH}$

⇨ $\overline{AH}^2 = \overline{HB} \times \overline{HC}$

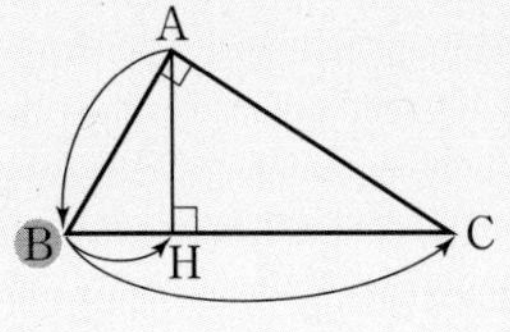

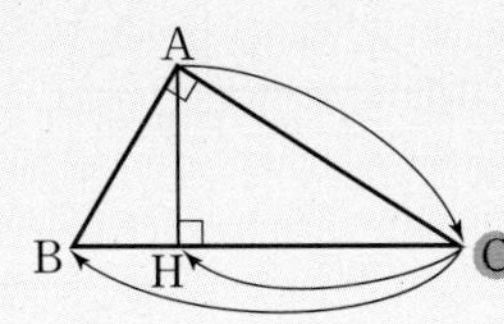

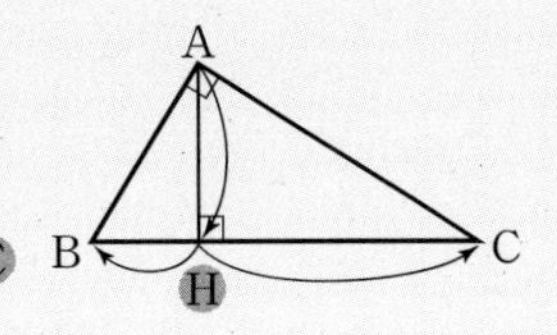

직각삼각형 ABC의 넓이에서 다음이 성립한다.

$\frac{1}{2} \times \overline{AH} \times \overline{BC} = \frac{1}{2} \times \overline{AB} \times \overline{AC}$

⇨ $\overline{AH} \times \overline{BC} = \overline{AB} \times \overline{AC}$

유형 064 직각삼각형의 닮음

※ 아래 그림을 보고, 다음 물음에 답하여라.

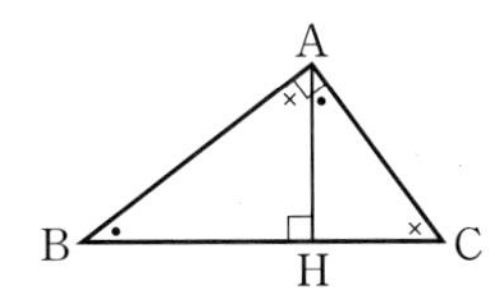

01 $\triangle ABC$와 닮음인 삼각형을 모두 찾아 기호로 나타내어라.

02 $\triangle HBA$의 $\overline{HB}$에 대응하는 변을 모두 찾아라.

03 $\triangle HAC$의 $\overline{AC}$에 대응하는 변을 모두 찾아라.

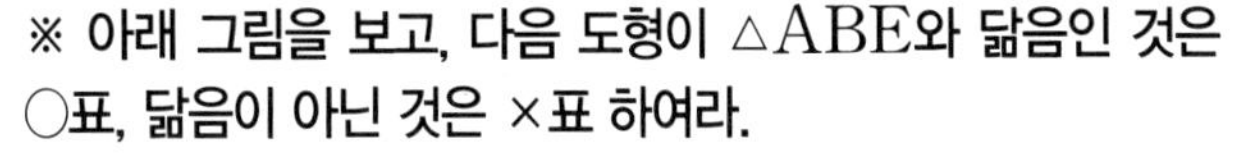

※ 아래 그림을 보고, 다음 도형이 $\triangle ABE$와 닮음인 것은 ○표, 닮음이 아닌 것은 ×표 하여라.

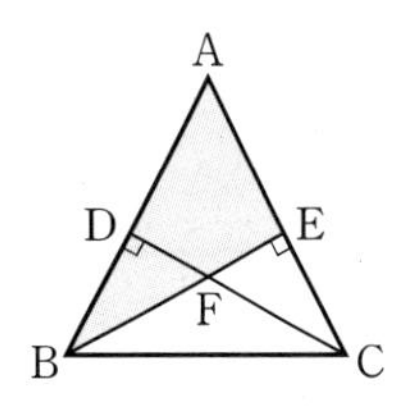

04 $\triangle ACD$ ( )

05 $\triangle CBE$ ( )

06 $\triangle FBD$ ( )

07 $\triangle FBC$ ( )

직각삼각형의 닮음의 활용

※ 다음 삼각형 ABC에서 $\overline{AH}\perp\overline{BC}$일 때, x의 값을 구하여라.

08

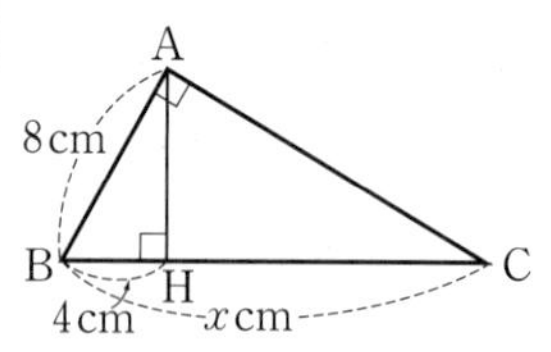

|해설| $\overline{AB}^2=\overline{BH}\times\overline{BC}$이므로

$\square=4\times x\quad\therefore x=\square$

09

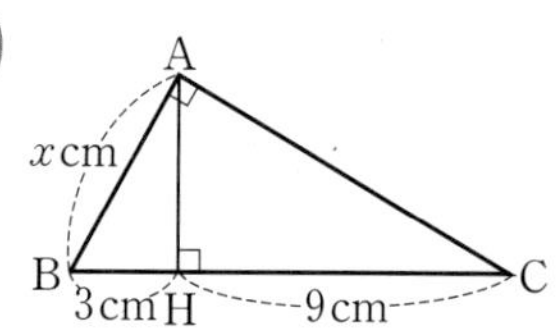

10

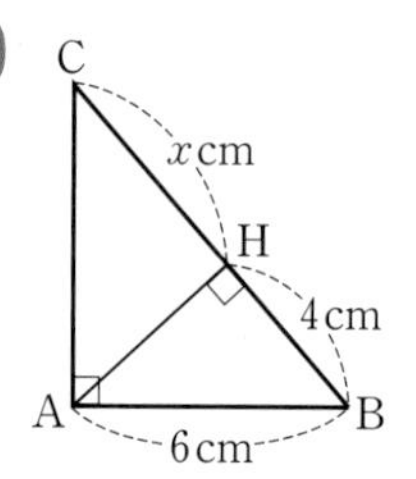

11

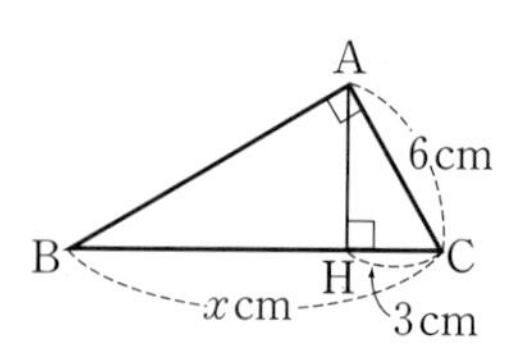

|해설| $\overline{AC}^2=\overline{CH}\times\overline{CB}$이므로

$\square=3\times x,\ \square=3x$

$\therefore x=\square$

12

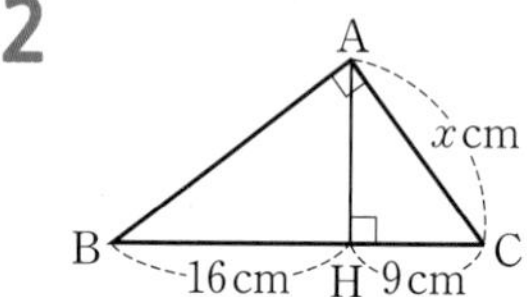

13

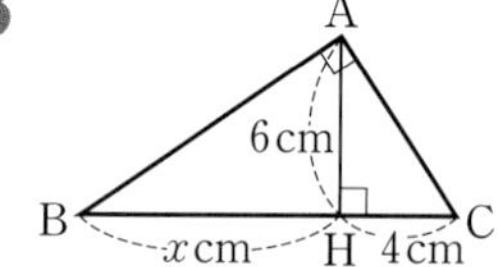

|해설| $\overline{AH}^2=\overline{BH}\times\overline{CH}$이므로

$\square=x\times 4$

$\therefore x=\square$

14

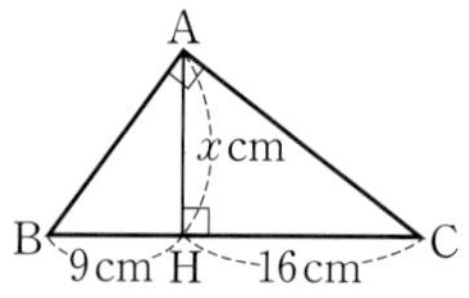

A, x cm, B, 9 cm, H, 16 cm, C

※ 다음 그림과 같은 삼각형의 넓이를 구하여라.

15 $\triangle ABH$의 넓이

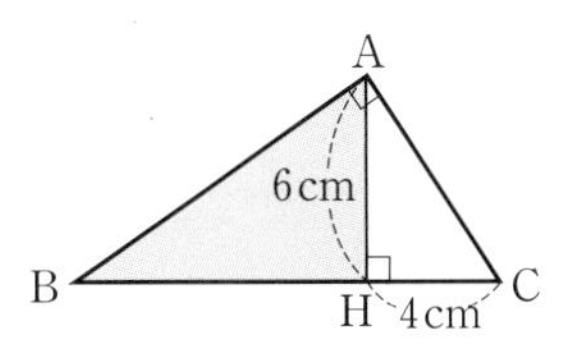

|해설| $\overline{AH}^2=\overline{BH}\times\overline{CH}$이므로

$\square=\overline{BH}\times 4$ $\quad\therefore \overline{BH}=\square$(cm)

$\triangle ABH=\frac{1}{2}\times\square\times 6=\square$(cm²)

16 $\triangle ABC$의 넓이

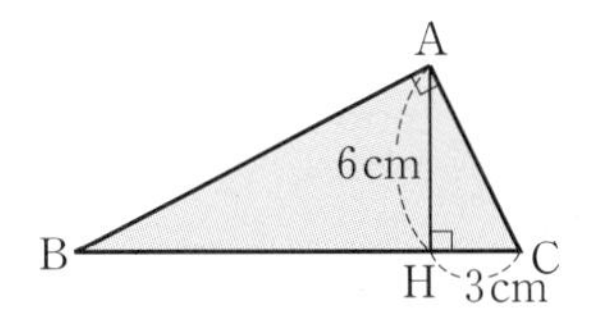

17 $\triangle ABC$의 넓이

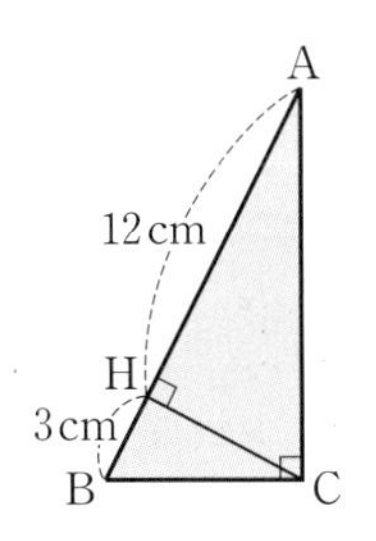

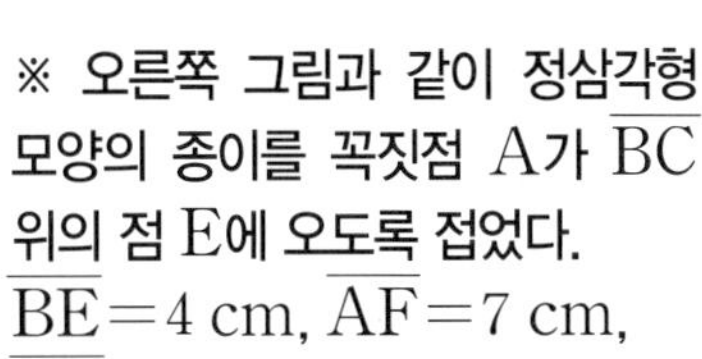

종이접기

※ 오른쪽 그림과 같이 정삼각형 모양의 종이를 꼭짓점 A가 $\overline{BC}$ 위의 점 E에 오도록 접었다. $\overline{BE}=4$ cm, $\overline{AF}=7$ cm, $\overline{FC}=5$ cm일 때, 다음 물음에 답하여라.

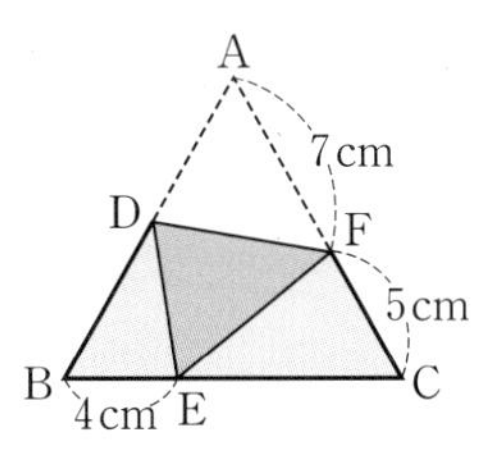

18 서로 닮음인 두 삼각형을 찾아 기호 ∽를 사용하여 나타내고, 닮음조건을 말하여라. (단, 합동인 도형은 제외한다.)

19 $\overline{BD}$의 길이를 구하여라.

20 오른쪽 그림과 같이 직사각형 ABCD를 $\overline{BE}$를 접는 선으로 하여 꼭짓점 C가 $\overline{AD}$ 위의 점 C′에 오도록 접었을 때, $\overline{DE}$의 길이를 구하여라.

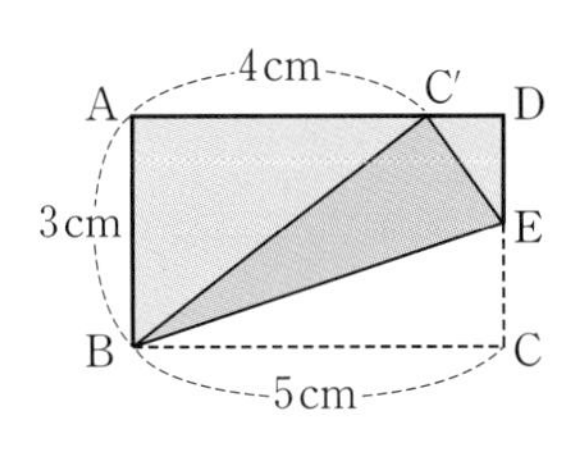

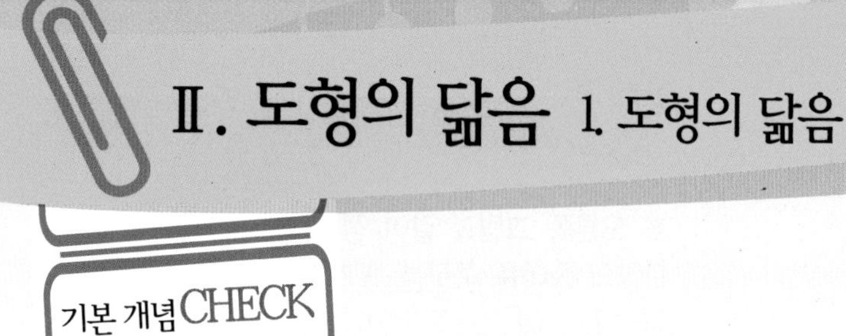

기본 개념CHECK

1. 닮은 도형

(1) 닮은 도형 : 한 도형을 일정한 비율로 확대 또는 축소하여 다른 도형과 합동이 될 때, 이 두 도형은 ❶ ☐ 인 관계에 있다고 하고, 서로 닮음인 관계에 있는 두 도형을 닮은 도형이라 한다.

대응점
대응각
대응변

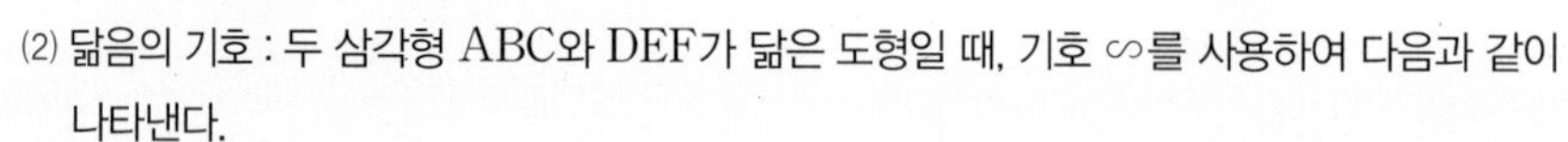

(2) 닮음의 기호 : 두 삼각형 ABC와 DEF가 닮은 도형일 때, 기호 ∽를 사용하여 다음과 같이 나타낸다.

⇨ $\triangle ABC \backsim \triangle DEF$

개념 Window

- 항상 닮음인 평면도형
  ⇨ 원, 직각이등변삼각형, 정 n각형($n=3,\ 4,\ \cdots$), 중심각의 크기가 같은 부채꼴
- 항상 닮음인 입체도형
  ⇨ 구, 정다면체

2-1. 평면도형에서의 닮음의 성질

닮은 두 평면도형에서

(1) 대응하는 변의 길이의 비는 ❷ ☐ 하다.

⇨ $\overline{AB} : \overline{DE} = \overline{BC} : \overline{EF} = \overline{CA} : \overline{FD}$

(2) 대응하는 각의 크기는 각각 ❸ ☐.

⇨ $\angle A = \angle D,\ \angle B = \angle E,\ \angle C = \angle F$

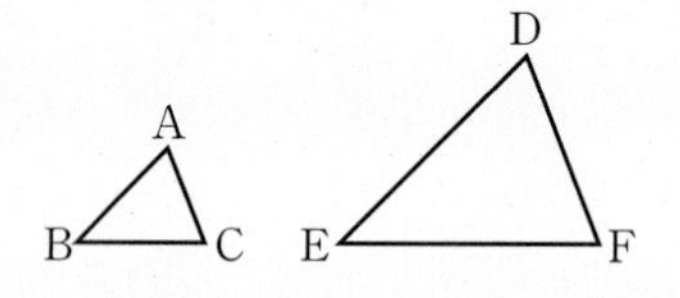

2-2. 닮음비

닮은 두 도형에서 대응하는 ❹ ☐ 의 길이의 비

닮음비는 가장 간단한 ❺ ☐ 의 비로 나타낸다.

2-3. 입체도형에서의 닮음의 성질

닮은 두 입체도형에서

(1) 대응하는 모서리의 길이의 비는 ❻ ☐ 하다.

⇨ $\overline{AB} : \overline{EF} = \overline{BC} : \overline{FG} = \overline{AC} : \overline{EG} \cdots$

(2) 대응하는 면은 각각 닮은 도형이다.

⇨ $\triangle ABC \backsim \triangle EFG,\ \triangle ABD \backsim \triangle EFH,\ \cdots$

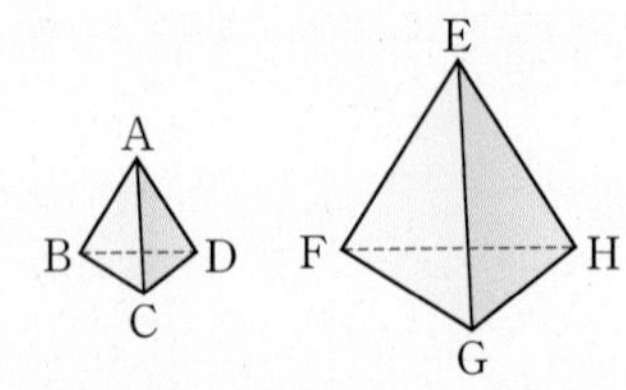

❶ 닮음 ❷ 일정 ❸ 같다 ❹ 변 ❺ 자연수 ❻ 일정

3. 삼각형의 닮음조건

두 삼각형이 다음 중 어느 한 조건을 만족하면 서로 닮은 도형이다.

(1) 세 쌍의 대응하는 [❼]의 길이의 비가 같다. (SSS 닮음)

⇨ $a:a'=b:b'=c:c'$

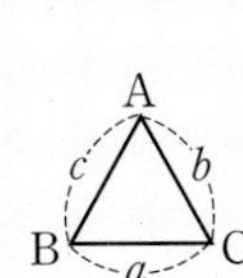

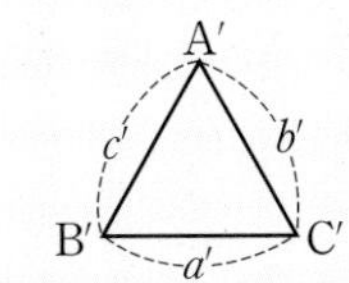

(2) 두 쌍의 대응하는 변의 길이의 비가 같고, 그 [❽]의 크기가 같다. (SAS 닮음)

⇨ $a:a'=c:c'$, $\angle B=\angle B'$

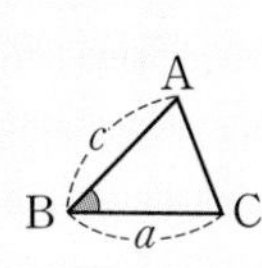

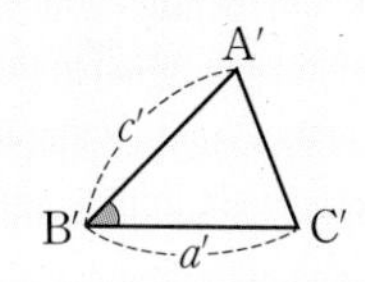

(3) 두 쌍의 대응하는 [❾]의 크기가 각각 같다. (AA 닮음)

⇨ $\angle B=\angle B'$, $\angle C=\angle C'$

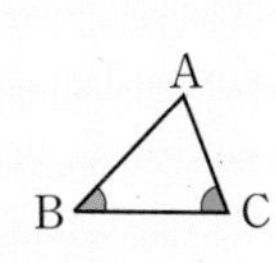

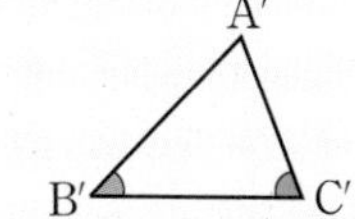

4. 직각삼각형의 닮음

$\angle A=90°$인 직각삼각형 ABC의 꼭짓점 A에서 빗변 BC에 내린 수선의 발을 H라 할 때

(1) 직각삼각형의 닮음 관계

$\triangle ABC \backsim \triangle HBA \backsim \triangle HAC$ (AA 닮음)

(2) 직각삼각형의 닮음의 활용

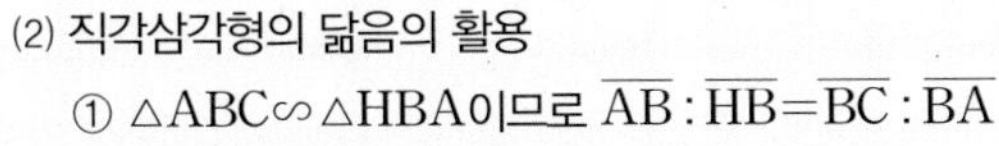

① $\triangle ABC \backsim \triangle HBA$이므로 $\overline{AB}:\overline{HB}=\overline{BC}:\overline{BA}$

⇨ $\overline{AB}^2=\overline{BH}\times$ [❿]

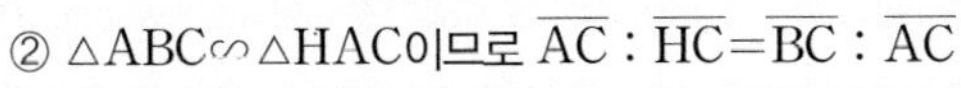

② $\triangle ABC \backsim \triangle HAC$이므로 $\overline{AC}:\overline{HC}=\overline{BC}:\overline{AC}$

⇨ [⓫]$^2=\overline{CH}\times\overline{CB}$

③ $\triangle HBA \backsim \triangle HAC$이므로 $\overline{HB}:\overline{HA}=\overline{AH}:\overline{CH}$

⇨ $\overline{AH}^2=$ [⓬]

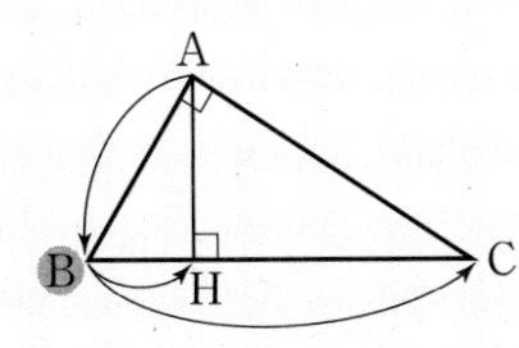

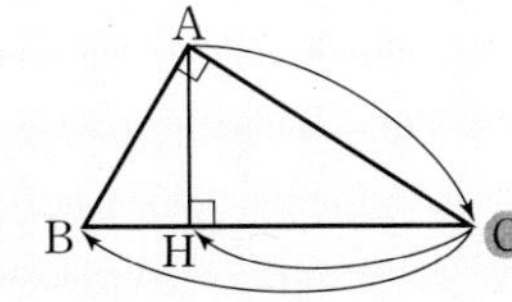

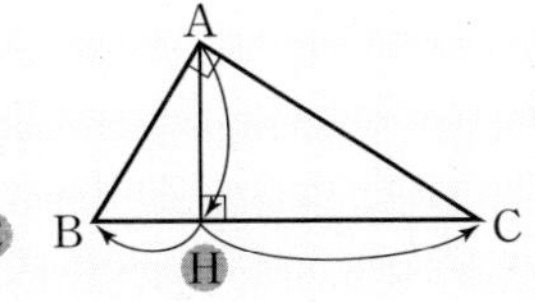

개념 Window

- **삼각형의 합동조건**
- 세 쌍의 대응하는 변의 길이가 각각 같다. (SSS 합동)
- 두 쌍의 대응하는 변의 길이가 각각 같고, 그 끼인각의 크기가 같다. (SAS 합동)
- 한 쌍의 대응하는 변의 길이가 같고, 그 양 끝각의 크기가 같다. (ASA 합동)

직각삼각형 ABC의 넓이에서 다음이 성립한다.

$\frac{1}{2}\times\overline{AH}\times\overline{BC}=\frac{1}{2}\times\overline{AB}\times\overline{AC}$

$\rightarrow \overline{AH}\times\overline{BC}=\overline{AB}\times\overline{AC}$

❼ 변 ❽ 끼인각 ❾ 각 ❿ $\overline{BC}$ ⓫ $\overline{AC}$ ⓬ $\overline{HB}\times\overline{HC}$

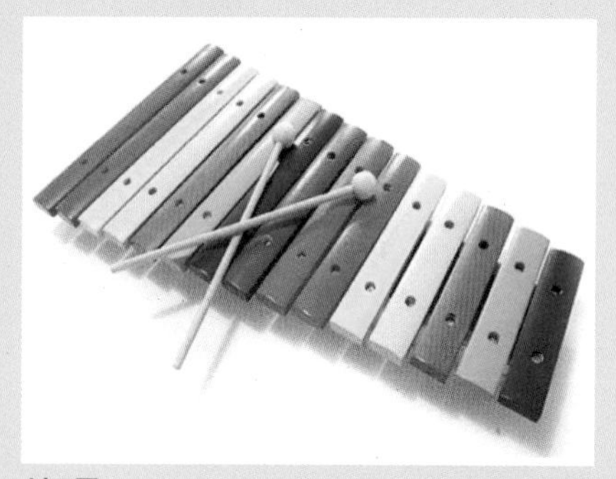

실로폰
길이가 다른 조율된 다수의 조각을 평행하게 늘어놓고 두드려 가락을 연주하는 타악기

지구본
실제 지구의 모양과 닮음인 관계를 유지하면서 축소하여 만든 조형물

프랙탈
자기 닮음을 가지는 기하학적 구조

왜?

소인국에서는 걸리버의 한 끼 식사량이 소인국 사람들의 한 끼 식사량의 1728배가 되는 걸까? 그 답은 바로

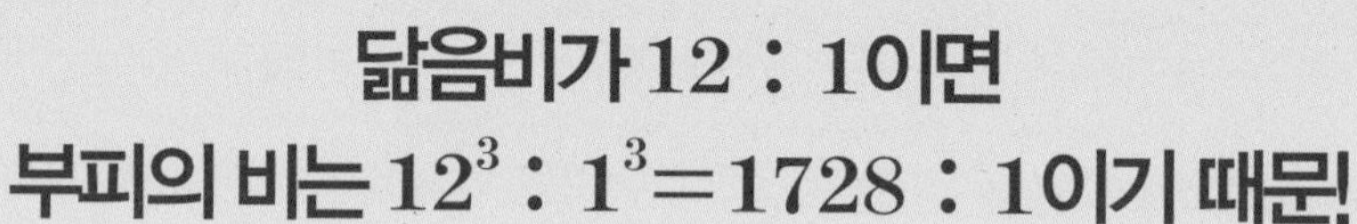

닮음비가 12 : 1이면 부피의 비는 $12^3 : 1^3 = 1728 : 1$이기 때문!

영국의 소설가인 조나단 스위프트의 대표작인 '걸리버 여행기'는 걸리버가 작은 사람들의 나라, 큰 사람들의 나라, 하늘을 나는 섬의 나라, 말들의 나라를 여행하면서 겪는 이야기를 구성한 소설이다.

조나단 스위프트는 걸리버가 소인국과 대인국에서 겪는 일상적인 생활 이야기를 닮음비를 이용하여 정확한 수치와 함께 저술하였다.

예를 들어, 소설 속에서 걸리버의 키는 소인국 사람들의 키의 약 12배이고, 대인국 사람들의 키의 약 $\frac{1}{12}$배인데 소인국에서 걸리버의 옷을 만드는 데 필요한 옷감은 소인국 한 사람의 옷을 만드는 데 필요한 옷감의 144배라고 하였고, 걸리버의 한 끼 식사량은 소인국 사람 기준으로 1728인분의 양이라고 저술하였다.

걸리버의 옷감과 한 끼 식사량이 소인국 사람들의 옷감과 한 끼 식사량의 144배, 1728배가 되는 이유는 무엇일까?

걸리버와 소인국 사람들이 닮음 관계에 있다고 한다면 그 닮음비는 12 : 1이다. 이때, 걸리버와 소인국 사람들의 겉넓이의 비는 $12^2 : 1^2 = 144 : 1$이므로 걸리버의 옷감은 소인국 사람들의 144배이다.

걸리버와 소인국 사람들의 부피의 비는 $12^3 : 1^3 = 1728 : 1$이므로 걸리버의 한 끼 식사량은 소인국 사람들의 1728배가 된다.

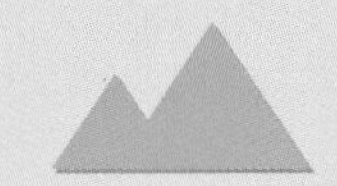

II. 도형의 닮음

2. 닮음의 활용

학습 목표

1. 평행선 사이의 선분의 길이의 비를 구할 수 있다.
2. 닮은 도형의 성질을 활용하여 여러 가지 문제를 해결할 수 있다.

01 삼각형에서 평행선과 선분의 길이의 비 (1)

빠른 정답 05쪽 / 친절한 해설 19쪽

△ABC에서 $\overline{AB}$, $\overline{AC}$ 또는 그 연장선 위에 각각 점 D, E가 있을 때

(1) $\overline{BC} /\!/ \overline{DE}$이면 $\overline{AB} : \overline{AD} = \overline{AC} : \overline{AE} = \overline{BC} : \overline{DE}$

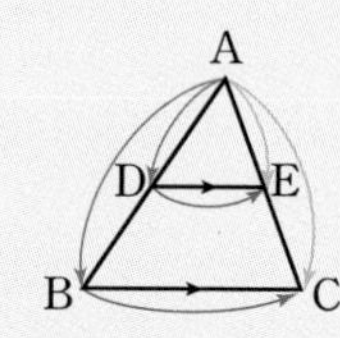

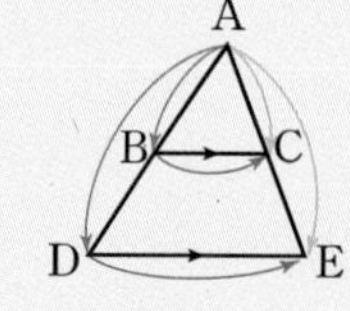

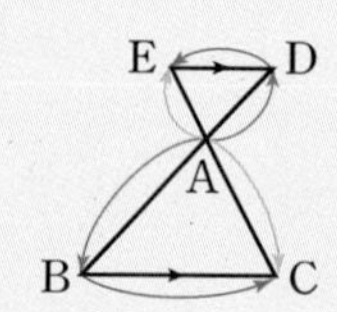

(2) $\overline{BC} /\!/ \overline{DE}$이면 $\overline{AD} : \overline{DB} = \overline{AE} : \overline{EC}$

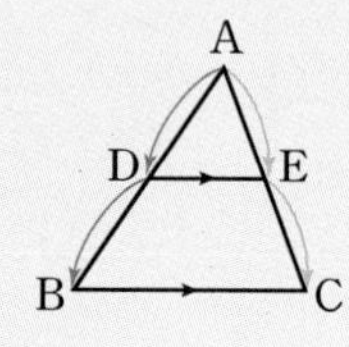

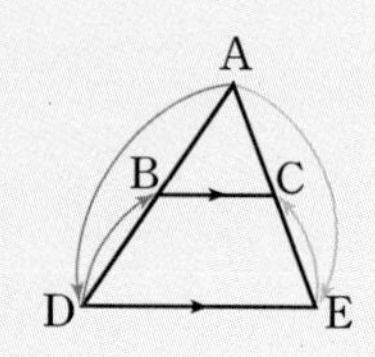

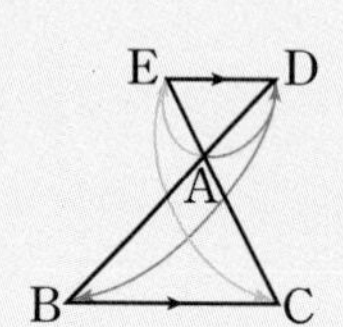

- $\overline{AD} : \overline{DB} \neq \overline{DE} : \overline{BC}$임에 주의한다.
- $\overline{AD} : \overline{AB} = \overline{DE} : \overline{BC}$

유형 067 삼각형에서 평행선과 선분의 길이의 비

※ 다음 그림에서 $\overline{BC} /\!/ \overline{DE}$일 때, x의 값을 구하여라.

01

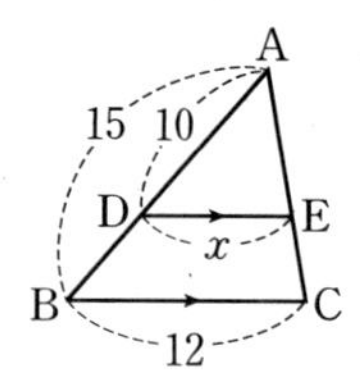

|해설| $\overline{AB} : \overline{AD} = \overline{BC} : \overline{DE}$이므로 $15 : 10 = \square : x$

$15x = \square$ $\quad \therefore x = \square$

02

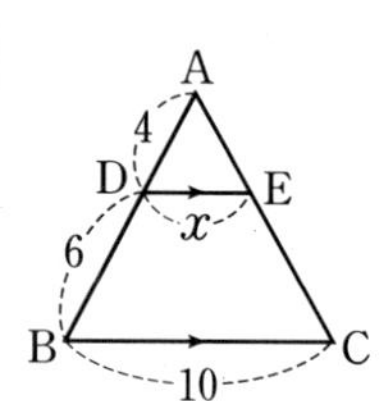

03

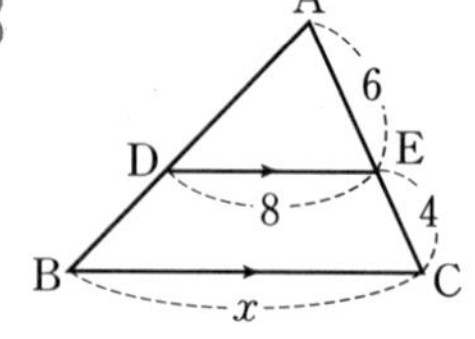

04

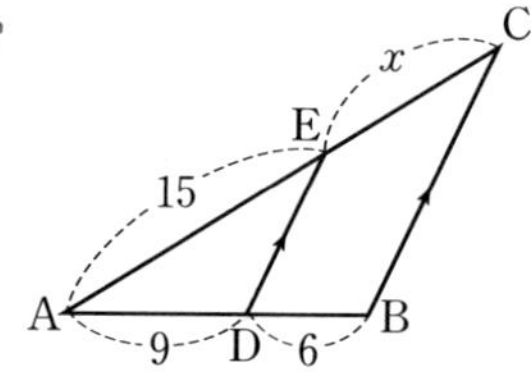

05

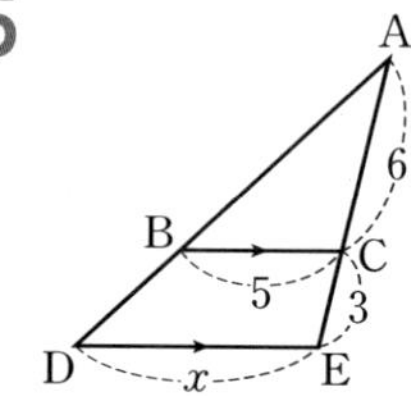

06

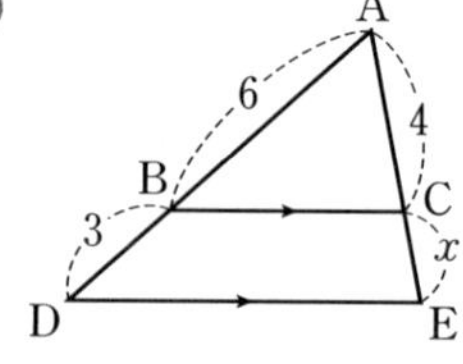

07

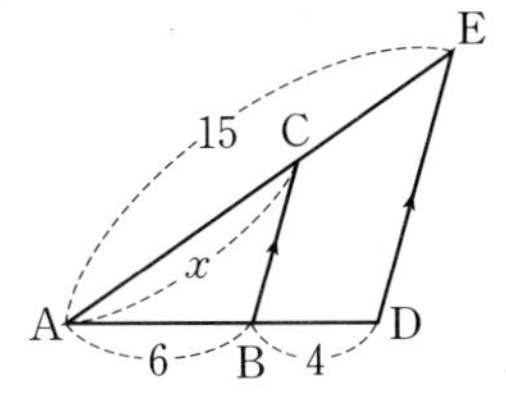

08

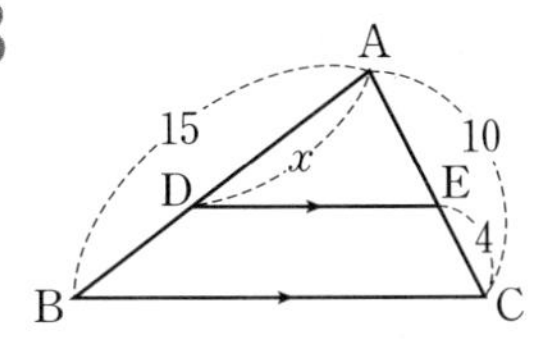

09

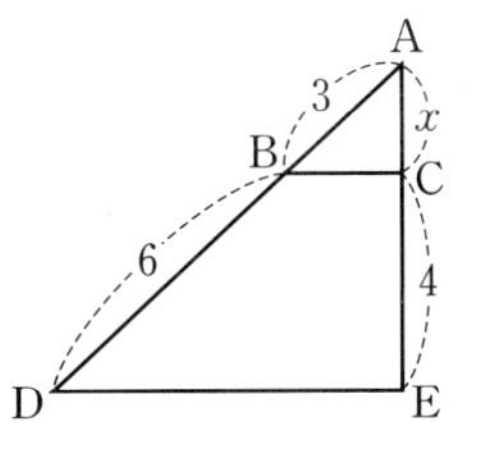

10

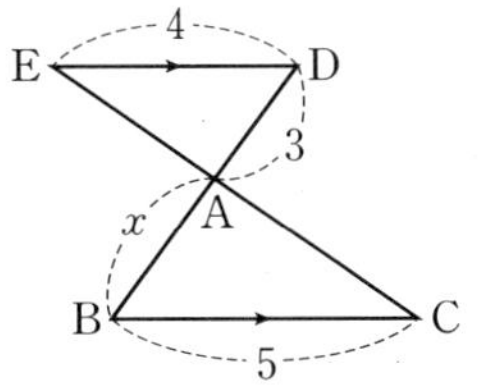

11

C 4 A D
2 x
B 6 E

12

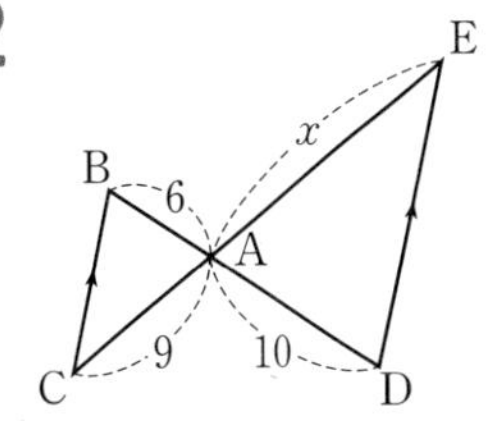

13

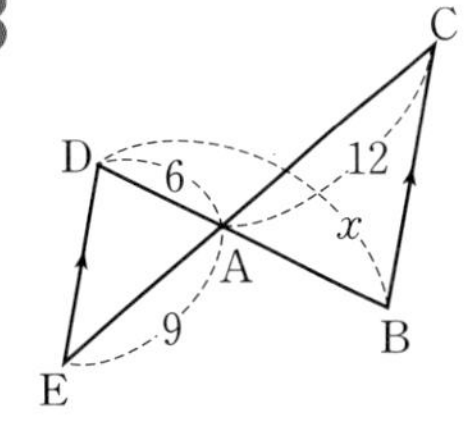

14

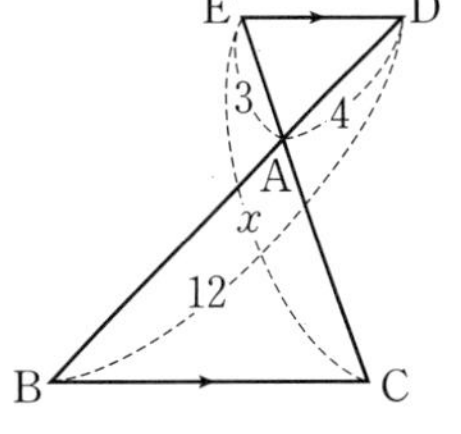

02 삼각형에서 평행선과 선분의 길이의 비 (2)

빠른 정답 05쪽 / 친절한 해설 20쪽

• △ABC에서 $\overline{AB}$, $\overline{AC}$ 또는 그 연장선 위에 각각 점 D, E를 잡을 때

(1) $\overline{AB} : \overline{AD} = \overline{AC} : \overline{AE} = \overline{BC} : \overline{DE}$이면 $\overline{BC} /\!/ \overline{DE}$

(2) $\overline{AD} : \overline{DB} = \overline{AE} : \overline{EC}$이면 $\overline{BC} /\!/ \overline{DE}$

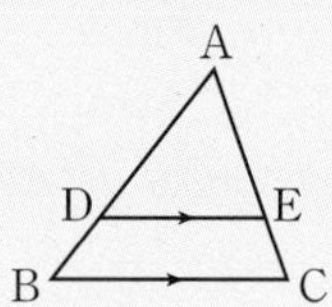

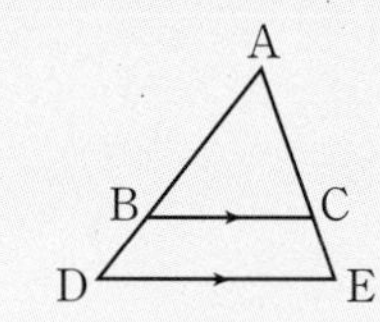

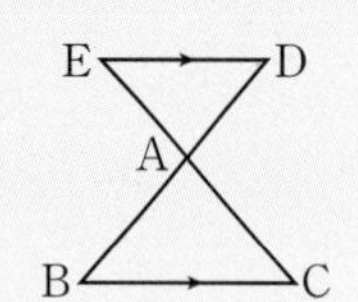

△ABC∽△ADE (SAS 닮음)

이므로 ∠ABC=∠ADE

∴ $\overline{BC} /\!/ \overline{DE}$

길이의 비를 이용하여 평행선 찾기

※ 다음 그림에서 $\overline{BC} /\!/ \overline{DE}$인 것은 ○표, 아닌 것은 ×표를 하여라.

01 (　　)

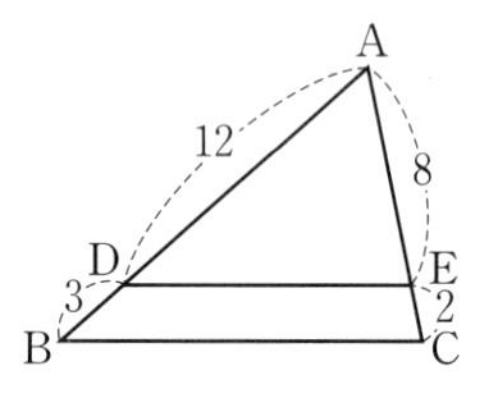

02 (　　)

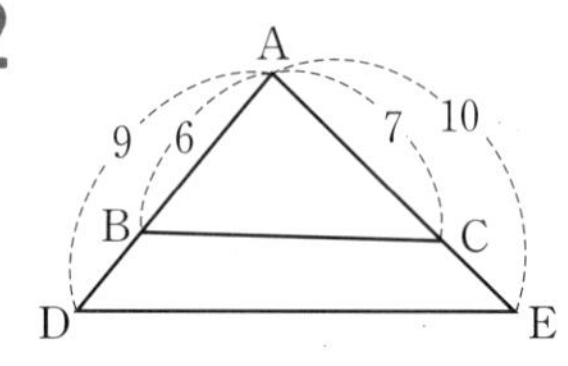

03 (　　)

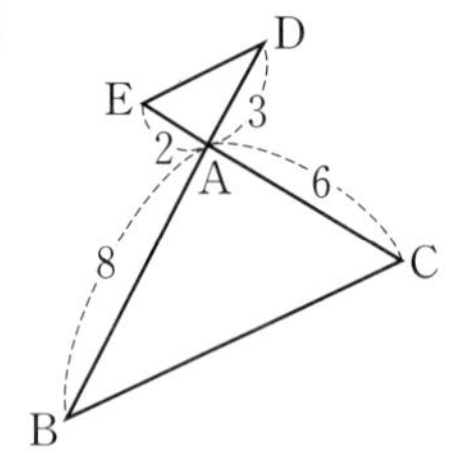

04 (　　)

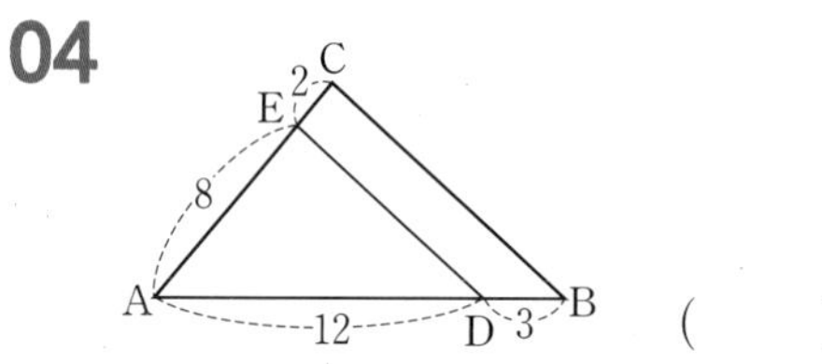

05 (　　)

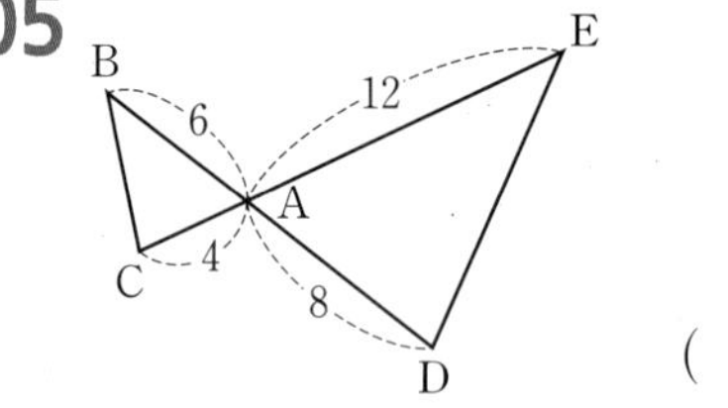

06 (　　)

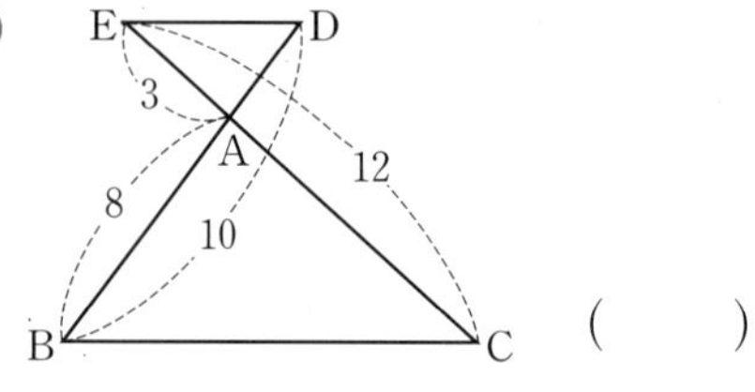

03 삼각형의 각의 이등분선

빠른 정답 05쪽 / 친절한 해설 20쪽

1. 삼각형의 내각의 이등분선

$\triangle$ABC에서 $\angle$A의 이등분선이 $\overline{BC}$와 만나는 점을 D라 하면

⇨ $\overline{AB} : \overline{AC} = \overline{BD} : \overline{DC}$

2. 삼각형의 외각의 이등분선

$\triangle$ABC에서 $\angle$A의 외각의 이등분선이 $\overline{BC}$의 연장선과 만나는 점을 D라 하면

⇨ $\overline{AB} : \overline{AC} = \overline{BD} : \overline{CD}$

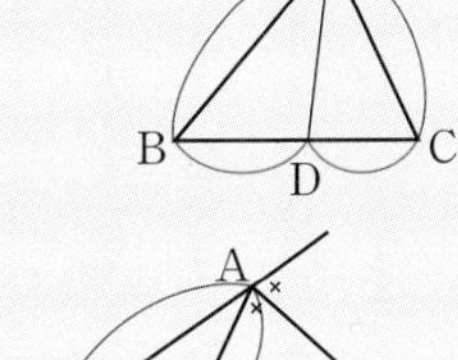

$\triangle$ABD와 $\triangle$ACD의 높이가 같으므로 넓이의 비는 밑변의 비와 같다.

즉, $\triangle ABD : \triangle ACD$
$= \overline{BD} : \overline{CD}$
$= \overline{AB} : \overline{AC}$

유형 069 삼각형의 내각의 이등분선

※ 다음 그림과 같은 $\triangle$ABC에서 $\overline{AD}$가 $\angle$A의 이등분선일 때, x의 값을 구하여라.

01

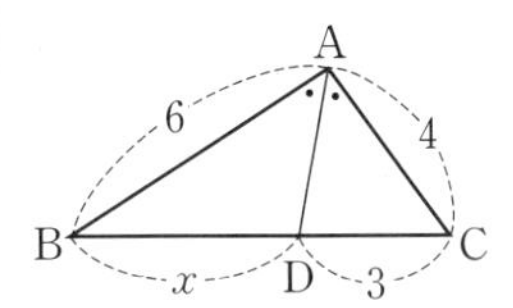

|해설| $\overline{AB} : \overline{AC} = \overline{BD} :$ ☐이므로 $6 : 4 = x :$ ☐

$4x =$ ☐ $\quad \therefore x =$ ☐

02

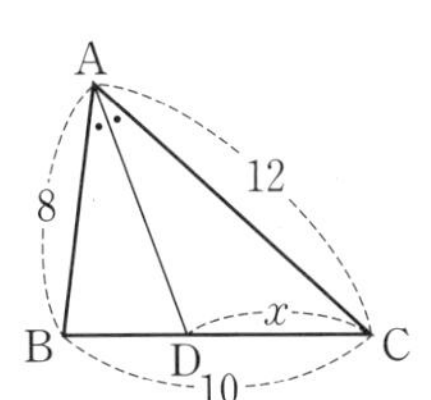

03

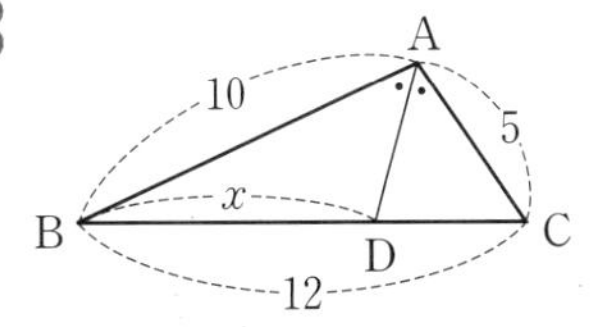

※ 다음 그림과 같은 $\triangle$ABC에서 $\overline{AD}$가 $\angle$A의 이등분선일 때, $\triangle$ACD의 넓이를 구하여라.

04 $\triangle ABD = 24\ \text{cm}^2$

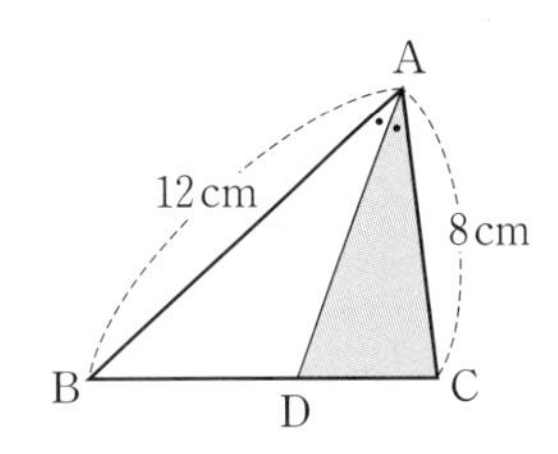

|해설| $\triangle ABD : \triangle ACD = \overline{BD} : \overline{CD} = \overline{AB} :$ ☐이므로

$24 : \triangle ACD = 12 :$ ☐

$\therefore \triangle ACD =$ ☐(cm^2)

05 $\overline{AB} : \overline{AC} = 5 : 3$, $\triangle ABD = 55\ \text{cm}^2$

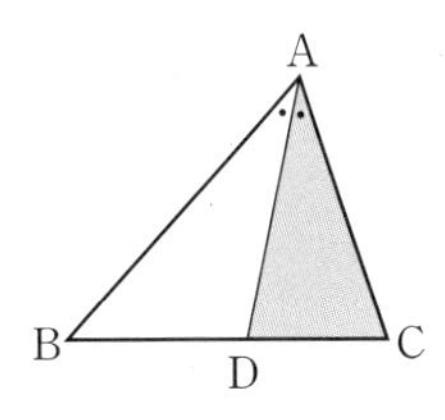

06 $\triangle ABC = 16\ \text{cm}^2$

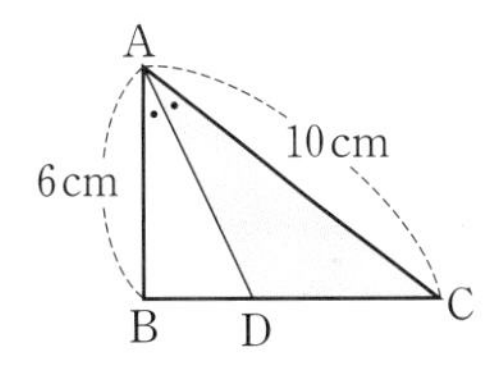

삼각형의 외각의 이등분선

※ 다음 그림과 같은 $\triangle ABC$에서 $\overline{AD}$가 $\angle A$의 외각의 이등분선일 때, x의 값을 구하여라.

07

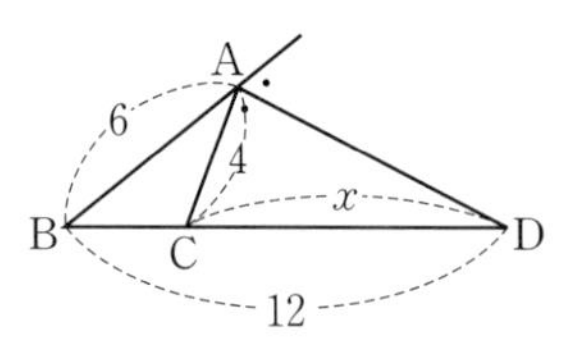

|해설| $\overline{AB} : \overline{AC} = \overline{BD} : \overline{CD}$이므로 $6 : 4 = \square : x$

$6x = \square \quad \therefore x = \square$

08

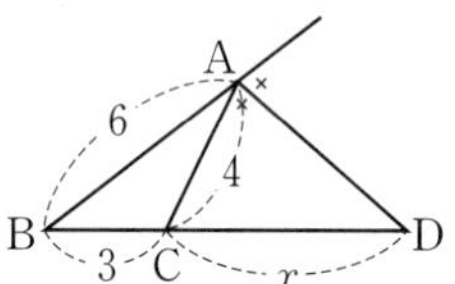
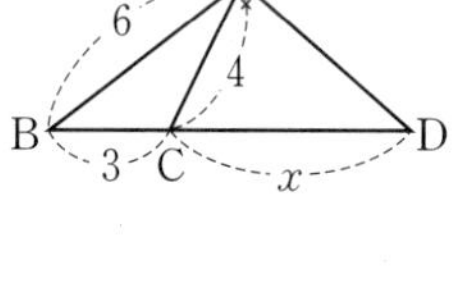

09

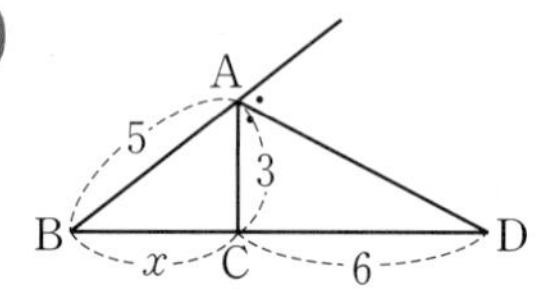

10

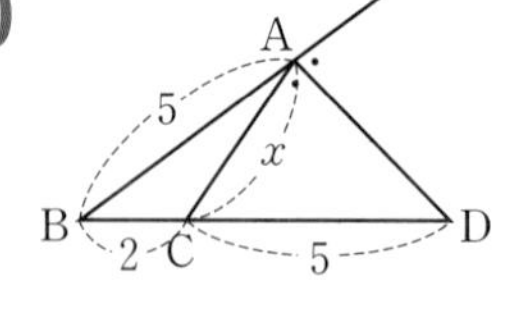

11

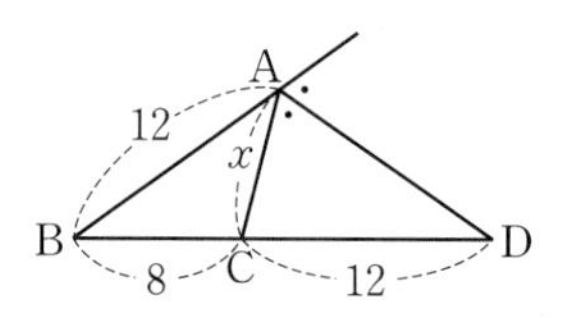

12

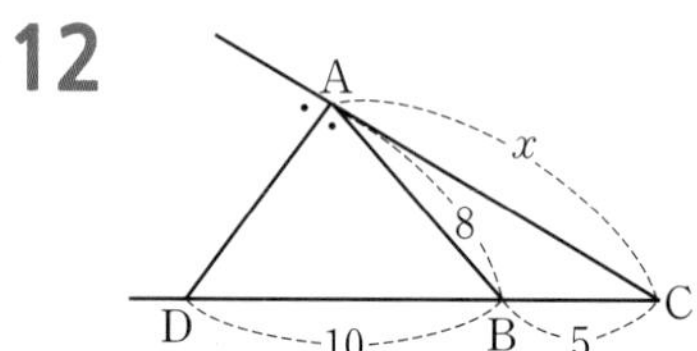

13

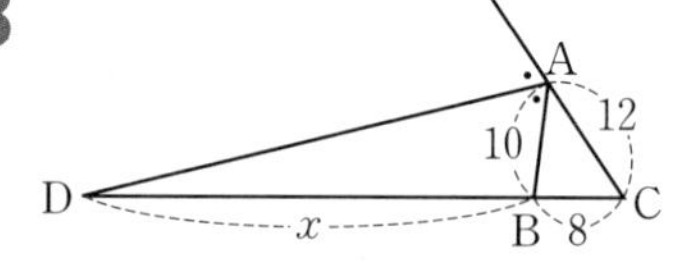

학교시험 필수예제

14 오른쪽 그림과 같은 $\triangle ABC$에서 $\angle A$의 외각의 이등분선과 $\overline{BC}$의 연장선과의 교점을 D라고 한다. $\triangle ABD$의 넓이가 $32\ \text{cm}^2$일 때, $\triangle ABC$의 넓이를 구하여라.

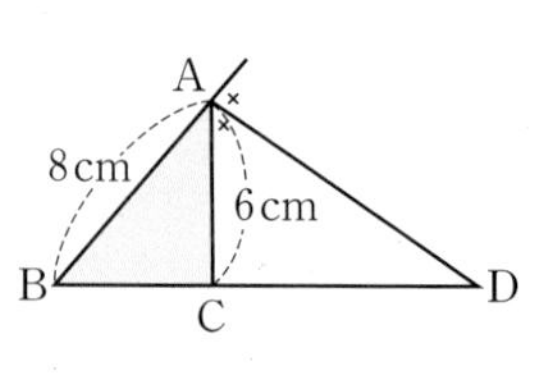

04 평행선 사이의 선분의 길이의 비

빠른 정답 05쪽 / 친절한 해설 20쪽

• 세 개 이상의 평행선이 다른 두 직선과 만나서 생긴 선분의 길이의 비는 같다.
즉, $l /\!/ m /\!/ n$이면

$a : b = a' : b'$ 또는 $a : a' = b : b'$

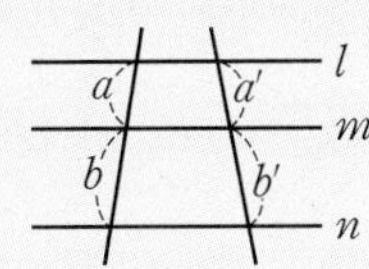

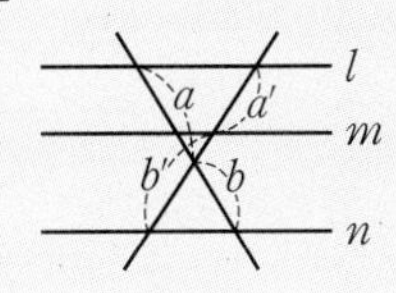

• 하지만 선분의 길이의 비가 같아도 $(a : b = a' : b')$ l, m, n이 평행선이 아닐 수 있다.

유형 071 평행선 사이의 선분의 길이의 비

※ 다음 그림에서 $l /\!/ m /\!/ n$일 때, x의 값을 구하여라.

01

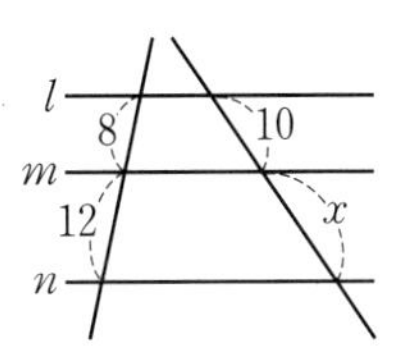

|해설| $8 : 12 = \square : x$, $8x = \square$ $\therefore x = \square$

02

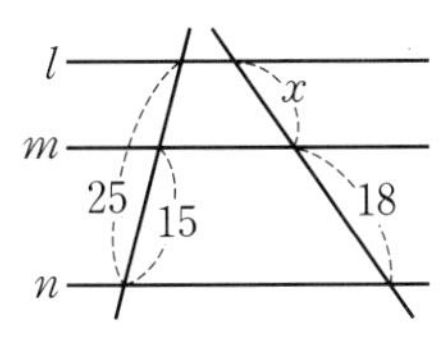

03

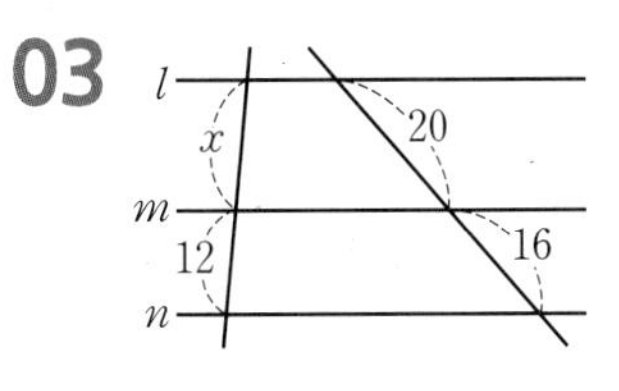

04

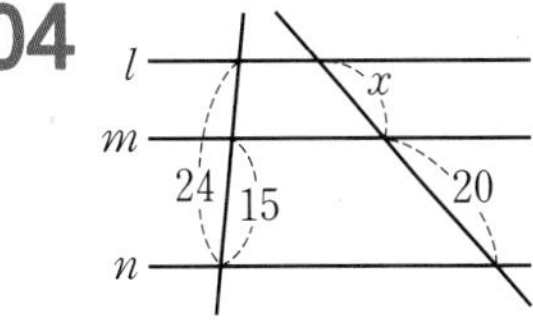

05

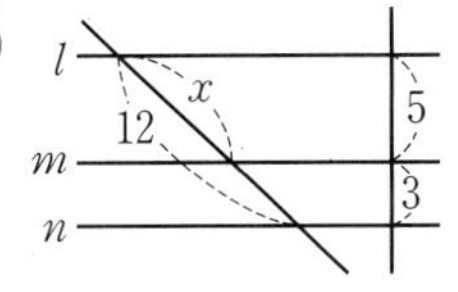

06

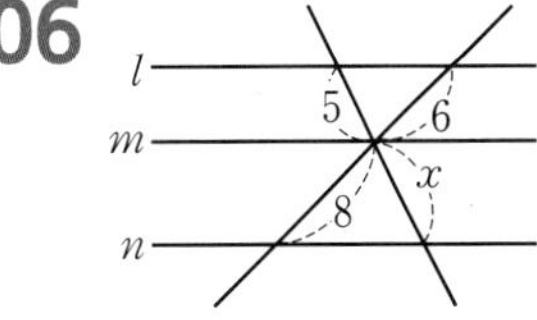

07

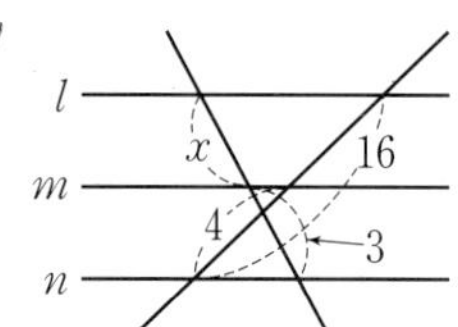

08

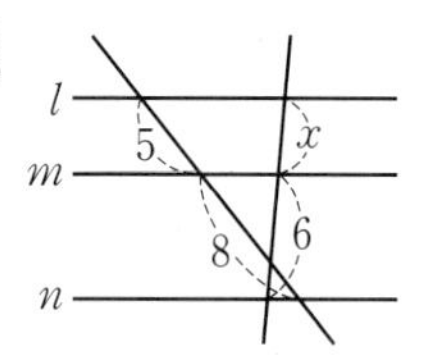

09

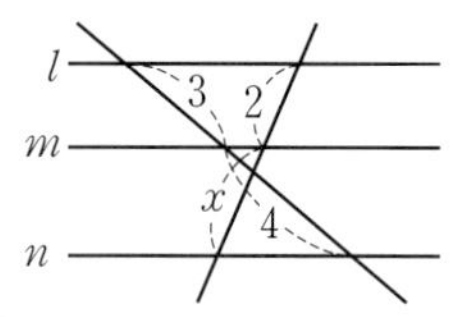

10

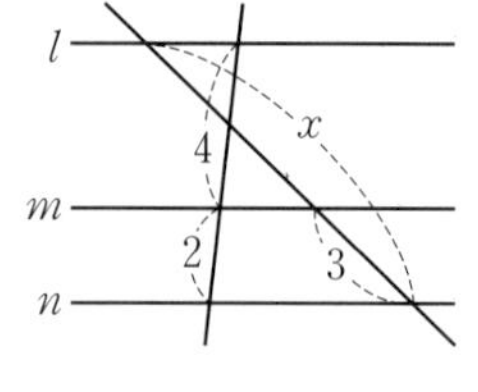

※ 다음 그림에서 $l \,/\!/\, m \,/\!/\, n$일 때, $x+y$의 값을 구하여라.

11

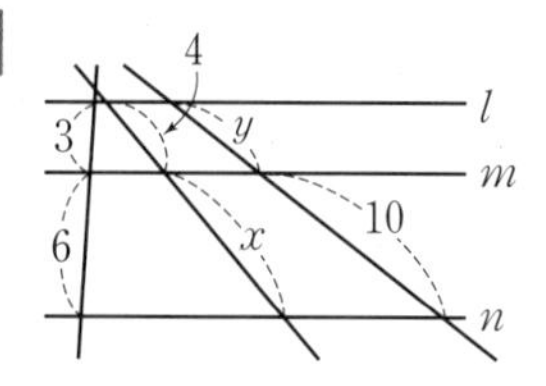

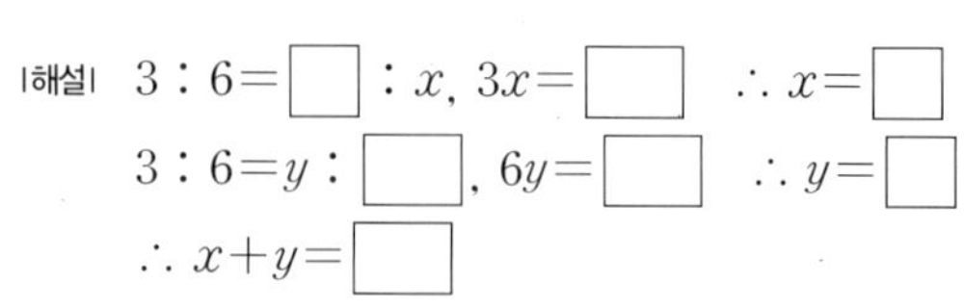

|해설| $3:6=\square:x$, $3x=\square$ $\quad\therefore x=\square$

$3:6=y:\square$, $6y=\square$ $\quad\therefore y=\square$

$\therefore x+y=\square$

12

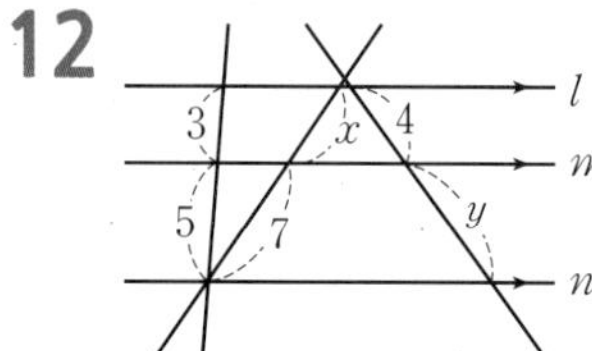

13

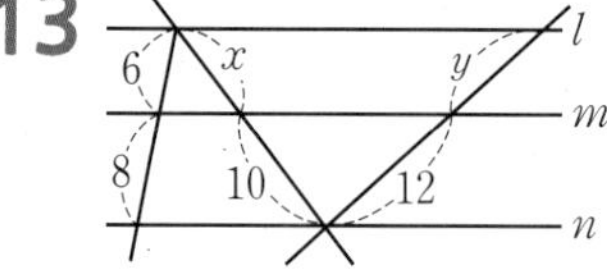

14

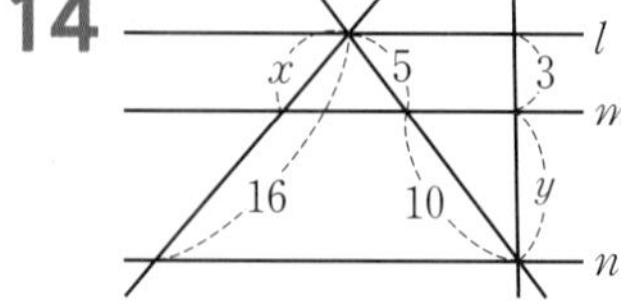

05 사다리꼴에서 평행선과 선분의 길이의 비

빠른 정답 05쪽 / 친절한 해설 20쪽

- 사다리꼴 ABCD에서 $\overline{AD}/\!/\overline{EF}/\!/\overline{BC}$이고
  $\overline{AD}=a$, $\overline{BC}=b$, $\overline{AE}=m$, $\overline{EB}=n$일 때

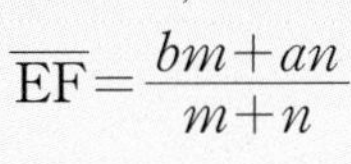

$$\overline{EF}=\frac{bm+an}{m+n}$$

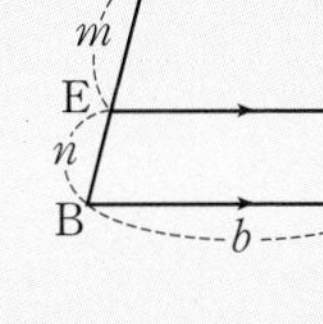

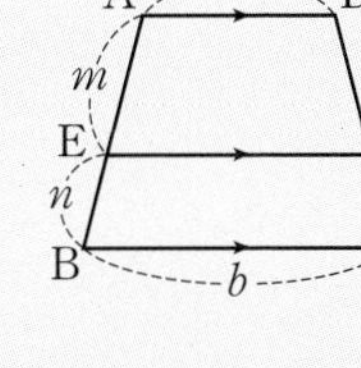

사다리꼴의 변의 길이를 구할 때, 공식을 외우기보다는 문제에 따라 적절한 보조선을 그어 더 편리한 방법을 찾는다.

참고

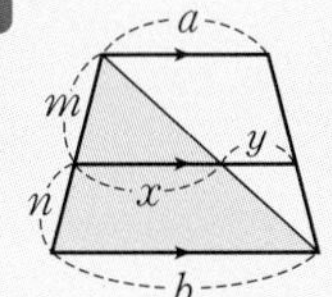

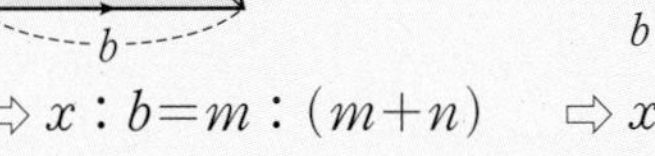

⇨ $x : b=m : (m+n)$
$y : a=n : (m+n)$

⇨ $x : (b-a)=m : (m+n)$

유형 072

사다리꼴에서 평행선과 선분의 길이의 비

※ 오른쪽 그림과 같은 사다리꼴 ABCD에서 $\overline{AD}/\!/\overline{EF}/\!/\overline{BC}$일 때, 다음을 구하여라.

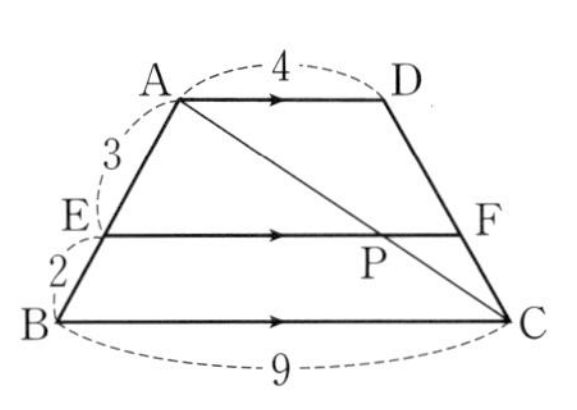

01 $\overline{EP}$의 길이

|해설| $\triangle ABC$에서 $\overline{EP} : \overline{BC}=\overline{AE} : \overline{AB}$이므로

$\overline{EP} : \square=3 : 5$, $5\overline{EP}=\square$ $\quad\therefore \overline{EP}=\frac{\square}{5}$

02 $\overline{PF}$의 길이

03 $\overline{EF}$의 길이

※ 오른쪽 그림과 같은 사다리꼴 ABCD에서 $\overline{AD}/\!/\overline{EF}/\!/\overline{BC}$, $\overline{AQ}/\!/\overline{DC}$

일 때, 다음을 구하여라.

04 $\overline{PF}$의 길이

|해설| □APFD는 평행사변형이므로
$\overline{PF}=\square=\square$

05 $\overline{EP}$의 길이

06 $\overline{EF}$의 길이

※ 다음 그림과 같은 사다리꼴 ABCD에서 $\overline{AD} /\!/ \overline{EF} /\!/ \overline{BC}$일 때, $\overline{EF}$의 길이를 다음 순서대로 구하여라.

07

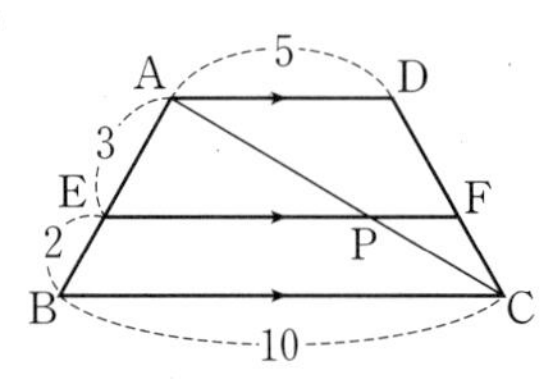

(1) $\overline{EP}$의 길이

(2) $\overline{PF}$의 길이

(3) $\overline{EF}$의 길이

08

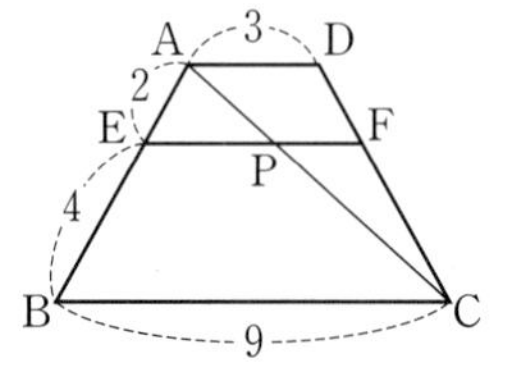

(1) $\overline{EP}$의 길이

(2) $\overline{PF}$의 길이

(3) $\overline{EF}$의 길이

※ 다음 그림과 같은 사다리꼴 ABCD에서 $\overline{AD} /\!/ \overline{EF} /\!/ \overline{BC}$, $\overline{AQ} /\!/ \overline{DC}$일 때, $\overline{EF}$의 길이를 다음 순서대로 구하여라.

09

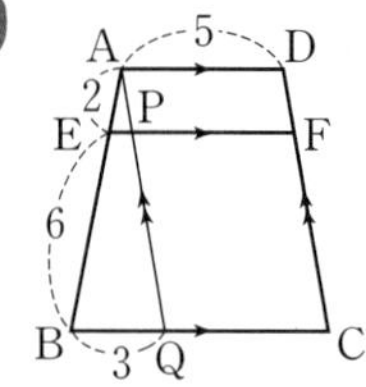

(1) $\overline{PF}$의 길이

(2) $\overline{EP}$의 길이

(3) $\overline{EF}$의 길이

10

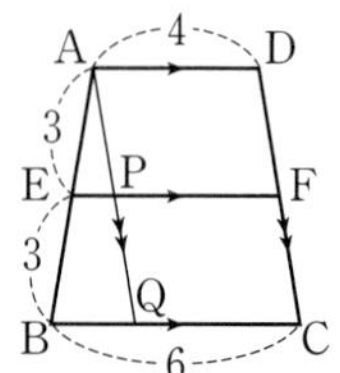

(1) $\overline{PF}$의 길이

(2) $\overline{EP}$의 길이

(3) $\overline{EF}$의 길이

06 평행선과 선분의 길이의 비의 활용

빠른 정답 05쪽 / 친절한 해설 21쪽

• $\overline{AC}$와 $\overline{BD}$의 교점을 E라 하고 $\overline{AB}/\!/\overline{EF}/\!/\overline{DC}$일 때, $\overline{AB}=a$, $\overline{CD}=b$이면

(1) $\overline{AE}:\overline{EC}=\overline{BE}:\overline{ED}=\overline{BF}:\overline{FC}=a:b$

(2) $\overline{EF}=\dfrac{ab}{a+b}$

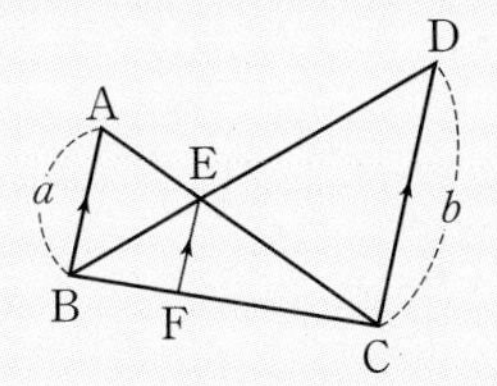

$\triangle CEF \backsim \triangle CAB$이므로

$\overline{CE}:\overline{CA}=\overline{EF}:\overline{AB}$

$b:(a+b)=\overline{EF}:a$

$\therefore \overline{EF}=\dfrac{ab}{a+b}$

유형 073 평행선과 선분의 길이의 비의 활용

※ 아래 그림에서 $\overline{AB}/\!/\overline{EF}/\!/\overline{DC}$일 때, 다음 물음에 답하여라.

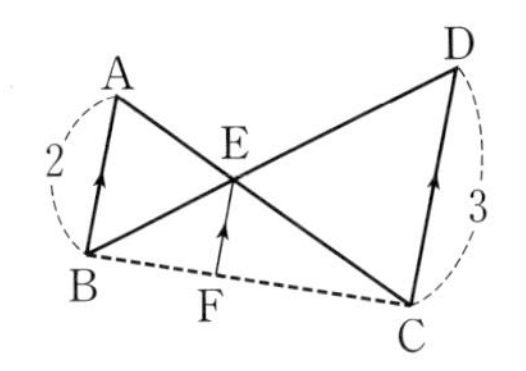

01 □ 안에 알맞은 것을 써넣어라.

|해설| $\triangle ABE \backsim$ □에서

$\overline{BE}:\overline{DE}=\overline{AB}:\overline{CD}=$ □ : □

$\triangle BEF \backsim$ □에서

$\overline{EF}:\overline{DC}=\overline{BE}:$ □ $=2:$ □

02 $\overline{EF}$의 길이를 구하여라.

※ 아래 그림에서 $\overline{AB}/\!/\overline{EF}/\!/\overline{DC}$일 때, 다음을 구하여라.

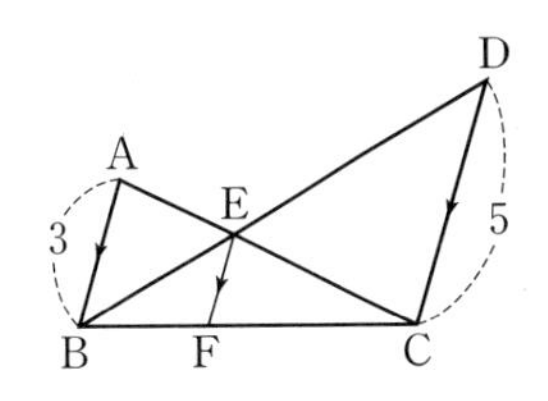

03 $\overline{BE}:\overline{DE}$

04 $\overline{EF}:\overline{DC}$

05 $\overline{EF}$의 길이

• $\triangle ABE \backsim \triangle CDE$에서 닮음비는 $a:b$

• $\triangle BEF \backsim \triangle BDC$에서 닮음비는 $a:(a+b)$

• $\triangle CEF \backsim \triangle CAB$에서 닮음비는 $b:(b+a)$

※ 다음 그림에서 $\overline{AB} /\!/ \overline{EF} /\!/ \overline{DC}$일 때, x의 값을 구하여라.

06

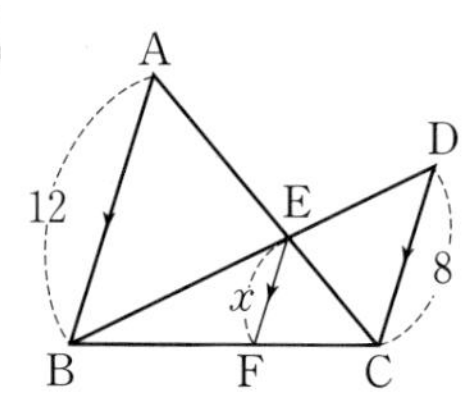

|해설| $\triangle ABE \backsim \triangle CDE$이므로
$\overline{BE} : \overline{DE} = \overline{AB} : \overline{CD} = 12 : \square = 3 : \square$
$\triangle BEF \backsim \triangle BDC$이므로
$\overline{EF} : \overline{DC} = \overline{BE} : \overline{BD}$
$x : 8 = 3 : \square$, $\square x = 24 \quad \therefore x = \square$

07

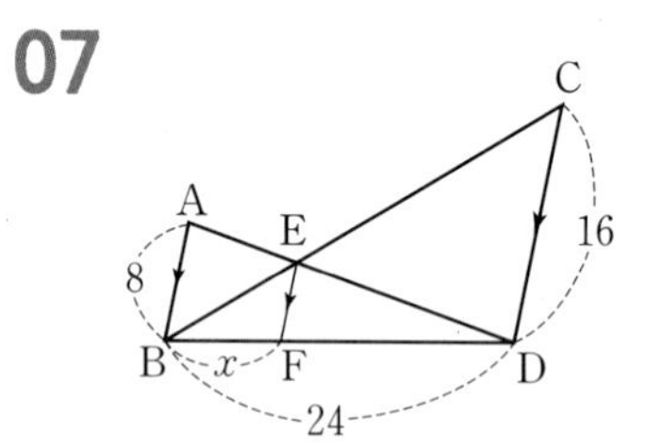

08

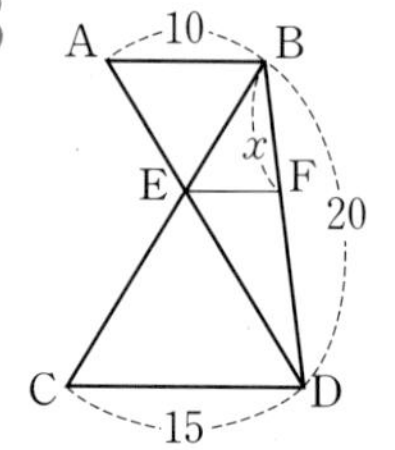

09

10

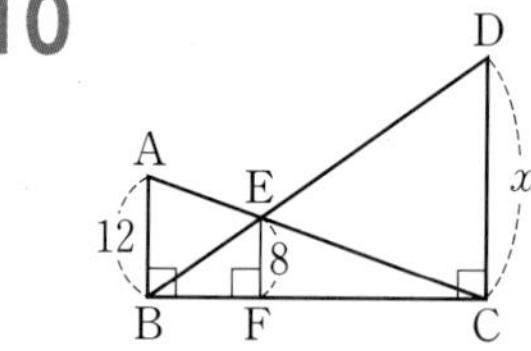

학교시험 필수예제

11 다음 그림에서 $\overline{AB}$, $\overline{EF}$, $\overline{CD}$가 모두 $\overline{BD}$에 수직일 때, $\triangle EBD$의 넓이를 구하여라.

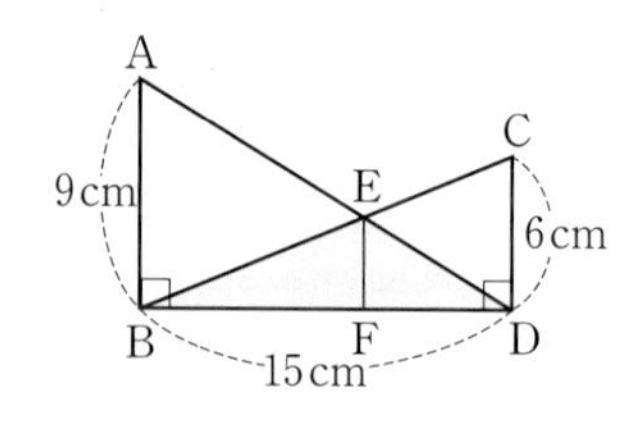

07 삼각형의 두 변의 중점을 연결한 선분의 성질

빠른 정답 05쪽 / 친절한 해설 21쪽

• △ABC에서 점 M, N이 각각 $\overline{AB}$, $\overline{AC}$의 중점이면

$\overline{MN} /\!/ \overline{BC}$이고, $\overline{MN}=\frac{1}{2}\overline{BC}$이다.

$\overline{AM} : \overline{AB}=\overline{AN} : \overline{AC}=1 : 2$, ∠A는 공통이므로

△AMN∽△ABC (SAS 닮음)

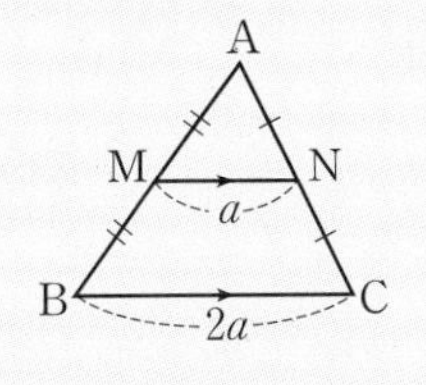

△ABC에서

$\overline{AM}=\overline{BM}$, $\overline{MN} /\!/ \overline{BC}$이면

$\overline{AN}=\overline{CN}$이고 $\overline{MN}=\frac{1}{2}\overline{BC}$

삼각형의 두 변의 중점을 연결한 선분의 성질

※ 오른쪽 그림과 같은 △ABC에서 점 M, N은 각각 $\overline{AB}$, $\overline{AC}$의 중점일 때, 다음을 구하여라.

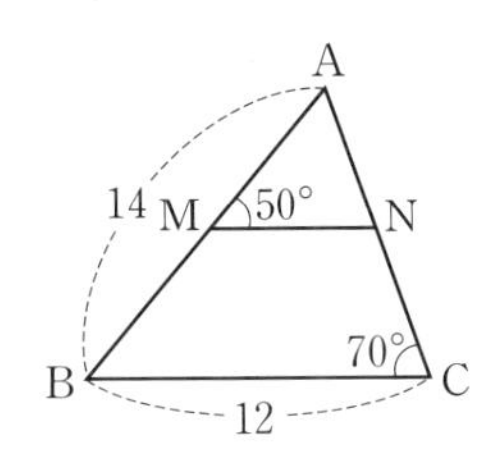

01 ∠ABC의 크기

|해설| $\overline{MN} /\!/ \overline{BC}$이므로

∠ABC=∠☐=☐ (∵ 동위각)

02 $\overline{AM}$의 길이

03 $\overline{MN}$의 길이

※ 오른쪽 그림과 같은 △ABC에서 점 M은 $\overline{AB}$의 중점이고, $\overline{MN} /\!/ \overline{BC}$일 때, 다음을 구하여라.

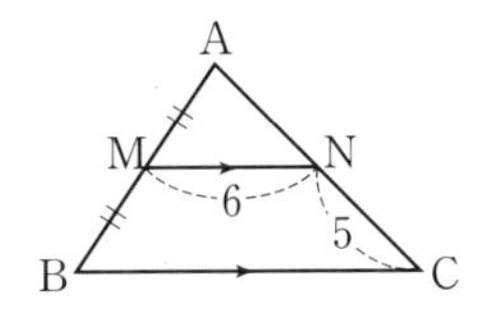

04 $\overline{AN}$의 길이

|해설| $\overline{AM}=\overline{BM}$, $\overline{MN} /\!/ \overline{BC}$이면

$\overline{AN}$=☐이므로 $\overline{AN}$=☐

05 $\overline{AC}$의 길이

06 $\overline{BC}$의 길이

※ 다음 그림과 같은 $\triangle ABC$에서 $\overline{AB}$, $\overline{AC}$의 중점을 각각 M, N이라고 할 때, x의 값을 구하여라.

07

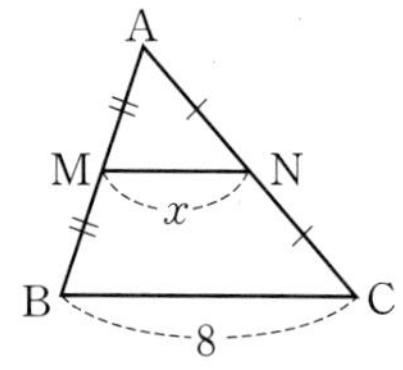

08

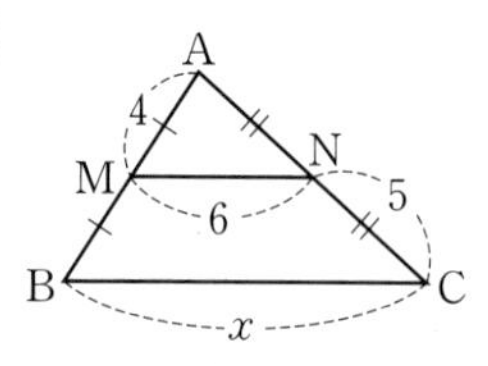

※ 다음 그림과 같은 $\triangle ABC$에서 점 M은 $\overline{AB}$의 중점이고 $\overline{MN} /\!/ \overline{BC}$일 때, x의 값을 구하여라.

09

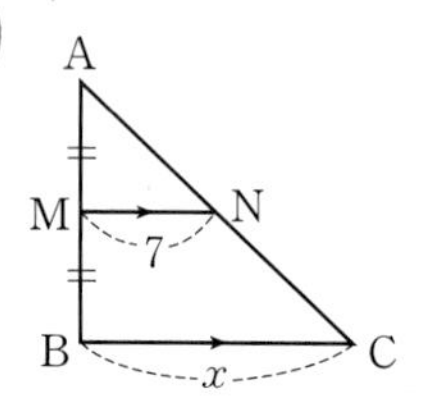

10

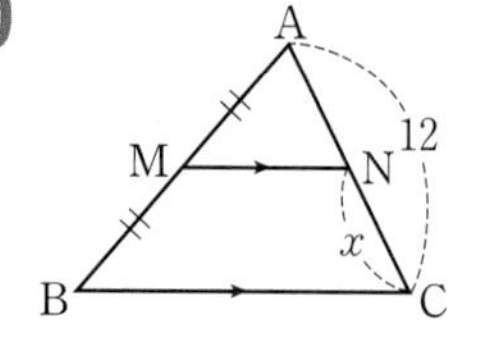

※ 다음 그림과 같은 $\triangle ABC$에서 $\overline{AB}$, $\overline{BC}$, $\overline{CA}$의 중점을 각각 D, E, F라고 할 때, $\triangle DEF$의 둘레의 길이를 구하여라.

11

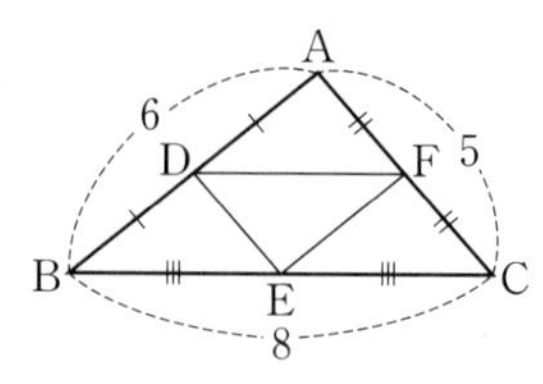

12

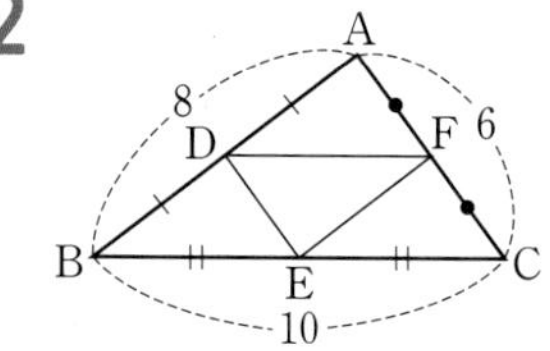

학교시험 필수예제

13 오른쪽 그림과 같은 $\triangle ABC$에서 점 D, E, F는 각각 $\overline{BC}$, $\overline{CA}$, $\overline{AB}$의 중점이다.
$\triangle ABC$의 둘레의 길이가 28 cm일 때, $\triangle DEF$의 둘레의 길이를 구하여라.

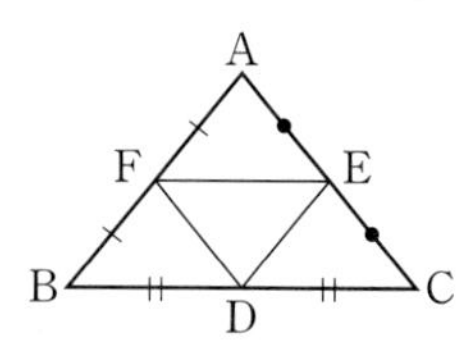

사각형에서 각 변의 중점을 연결한 사각형

※ 아래 그림과 같은 □ABCD의 각 변의 중점을 각각 점 E, F, G, H라고 할 때, 다음을 구하여라.

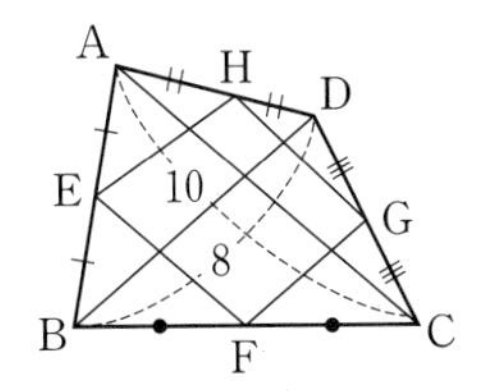

14 $\overline{EH}$의 길이

15 $\overline{FG}$의 길이

16 $\overline{EF}$의 길이

17 $\overline{HG}$의 길이

18 □EFGH의 둘레의 길이

※ 다음 그림과 같은 □ABCD의 각 변의 중점을 각각 점 E, F, G, H라고 할 때, □EFGH의 둘레의 길이를 구하여라.

19

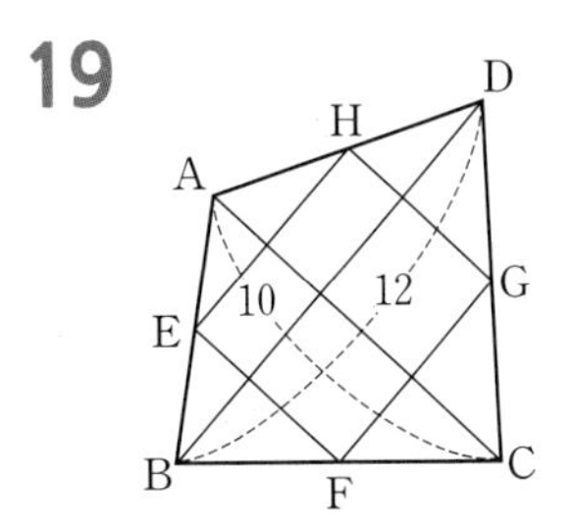

20

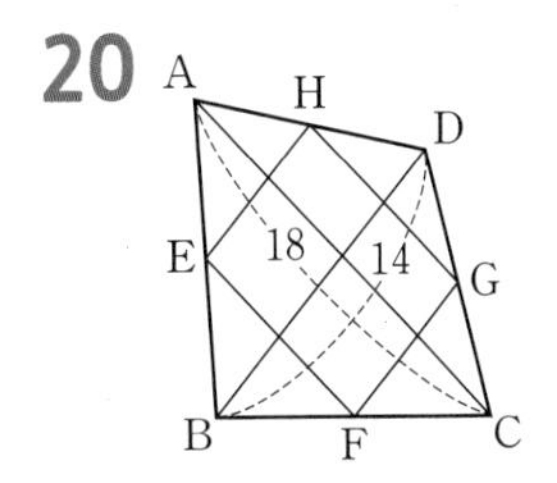

21

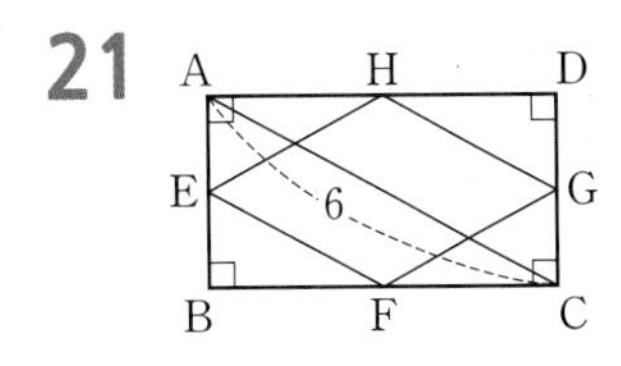

※ 다음 그림과 같은 □ABCD의 각 변의 중점을 각각 점 E, F, G, H라고 할 때, □EFGH는 어떤 사각형인지 구하여라.

22

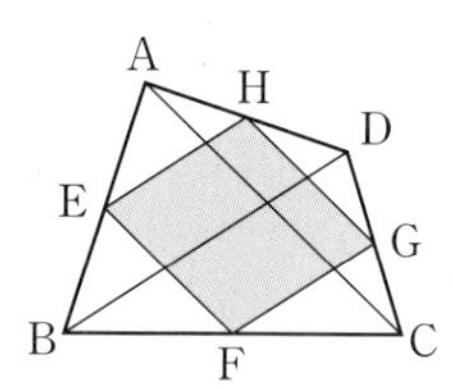

|해설| $\overline{BD} /\!/ \overline{EH} /\!/ \overline{FG}$, $\overline{AC} /\!/ \overline{EF} /\!/ \overline{HG}$이므로

$\overline{EH} = \square = \frac{1}{2}\overline{BD}$, $\overline{EF} = \square = \frac{1}{2}\overline{AC}$

따라서 □EFGH는 ______이다.

23 □ABCD는 평행사변형

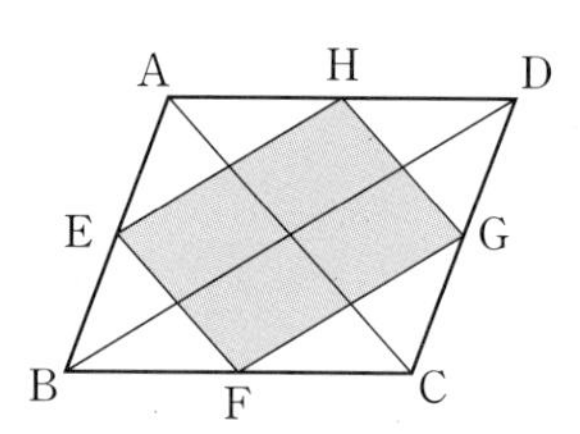

24 □ABCD는 직사각형

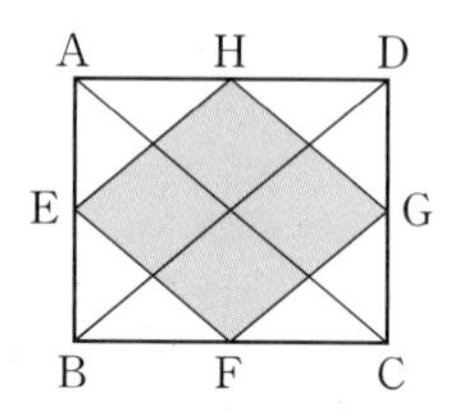

25 □ABCD는 마름모

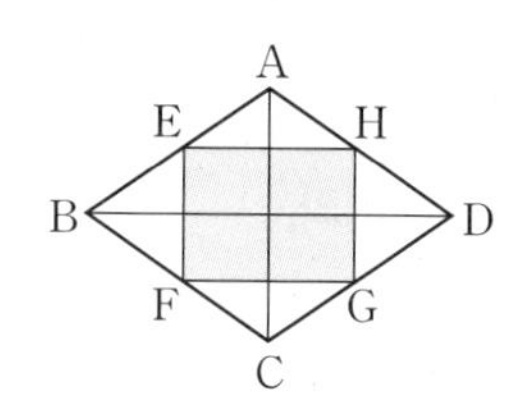

26 □ABCD는 정사각형

27 □ABCD는 등변사다리꼴

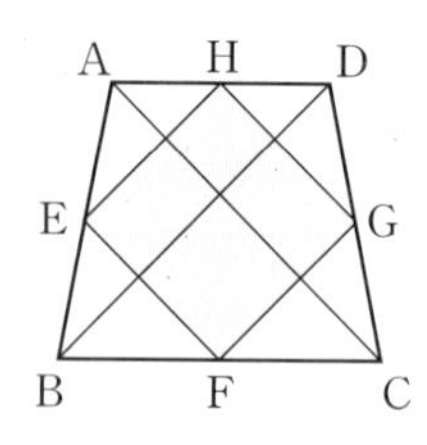

08 사다리꼴에서 두 변의 중점을 연결한 선분의 성질

빠른 정답 05쪽 / 친절한 해설 22쪽

$\overline{AD} /\!/ \overline{BC}$인 사다리꼴 ABCD에서 $\overline{AB}$, $\overline{DC}$의 중점을 각각 M, N이라 하면

(1) $\overline{MN} /\!/ \overline{AD} /\!/ \overline{BC}$

(2) $\overline{MN} = \overline{MQ} + \overline{QN} = \frac{1}{2}(\overline{BC} + \overline{AD})$

(3) $\overline{PQ} = \overline{MQ} - \overline{MP} = \frac{1}{2}(\overline{BC} - \overline{AD})$ (단, $\overline{BC} > \overline{AD}$)

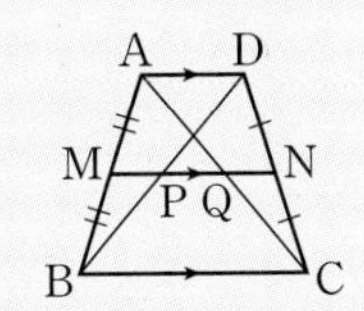

$\overline{MP} = \overline{QN} = \frac{1}{2}\overline{AD}$

$\overline{MQ} = \overline{PN} = \frac{1}{2}\overline{BC}$

유형 076 사다리꼴에서 두 변의 중점을 연결한 선분의 성질

※ 오른쪽 그림과 같이 $\overline{AD} /\!/ \overline{BC}$인 사다리꼴 ABCD에서
$\overline{AM} = \overline{BM}$, $\overline{DN} = \overline{CN}$
일 때, 다음을 구하여라.

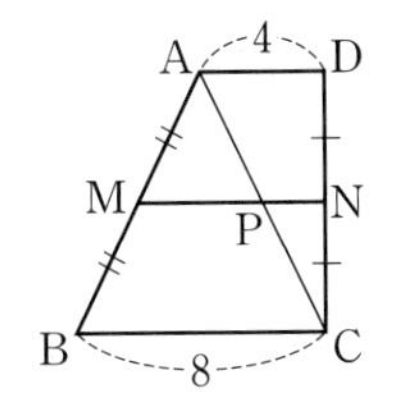

01 $\overline{MP}$의 길이

02 $\overline{PN}$의 길이

03 $\overline{MN}$의 길이

※ 오른쪽 그림과 같은 사다리꼴 ABCD에서 $\overline{AD} /\!/ \overline{BC}$, $\overline{AQ} /\!/ \overline{DC}$, $\overline{AM} = \overline{BM}$, $\overline{DN} = \overline{CN}$일 때, 다음을 구하여라.

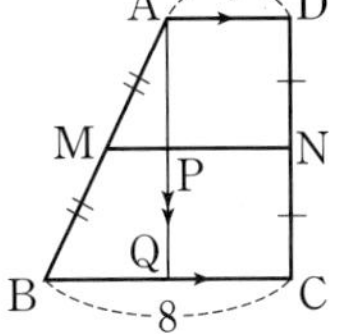

04 $\overline{PN}$의 길이

05 $\overline{MP}$의 길이

06 $\overline{MN}$의 길이

※ 다음 그림과 같이 $\overline{AD} /\!/ \overline{BC}$인 사다리꼴 ABCD에서 $\overline{AM}=\overline{BM}$, $\overline{DN}=\overline{CN}$일 때, x의 값을 구하여라.

07

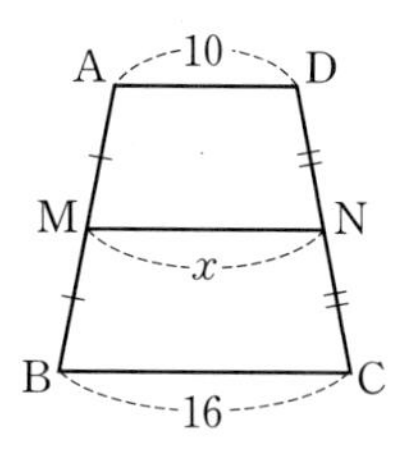

|해설| $\overline{MN}=\frac{1}{2}(\overline{AD}+\square)=\frac{1}{2}(10+\square)$

$=\frac{1}{2}\times\square=\square$

08

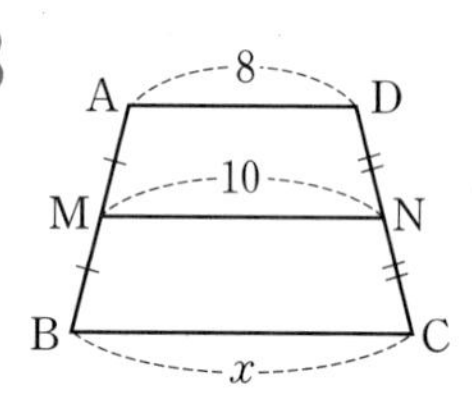

09

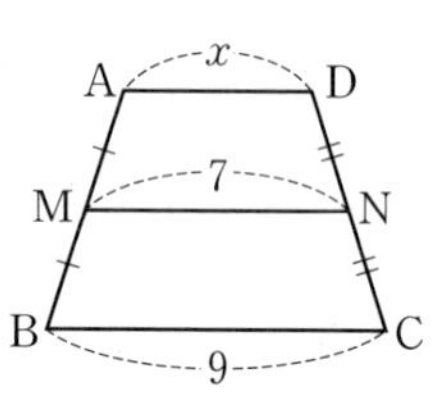

10

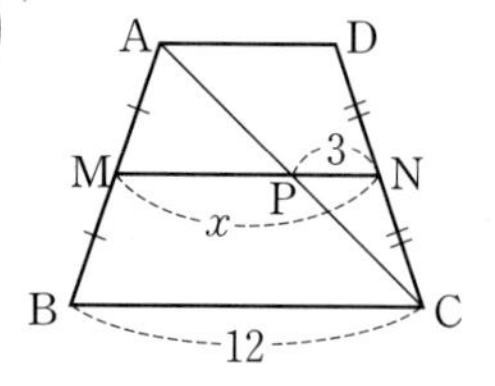

11

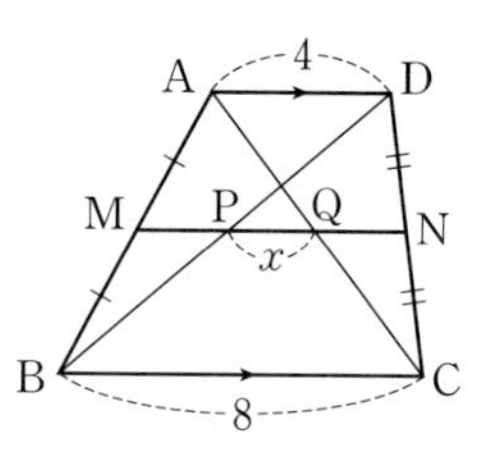

12

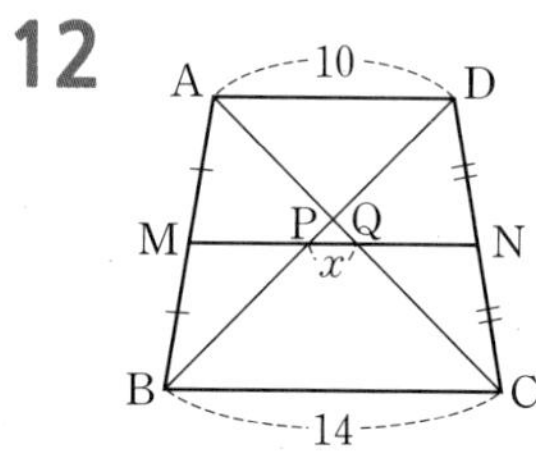

13

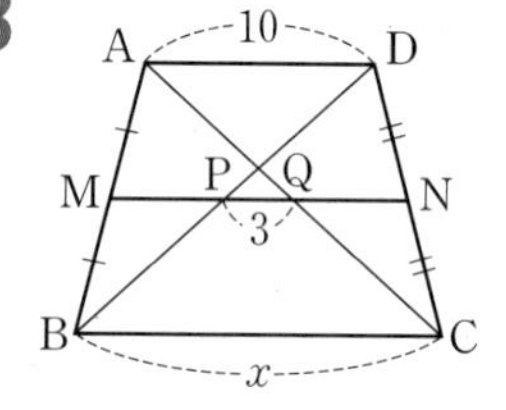

14

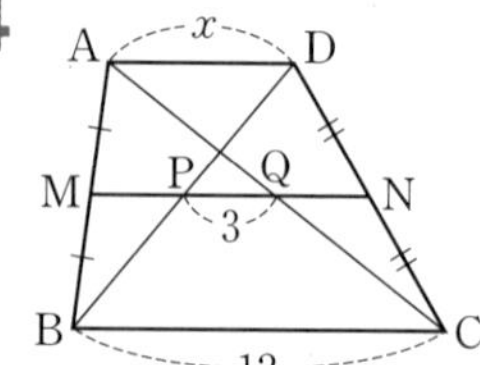

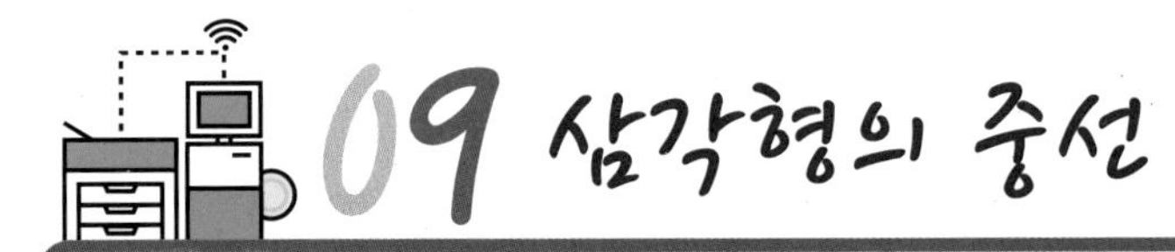

09 삼각형의 중선

빠른 정답 05쪽 / 친절한 해설 22쪽

1. **중선** : 삼각형의 한 꼭짓점과 그 대변의 중점을 연결한 선분
2. **중선의 성질**
   ① $\overline{AD}$가 $\triangle ABC$의 중선이면
   $\triangle ABD = \triangle ACD$
   ② $\triangle ABD = \triangle ACD$이면
   $\overline{AD}$는 중선이고 $\overline{BD} = \overline{CD}$
   ③ 점 P가 중선 $\overline{AD}$ 위의 점이면
   $\triangle ABP = \triangle ACP$, $\triangle PBD = \triangle PCD$

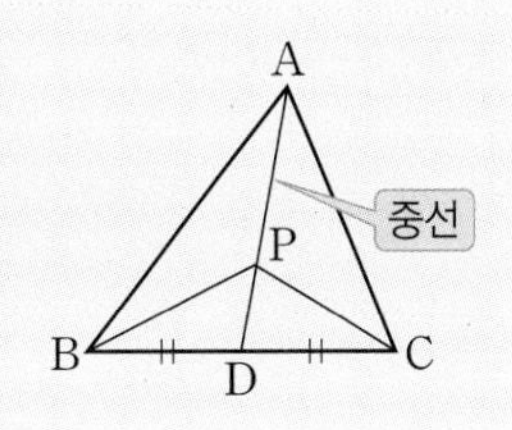

• 한 삼각형에는 세 개의 중선이 있고, 세 중선은 한 점에서 만난다.

• 밑변의 길이가 같고, 높이가 같으므로 두 삼각형의 넓이는 같다.

유형 077 삼각형의 중선

※ 오른쪽 그림에서 $\overline{AD}$는 $\triangle ABC$의 중선이고, 점 P는 중선 위의 한 점일 때, 다음 삼각형과 넓이가 같은 삼각형을 구하여라.

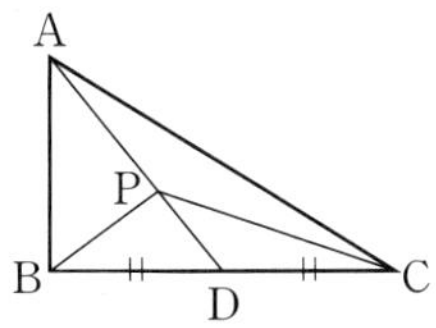

01 $\triangle ABD$

02 $\triangle PCD$

03 $\triangle APB$

※ 오른쪽 그림에서 $\overline{AM}$은 $\triangle ABC$의 중선이고, 점 P는 $\overline{AM}$의 중점이다. $\triangle ACP$의 넓이가 $4\,cm^2$일 때, 다음 삼각형의 넓이를 구하여라.

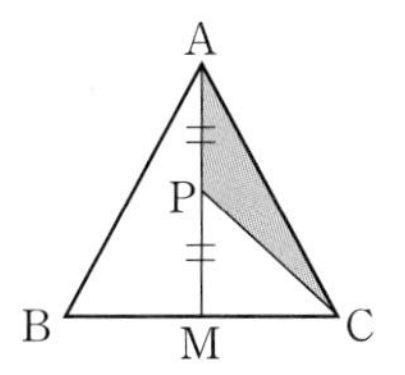

04 $\triangle CPM$

05 $\triangle ABM$

06 $\triangle ABC$

10 삼각형의 무게중심

빠른 정답 06쪽 / 친절한 해설 22쪽

1. **삼각형의 무게중심** : 삼각형의 세 중선의 교점
2. **삼각형의 무게중심의 성질** : 삼각형의 무게중심 G는 세 중선의 길이를 꼭짓점으로부터 각각 2 : 1로 나눈다.
   ⇨ $\overline{AG} : \overline{GD} = \overline{BG} : \overline{GE} = \overline{CG} : \overline{GF} = 2 : 1$

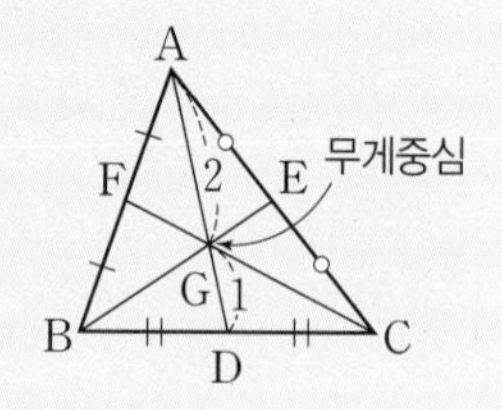

• 정삼각형의 무게중심, 내심, 외심은 모두 일치한다.

삼각형의 무게중심

※ 다음 그림에서 점 G가 △ABC의 무게중심일 때, x의 값을 구하여라.

01

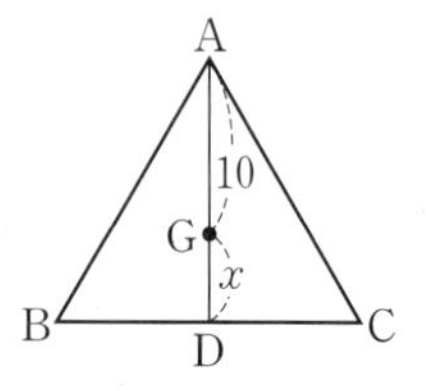

|해설| $\overline{AG} : \overline{GD} = 2 : \square$이므로
$10 : x = 2 : \square$, $2x = \square$ $\therefore x = \square$

02

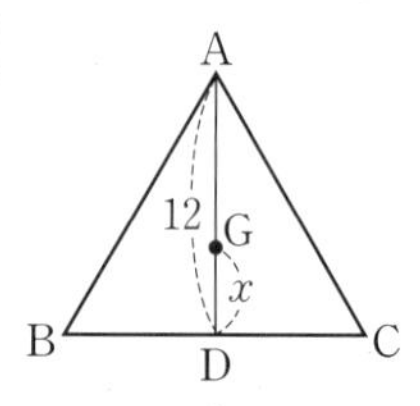

03

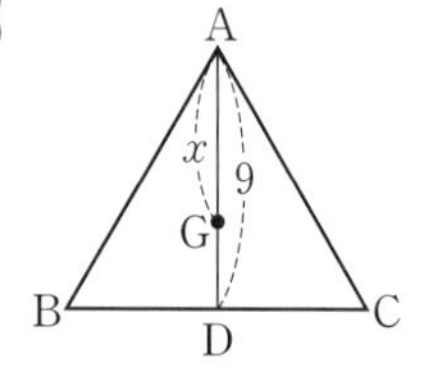

04

A, D, G, 7, x, B, C

05

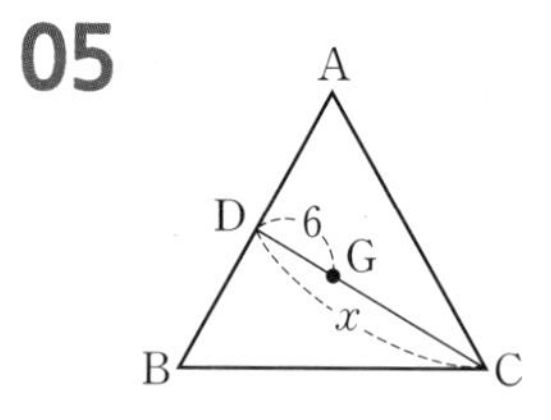

06

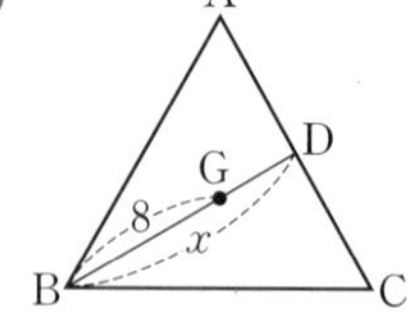

※ 다음 그림에서 점 G가 $\triangle ABC$의 무게중심일 때, xy의 값을 구하여라.

07

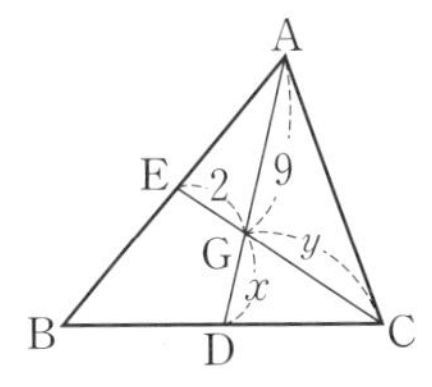

|해설| $9 : x = \square : 1 \quad \therefore x = \frac{9}{2}$

$y : 2 = \square : 1 \quad \therefore y = \square$

$\therefore xy = \frac{9}{2} \times \square = \square$

08

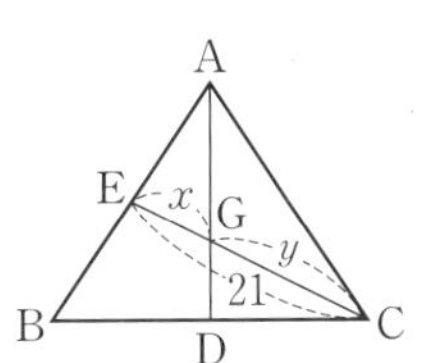

09

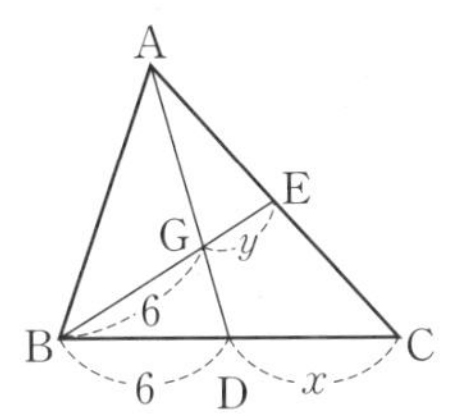

10

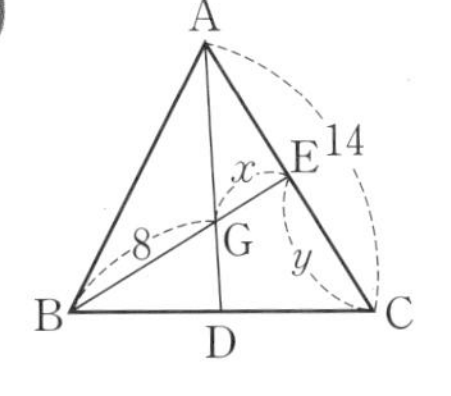

11 $\overline{BE} /\!/ \overline{DF}$

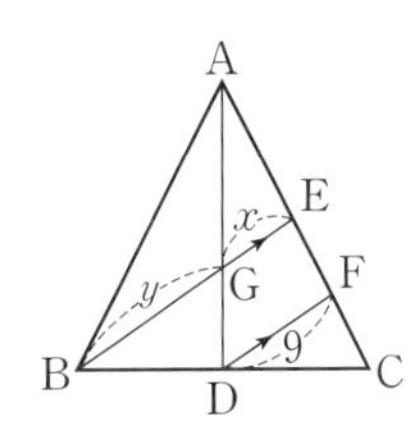

12 $\overline{AD} /\!/ \overline{EF}$

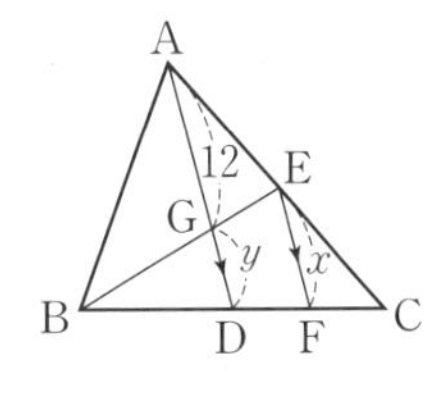

학교시험 필수예제

13 오른쪽 그림에서 점 G가 $\triangle ABC$의 무게중심이다. $\overline{EF} /\!/ \overline{BC}$일 때, $x+y$의 값은?

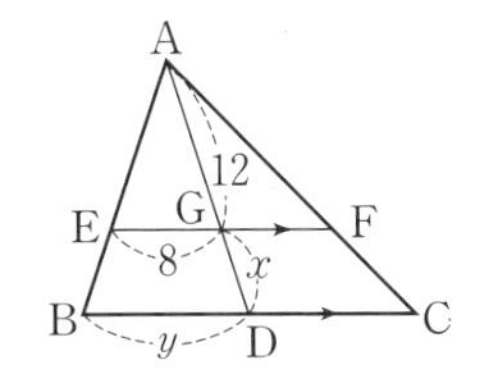

① 15
② 16
③ 17
④ 18
⑤ 19

삼각형의 무게중심의 응용

※ 아래 그림에서 $\overline{AD}$는 $\triangle ABC$의 중선이고, 점 G, G′은 각각 $\triangle ABC$, $\triangle GBC$의 무게중심일 때, 다음을 구하여라.

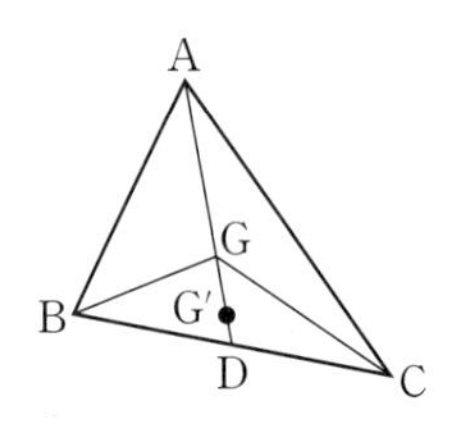

14 $\overline{AD}=27$ cm일 때, $\overline{GG'}$의 길이

|해설| 점 G가 $\triangle ABC$의 무게중심이므로

$\overline{GD}=\square\,\overline{AD}=\square\times 27=\square$(cm)

점 G′이 $\triangle GBC$의 무게중심이므로

$\overline{GG'}=\square\,\overline{GD}=\square\times 9=\square$(cm)

15 $\overline{AD}=9$ cm일 때, $\overline{G'D}$의 길이

16 $\overline{GG'}=4$ cm일 때, $\overline{AD}$의 길이

17 $\overline{G'D}=3$ cm일 때, $\overline{AD}$의 길이

※ 아래 그림과 같은 평행사변형 ABCD에서 두 대각선의 교점을 O, $\overline{BC}$, $\overline{CD}$의 중점을 각각 점 M, N이라 하고, $\overline{BD}$와 $\overline{AM}$, $\overline{AN}$과의 교점을 각각 점 P, Q라 하자. $\overline{BD}=36$ cm일 때, 다음을 구하여라.

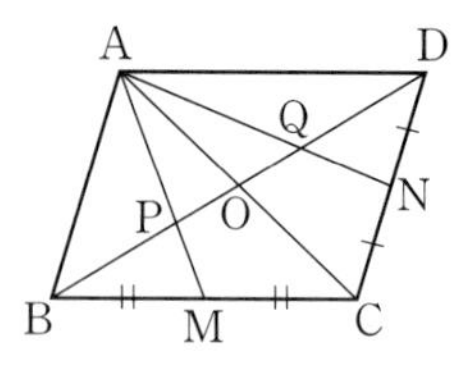

18 $\overline{BP}:\overline{PO}$

|해설| □ABCD가 평행사변형이므로 $\overline{AO}=\overline{CO}$이고, $\overline{BM}=\overline{CM}$이므로 점 P는 $\triangle ABC$의 $\square$이다.

$\therefore \overline{BP}:\overline{PO}=\square:1$

19 $\overline{DQ}:\overline{QO}$

20 $\overline{BP}:\overline{PQ}:\overline{QD}$

21 $\overline{PQ}$의 길이

11 삼각형의 무게중심과 넓이

빠른 정답 06쪽 / 친절한 해설 23쪽

1. 삼각형의 무게중심과 세 꼭짓점을 연결해서 생기는 세 삼각형의 넓이는 같다.

   ⇨ $\triangle GAB=\triangle GBC=\triangle GCA=\frac{1}{3}\triangle ABC$

2. 세 중선으로 나누어지는 6개의 삼각형의 넓이는 같다.

   ⇨ $\frac{1}{6}\triangle ABC=\triangle GAF=\triangle GBF=\triangle GBD$

   $=\triangle GCD=\triangle GCE=\triangle GAE$

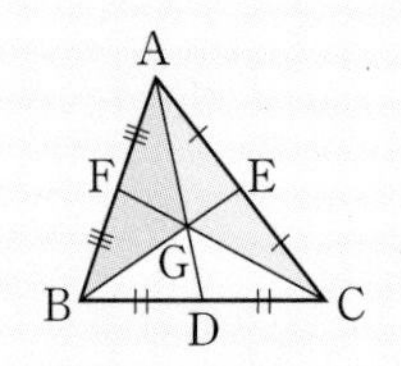

삼각형의 무게중심과 넓이

※ 오른쪽 그림에서 점 G는 $\triangle ABC$의 무게중심이고, $\triangle ABC$의 넓이가 12 cm^2일 때, 다음을 구하여라.

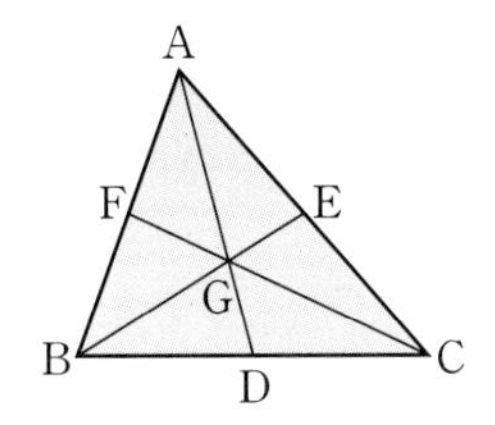

01 $\triangle ABD$의 넓이

02 $\triangle AGB$의 넓이

03 $\triangle BGC$의 넓이

04 $\triangle CGA$의 넓이

05 $\triangle AGF$의 넓이

06 $\triangle BGF$의 넓이

07 $\triangle BGD$의 넓이

08 △CGD의 넓이

09 △CGE의 넓이

10 △AGE의 넓이

11 □AFGE의 넓이

12 □BDGF의 넓이

13 □CEGD의 넓이

※ 오른쪽 그림에서 점 G는 △ABC의 무게중심이고, △BGD의 넓이가 6 cm^2일 때, 다음을 구하여라.

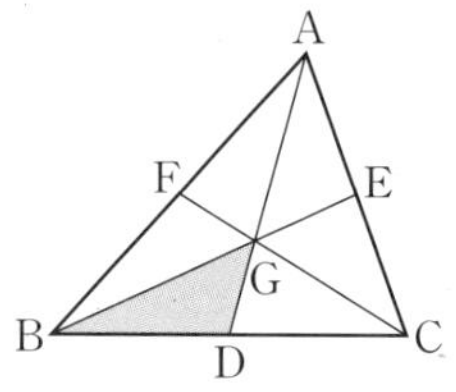

14 △CGD의 넓이

15 △CGA의 넓이

16 △ABD의 넓이

17 □AFGE의 넓이

18 △ABC의 넓이

※ 다음 그림에서 점 G가 △ABC의 무게중심일 때, 색칠한 부분의 넓이를 구하여라.

19

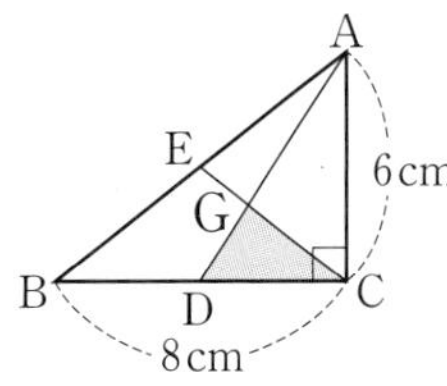

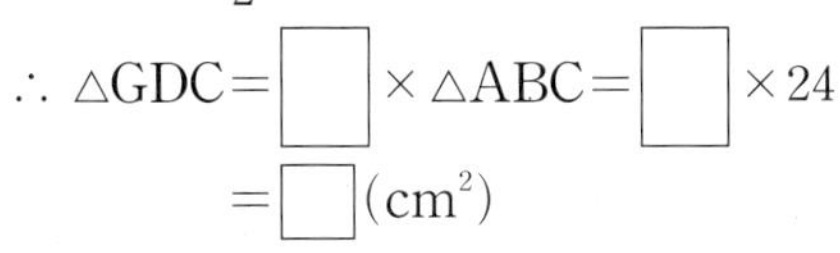

|해설| $\triangle ABC=\frac{1}{2}\times 8\times 6=24(\text{cm}^2)$

$\therefore\ \triangle GDC=\square\times\triangle ABC=\square\times 24$

$=\square(\text{cm}^2)$

20

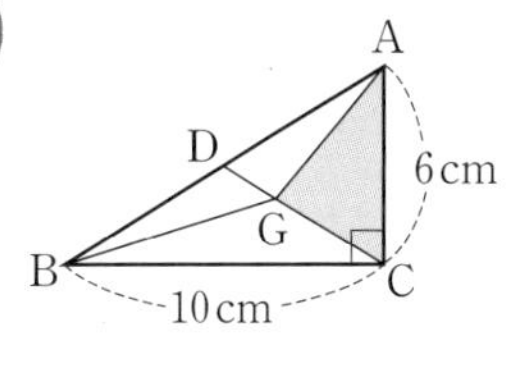

21 $\triangle GBC=24\text{ cm}^2$

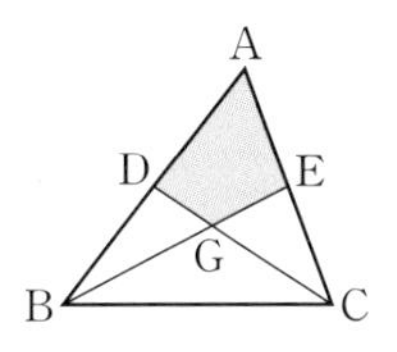

22 $\triangle AGE=5\text{ cm}^2$

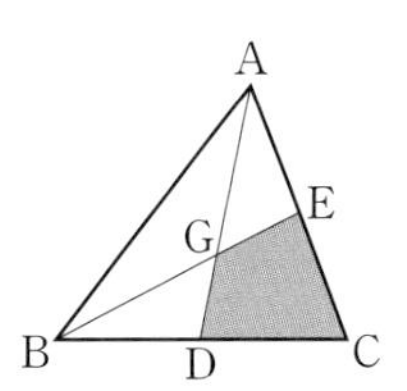

유형 081 삼각형의 무게중심과 넓이의 응용

※ 다음 그림에서 점 G가 △ABC의 무게중심이고 △ABC의 넓이가 36 cm^2일 때, 색칠한 부분의 넓이를 구하여라.

23

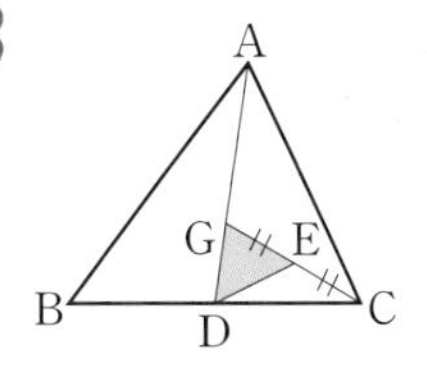

24

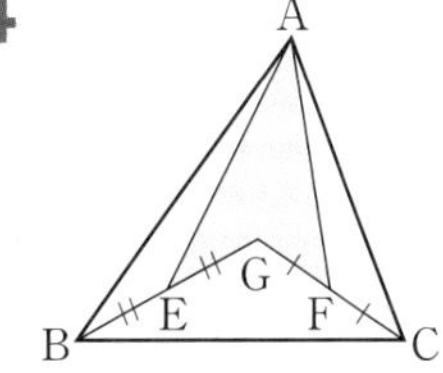

25

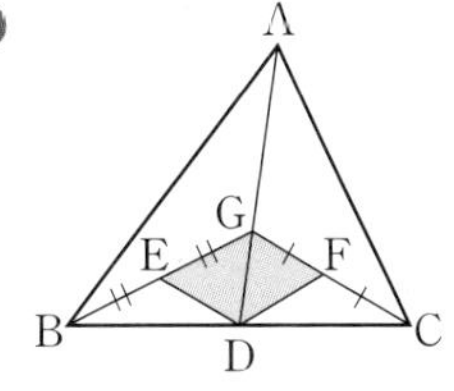

12 닮은 두 평면도형의 넓이의 비

빠른 정답 06쪽 / 친절한 해설 23쪽

닮은 두 평면도형의 닮음비가 $m : n$이면
1. 둘레의 길이의 비 ⇨ $m : n$
2. 넓이의 비 ⇨ $m^2 : n^2$

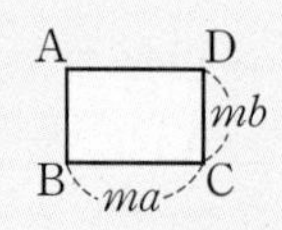

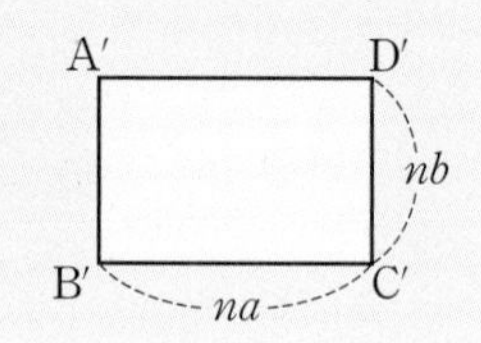

• 닮은 두 도형에서 둘레의 길이의 비는 닮음비와 같다.

유형 082 닮은 두 평면도형의 넓이의 비

※ 아래 그림에서 $\triangle ABC \backsim \triangle DEF$이고, $\triangle ABC$의 둘레의 길이가 6 cm, 넓이가 3 cm^2일 때, 다음을 구하여라.

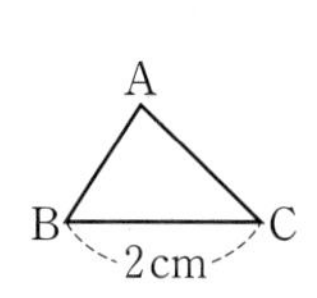

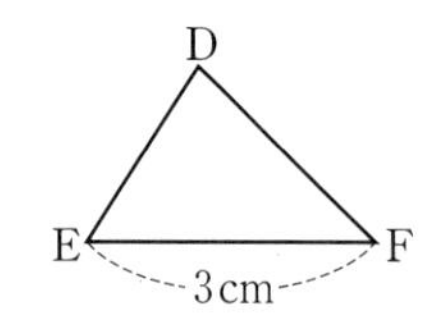

01 $\triangle ABC$와 $\triangle DEF$의 닮음비

02 $\triangle DEF$의 둘레의 길이

03 $\triangle DEF$의 넓이

※ 아래 그림에서 두 원의 반지름의 길이의 비는 $3 : 2$이고 원 O의 둘레의 길이는 $12\pi\text{ cm}$, 넓이는 $36\pi\text{ cm}^2$일 때, 다음을 구하여라.

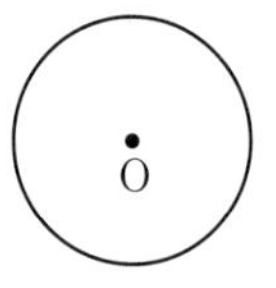

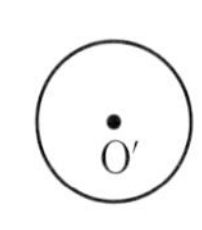

04 원 O와 원 O′의 닮음비

05 원 O′의 둘레의 길이

06 원 O′의 넓이

※ 오른쪽 그림에서 $\overline{BC} /\!/ \overline{DE}$이고 △ADE의 넓이가 10 cm^2일 때, 다음을 구하여라.

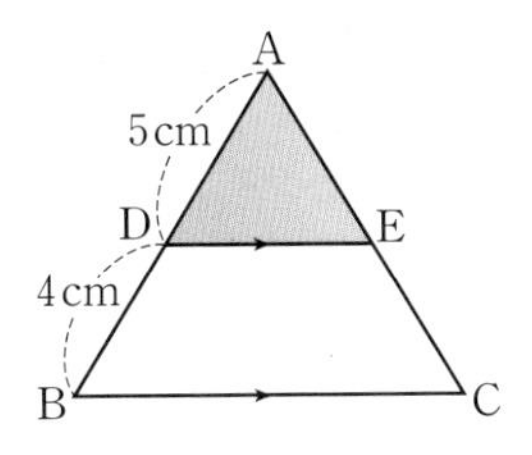

07 △ABC와 △ADE의 닮음비

08 △ABC와 △ADE의 넓이의 비

09 △ABC의 넓이

※ 오른쪽 그림에서 ∠ABC=∠AED일 때, 다음을 구하여라.

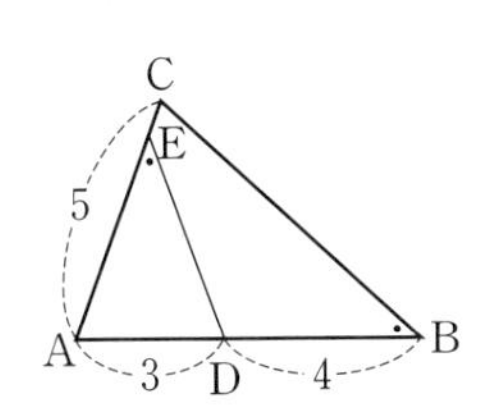

10 △ABC와 △AED의 닮음비

11 △ABC와 △AED의 넓이의 비

※ 오른쪽 그림에서 △ABC의 변 $\overline{AB}$, $\overline{AC}$의 삼등분점이 각각 D, E와 F, G이다. △ADF의 넓이가 10 cm^2일 때, 다음을 구하여라.

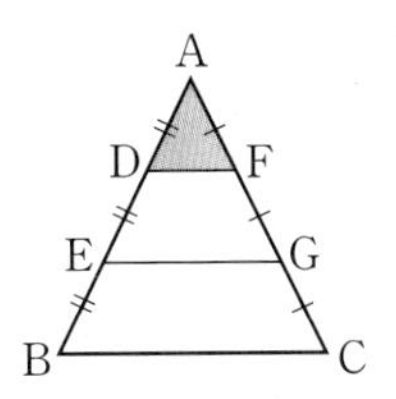

12 △ADF, △AEG, △ABC의 닮음비

13 △ADF, △AEG, △ABC의 넓이의 비

14 △AEG의 넓이

15 □DEGF의 넓이

16 △ABC의 넓이

17 □EBCG의 넓이

13 닮은 두 입체도형의 겉넓이와 부피의 비

빠른 정답 06쪽 / 친절한 해설 24쪽

닮은 두 입체도형의 닮음비가 $m : n$이면

1. 겉넓이, 옆넓이, 밑넓이의 비 ⇨ $m^2 : n^2$

2. 부피의 비 ⇨ $m^3 : n^3$

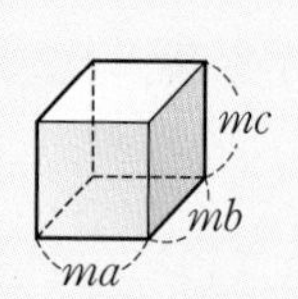

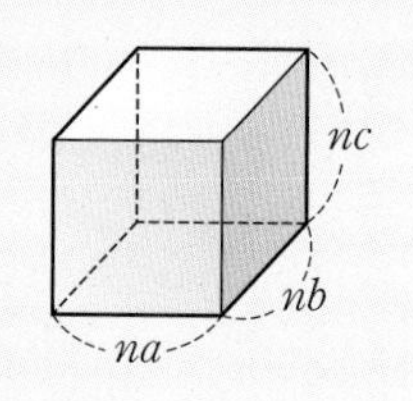

① 닮음비는 $m : n$

② 겉넓이의 비는 $2m^2(ab+bc+ca) : 2n^2(ab+bc+ca)$ $= m^2 : n^2$

③ 부피의 비는 $abcm^3 : abcn^3 = m^3 : n^3$

유형 083 닮은 두 입체도형의 겉넓이와 부피의 비

※ 아래 그림의 두 사면체는 닮은 입체도형이고 사면체 (가)의 겉넓이는 $18\,\text{cm}^2$, 부피는 $54\,\text{cm}^3$일 때, 다음을 구하여라.

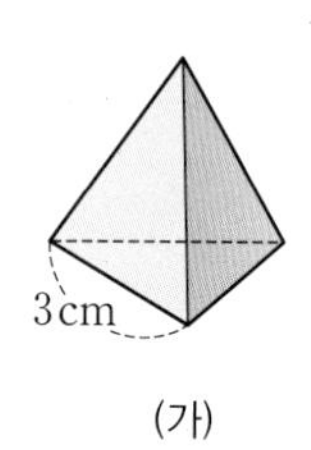

(가)

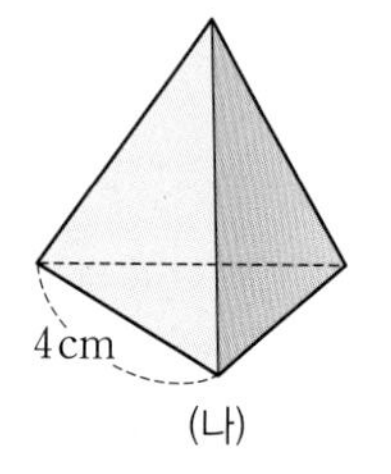

(나)

01 두 사면체 (가)와 (나)의 닮음비

02 두 사면체 (가)와 (나)의 둘레의 길이의 비

03 두 사면체 (가)와 (나)의 밑넓이의 비

04 두 사면체 (가)와 (나)의 겉넓이의 비

05 사면체 (나)의 겉넓이

06 두 사면체 (가)와 (나)의 부피의 비

07 사면체 (나)의 부피

※ 아래 그림의 두 원뿔 P와 Q는 닮은 도형이다. 다음 설명 중 옳은 것에는 ○표, 옳지 않은 것에는 ×표를 하여라.

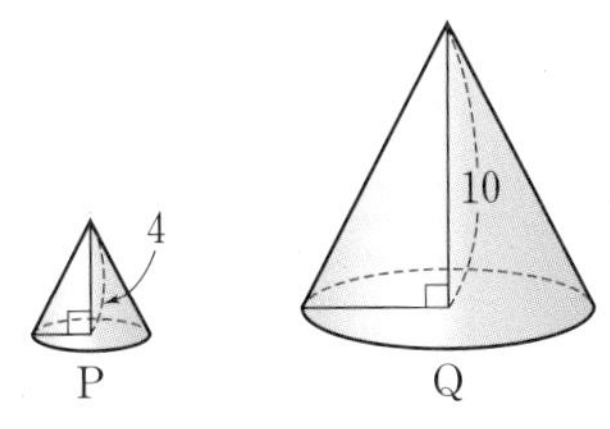

08 P와 Q의 밑넓이의 비는 4 : 25이다. ( )

09 P와 Q의 옆넓이의 비는 4 : 25이다. ( )

10 P와 Q의 밑면의 둘레의 길이의 비는 4 : 25이다. ( )

11 P와 Q의 모선의 길이의 비는 2 : 5이다. ( )

12 P와 Q의 부피의 비는 8 : 125이다. ( )

※ 아래 그림의 두 원기둥은 닮은 입체도형이고 원기둥 (가)의 겉넓이는 $16\pi\ \text{cm}^2$, 부피는 $8\pi\ \text{cm}^3$일 때, 다음을 구하여라.

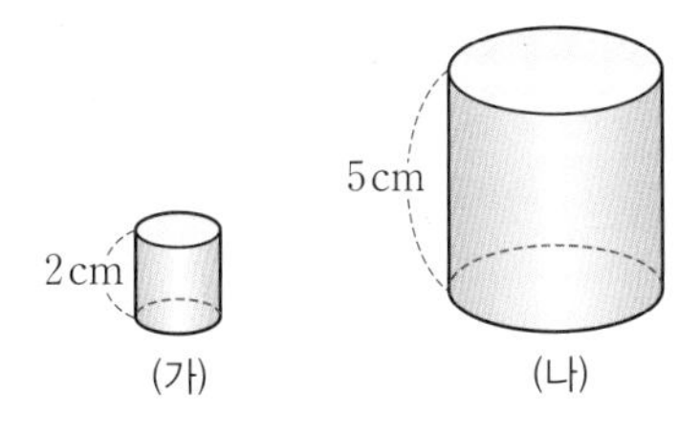

13 두 원기둥 (가)와 (나)의 닮음비

14 원기둥 (나)의 겉넓이

15 원기둥 (나)의 부피

학교시험 필수예제

16 오른쪽 그림과 같이 원뿔의 높이의 3등분점을 지나고, 밑면에 평행한 평면으로 잘라 3개의 도형을 만든다. 이때, 잘라진 세 입체도형 A, B, C의 부피의 비를 구하여라.

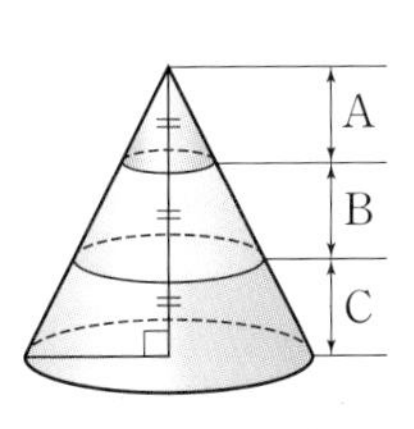

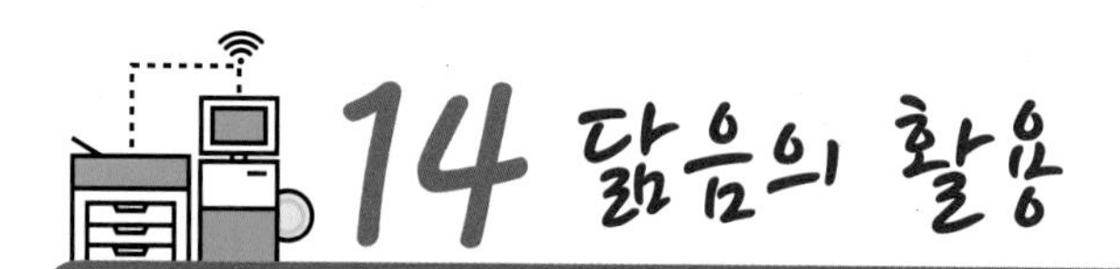

14 닮음의 활용

빠른 정답 06쪽 / 친절한 해설 24쪽

• 거리나 높이 등을 직접 측정하여 구하기 힘든 경우에는 도형의 닮음을 이용한 축도를 그려서 구할 수 있다.

1. **축도** : 어떤 도형을 일정한 비율로 줄인 그림
2. **축척** : 축도에서 실제 도형을 줄인 비율

① $(\text{축척})=\dfrac{(\text{축도에서의 길이})}{(\text{실제 길이})}$

② (축도에서의 길이)=(실제 길이)×(축척)

③ (실제 길이)=(축도에서의 길이)÷(축척)

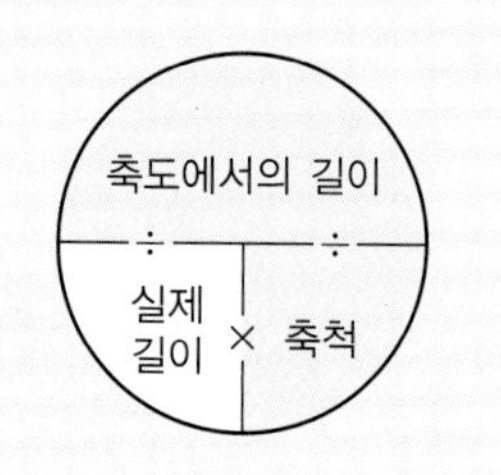

닮음의 활용

※ 아래 그림과 같이 키가 $1.5\ \mathrm{m}$인 준희가 나무로부터 $6.5\ \mathrm{m}$ 떨어진 곳에 있다. 준희의 그림자의 길이가 $2.5\ \mathrm{m}$이고 준희의 그림자 끝이 나무의 그림자 끝과 일치할 때, 다음을 구하여라.

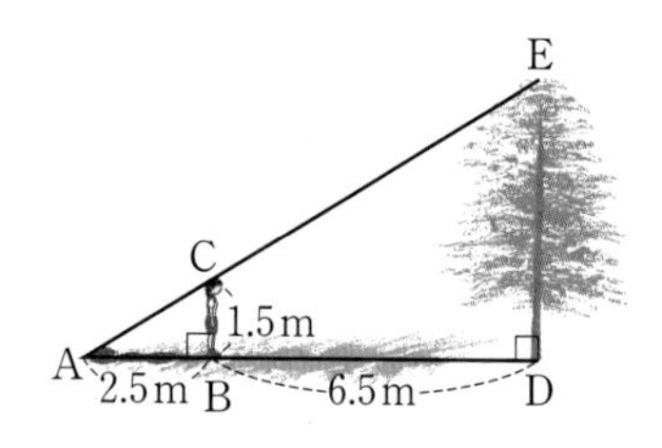

01 △ABC와 △ADE의 닮음비

02 나무의 높이

※ 아래 그림의 △DEF는 C지점에서 강 건너에 있는 A지점까지의 거리를 측정하기 위하여 △ABC를 일정한 비율로 축소하여 그린 것이다. 다음을 구하여라.

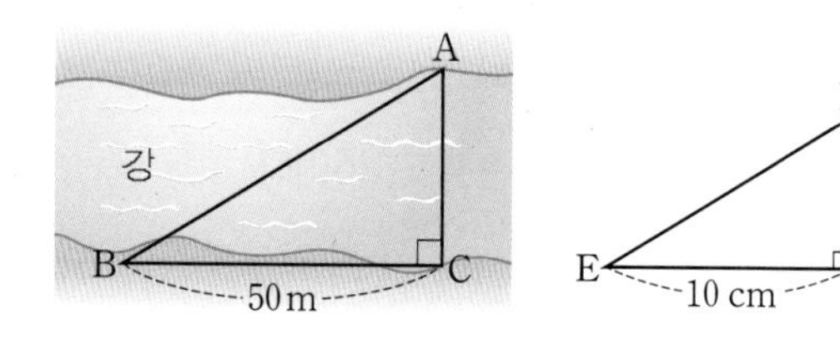

03 △ABC와 △DEF의 닮음비

04 두 지점 A, C 사이의 실제 거리

※ 아래 그림의 $\triangle A'B'C'$는 호수의 너비를 재기 위하여 A지점에서 B지점까지의 거리를 측정하여 $\triangle ABC$를 일정한 비율로 축소하여 그린 것이다. 다음을 구하여라.

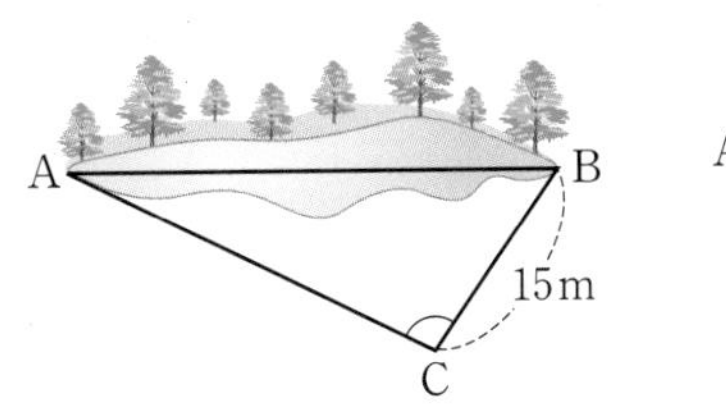

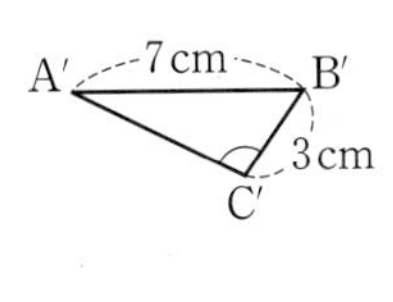

05 $\triangle ABC$와 $\triangle A'B'C'$의 닮음비

06 두 지점 A, B 사이의 실제 거리

※ 아래 그림의 $\triangle CDE$는 강의 양쪽에 있는 두 지점 A, B 사이의 거리를 알아보기 위하여 측량하여 그린 것이다. 다음을 구하여라.

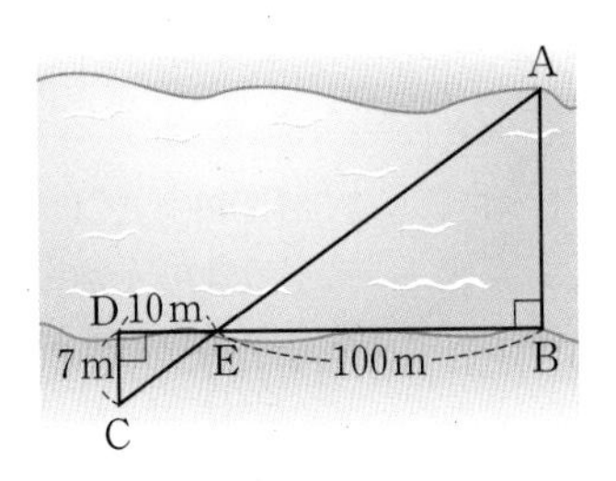

07 $\triangle ABE$와 $\triangle CDE$의 닮음비

08 두 지점 A, B 사이의 실제 거리

※ 다음을 구하여라.

09 축척이 $\frac{1}{50000}$인 지도에서 거리가 20 cm로 나타난 두 지점 사이의 실제 거리

10 축척이 1 : 1000인 지도가 있다. 어떤 땅의 실제 넓이가 3000 m^2일 때, 지도에서의 넓이

11 실제 거리가 20 m인 두 지점 사이의 거리가 4 cm로 나타내어진 지도에서 넓이가 12 cm^2인 땅의 실제 넓이

학교시험 필수예제

12 지름의 길이가 1 m인 쇠공을 녹여서 지름의 길이가 5 cm인 쇠공을 만들려고 한다. 몇 개 만들 수 있는가?

① 6000개 ② 7000개 ③ 8000개
④ 9000개 ⑤ 10000개

Ⅱ. 도형의 닮음 2. 닮음의 활용

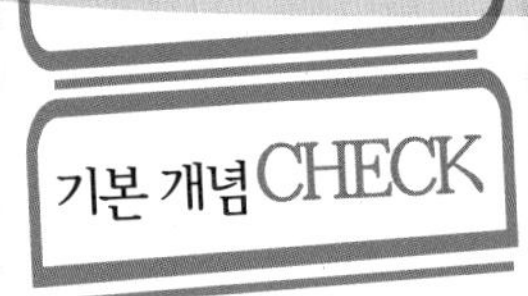

개념 Window

1. 삼각형에서 평행선과 선분의 길이의 비

$\triangle ABC$에서 $\overline{AB}$, $\overline{AC}$ 또는 그 연장선 위에 각각 점 D, E가 있을 때,

① $\overline{BC} /\!/ \overline{DE}$이면 $\overline{AB} : \overline{AD} = \overline{AC} : \overline{AE} = \overline{BC} : \overline{DE}$

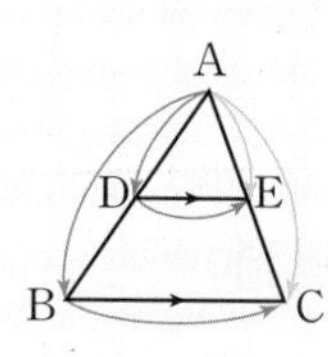

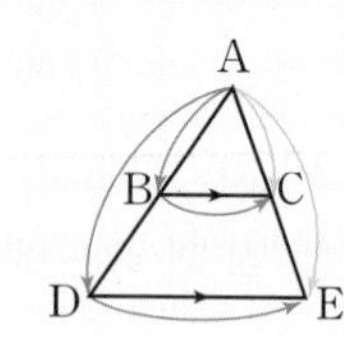

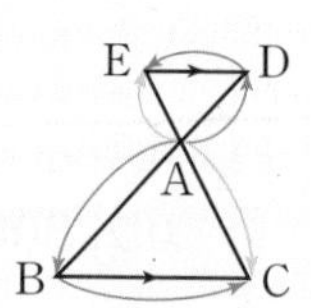

② $\overline{BC} /\!/ \overline{DE}$ 이면 $\overline{AD} : \overline{DB} = \overline{AE} :$ ❶

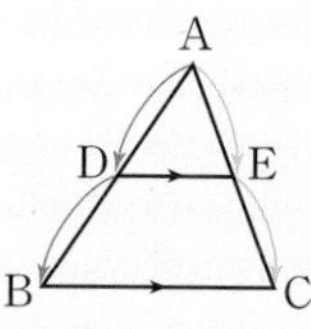

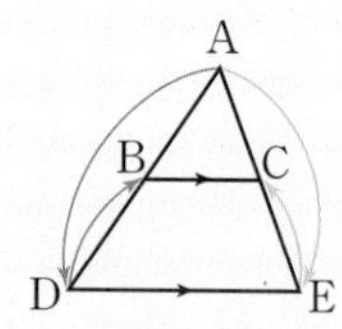

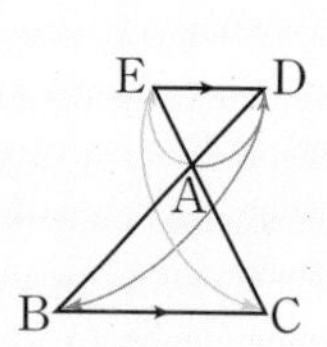

• $\overline{AD} : \overline{DB} \neq \overline{DE} : \overline{BC}$임에 주의한다.
• $\overline{AD} : \overline{AB} = \overline{DE} : \overline{BC}$

③ $\overline{AB} : \overline{AD} = \overline{AC} : \overline{AE} = \overline{BC} : \overline{DE}$이면 $\overline{BC} /\!/ \overline{DE}$

④ $\overline{AD} : \overline{DB} = \overline{AE} : \overline{EC}$이면 $\overline{BC} /\!/ \overline{DE}$

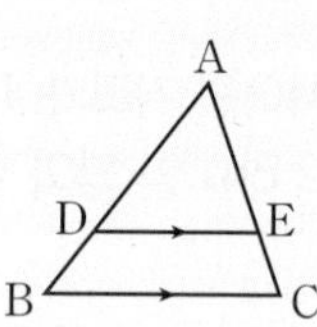

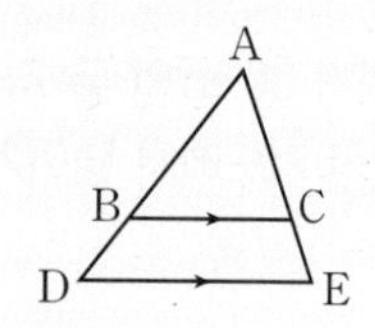

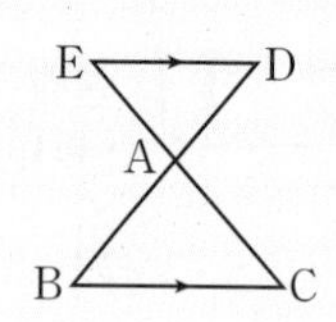

$\triangle ABC \backsim \triangle ADE$ (SAS 닮음)
이므로 $\angle ABC = \angle ADE$
$\therefore \overline{BC} /\!/ \overline{DE}$

3. 삼각형의 각의 이등분선

(1) 삼각형의 내각의 이등분선

$\overline{AB} : \overline{AC} = \overline{BD} :$ ❷

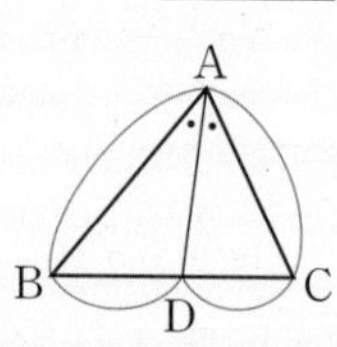

(2) 삼각형의 외각의 이등분선

$\overline{AB} : \overline{AC} = \overline{BD} :$ ❸

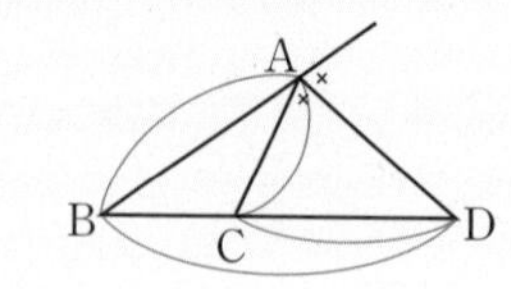

$\triangle ABD$와 $\triangle ACD$의 높이가 같으므로 넓이의 비는 밑변의 비와 같다.
즉, $\triangle ABD : \triangle ACD$
$= \overline{BD} : \overline{CD}$
$= \overline{AB} : \overline{AC}$

4. 평행선 사이의 선분의 길이의 비

세 개 이상의 평행선이 다른 두 직선과 만나서 생긴 선분의 길이의 비는 같다.

즉, $l /\!/ m /\!/ n$이면 $a : b =$ ❹

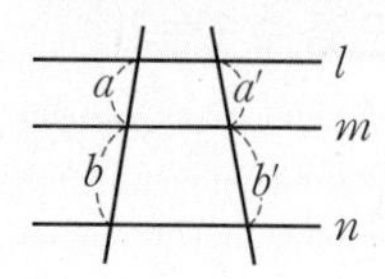

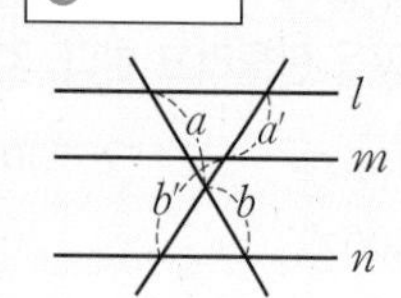

하지만 선분의 길이의 비가 같아도 $(a : b = a' : b')$ l, m, n이 평행선이 아닐 수 있다.

❶ $\overline{EC}$ ❷ $\overline{DC}$ ❸ $\overline{CD}$ ❹ $a' : b'$

5. 사다리꼴에서 평행선과 선분의 길이의 비

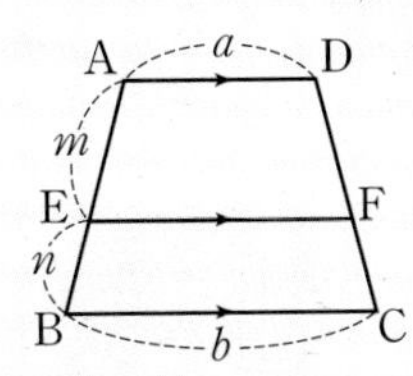

사다리꼴 ABCD에서 $\overline{AD} /\!/ \overline{EF} /\!/ \overline{BC}$이고

$\overline{AD}=a$, $\overline{BC}=b$, $\overline{AE}=m$, $\overline{EB}=n$일 때,

$\overline{EF}=$ ❺ [　　]

7. 삼각형의 두 변의 중점을 연결한 선분의 성질

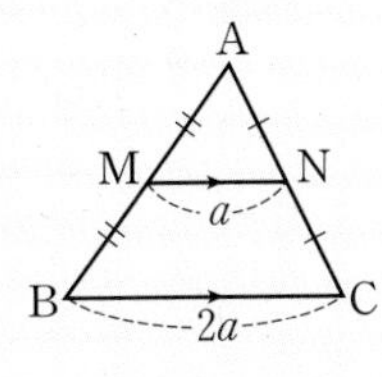

△ABC에서 점 M, N이 각각 $\overline{AB}$, $\overline{AC}$의 중점이면

$\overline{MN} /\!/ \overline{BC}$이고 $\overline{MN}=$ ❻ [　　] $\overline{BC}$

8. 사다리꼴에서 두 변의 중점을 연결한 선분의 성질

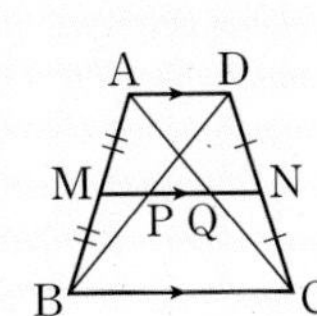

$\overline{MP}=\overline{QN}=\frac{1}{2}\overline{AD}$

$\overline{MQ}=\overline{PN}=\frac{1}{2}\overline{BC}$

$\overline{AD} /\!/ \overline{BC}$인 사다리꼴 ABCD에서 $\overline{AB}$, $\overline{DC}$의 중점을 각각 M, N이라 하면

(1) $\overline{MN} /\!/ \overline{AD} /\!/ \overline{BC}$

(2) $\overline{MN}=\overline{MQ}+\overline{QN}=\frac{1}{2}(\overline{BC}+\overline{AD})$

(3) $\overline{PQ}=\overline{MQ}-\overline{MP}=\frac{1}{2}(\overline{BC}-\overline{AD})$ (단, $\overline{BC}>\overline{AD}$)

10. 삼각형의 무게중심

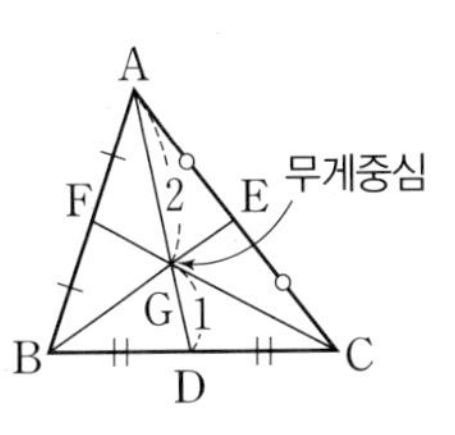

(1) ❼ [　　] : 삼각형의 한 꼭짓점과 그 대변의 중점을 연결한 선분

(2) 삼각형의 무게중심 : 삼각형의 세 중선의 교점

(3) 삼각형의 무게중심의 성질 : 삼각형의 무게중심 G는 세 중선의 길이를 꼭짓점으로부터 각각 ❽ [　　]로 나눈다.

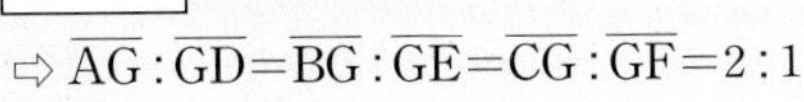

⇨ $\overline{AG}:\overline{GD}=\overline{BG}:\overline{GE}=\overline{CG}:\overline{GF}=2:1$

11. 삼각형의 무게중심과 넓이

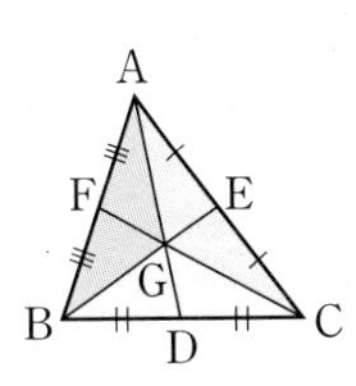

(1) 삼각형의 무게중심과 세 꼭짓점을 연결해서 생기는 세 삼각형의 넓이는 같다.

△GAB=△GBC=△GCA= ❾ [　　] △ABC

(2) 세 중선으로 나누어지는 6개의 삼각형의 넓이는 같다.

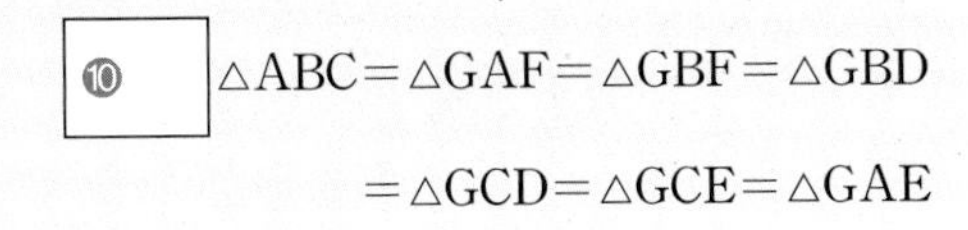

❿ [　　] △ABC=△GAF=△GBF=△GBD

=△GCD=△GCE=△GAE

12. 닮은 두 도형의 넓이의 비와 부피의 비

닮음인 두 평면도형의 닮음비가 $m:n$이면

(1) 둘레의 길이의 비 ⇨ $m:n$

(2) 넓이의 비 ⇨ ⓫ [　　]

(3) 부피의 비 ⇨ ⓬ [　　]

14. 닮음의 활용

(1) 축도 : 어떤 도형을 일정한 비율로 줄인 그림

(2) 축척 : 축도에서 실제 도형을 줄인 비율

$$(\text{축척})=\frac{(\text{축도에서의 길이})}{(\text{실제 길이})}$$

❺ $\frac{bm+an}{m+n}$ ❻ $\frac{1}{2}$ ❼ 중선 ❽ $2:1$ ❾ $\frac{1}{3}$ ❿ $\frac{1}{6}$ ⓫ $m^2:n^2$ ⓬ $m^3:n^3$

나일강 하류의 삼각주
고대 이집트인들은 홍수가 지난 후 나일강이 운반해온 비옥한 흙 위에 씨를 뿌렸다.

동량
나라의 중임을 맡을 만한 큰 인재를 뜻하는 동량(棟梁)은 본디 지붕을 받치는 도리와 대들보에서 유래하였다.

첨성대(경주)
첨성대를 세운 선덕여왕 대를 기준으로 천문 기록의 양이 무려 4배나 늘었다.

어떻게? 피타고라스 정리가 탄생하였을까? 그 답은 바로

농사를 짓고 집을 짓는 실생활의 경험을 토대로 탄생하였다

옛사람들은 새끼줄에 매듭을 지어 직각삼각형을 만든 후 측량을 하거나 건축물을 지을 때 직각을 활용하였다고 한다. 원래 고대 이집트의 나일강 주변은 지대가 낮아 홍수로 자주 범람하였는데, 홍수로 없어진 토지의 경계를 다시 그려야 했고 이 과정에서 경험적으로 많은 지식을 가지게 되었다. 끈에 일정한 간격으로 매듭을 짓고, 이 매듭을 따라 끈을 12등분하여 세 변의 길이가 각각 3, 4, 5인 직각삼각형을 만들었고, 이를 본떠 직각을 만들었다.

지금까지 알려진 바로는 중국에서 적어도 기원전 1000년쯤, 즉 지금부터 3000년 전에 이미 "구고현 정리"에 대한 개념이 나왔다고 한다. 피타고라스가 이 정리를 발견한 것이 기원전 500년쯤이니까 그보다 500년 앞선 것이라고 할 수 있다. 〈주비산경〉이 신라시대에 아주 중요한 천문 교재로 사용되었고, 실제로 첨성대를 살펴보면 구고현 정리를 이용했다는 것을 알 수 있다. 현대에도 피타고라스 정리는 다양한 분야와 결합하여 폭넓게 활용되고 있다.

III. 피타고라스 정리

학습 목표

1. 피타고라스 정리를 이해하고 설명할 수 있다.

01 피타고라스 정리

빠른정답 06쪽 / 친절한 해설 24쪽

• 직각삼각형에서 직각을 낀 두 변의 길이를 각각 a, b라 하고, 빗변의 길이를 c라고 하면

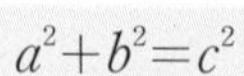

$$a^2+b^2=c^2$$

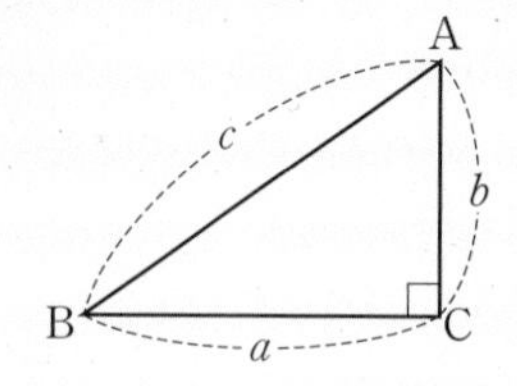

• 직각삼각형의 세 변 중에서 두 변의 길이를 알면, 피타고라스 정리를 이용하여 나머지 한 변의 길이를 구할 수 있다.

085 피타고라스 정리

※ 다음 직각삼각형에서 x^2의 값을 구하여라.

01

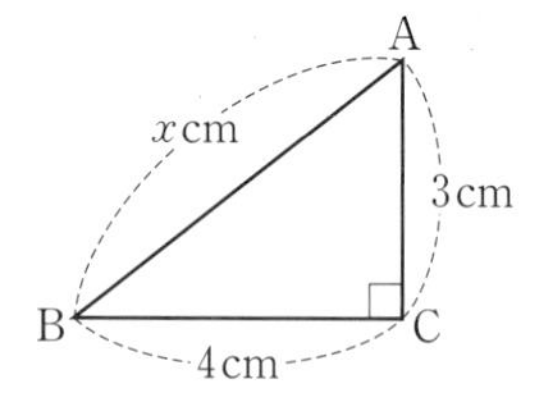

|해설| 피타고라스 정리에 의하여

$\overline{AB}^2=\overline{BC}^2+\overline{AC}^2=4^2+\square^2=\square$

$\therefore x^2=\square$

02

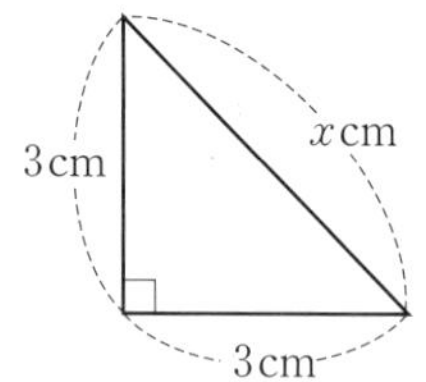

03

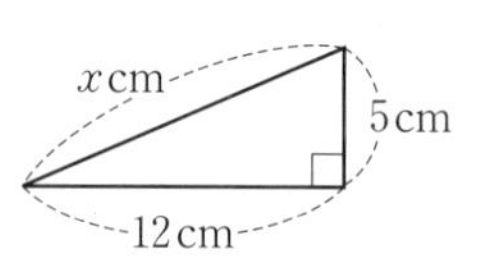

04

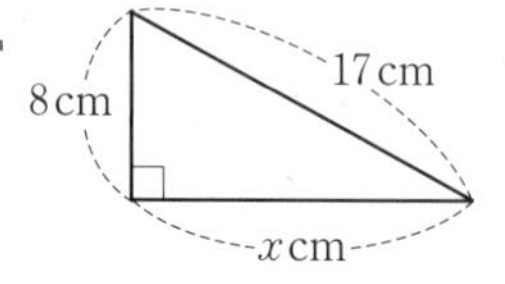

086 사다리꼴에서의 피타고라스 정리의 이용

※ 다음 그림에서 x의 값을 구하여라.

05

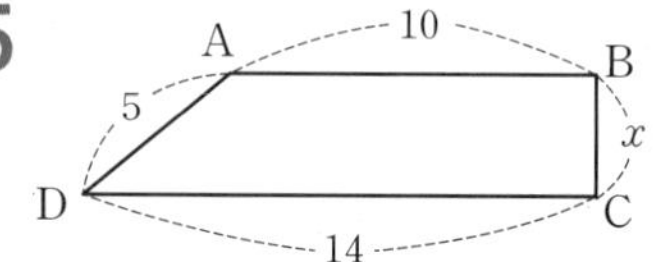

|해설| 사다리꼴 ADCB의 점 A에서 $\overline{DC}$에 수직이 되도록 선의 그어 만나는 점을 H라 하면

$\triangle$ADH는 $\square$삼각형이다.

$\overline{DH}=\overline{DC}-\overline{AB}=\square-10=\square$

$\overline{AD}^2=\overline{AH}^2+\overline{DH}^2$이므로 $\overline{AH}=\square$

$\overline{AH}=\overline{BC}$이므로 $\overline{BC}=\square$

06

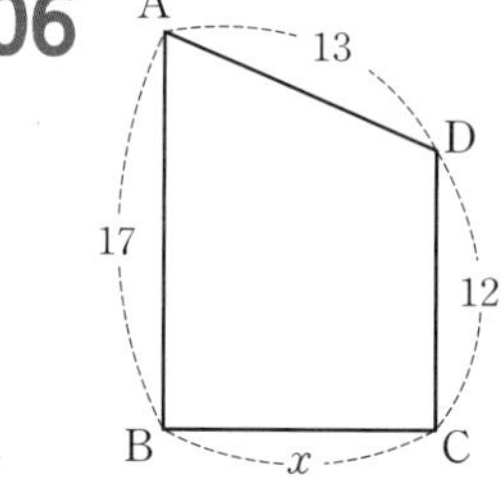

학교시험 필수예제

07 오른쪽 그림과 같은 직각삼각형의 x의 값을 구하여라.

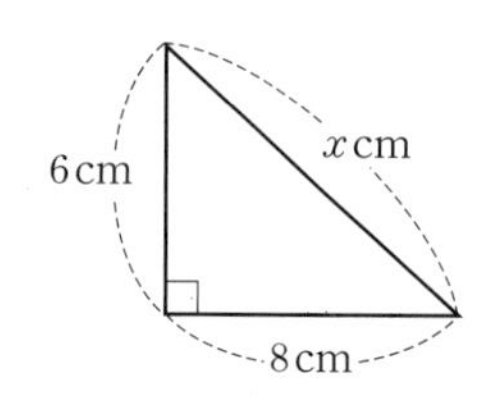

피타고라스 정리의 연속 이용

※ 다음 그림에서 x, y의 값을 각각 구하여라.

08

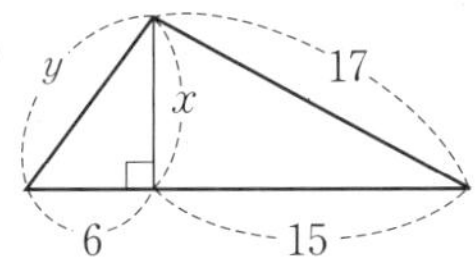

09

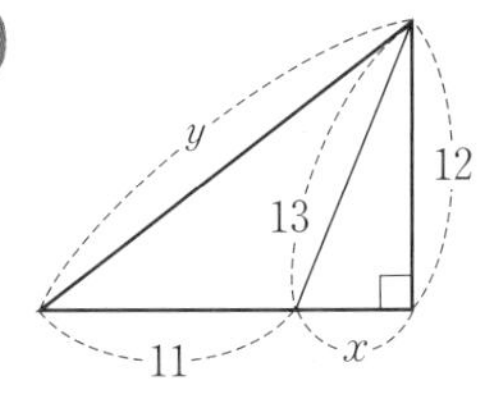

10

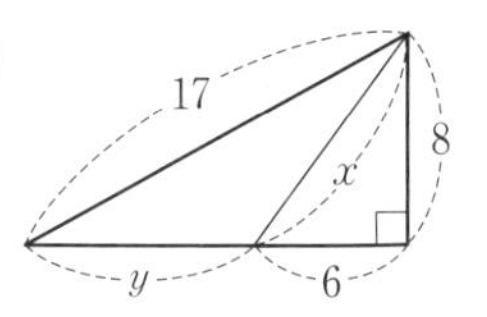

11

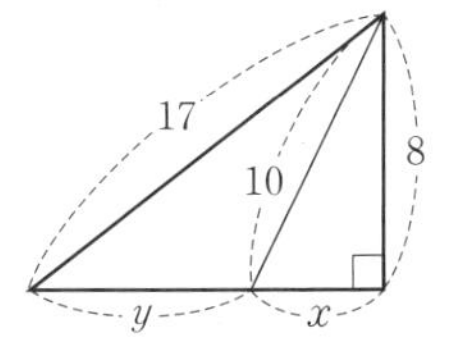

※ $\overline{OP}$의 길이를 구하여라.

12

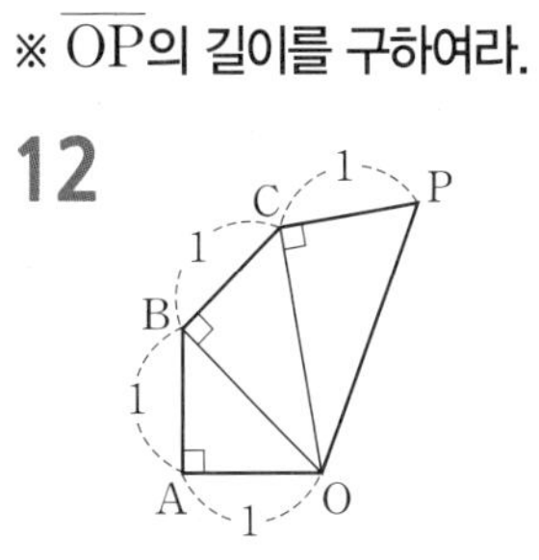

13

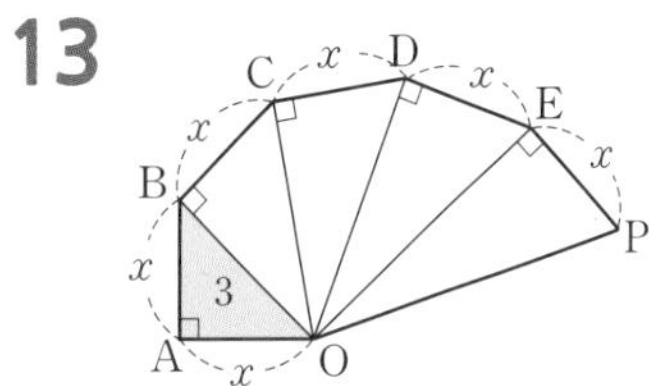

14 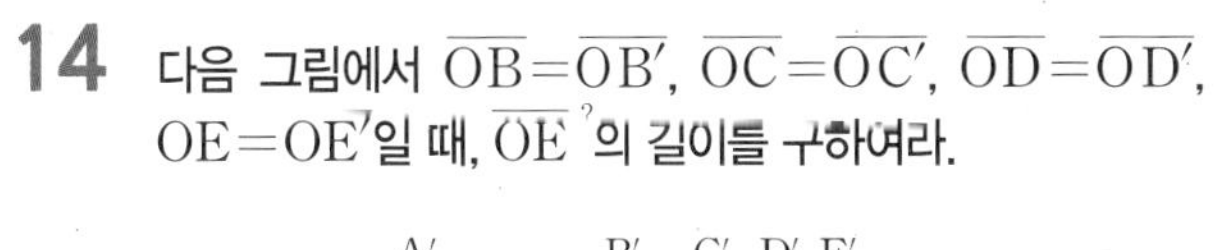
다음 그림에서 $\overline{OB}=\overline{OB'}$, $\overline{OC}=\overline{OC'}$, $\overline{OD}=\overline{OD'}$, $\overline{OE}=\overline{OE'}$일 때, $\overline{OE'}$의 길이를 구하여라.

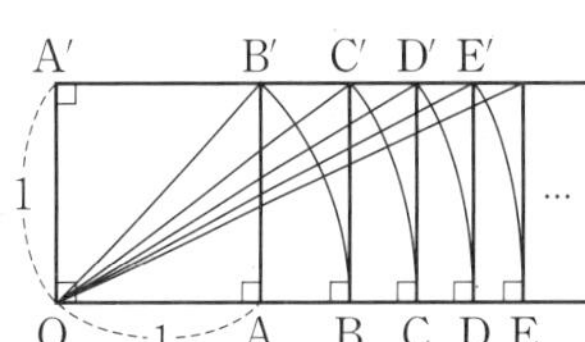

02 피타고라스 정리의 증명 - 유클리드의 증명

빠른정답 06쪽 / 친절한 해설 25쪽

오른쪽 그림과 같은 직각삼각형 ABC에서 정사각형 ACDE, AFGB, BHIC를 그리면

(1) □ACDE=□AFKJ, □CBHI=□JKGB

(2) □AFGB=□ACDE+□CBHI이므로
$\overline{AB}^2=\overline{CA}^2+\overline{BC}^2$

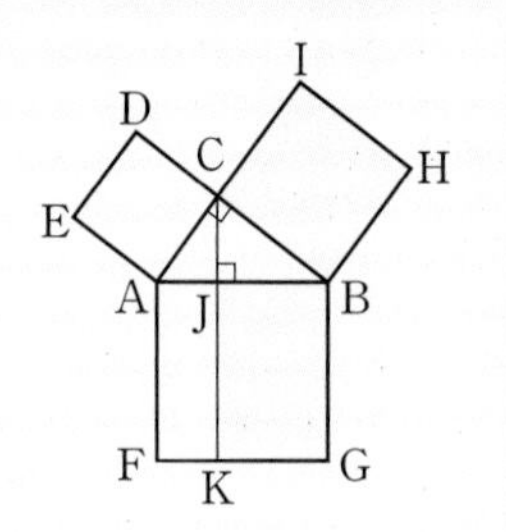

(1) △EAB≡△CAF
이므로 □ACDE=□AFKJ
△ABH≡△GBC
이므로 □CBHI=□JKGB

유형 088 유클리드의 증명

※ 다음은 직각삼각형 ABC의 각 변을 한 변으로 하는 세 정사각형을 그린 것이다. $\overline{AB}$, $\overline{AC}$를 한 변으로 하는 정사각형의 넓이를 이용하여 색칠한 정사각형의 넓이를 구하여라.

01

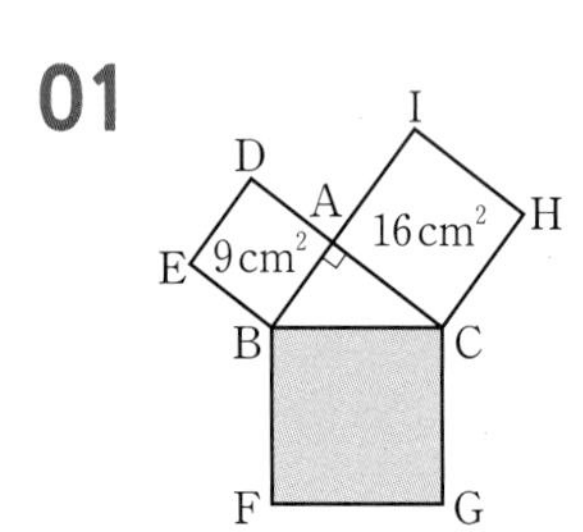

|해설| □BFGC=□ADEB+□ACHI
=9+16=☐(cm²)

02

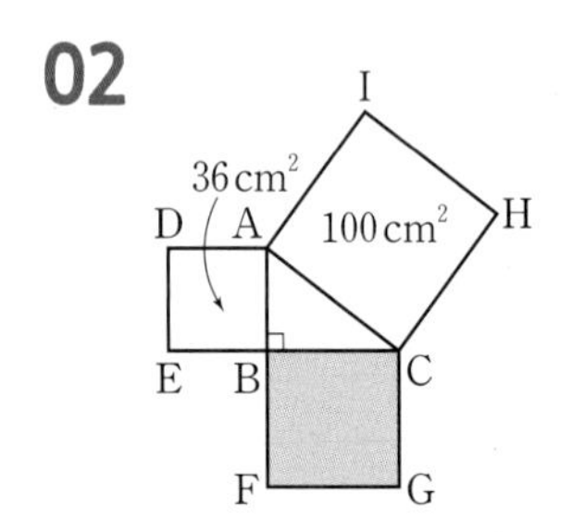

03

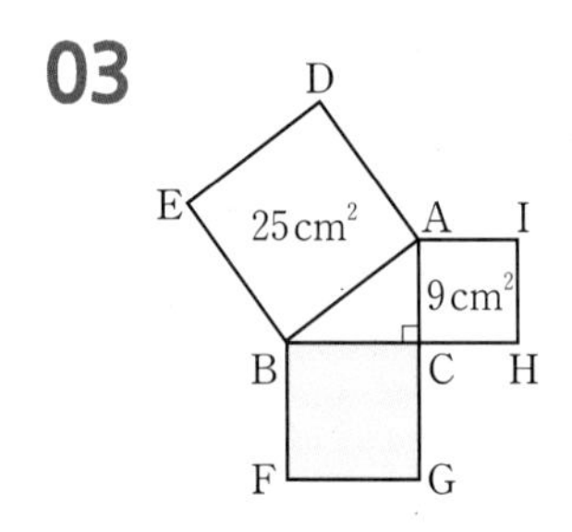

※ 다음은 직각삼각형 ABC의 각 변을 한 변으로 하는 세 정사각형을 그린 것이다. 두 정사각형의 넓이가 주어졌을 때, 나머지 한 정사각형의 한 변의 길이를 구하여라.

04

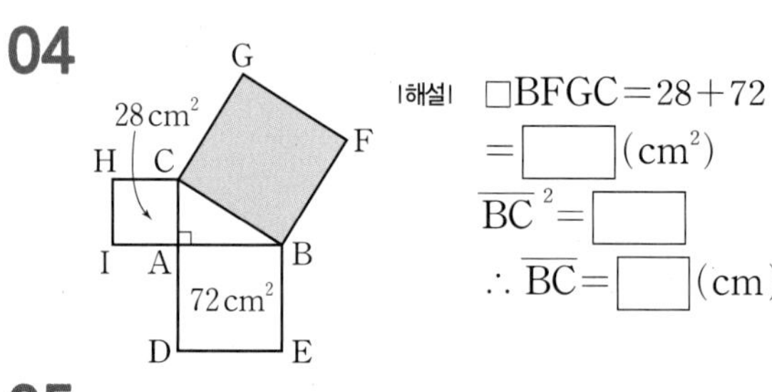

|해설| □BFGC=28+72
=☐(cm²)
$\overline{BC}^2$=☐
∴ $\overline{BC}$=☐(cm)

05

F G
41 cm²
C B
16 cm²
H A D
I E

06

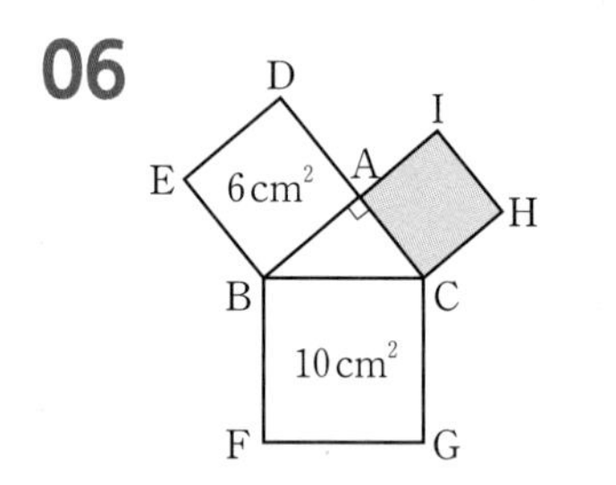

학교시험 필수예제

07 x의 값을 구하여라.

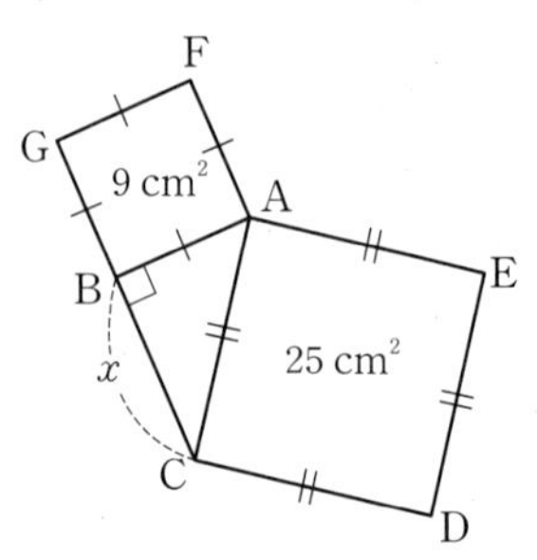

※ 다음은 직각삼각형 ABC의 각 변을 한 변으로 하는 세 정사각형을 그린 것이다. 색칠한 부분의 넓이를 구하여라.

08

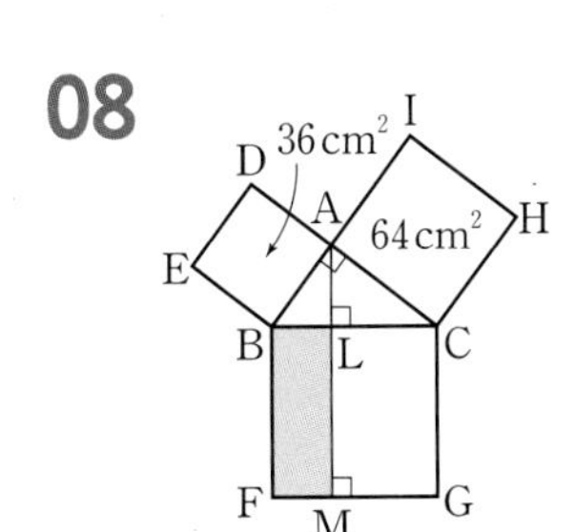

|해설| □BFML = □ADEB = ☐(cm²)

09

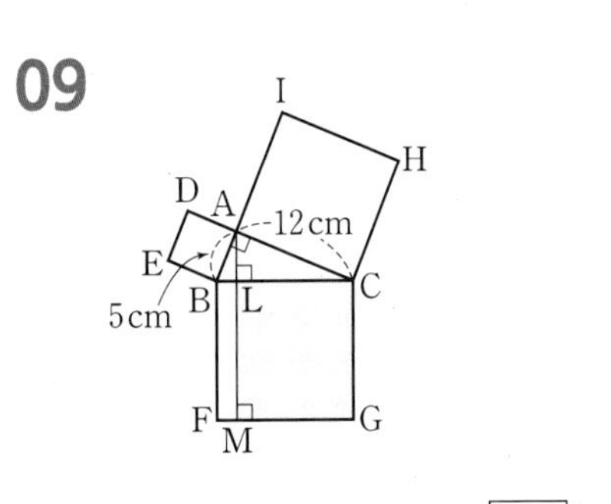

|해설| □LMGC = □ACHI = ☐² = ☐(cm²)

10

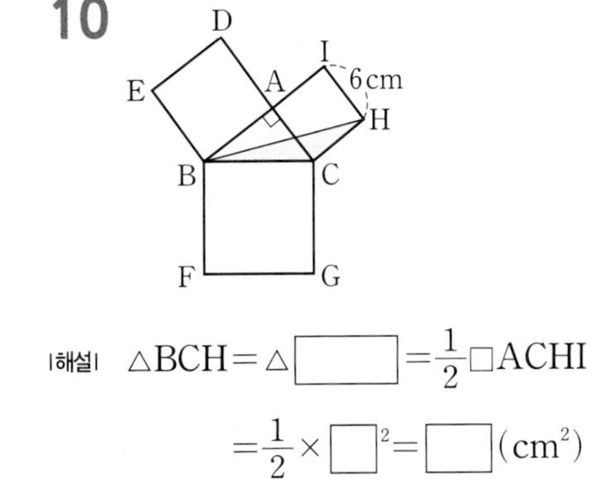

|해설| △BCH = △☐ $= \frac{1}{2}$□ACHI

$= \frac{1}{2} \times$ ☐² = ☐(cm²)

11

12

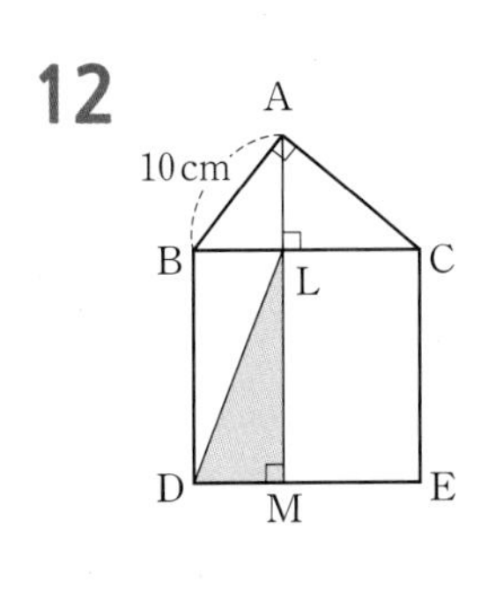

13

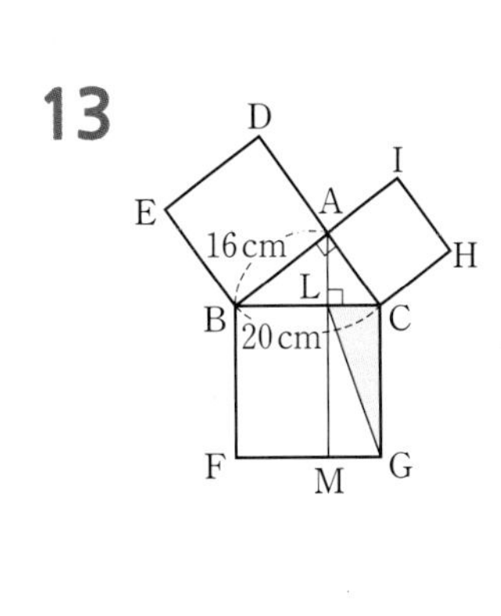

03 피타고라스 정리의 증명 - 피타고라스의 증명

빠른정답 06쪽 / 친절한 해설 25쪽

오른쪽 그림과 같이 직각삼각형 ABC에서 한 변의 길이가 $a+b$인 정사각형 CDFH를 그리면

(1) $\triangle ABC \equiv \triangle EAD \equiv \triangle GEF \equiv \triangle BGH$ (SAS 합동)

(2) □AEGB는 한 변의 길이가 c인 정사각형이다.

(3) □CDFH$=4\times\triangle ABC+$□AEGB

$(a+b)^2=4\times\frac{1}{2}ab+c^2 \quad \therefore c^2=a^2+b^2$

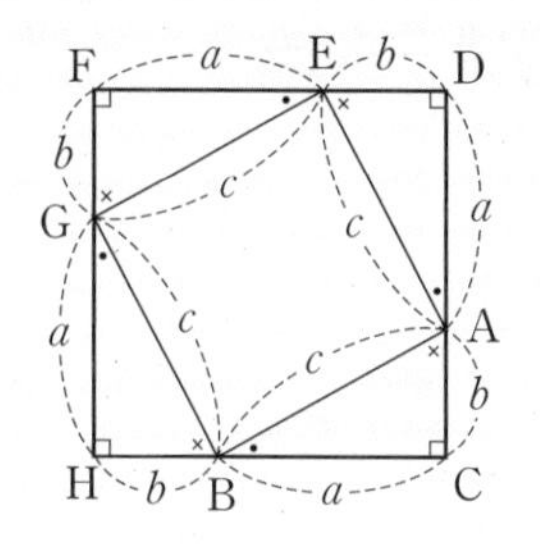

(2) □AEGB는 네 변의 길이가 같고 •+×=90°이므로 네 각의 크기가 같다. 따라서 □AEGB는 정사각형이다.

피타고라스의 증명

※ 다음 그림에서 □ABCD는 정사각형이고 4개의 직각삼각형은 모두 합동이다. 이때, □EFGH의 둘레의 길이를 구하여라.

01

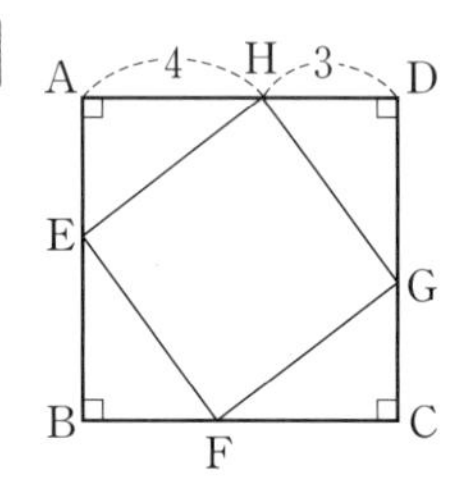

|해설| $\overline{AE}=\overline{DH}=$ ☐ 이므로

$\overline{EH}^2=4^2+$ ☐$^2=$ ☐^{2} $\quad \therefore \overline{EH}=$ ☐

(□EFGH의 둘레의 길이)$=$ ☐ $\times 4=$ ☐

02

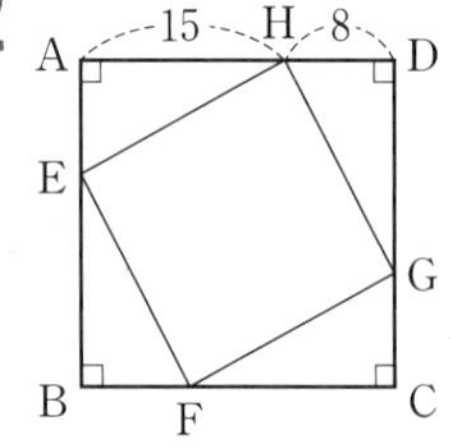

03

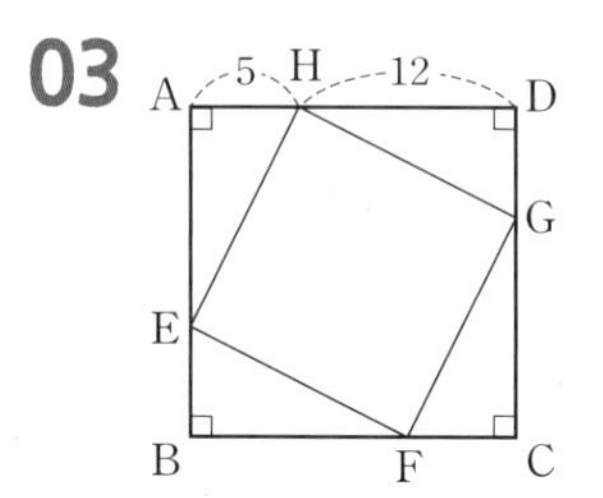

04

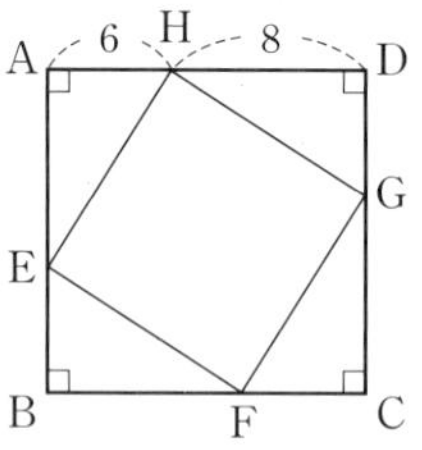

A 6 H 8 D

E G

B F C

※ 다음 그림에서 □ABCD는 정사각형이고 4개의 직각삼각형은 모두 합동이다. 이때, □EFGH의 넓이를 구하여라.

05

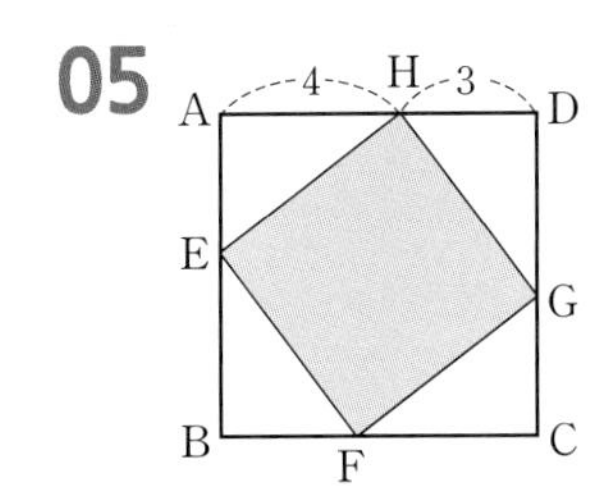

|해설| $\overline{AE}=\overline{DH}=\square$이므로

$\overline{EH}^2=4^2+\square^2=\square^2$ $\therefore\ \overline{EH}=\square$

$\therefore$ □EFGH$=\square^2=\square$

06

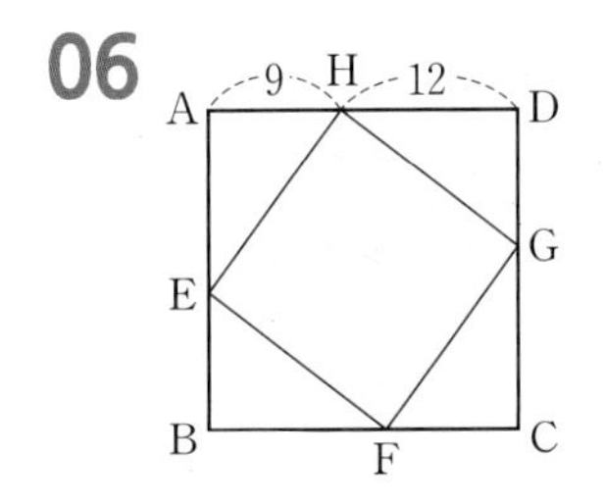

07

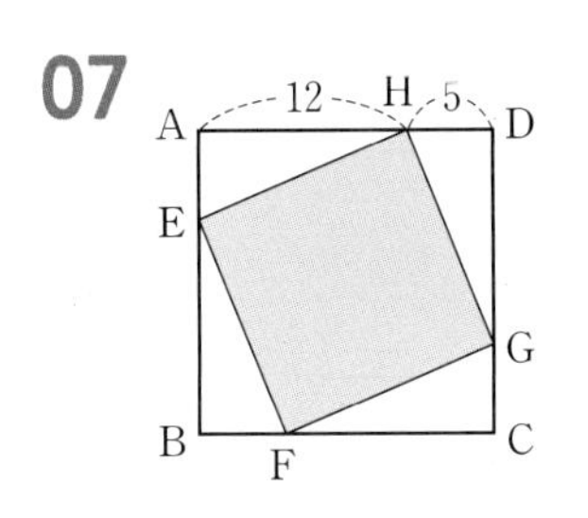

※ 다음 그림에서 □ABCD는 정사각형이고 4개의 직각삼각형은 모두 합동이다. □EFGH의 넓이가 주어졌을 때, □ABCD의 넓이를 구하여라.

08

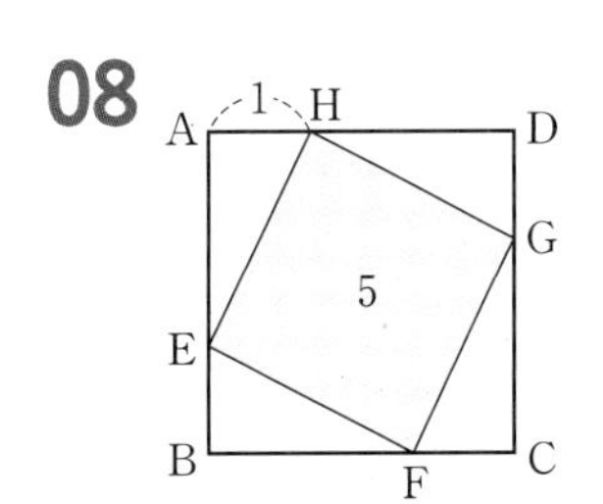

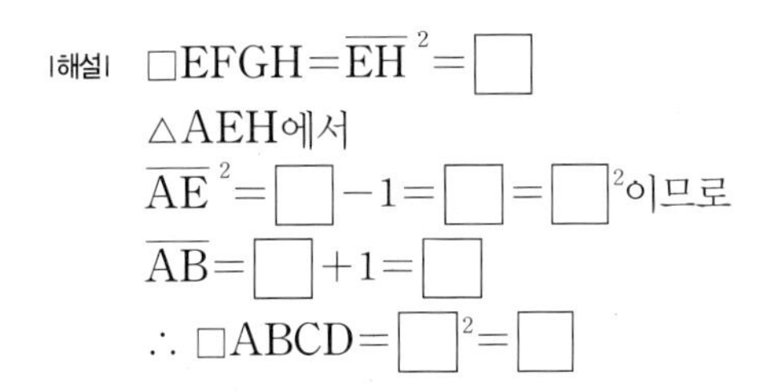

|해설| □EFGH$=\overline{EH}^2=\square$

△AEH에서

$\overline{AE}^2=\square-1=\square=\square^2$이므로

$\overline{AB}=\square+1=\square$

$\therefore$ □ABCD$=\square^2=\square$

09

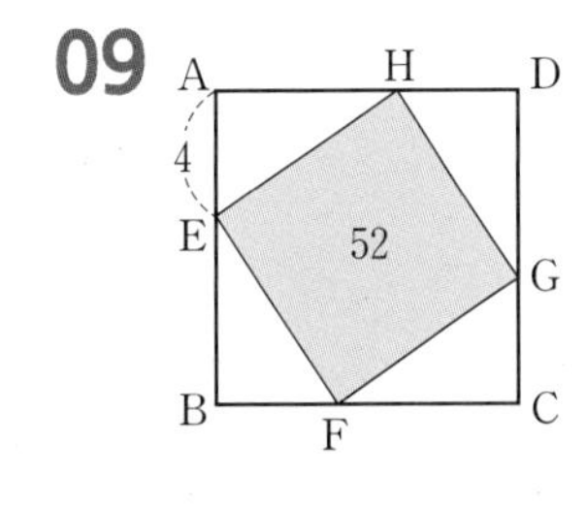

10

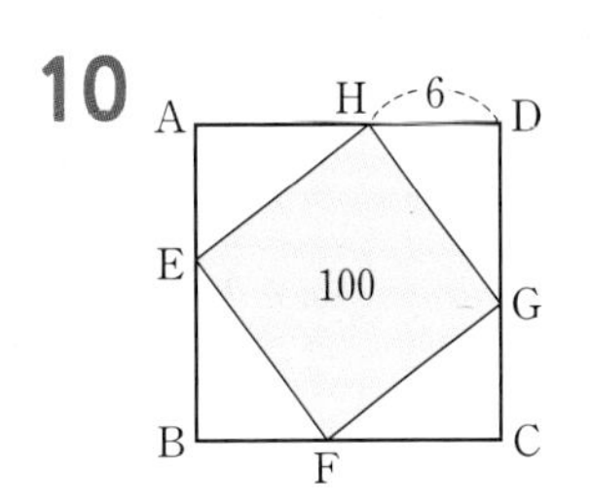

04 피타고라스 정리의 증명 - 바스카라의 증명

빠른정답 06쪽 / 친절한 해설 26쪽

오른쪽 그림과 같이 직각삼각형 ABC와 합동인 삼각형 4개를 맞추어 정사각형 ABDE를 만들면

(1) □CFGH는 한 변의 길이가 $a-b$인 정사각형이다.

(2) □ABDE$=4\times$△ABC$+$□CFGH이므로

$c^2=4\times\frac{1}{2}ab+(a-b)^2 \quad \therefore c^2=a^2+b^2$

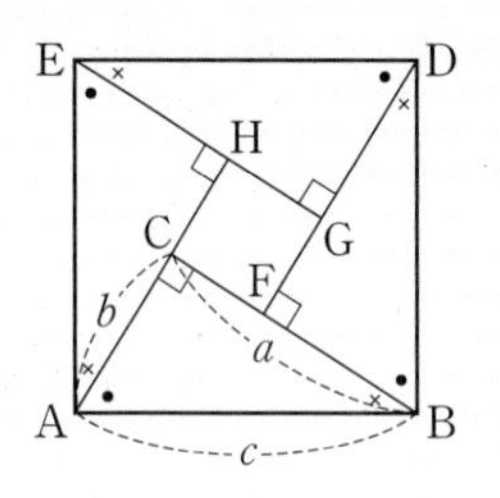

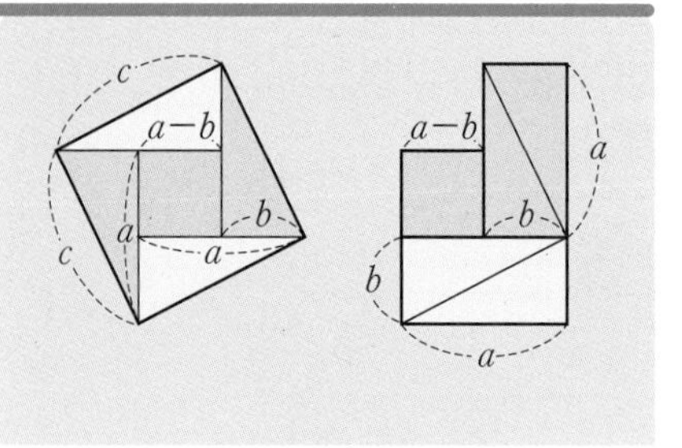

바스카라의 증명

※ 오른쪽 그림은 합동인 4개의 직각삼각형을 이용하여 정사각형을 만든 것이다. 다음 중 옳은 것에는 ○표, 옳지 않은 것에는 ×표 하여라.

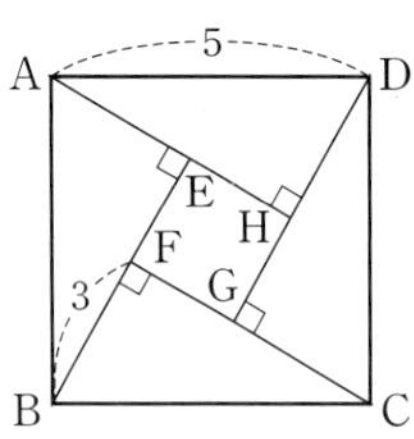

01 $\overline{CG}$와 $\overline{DH}$의 길이는 같다. ( )

02 $\overline{CF}$의 길이는 4이다. ( )

03 $\overline{EH}^2$의 길이는 2이다. ( )

04 △ABE의 넓이는 $\frac{3}{2}$이다. ( )

05 □EFGH의 넓이는 1이다. ( )

※ 다음 그림은 합동인 4개의 직각삼각형을 이용하여 정사각형을 만든 것이다. x의 값을 구하여라.

06

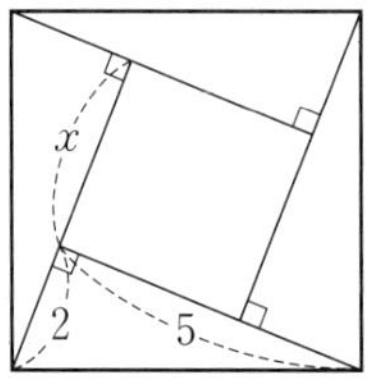

|해설| 4개의 직각삼각형은 합동이므로

$x+2=$□ $\therefore x=$□

07

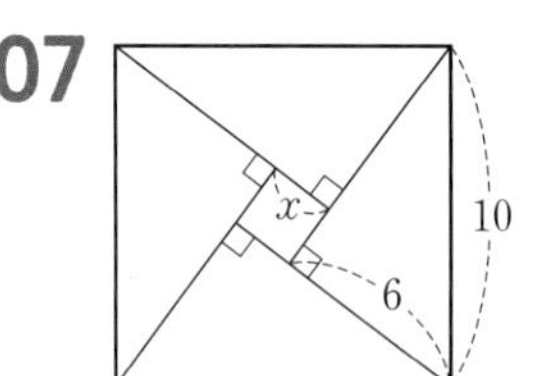

08

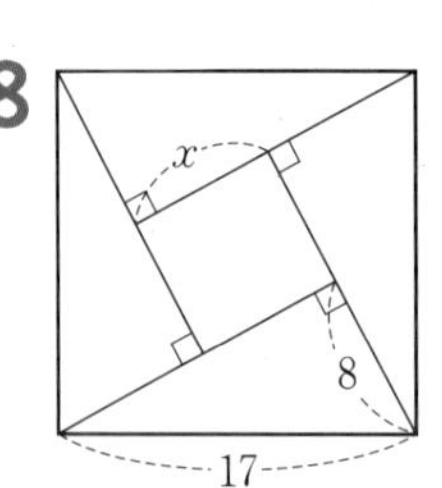

※ 다음 그림은 합동인 4개의 직각삼각형을 이용하여 정사각형을 만든 것이다. □ABCD의 넓이를 구하여라.

09

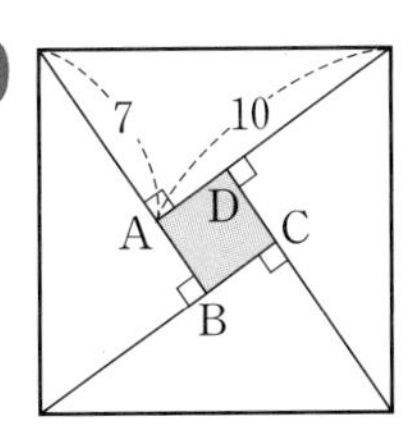

|해설| 4개의 직각삼각형은 합동이므로

$\square + \overline{AB} = 10$ $\therefore \overline{AB} = \square$

$\therefore$ □ABCD $= \square^2 = \square$

10

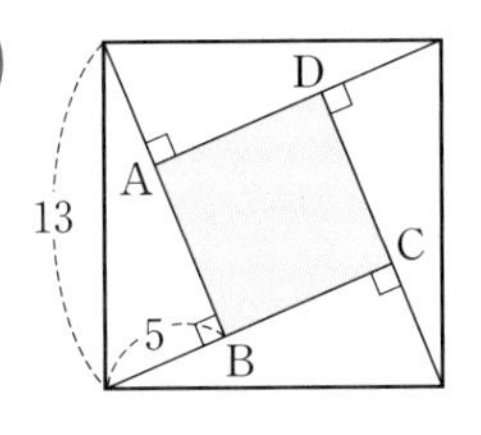

11

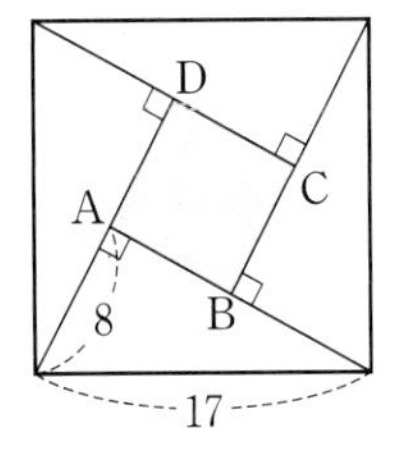

12

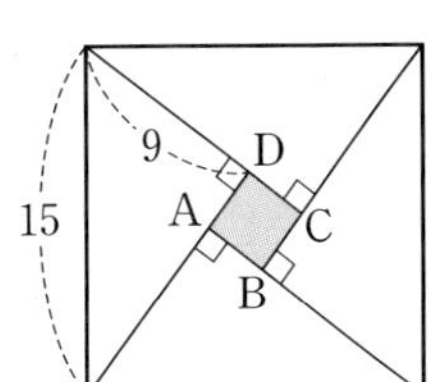

13

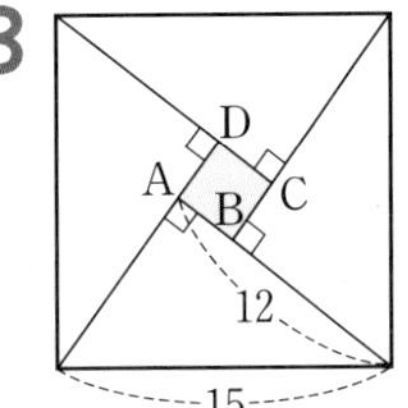

14

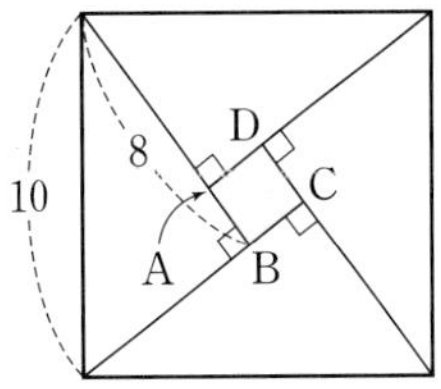

05 피타고라스 정리의 증명 - 가필드의 증명

빠른정답 06쪽 / 친절한 해설 26쪽

오른쪽 그림과 같이 직각삼각형 ABC와 합동인 삼각형 EAD를 세 점 C, A, D가 일직선이 되게 놓으면

(1) $\triangle ABC \equiv \triangle EAD$

(2) $\triangle BAE$는 직각이등변삼각형이다.

(3) $\square BCDE = \triangle BAE + 2\triangle ABC$

$\therefore a^2+b^2=c^2$

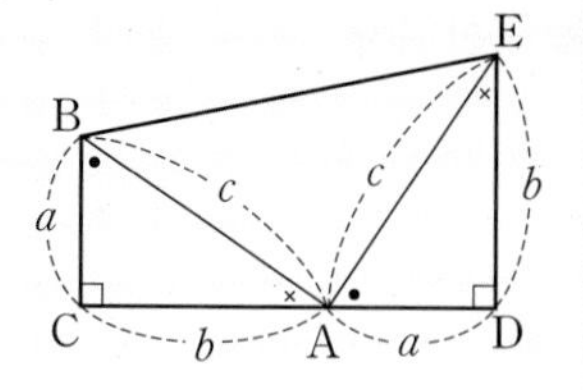

미국의 20대 대통령 가필드는 왼쪽 그림과 같은 사다리꼴을 이용하여 피타고라스 정리를 증명하였다.

(3) $\frac{1}{2}(a+b)^2 = \frac{1}{2}c^2 + ab$

$(a+b)^2 = c^2 + 2ab$

$\therefore a^2+b^2=c^2$

유형 091 가필드의 증명

※ 다음 그림에서 직각삼각형 ABC와 CDE는 합동이고, 점 B, C, D가 한 직선 위에 있다. 이때, $\triangle ACE$의 넓이를 구하여라.

01

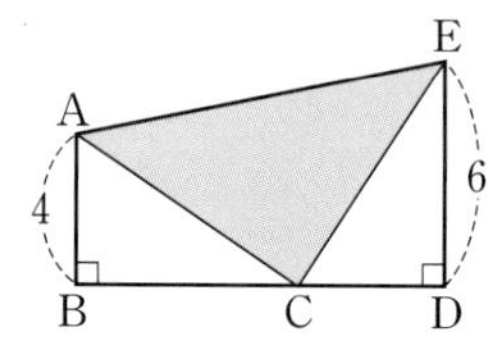

|해설| $\overline{BC} = \overline{DE} = \square$

$\triangle ABC$에서

$\overline{AC}^2 = 4^2 + \square^2 = \square$

$\triangle ACE$는 직각이등변삼각형이므로

$\triangle ACE = \frac{1}{2} \times \overline{AC}^2 = \square$

02

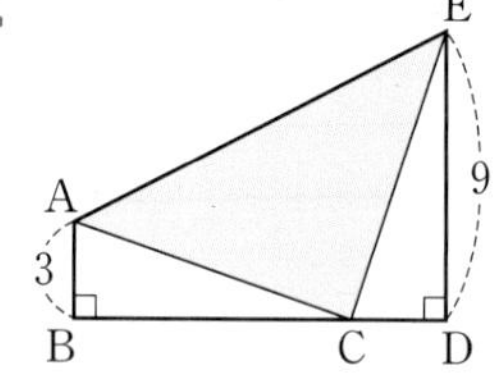

03

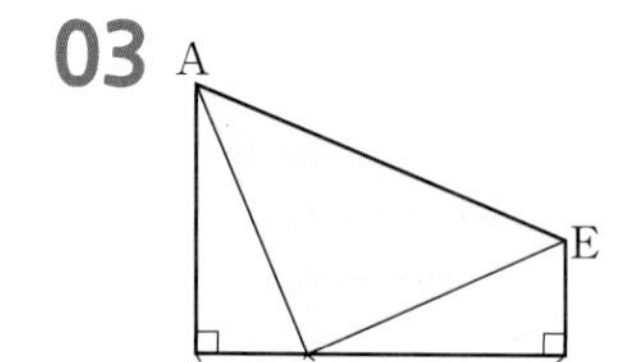

※ 다음 그림에서 직각삼각형 ABC와 CDE는 합동이고, 점 B, C, D가 한 직선 위에 있다. $\triangle ACE$의 넓이를 이용하여 사다리꼴 ABDE의 넓이를 구하여라.

04

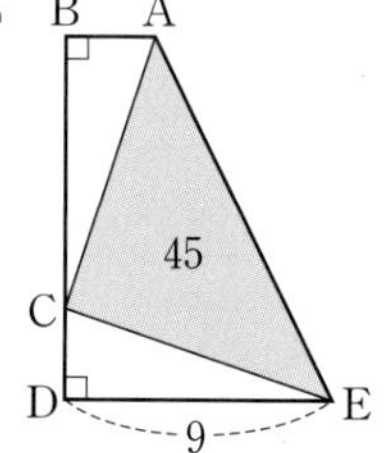

|해설| $\triangle ACE$는 직각이등변삼각형이고 넓이가 45이므로

$\frac{1}{2} \times \overline{AC} \times \overline{AC} = \square \quad \therefore \overline{AC}^2 = \square$

$\triangle ABC$에서

$\overline{AB}^2 = \square - 9^2 = \square \quad \therefore \overline{AB} = \square$

$\therefore \square ABDE = \frac{1}{2} \times (9 + \square) \times \square = 72$

05

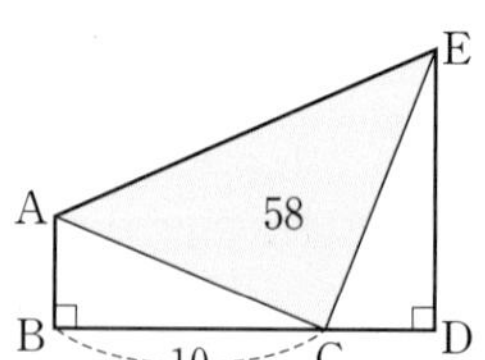

종이접기

※ 다음 그림과 같은 직사각형 모양의 종이를 접었을 때, $\overline{PQ}$의 길이를 구하여라.

06

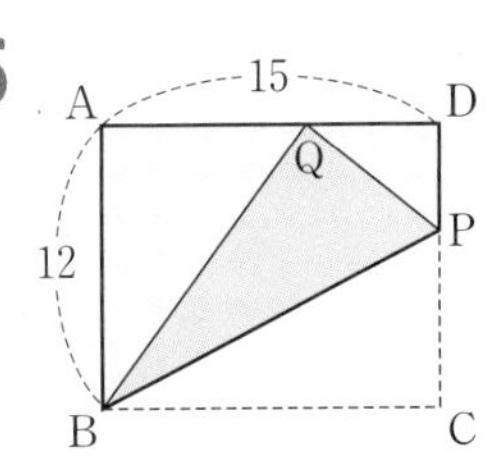

|해설| $\overline{BQ}=\overline{BC}=\square$이므로 $\triangle ABQ$에서

$\overline{AQ}^2=\square^2-12^2=\square^2$

$\therefore \overline{DQ}=15-\square=\square$

$\overline{DP}=x$라고 하면 $\overline{PQ}=\overline{PC}=\square-x$이므로

$\triangle PDQ$에서 $(\square-x)^2=x^2+\square^2$

$\therefore x=\square$

$\overline{PQ}=12-x$

$=12-\square=\square$

※ 다음 그림과 같은 직사각형 모양의 종이를 대각선을 접는 선으로 하여 접었을 때, $\triangle ABP$의 넓이를 구하여라.

08

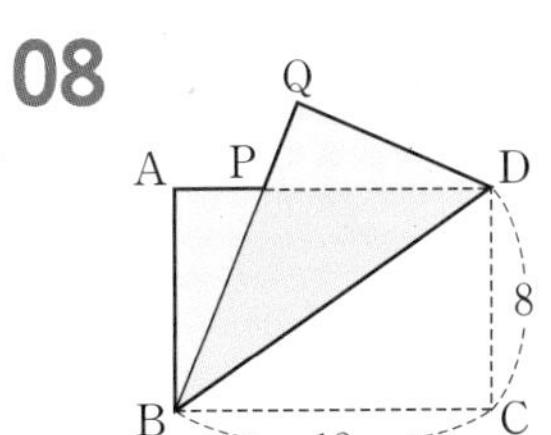

|해설| $\overline{AP}=x$라고 하면 $\triangle PAB\equiv\triangle PQD$이므로

$\overline{BP}=\overline{DP}=\square-x$

$\triangle ABP$에서 $(\square-x)^2=x^2+\square^2$

$\therefore x=\square$

$\therefore \triangle ABP=\frac{1}{2}\times 8\times\square=\square$

07

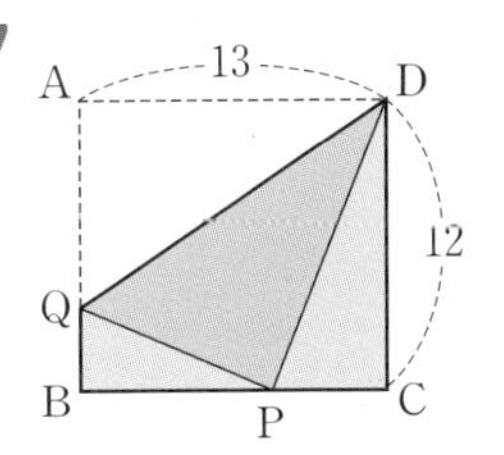

09

06 직각삼각형이 되는 조건

빠른정답 07쪽 / 친절한 해설 27쪽

세 변의 길이가 각각 a, b, c인 삼각형에서

$$a^2+b^2=c^2$$

인 관계가 성립하면, 이 삼각형은 빗변의 길이가 c인 직각삼각형이다.

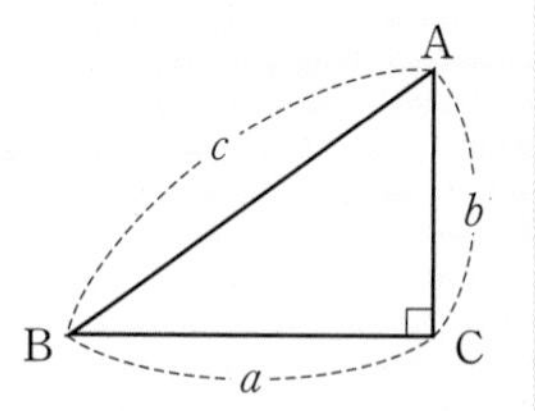

삼각형에서 가장 긴 변의 길이의 제곱이 나머지 두 변의 길이의 제곱의 합과 같으면 이 삼각형은 직각삼각형이다.

직각삼각형이 될 조건

※ 세 변의 길이가 각각 다음과 같은 삼각형 중에서 직각삼각형인 것은 ○표, 직각삼각형이 아닌 것은 ×표 하여라.

01 8 cm, 15 cm, 17 cm ( )

|해설| 가장 긴 변의 길이는 3 cm이고

$\square^2=\square^2+15^2$이므로

(직각삼각형이다, 직각삼각형이 아니다).

02 3 cm, 4 cm, 6 cm ( )

03 2 cm, 4 cm, 5 cm ( )

04 5 cm, 3 cm, 4 cm ( )

05 4 cm, 9 cm, 6 cm ( )

06 12 cm, 5 cm, 13 cm ( )

※ 세 변의 길이가 각각 다음과 같은 삼각형 ABC에서 $\angle C=90°$가 되도록 하는 x의 값을 구하여라.

07

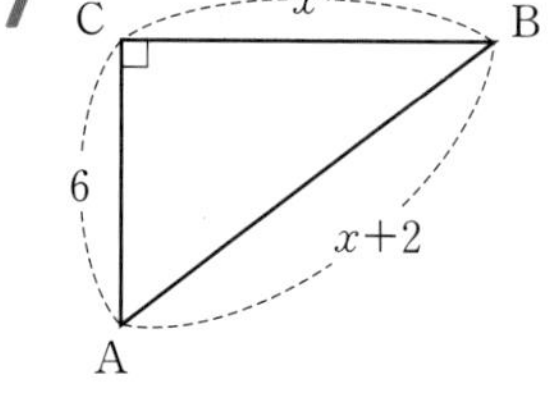

|해설| $(x+2)^2=x^2+\square^2$이므로

$4x=\square$ $\therefore x=\square$

08

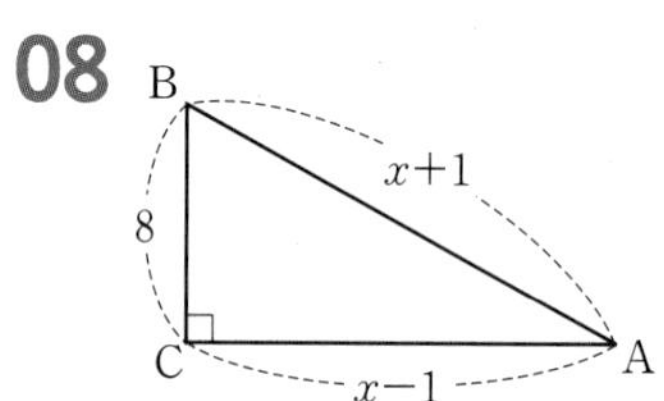

09

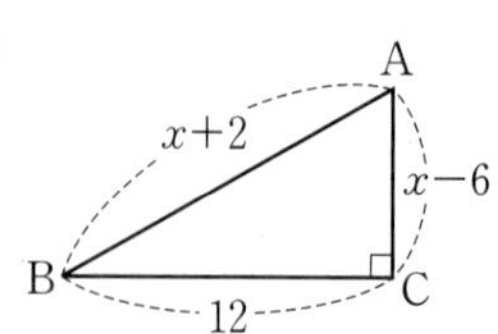

07 직각삼각형의 닮음을 이용한 성질

빠른정답 06쪽 / 친절한 해설 28쪽

$\angle A = 90°$인 직각삼각형 ABC에서 $\overline{AD} \perp \overline{BC}$일 때

(1) 피타고라스 정리 : $a^2 = b^2 + c^2$

(2) 닮음 관계 : $c^2 = ax$, $b^2 = ay$, $h^2 = xy$

(3) 넓이 관계 : $bc = ah$

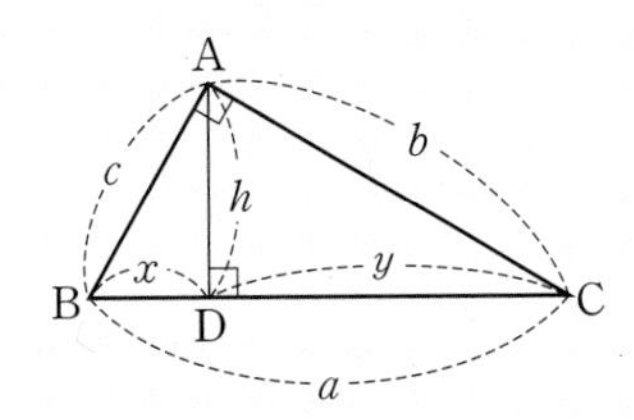

(2) △ABC, △DBA, △DAC는 모두 닮음이므로

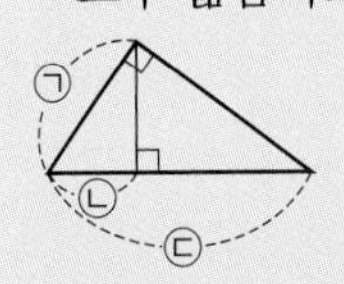

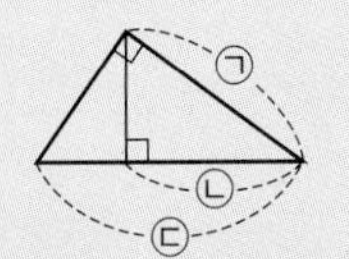

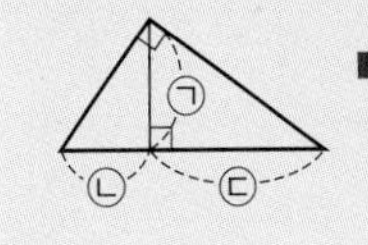

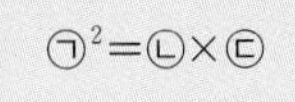

직각삼각형의 닮음 관계

※ 다음 그림에서 x, y, z의 값을 각각 구하여라.

01

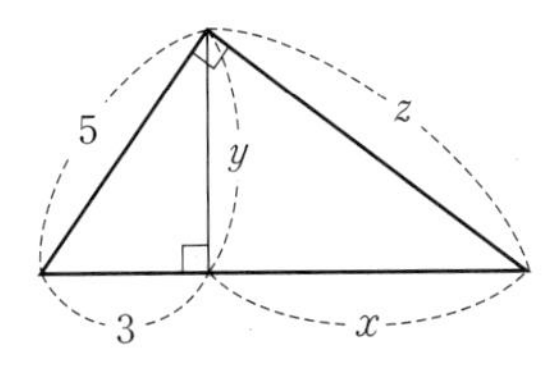

02

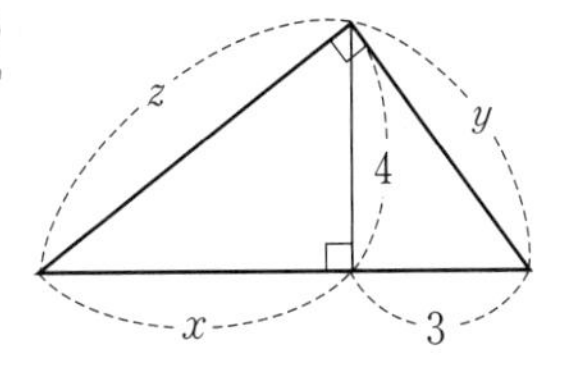

03

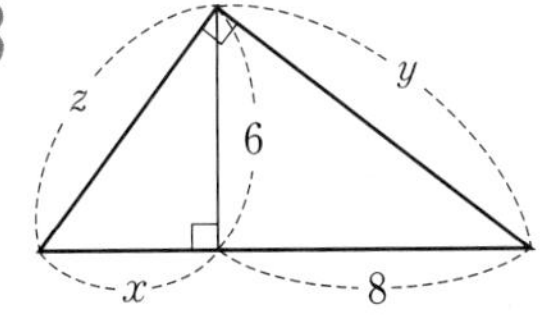

※ 다음 그림에서 xyz의 값을 구하여라.

04

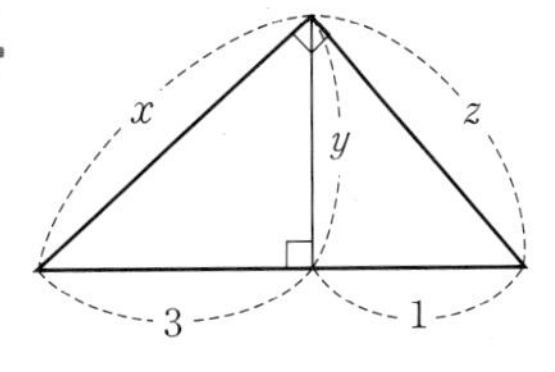

05

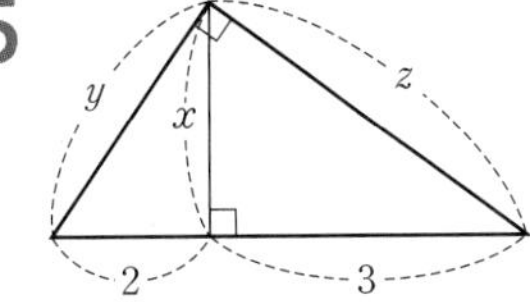

06

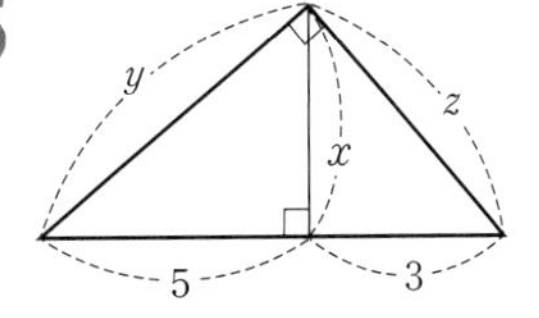

유형 095 직각삼각형의 넓이 관계

※ 다음 그림에서 x의 값을 구하여라.

07

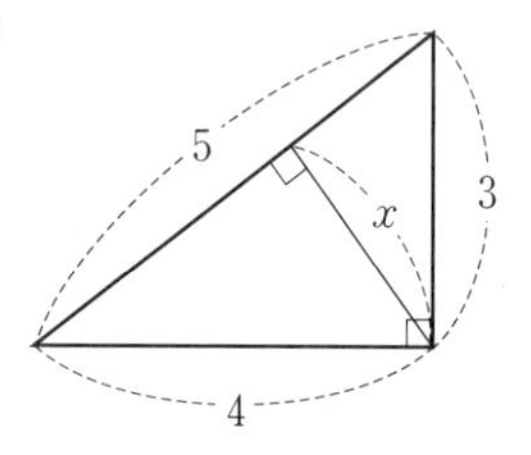

|해설| 삼각형의 넓이 관계에서

$\square \times x = 4 \times \square \quad \therefore x = \square$

08

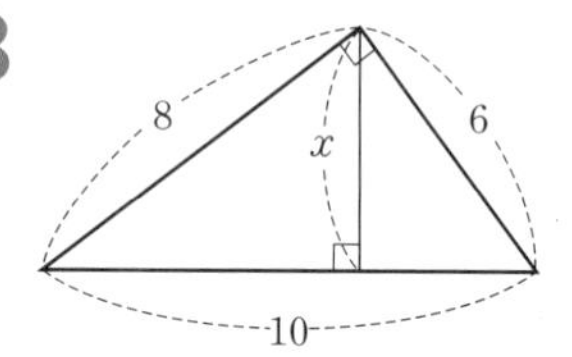

09

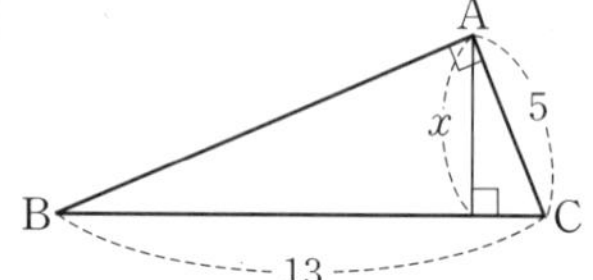

|해설| $\overline{AB}^2 = 13^2 - 5^2 = \square^2$

$13 \times x = \square \times 5 \quad \therefore x = \square$

10

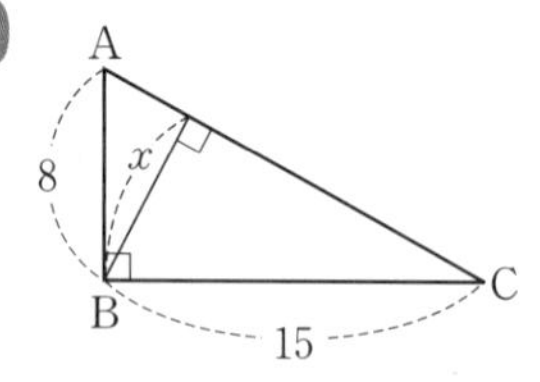

※ 다음 그림에서 x, y, z의 값을 각각 구하여라.

11

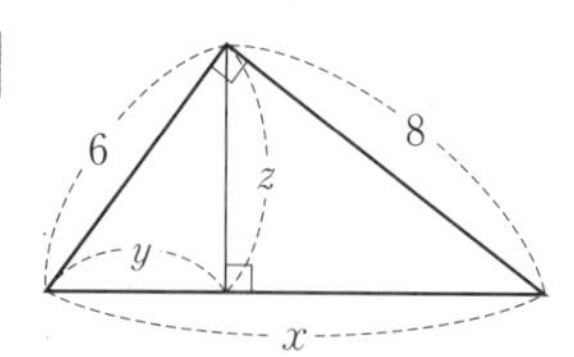

|해설| $x^2 = 6^2 + 8^2 = \square^2$

$6^2 = y \times \square \quad \therefore y = \square$

$\square \times z = 6 \times 8 \quad \therefore z = \square$

12

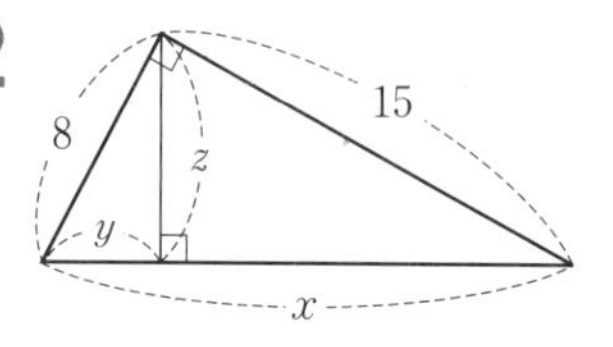

13

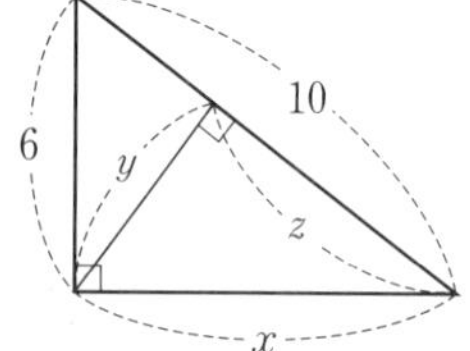

14

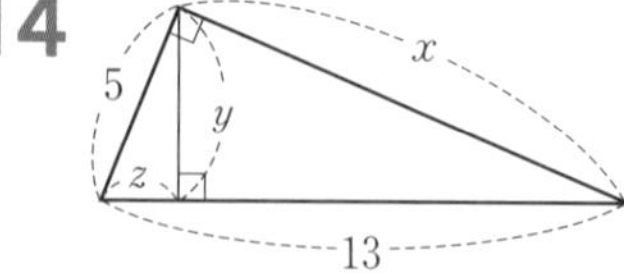

08 직각삼각형 안에서 교차하는 두 선분의 성질

빠른정답 07쪽 / 친절한 해설 27쪽

$\angle A=90°$인 직각삼각형 ABC에서 $\overline{AB}$, $\overline{AC}$ 위에 각각 점 D, E가 있을 때
$\overline{BC}^2+\overline{DE}^2=\overline{BE}^2+\overline{CD}^2$

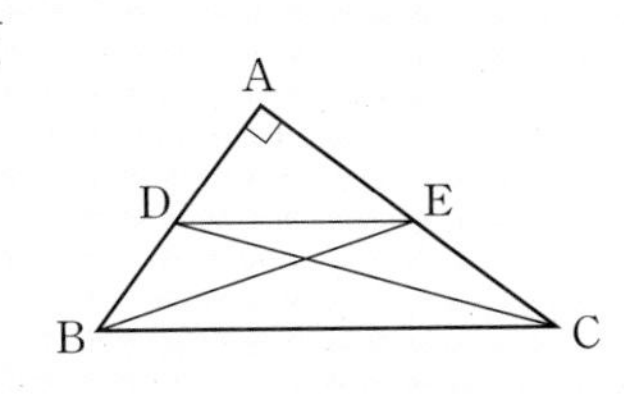

$\overline{BC}^2=\overline{AB}^2+\overline{AC}^2$
$\overline{DE}^2=\overline{AD}^2+\overline{AE}^2$
$\therefore \overline{BC}^2+\overline{DE}^2$
$=(\overline{AB}^2+\overline{AE}^2)+(\overline{AC}^2+\overline{AD}^2)$
$=\overline{BE}^2+\overline{CD}^2$

유형 096 직각삼각형 안에서 교차하는 두 선분의 성질

※ 다음 그림의 직각삼각형 ABC에서 $\overline{BC}^2+\overline{DE}^2$의 값을 구하여라.

01

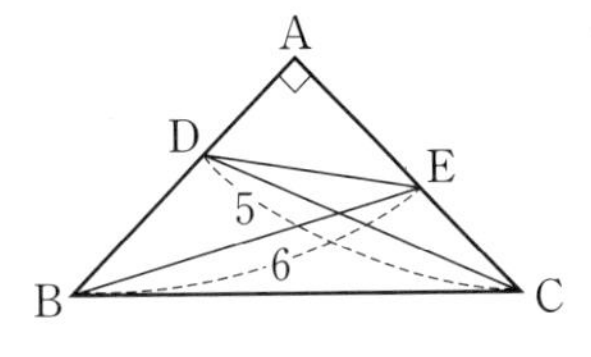

|해설| $\overline{BC}^2+\overline{DE}^2=\overline{BE}^2+\square^2$
$=6^2+\square^2=\square$

02

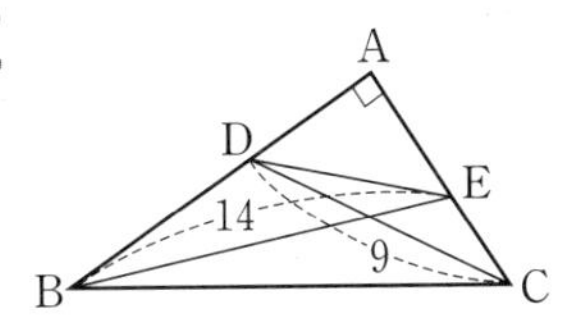

03

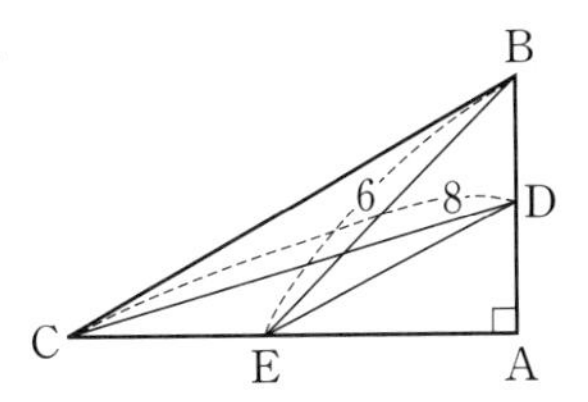

※ 다음 그림의 직각삼각형 ABC에서 x^2의 값을 구하여라.

04

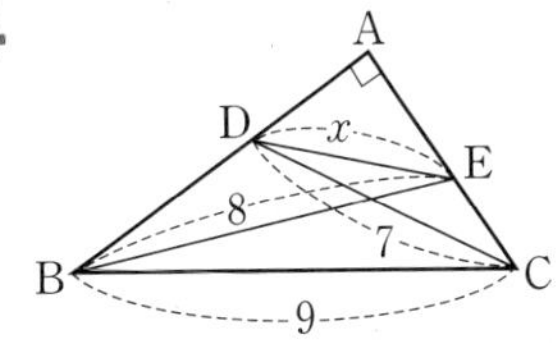

|해설| $\overline{BC}^2+\overline{DE}^2=\overline{BE}^2+\square^2$이므로
$9^2+x^2=8^2+\square^2$
$\therefore x^2=32$

05

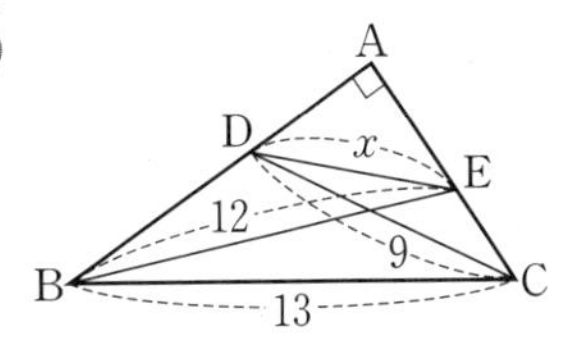

06

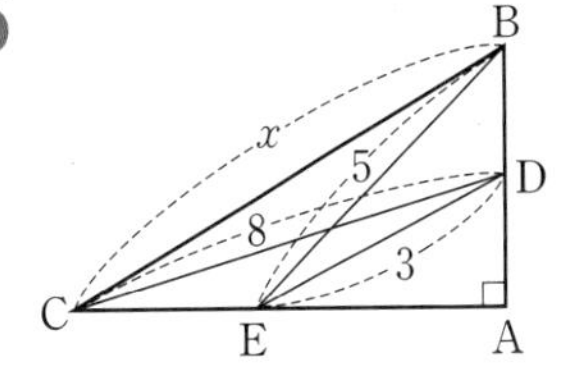

09 두 대각선이 직교하는 사각형의 성질

빠른정답 07쪽 / 친절한 해설 28쪽

사각형 ABCD에서 두 대각선이 직교할 때,
$\overline{AB}^2+\overline{CD}^2=\overline{BC}^2+\overline{DA}^2$

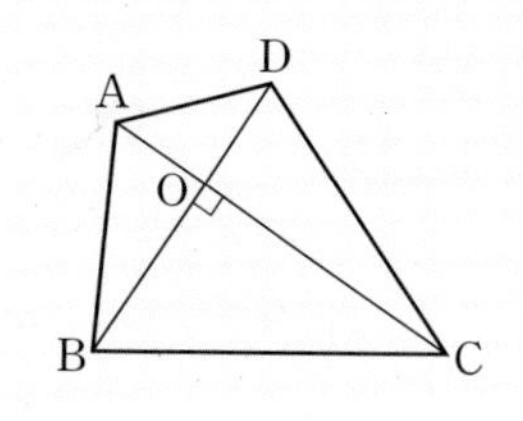

$\overline{AB}^2+\overline{CD}^2$, $\overline{BC}^2+\overline{DA}^2$ 모두 O에서 꼭짓점 A, B, C, D를 각각 잇는 선분의 길이의 제곱의 합과 같다.
$\overline{AB}^2+\overline{CD}^2$
$=\overline{OA}^2+\overline{OB}^2+\overline{OC}^2+\overline{OD}^2$
$=\overline{BC}^2+\overline{DA}^2$

두 대각선이 직교하는 사각형의 성질

※ 다음 그림에서 x^2+y^2의 값을 구하여라.

01

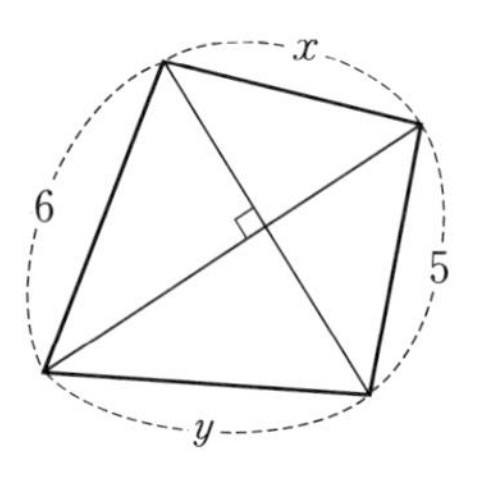

|해설| $x^2+y^2=6^2+\square^2=\square$

02

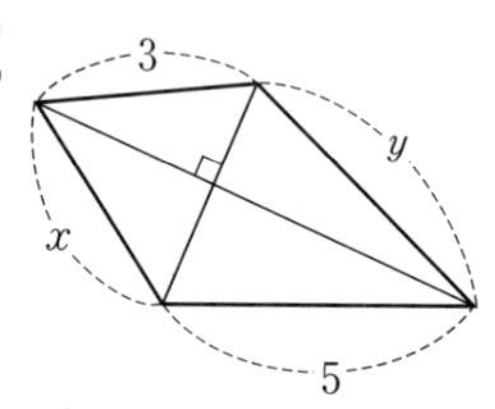

03

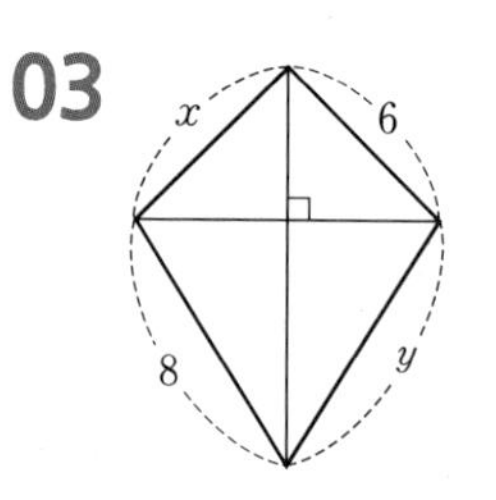

04

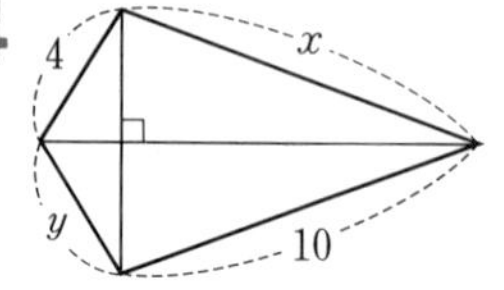

※ 다음 그림에서 x^2의 값을 구하여라.

05

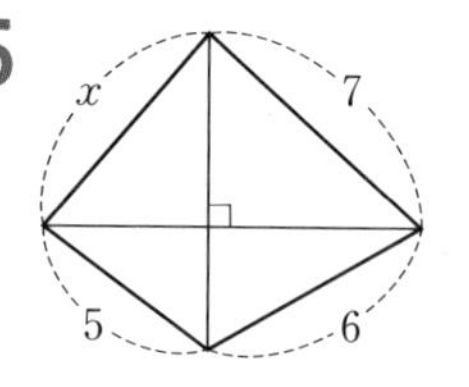

|해설| $x^2+\square^2=5^2+\square^2$이므로
$\therefore x^2=\square$

06

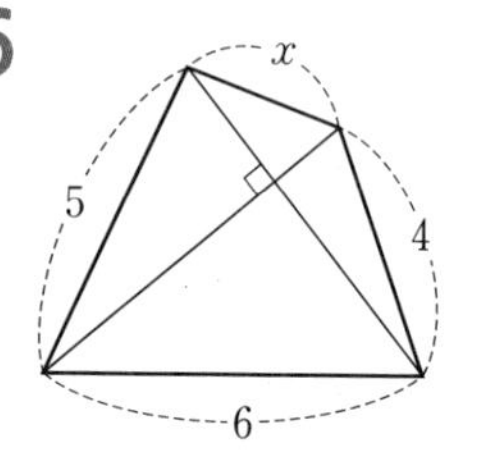

학교시험 필수예제

07 사각형 ABCD에서 두 대각선이 직교할 때, $\overline{AD}^2$의 길이를 구하여라.

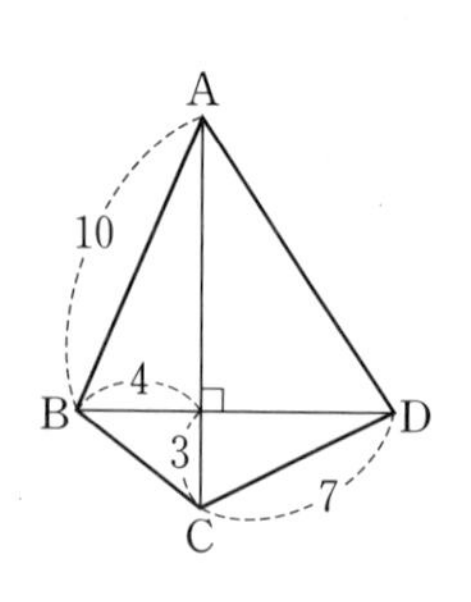

10 직사각형의 내부에 한 점이 있을 때

빠른정답 07쪽 / 친절한 해설 28쪽

직사각형의 내부에 한 점 P가 있을 때
$\overline{AP}^2+\overline{CP}^2=\overline{BP}^2+\overline{DP}^2$

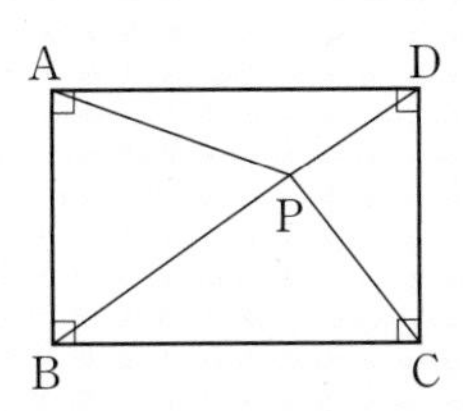

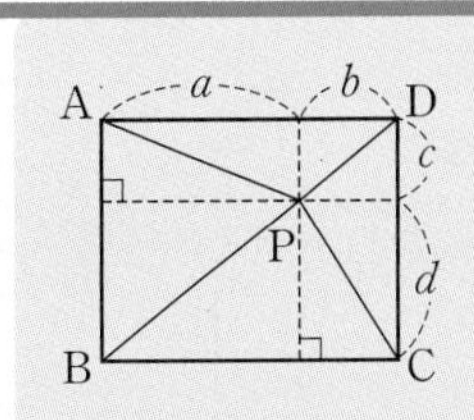

$\overline{AP}^2+\overline{CP}^2=(a^2+c^2)+(b^2+d^2)$
$=(a^2+d^2)+(b^2+c^2)$
$=\overline{BP}^2+\overline{DP}^2$

098 직사각형의 내부에 한 점이 있을 때

※ 다음 그림에서 x^2+y^2의 값을 구하여라.

01

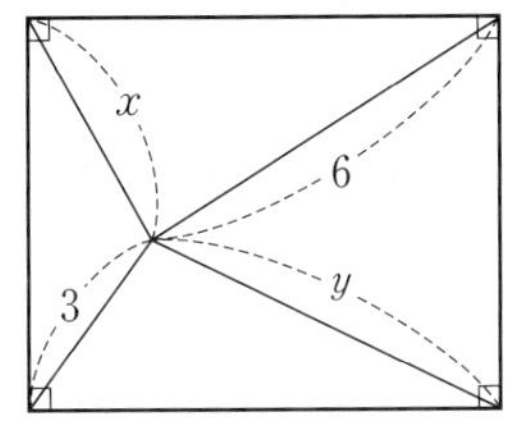

|해설| $x^2+y^2=3^2+\square^2=\square$

02

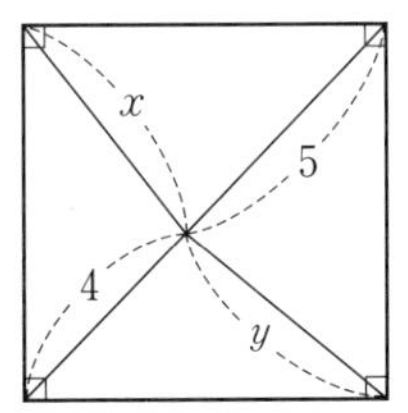

03

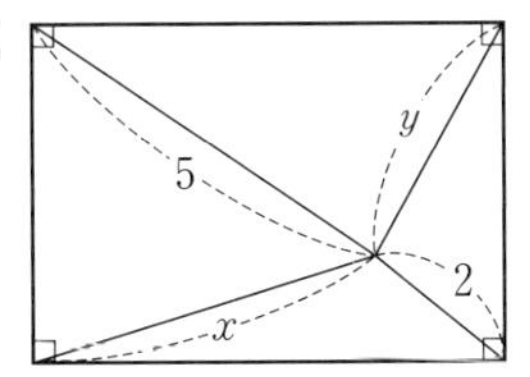

04

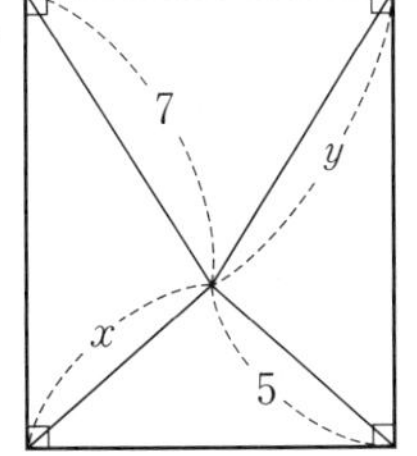

※ 다음 그림에서 x^2의 값을 구하여라.

05

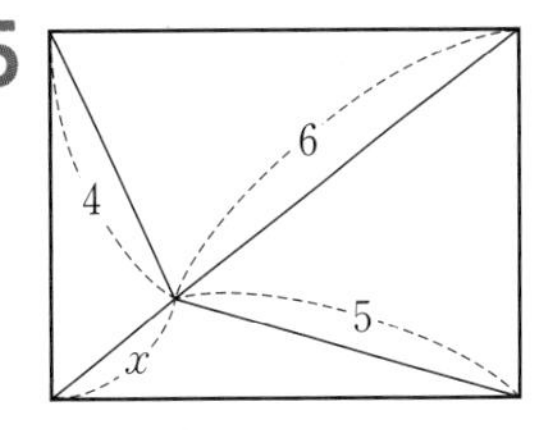

|해설| $x^2+\square^2=4^2+\square^2$이므로
$\therefore x^2=\square$

06

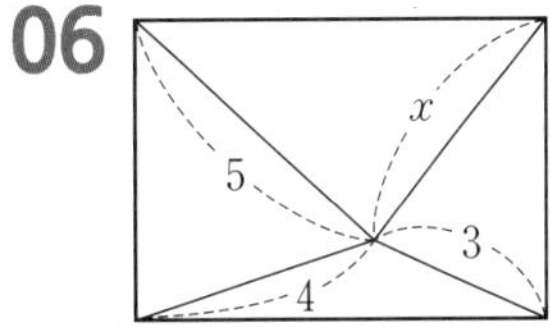

07

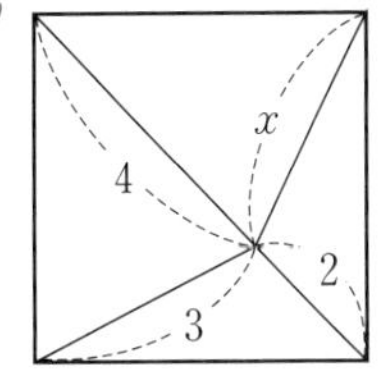

학교시험 필수예제

08 오른쪽 그림과 같이 직사각형 ABCD의 내부에 한 점 P가 있다. $\overline{AP}=4$, $\overline{BP}=3$일 때, x^2-y^2의 값을 구하여라.

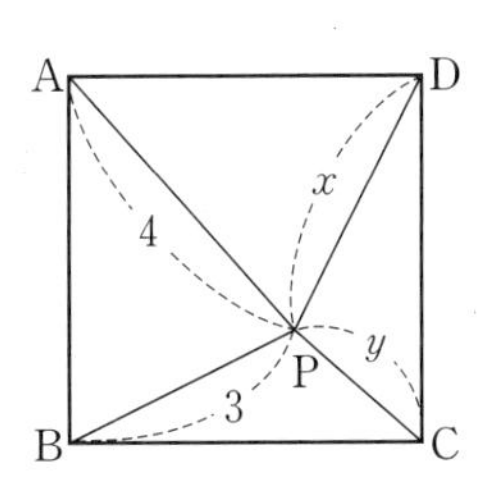

11 직각삼각형의 세 반원 사이의 관계

빠른정답 07쪽 / 친절한 해설 28쪽

직각삼각형 ABC의 세 변을 각각 지름으로 하는 반원의 넓이를 각각 S_1, S_2, S_3라고 할 때

$$S_1+S_2=S_3$$

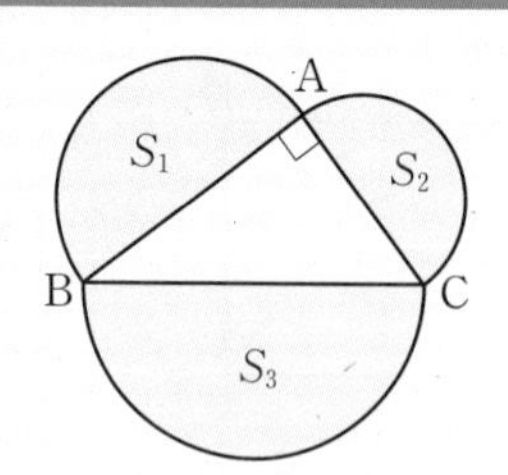

$\triangle$ABC에서 $\overline{AB}=c$, $\overline{BC}=a$, $\overline{CA}=b$라고 하면

$S_1=\dfrac{c^2}{8}\pi$, $S_2=\dfrac{b^2}{8}\pi$, $S_3=\dfrac{a^2}{8}\pi$

$\therefore S_1+S_2=\dfrac{b^2+c^2}{8}\pi=\dfrac{a^2}{8}\pi=S_3$

$(\because a^2=b^2+c^2)$

직각삼각형의 세 반원 사이의 관계

※ 다음 그림은 직각삼각형의 각 변을 지름으로 하는 반원을 그린 것이다. 색칠한 부분의 넓이를 구하여라.

01

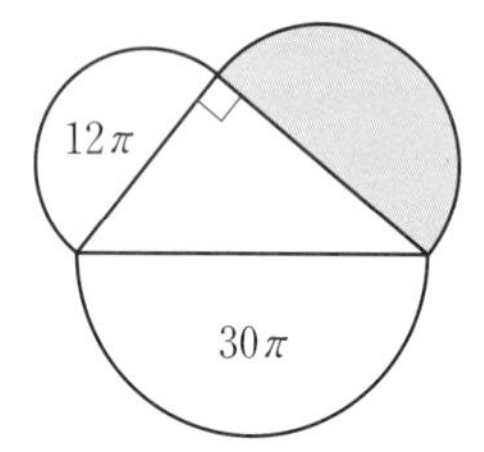

|해설| (색칠한 부분의 넓이)$=30\pi-$[ ]$=$[ ]

02

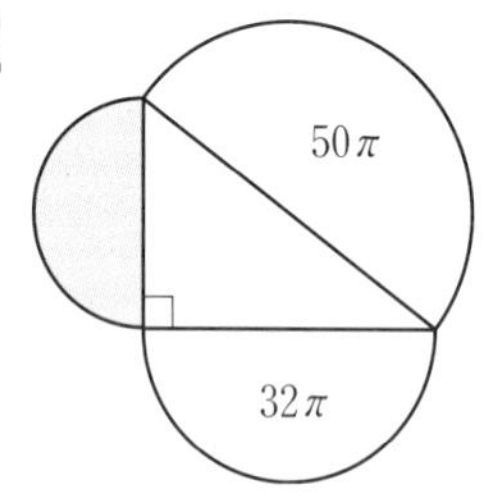

03

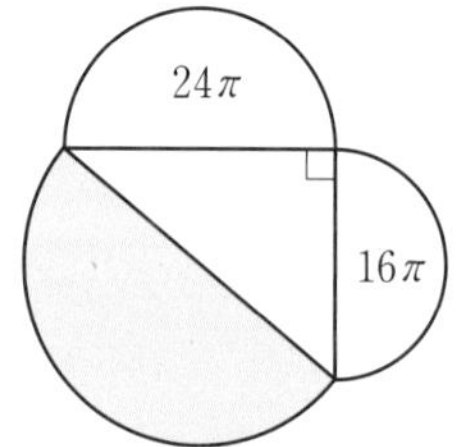

04

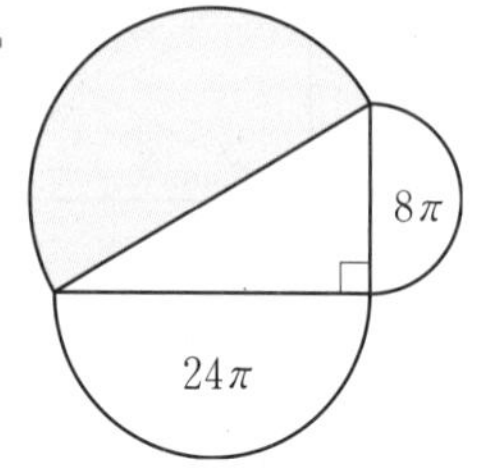

05

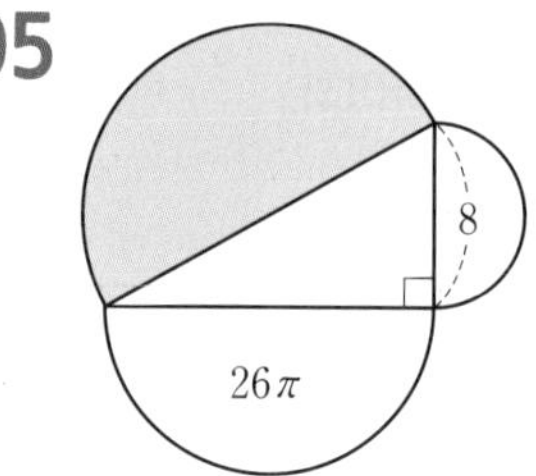

|해설| 지름이 8인 반원의 넓이는

$\dfrac{1}{2}\times\pi\times$[ ]$^2=$[ ]

$\therefore$ (색칠한 부분의 넓이)$=$[ ]$+26\pi=$[ ]

06

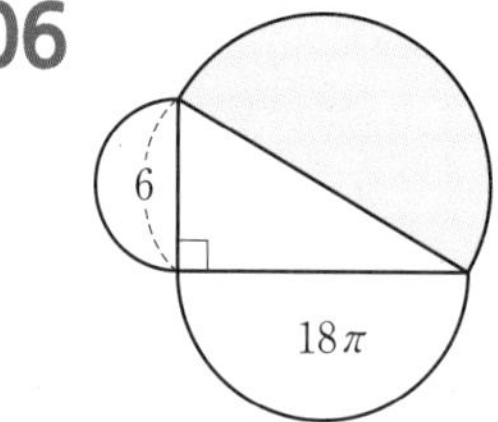

07

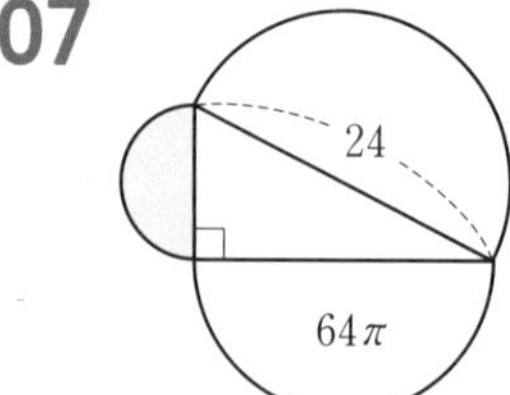

12 히포크라테스의 원의 넓이

빠른정답 07쪽 / 친절한 해설 28쪽

직각삼각형 ABC의 세 변을 지름으로 하는 반원에서 색칠한 부분의 넓이를 각각 P, Q라고 하면

$$P+Q=\triangle ABC=\frac{1}{2}bc$$

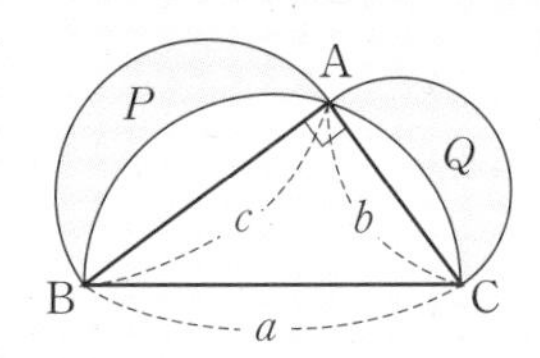

$P+Q$
$=\frac{1}{2}\pi\left\{\left(\frac{c}{2}\right)^2+\left(\frac{b}{2}\right)^2-\left(\frac{a}{2}\right)^2\right\}+\triangle ABC$
$=\triangle ABC$ ($\because a^2=b^2+c^2$)

유형 100 히포크라테스의 원의 넓이

※ 다음 그림은 직각삼각형의 각 변을 지름으로 하는 반원을 그린 것이다. 색칠한 부분의 넓이를 구하여라.

01

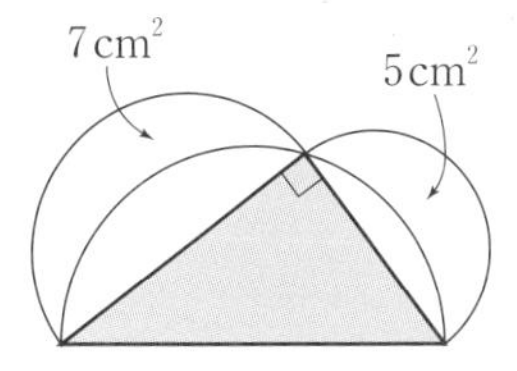

|해설| (색칠한 부분의 넓이)$=\square+5=\square$(cm^2)

02

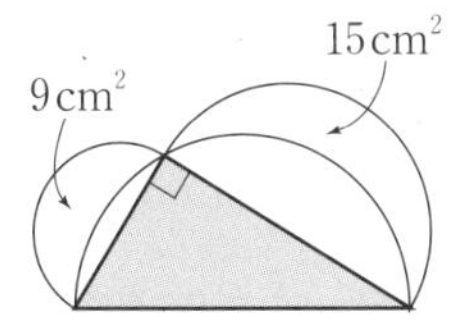

03

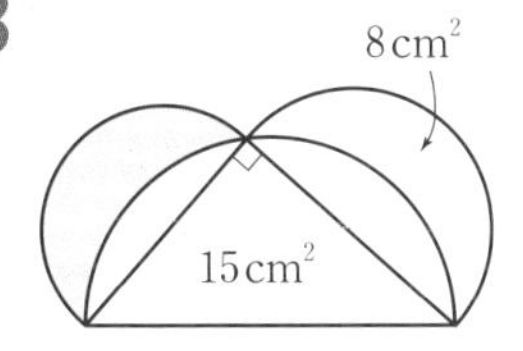

04

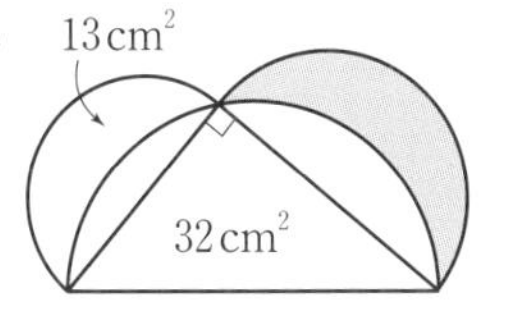

05

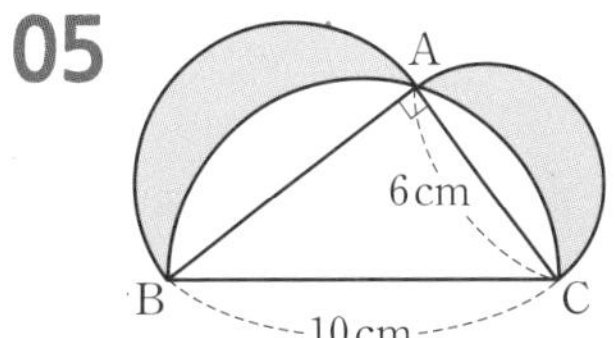

|해설| 직각삼각형 ABC에서
$\overline{AB}^2=10^2-6^2$이므로
$\overline{AB}=\square$(cm)
색칠한 부분의 넓이는 $\triangle$ABC의 넓이와 같으므로
$\frac{1}{2}\times\square\times6=\square$($cm^2$)

06

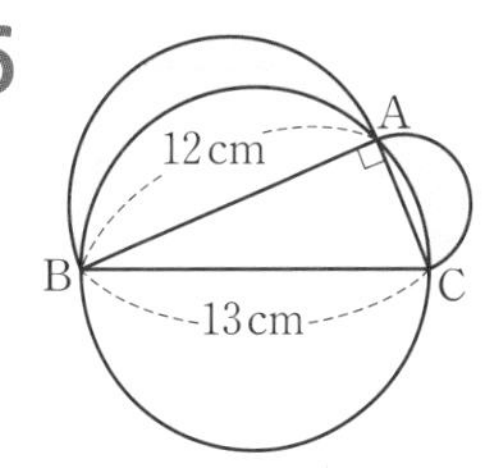

학교시험 필수예제

07 오른쪽 그림은 직각삼각형의 각 변을 지름으로 하는 반원을 그린 것이다. 색칠한 부분의 넓이가 60 cm^2일 때, $\overline{BC}$의 길이를 구하여라.

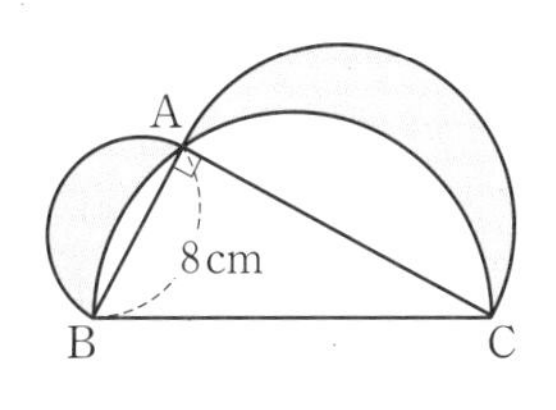

1. 피타고라스 정리

(1) 피타고라스 정리 : 직각삼각형 ABC에서 직각을 낀 두 변의 길이를 각각 a, b라 하고, 빗변의 길이를 c라고 하면
$a^2+b^2=$ ❶

(2) 피타고라스 정리의 역 : 세 변의 길이가 각각 a, b, c인 삼각형 ABC에서 $a^2+b^2=c^2$인 관계가 성립하면, 이 삼각형은 빗변의 길이가 ❷ 인 직각삼각형이다.

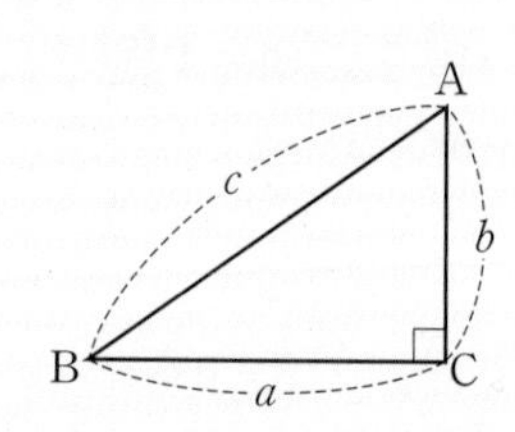

개념 Window

2. 유클리드의 증명

오른쪽 그림과 같은 직각삼각형 ABC에서 정사각형 ACDE, AFGB, BHIC를 그리면

① □ACDE=□AFKJ, □CBHI=□ ❸

② □AFGB=□ACDE+□CBHI이므로
$\overline{AB}^2=\overline{CA}^2+\overline{BC}^2$

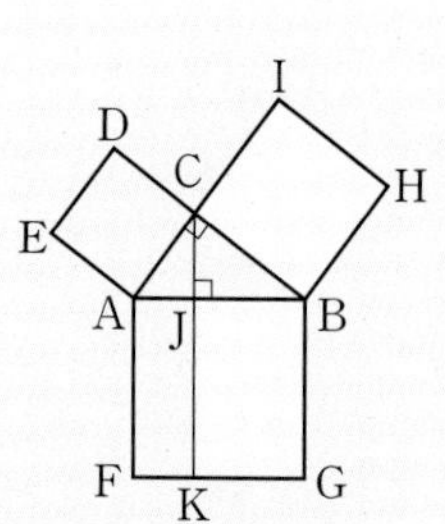

① △EAB≡△CAF
이므로 □ACDE=□AFKJ
△ABH≡△GBC
이므로 □CBHI=□JKGB

3. 피타고라스의 증명

오른쪽 그림과 같이 직각삼각형 ABC에서 한 변의 길이가 $a+b$인 정사각형 CDFH를 그리면

① △ABC≡△EAD≡△GEF≡△BGH

② □AEGB는 한 변의 길이가 c인 ❹ 이다.

③ □CDFH=4×△ABC+□AEGB
$(a+b)^2=4\times\frac{1}{2}ab+c^2$ $\therefore c^2=a^2+b^2$

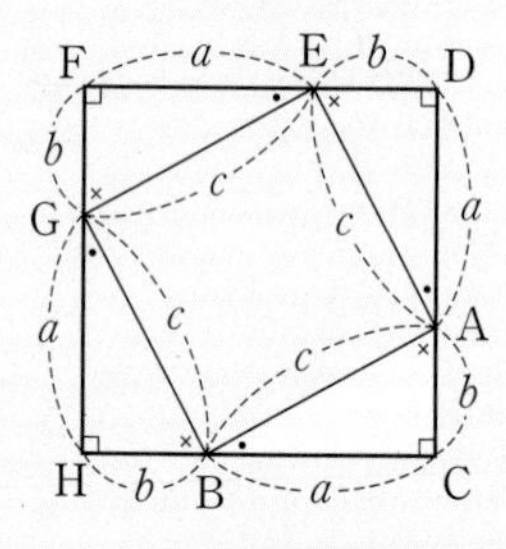

② □AEGB는 네 변의 길이가 같고 •+×=90°이므로 네 각의 크기가 같다.
따라서 □AEGB는 정사각형이다.

4. 바스카라의 증명

오른쪽 그림과 같이 직각삼각형 ABC와 합동인 삼각형 4개를 맞추어 정사각형 ABDE를 만들면

① □CFGH는 한 변의 길이가 ❺ 인 정사각형이다.

② □ABDE=4×△ABC+□CFGH이므로
$c^2=4\times\frac{1}{2}ab+(a-b)^2$ $\therefore c^2=a^2+b^2$

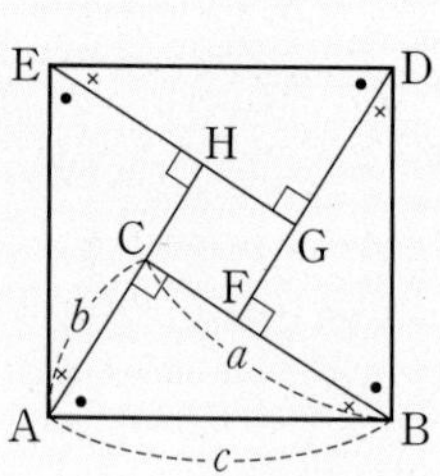

5. 가필드의 증명

오른쪽 그림과 같이 직각삼각형 ABC와 합동인 삼각형 EAD를 세 점 C, A, D가 일직선이 되게 놓으면

① △ABC≡△EAD

② △BAE는 직각이등변삼각형이다.

③ □BCDE=△ ❻ +2△ABC $\therefore a^2+b^2=c^2$

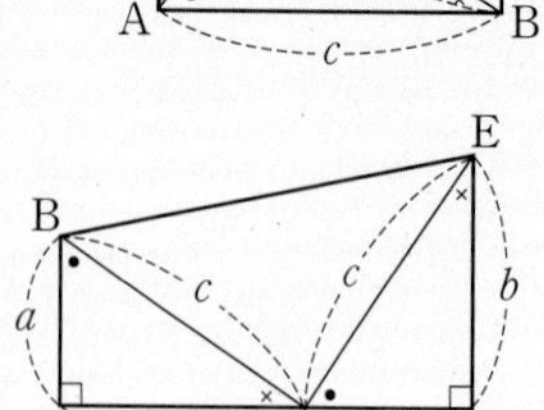

❶ c^2 ❷ c ❸ JKGB ❹ 정사각형 ❺ $a-b$ ❻ BAE

7. 직각삼각형의 닮음을 이용한 성질

$\angle A=90°$인 직각삼각형 ABC에서 $\overline{AD}\perp\overline{BC}$일 때

(1) 피타고라스 정리 : $a^2=b^2+c^2$

(2) 닮음 관계 : $c^2=ax$, $b^2=ay$, $h^2=$ ❼

(3) 넓이 관계 : $bc=$ ❽

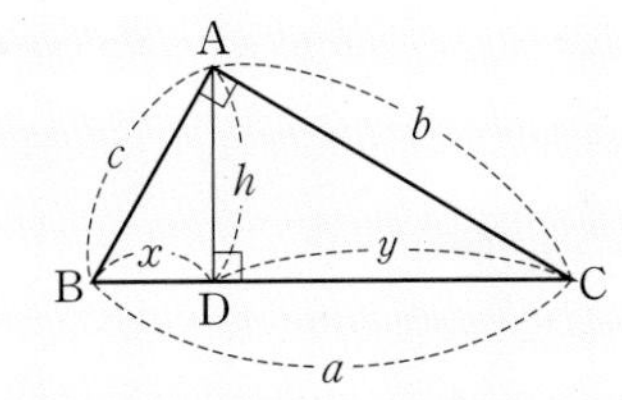

개념 Window

(2) △ABC, △DBA, △DAC는 모두 닮음이므로

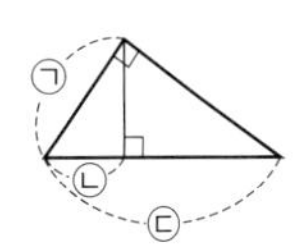

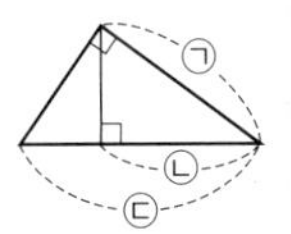

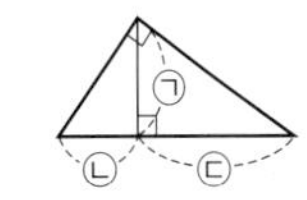

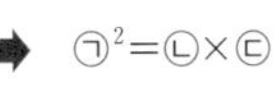

8. 직각삼각형 안에서 교차하는 두 선분의 성질

$\angle A=90°$인 직각삼각형 ABC에서 $\overline{AB}$, $\overline{AC}$ 위에 각각 점 D, E가 있을 때

$\overline{BC}^2+\overline{DE}^2=\overline{BE}^2+\overline{CD}^2$

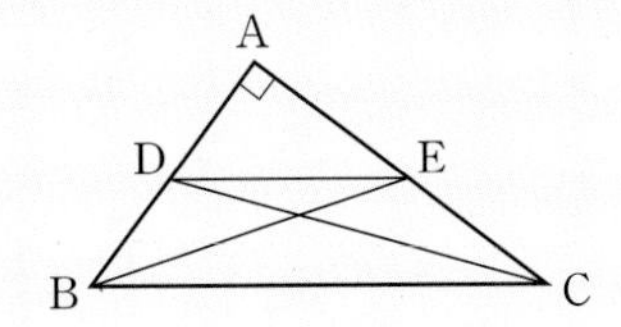

9. 두 대각선이 직교하는 사각형의 성질

사각형 ABCD에서 두 대각선이 직교할 때,

$\overline{AB}^2+\overline{CD}^2=\overline{BC}^2+$ ❾

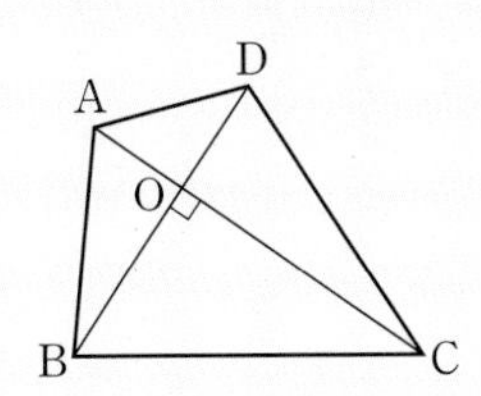

10. 직사각형의 내부에 한 점이 있을 때

직사각형의 내부에 한 점 P가 있을 때

$\overline{AP}^2+\overline{CP}^2=\overline{BP}^2+$ ❿

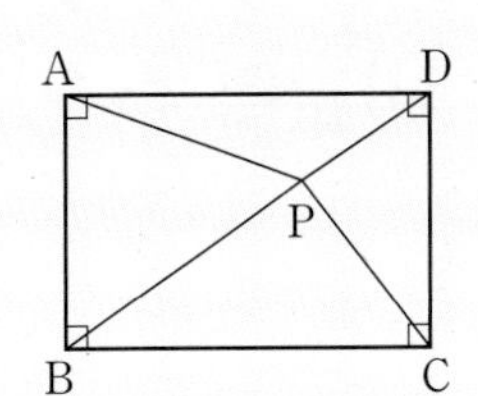

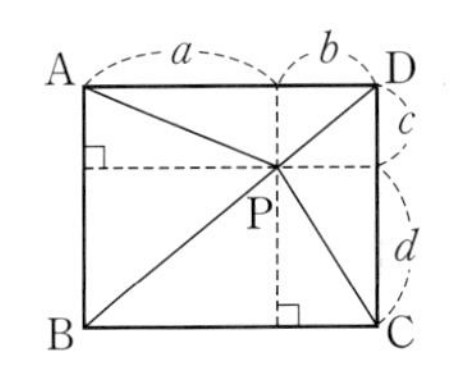

11. 직각삼각형의 세 반원 사이의 관계

직각삼각형 ABC의 세 변을 각각 지름으로 하는 반원의 넓이를 각각 S_1, S_2, S_3라고 하면

$S_1+S_2=$ ⓫

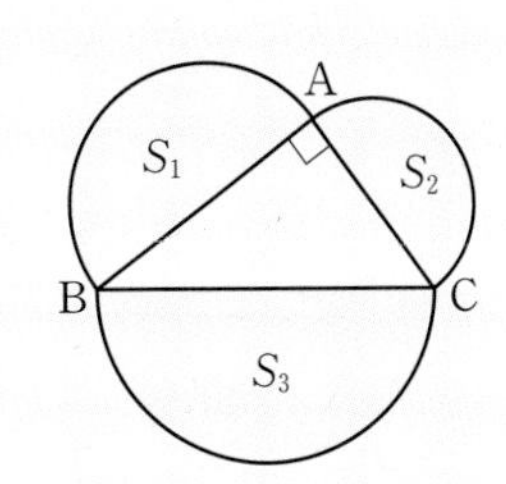

12. 히포크라테스의 원의 넓이

직각삼각형 ABC의 세 변을 지름으로 하는 반원에서 색칠한 부분의 넓이를 각각 P, Q라고 하면

$P+Q=\triangle ABC=\frac{1}{2}$ ⓬

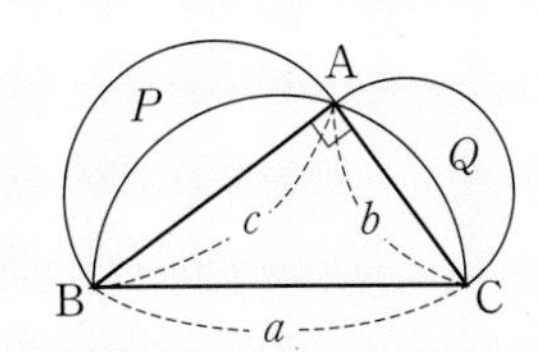

❼ xy ❽ ah ❾ $\overline{DA}^2$ ❿ $\overline{DP}^2$ ⓫ S_3 ⓬ bc

주사위
정육면체의 각 면에 하나에서 여섯까지의 점을 새긴 것으로, 바닥에 던져 위쪽에 나타난 점수로 승부를 결정한다.

제비뽑기
제비를 만들어 승부나 차례를 정하는 일

타율
안타 수를 타수로 나누어 계산한 수를 소수점 아래 넷째 자리에서 반올림하여 소수점 아래 셋째 자리까지 표시한다.

어떻게?

경품을 받을 수 있을까?
그 답은 바로

각각의 경우의 확률을 비교할 수 있기 때문이야

어느 할인점에서는 사은행사 기간 동안 방문한 고객들에게 그들이 직접 작성한 응모권을 추첨하여 경품을 제공한다고 한다. 경품의 종류는 선풍기 20개, 10만 원짜리 상품권 10장, 자전거 5대, 컴퓨터 1대 등이다.

사은행사 기간 동안에 응모권을 작성해서 추첨에 응모한 사람이 1000명이라고 할 때, 경품을 받을 수 있는 확률은 선풍기 20명, 상품권 10명, 자전거 5명, 컴퓨터 1명이므로 $\frac{36}{1000}=\frac{9}{250}$이다.

또, 경품을 받지 못할 확률은 $1-\frac{9}{250}=\frac{241}{250}$이다.

한편, 경품 중에서 선풍기에 당첨될 확률은 $\frac{20}{1000}=\frac{1}{50}$이고, 컴퓨터를 받을 확률은 $\frac{1}{1000}$이다.

이와 같이 수학에서의 확률은 우리 생활 주변에서 문제를 해결하는 데 이용되고 있다.

IV. 확률

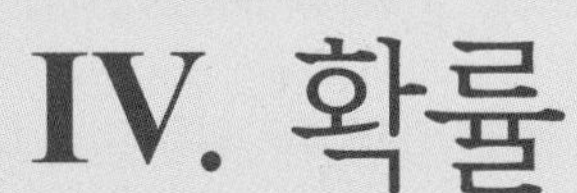

학습 목표

1. 경우의 수를 구할 수 있다.
2. 확률의 의미와 그 기본 성질을 이해한다.
3. 확률의 계산을 할 수 있다.

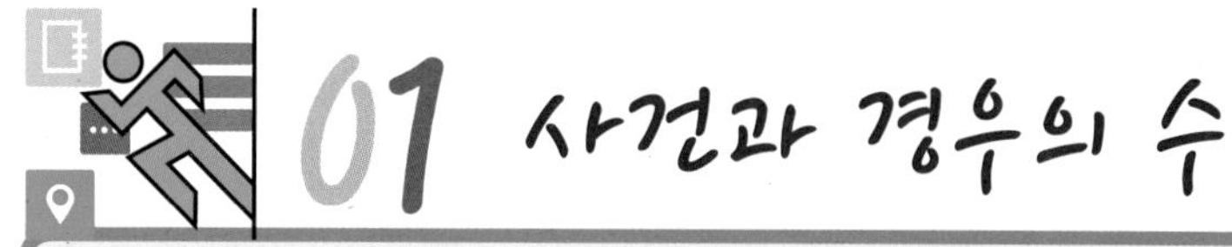

01 사건과 경우의 수

빠른정답 07쪽 / 친절한 해설 28쪽

1. **사건** : 실험이나 관찰에 의하여 나타나는 어떤 결과
2. **경우의 수** : 어떤 사건이 일어날 수 있는 모든 가짓수

예 한 개의 주사위를 던질 때, 홀수의 눈이 나오는 경우는 1, 3, 5의 3가지이다.

- 사건 ⇨ 홀수의 눈이 나온다.
- 사건이 일어나는 경우
  ⇨ 1의 눈, 3의 눈, 5의 눈
- 경우의 수 ⇨ 3

유형 101 주사위를 던질 때의 경우의 수

※ 한 개의 주사위를 던질 때, 다음 사건이 일어나는 경우의 수를 구하여라.

01 짝수의 눈이 나온다.

|해설| 짝수는 2, □, □이므로 경우의 수는 □이다.

02 5 이상의 눈이 나온다.

03 3 이하의 눈이 나온다.

04 2의 배수의 눈이 나온다.

05 6의 약수의 눈이 나온다.

※ 서로 다른 두 개의 주사위를 동시에 던질 때, 다음 사건이 일어나는 경우의 수를 구하여라.

06 두 눈의 수가 같다.

|해설| 두 주사위의 눈을 순서쌍으로 나타내면 두 눈의 수가 같은 경우는 (1, 1), (2, 2), (3, □), (4, 4), (5, 5), (6, □)이므로 경우의 수는 □이다.

07 두 눈의 수가 모두 짝수가 나온다.

08 두 눈의 수의 합이 7이다.

09 두 눈의 수의 차가 4이다.

10 두 눈의 수의 곱이 30이다.

※ 각 면에 1부터 12까지의 자연수가 각각 하나씩 적힌 정십이면체 주사위 한 개를 던져서 바닥에 오는 면에 적힌 수를 읽을 때, 다음 사건이 일어나는 경우의 수를 구하여라.

11 짝수가 나온다.

|해설| 2, 4, 6, 8, ☐, ☐이므로 경우의 수는 ☐이다.

12 두 자리 자연수가 나온다.

13 소수의 눈이 나온다.

14 5 이상 10 미만의 수가 나온다.

15 4의 배수가 나온다.

16 12의 약수가 나온다.

유형 102 숫자를 뽑는 경우의 수

※ 1부터 10까지의 숫자가 각각 적힌 10장의 카드 중에서 한 장을 뽑을 때, 다음 사건이 일어나는 경우의 수를 구하여라.

17 5의 배수가 적힌 카드가 나온다.

|해설| 5의 배수는 5, ☐이므로 경우의 수는 ☐이다.

18 홀수가 적힌 카드가 나온다.

19 4보다 작은 숫자가 적힌 카드가 나온다.

20 3의 배수 또는 4의 배수가 적힌 카드가 나온다.

21 10의 약수가 적힌 카드가 나온다.

22 소수가 적힌 카드가 나온다.

※ 주머니 안에 1에서 15까지의 숫자가 하나씩 적힌 공이 있다. 이 중에서 한 개의 공을 뽑을 때, 다음 사건이 일어나는 경우의 수를 구하여라.

23 10보다 큰 수가 나온다.

|해설| 10보다 큰 수는 11, 12, 13, ☐, ☐이므로 경우의 수는 ☐이다.

24 4 이하의 수가 나온다.

25 5 이상 9 미만의 수가 나온다.

26 3의 배수가 나온다.

27 15의 약수가 나온다.

28 짝수가 나온다.

29 소수가 나온다.

유형 103 돈을 지불하는 방법의 수

※ 10원짜리 동전 5개, 50원짜리 동전 6개, 100원짜리 동전 8개를 가지고 있을 때, 다음 경우의 수를 구하여라.

30 800원을 지불한다.

|해설|

100원(개)	8	7	7	6	6	5	☐
50원(개)	0	2	☐	4	3	6	5
10원(개)	0	0	5	0	☐	0	5

이므로 경우의 수는 ☐이다.

31 700원을 지불한다.

※ 100원짜리 동전과 10원짜리 동전을 각각 1개 이상 사용하여 지불할 수 있는 금액의 종류는 몇 가지인지 구하여라.

32 100원짜리 동전 4개와 10원짜리 동전 2개가 있다.

|해설| (100원, 10원)으로 나타내면 (1, 1), (1, 2), (2, 1), (☐, 2), (3, 1), (3, 2), (4, 1), (4, ☐)이므로 구하는 금액은 110원, 120원, 210원, ☐원, 310, 320원, 410원, 420원의 ☐가지이다.

33 100원짜리 동전 2개와 10원짜리 동전 3개가 있다.

Tip

돈을 지불하는 경우의 수는
(1) 표를 이용하여 각 동전의 개수를 구한다.
(2) 액수가 큰 동전의 개수부터 정한다.

02 사건 A 또는 사건 B가 일어나는 경우의 수

빠른정답 07쪽 / 친절한 해설 29쪽

두 사건 A, B가 동시에 일어나지 않을 때, 사건 A가 일어나는 경우의 수가 m, 사건 B가 일어나는 경우의 수가 n이면

(사건 A 또는 사건 B가 일어나는 경우의 수)$=m+n$

참고 두 사건이 동시에 일어나지 않을 때, '또는', '~이거나'라는 표현이 있으면 각 사건의 경우의 수를 더한다.

사건 A 또는 사건 B
↓ ↓ ↓
m가지 + n가지

유형 104 합의 법칙 - 주사위를 던지는 경우

※ 서로 다른 두 개의 주사위를 던질 때, 다음 사건이 일어나는 경우의 수를 구하여라.

01 두 눈의 수의 합이 5 또는 6이다.

|해설| 두 눈의 수의 합이 5인 경우는 (1, 4), (2, 3), (□, 2), (4, 1)의 4가지
두 눈의 수의 합이 6인 경우는 (1, 5), (2, 4), (3, □), (4, 2), (5, 1)의 □가지
따라서 눈의 수의 합이 5 또는 6인 경우의 수는
4+□=□

02 두 눈의 수의 합이 3 또는 7이다.

03 두 눈의 수의 합이 4 또는 8이다.

04 두 눈의 수의 합이 6 또는 8이다.

※ 한 개의 주사위를 두 번 던질 때, 다음 사건이 일어나는 경우의 수를 구하여라.

05 두 눈의 수의 차가 2 또는 3이다.

|해설| 두 눈의 수의 차가 2인 경우는 (1, 3), (2, □), (3, 5), (4, 6), (6, 4), (5, 3), (4, 2), (3, 1)의 8가지
두 눈의 수의 차가 3인 경우는 (1, 4), (2, 5), (3, 6), (6, □), (5, 2), (4, 1)의 6가지
따라서 눈의 수의 차가 2 또는 3인 경우의 수는
8+□=□

06 두 눈의 수의 차가 1 또는 4이다.

07 두 눈의 수의 차가 3 또는 5이다.

학교시험 필수예제

08 두 개의 주사위를 동시에 던질 때, 나오는 두 눈의 수의 합이 5의 배수인 경우의 수는?

① 5 ② 6 ③ 7
④ 8 ⑤ 9

합의 법칙 - 숫자를 뽑는 경우

※ 1부터 25까지의 자연수가 각각 적힌 25개의 공이 들어 있는 주머니가 있다. 이 주머니에서 한 개의 공을 꺼낼 때, 다음 사건이 일어나는 경우의 수를 구하여라.

09 4의 배수 또는 7의 배수가 나온다.

|해설| 4의 배수는 6개이고, 7의 배수는 ☐개이다.
따라서 구하는 경우의 수는
6+☐=☐

10 4의 배수 또는 9의 배수가 나온다.

11 5의 배수 또는 7의 배수가 나온다.

12 6의 배수 또는 10의 배수가 나온다.

※ 1부터 20까지의 자연수가 각각 적힌 20장의 카드가 있다. 이 중 한 장의 카드를 꺼낼 때, 다음 사건이 일어나는 경우의 수를 구하여라.

13 소수 또는 4의 배수가 적힌 카드가 나온다.

|해설| 소수는 2, 3, 5, 7, 11, 13, 17, 19의 8개이고, 4의 배수는 4, 8, 12, 16, 20의 ☐개이다.
따라서 구하는 경우의 수는 8+☐=☐

14 소수 또는 6의 배수가 적힌 카드가 나온다.

15 소수 또는 9의 배수가 적힌 카드가 나온다.

16 소수 또는 10의 배수가 적힌 카드가 나온다.

17 소수 또는 14의 배수가 나오는 경우의 수

학교시험 필수예제

18 1부터 30까지의 자연수가 각각 하나씩 적힌 30장의 카드가 있다. 이 중에서 한 장의 카드를 뽑을 때, 4의 배수 또는 7의 배수가 나오는 경우의 수는?

① 6 ② 7 ③ 8
④ 9 ⑤ 10

합의 법칙 - 길 또는 교통수단을 선택하는 경우

※ 학교에서 놀이공원까지 버스 또는 지하철을 타고 가는 경우의 수를 구하여라.

19 학교에서 놀이공원까지 버스를 타고 가는 방법은 3가지, 지하철을 타고 가는 방법은 2가지가 있다.

|해설| 동시에 두 가지 교통수단을 탈 수 없으므로 학교에서 놀이공원까지 가는 경우의 수는
3+□=□

20 학교에서 놀이공원까지 버스를 타고 가는 방법은 2가지, 지하철을 타고 가는 방법은 3가지가 있다.

21 학교에서 놀이공원까지 버스를 타고 가는 방법은 4가지, 지하철을 타고 가는 방법은 1가지가 있다.

22 학교에서 놀이공원까지 버스를 타고 가는 방법은 5가지, 지하철을 타고 가는 방법은 4가지가 있다.

23 학교에서 놀이공원까지 버스를 타고 가는 방법은 4가지, 지하철을 타고 가는 방법은 3가지가 있다.

동시에 두 가지 교통수단을 선택할 수 없다.

24 학교에서 놀이공원까지 버스를 타고 가는 방법은 3가지, 지하철을 타고 가는 방법은 5가지가 있다.

25 학교에서 놀이공원까지 버스를 타고 가는 방법은 3가지, 지하철을 타고 가는 방법은 3가지가 있다.

26 학교에서 놀이공원까지 버스를 타고 가는 방법은 6가지, 지하철을 타고 가는 방법은 2가지가 있다.

27 학교에서 놀이공원까지 버스를 타고 가는 방법은 5가지, 지하철을 타고 가는 방법은 3가지가 있다.

학교시험 필수예제

28 집에서 할머니 댁에 가는 버스 노선은 3가지, 기차를 이용하여 가는 방법은 2가지 있다. 집에서 할머니 댁까지 버스 또는 기차를 이용하여 가는 경우의 수는?

① 4 ② 5 ③ 6
④ 7 ⑤ 8

합의 법칙 - 물건을 선택하는 경우

※ 빨간 공 6개, 노란 공 7개, 파란 공 5개가 들어 있는 주머니에서 공을 한 개 꺼낼 때, 다음을 구하여라.

29 빨간 공 또는 노란 공이 나오는 경우의 수

|해설| 동시에 두 개의 공을 꺼낼 수 없으므로 구하는 경우의 수는 6+☐=☐

30 빨간 공 또는 파란 공이 나오는 경우의 수

31 노란 공 또는 파란 공이 나오는 경우의 수

※ 빨간 공 5개, 노란 공 9개, 파란 공 7개가 들어 있는 주머니에서 공을 한 개 꺼낼 때, 다음을 구하여라.

32 빨간 공 또는 노란 공이 나오는 경우의 수

33 빨간 공 또는 파란 공이 나오는 경우의 수

34 파란 공 또는 노란 공이 나오는 경우의 수

※ 다음 표는 어느 반 학생들의 혈액형을 조사한 것이다. 이 반 학생 중 한 명을 선택할 때, 다음 사건이 일어나는 경우의 수를 구하여라.

혈액형	A형	B형	AB형	O형
학생 수(명)	9	11	4	6

35 A형 또는 B형이 나온다.

|해설| 한 학생이 두 가지 혈액형을 가질 수 없으므로 구하는 경우의 수는 9+☐=☐

36 A형 또는 O형이 나오는 경우의 수

37 B형 또는 AB형이 나오는 경우의 수

38 O형 또는 AB형이 나오는 경우의 수

39 B형 또는 O형이 나오는 경우의 수

학교시험 필수예제

40 빨간 공 3개, 노란 공 6개, 파란 공 5개가 들어 있는 주머니에서 공을 한 개 꺼낼 때, 빨간 공 또는 파란 공이 나오는 경우의 수는?

① 5 ② 6 ③ 8
④ 9 ⑤ 11

03 두 사건 A, B가 동시에 일어나는 경우의 수

빠른정답 07쪽 / 친절한 해설 29쪽

사건 A가 일어나는 경우의 수가 m이고, 그 각각의 경우에 대하여 사건 B가 일어나는 경우의 수가 n이면

(두 사건 A, B가 동시에 일어나는 경우의 수)$=m\times n$

참고 두 사건이 동시에 일어날 때, '동시에', '~이고', '~와' 같은 표현이 있으면 각 사건의 경우의 수를 곱한다.

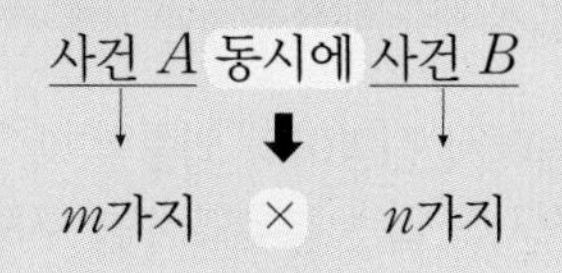

유형 108 곱의 법칙 - 길 또는 교통수단을 선택하는 경우

※ 학교에서 박물관을 거쳐 공원까지 가는 경우의 수를 구하여라.

01 학교에서 박물관까지 가는 길은 3가지, 박물관에서 공원까지 가는 길은 4가지가 있다.

|해설| 학교에서 박물관을 거쳐 공원까지 가는 방법의 수는 $3\times\square=\square$

02 학교에서 박물관까지 가는 길은 2가지, 박물관에서 공원까지 가는 길은 5가지가 있다.

03 학교에서 박물관까지 가는 길은 3가지, 박물관에서 공원까지 가는 길은 6가지가 있다.

04 학교에서 박물관까지 가는 길은 5가지, 박물관에서 공원까지 가는 길은 4가지가 있다.

05 학교에서 박물관까지 가는 길은 4가지, 박물관에서 공원까지 가는 길은 7가지가 있다.

※ 다음 그림과 같이 두 개의 정육면체를 이어 붙인 구조물이 있다. A 지점에서 B 지점을 거쳐 C 지점까지 갈 때, 가장 짧은 거리로 가는 경우의 수를 구하여라.

06

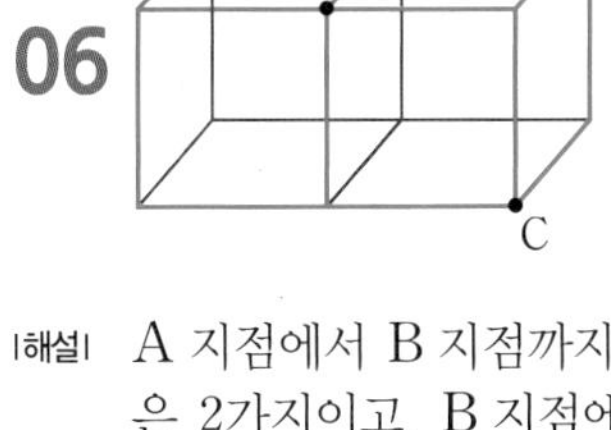

|해설| A 지점에서 B 지점까지 가장 짧은 거리로 가는 방법은 2가지이고, B 지점에서 C 지점까지 가장 짧은 거리로 가는 방법은 2가지이다. 따라서 가장 짧은 거리로 가는 경우의 수는 $2\times\square=\square$이다.

07

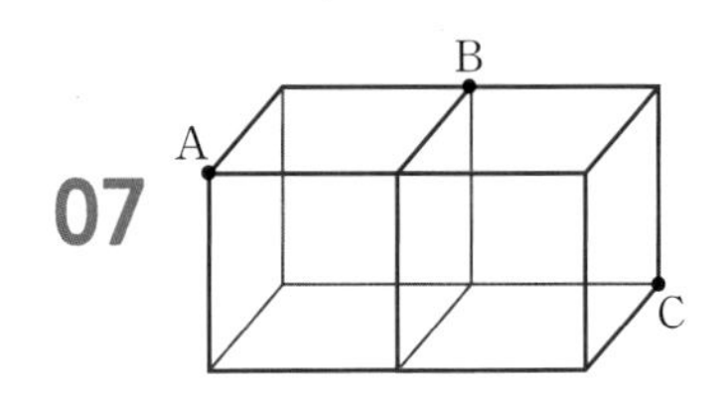

08

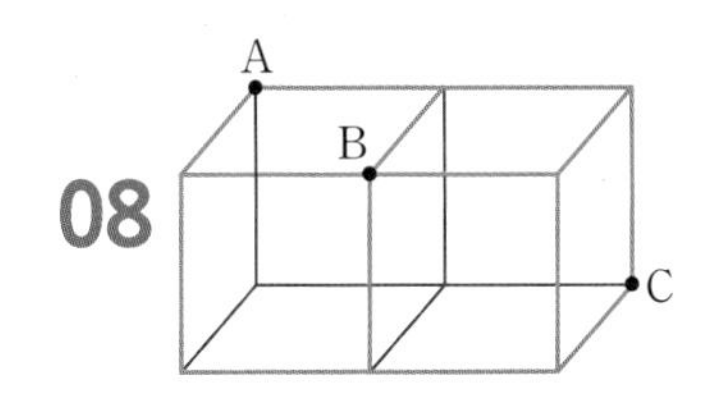

곱의 법칙 - 물건을 선택하는 경우

※ 다음에서 진영이가 외출할 때, 티셔츠와 바지를 각각 하나씩 짝지어 입는 경우의 수를 구하여라.

09 진영이는 2종류의 티셔츠와 4종류의 바지를 가지고 있다.

|해설| 티셔츠와 바지를 하나씩 짝지어 입는 경우의 수는
$2\times\square=\square$

10 진영이는 3종류의 티셔츠와 5종류의 바지를 가지고 있다.

11 진영이는 4종류의 티셔츠와 3종류의 바지를 가지고 있다.

12 진영이는 2종류의 티셔츠와 6종류의 바지를 가지고 있다.

13 진영이는 5종류의 티셔츠와 4종류의 바지를 가지고 있다.

14 진영이는 5종류의 티셔츠와 2종류의 바지를 가지고 있다.

※ 예진이네 동네 서점에서는 다음 종류의 문제집을 판매하고 있다. 예진이가 이 서점에서 수학 문제집, 국어 문제집을 각각 한 권씩 사는 경우의 수를 구하여라.

15 5종류의 수학 문제집, 3종류의 국어 문제집

|해설| 수학 문제집, 국어 문제집을 각각 한 권씩 사는 경우의 수는
$5\times\square=\square$

16 4종류의 수학 문제집, 5종류의 국어 문제집

17 5종류의 수학 문제집, 5종류의 국어 문제집

18 6종류의 수학 문제집, 4종류의 국어 문제집

19 3종류의 수학 문제집, 6종류의 국어 문제집

학교시험 필수예제

20 자음 ㄱ, ㄴ이 각각 하나씩 적힌 카드 2장과 모음 ㅏ, ㅗ, ㅣ가 각각 하나씩 적힌 카드 3장이 있다. 자음과 모음이 적힌 카드를 각각 한 장씩 뽑아 만들 수 있는 글자의 개수는?

① 5 ② 6 ③ 7
④ 8 ⑤ 9

유형 110 곱의 법칙 - 동시에 일어나는 사건

※ 다음을 구하여라.

21 빨강, 파랑의 두 가지 색 전구가 각각 하나씩 있다. 전구를 켜거나 꺼서 만들 수 있는 신호의 경우의 수 (단, 전구가 모두 꺼진 경우도 신호로 생각한다.)

|해설| 두 가지 색 전구가 각각 2가지의 신호를 만들 수 있으므로 신호의 개수는 $2 \times$ □ $=$ □이다.

22 빨강, 파랑, 녹색의 세 가지 색 전구가 각각 하나씩 있다. 전구를 켜거나 꺼서 만들 수 있는 신호의 경우의 수 (단, 전구가 모두 꺼진 경우도 신호로 생각한다.)

23 빨강, 파랑, 녹색, 주황의 네 가지 색 전구가 각각 하나씩 있다. 전구를 켜거나 꺼서 만들수 있는 신호의 경우의 수 (단, 전구가 모두 꺼진 경우도 신호로 생각한다.)

24 서로 다른 동전 2개와 주사위 1개를 동시에 던질 때, 일어나는 경우의 수

|해설| 동전 1개를 던지는 경우의 수는 2이고, 주사위 1개를 던지는 경우의 수는 □이다.
따라서 구하는 경우의 수는 $2 \times$ □ $\times 6 =$ □

25 서로 다른 동전 3개와 주사위 1개를 동시에 던질 때, 일어나는 경우의 수

※ 각 면에 1부터 12까지의 자연수가 각각 하나씩 적힌 정십이면체 주사위를 두 번 던졌다. 바닥에 오는 면에 적힌 수를 읽을 때, 다음을 구하여라.

26 첫 번째에는 3의 배수, 두 번째에는 12의 약수가 나오는 경우의 수

|해설| 3의 배수는 3, 6, 9, □의 4개, 12의 약수는 1, 2, 3, 4, 6, 12의 □개이므로 구하는 경우의 수는 $4 \times$ □ $=24$이다.

27 첫 번째에는 2의 배수, 두 번째에는 10의 약수가 나오는 경우의 수

28 첫 번째에는 4의 배수, 두 번째에는 8의 약수가 나오는 경우의 수

29 첫 번째에는 5의 배수, 두 번째에는 6의 약수가 나오는 경우의 수

30 첫 번째에는 6의 배수, 두 번째에는 9의 약수가 나오는 경우의 수

학교시험 필수예제

31 세 명의 학생이 가위바위보를 할 때, 일어나는 모든 경우의 수는?

① 9 ② 12 ③ 24
④ 27 ⑤ 48

04 일렬로 세우는 경우의 수

빠른정답 08쪽 / 친절한 해설 30쪽

1. n명을 일렬로 세우는 경우의 수는
$$n\times(n-1)\times(n-2)\times\cdots\times2\times1$$
2. n명 중에서 2명을 뽑아 일렬로 세우는 경우의 수는
$$n\times(n-1)$$
3. n명 중에서 3명을 뽑아 일렬로 세우는 경우의 수는
$$n\times(n-1)\times(n-2)$$

예 네 명의 학생 A, B, C, D가 있을 때, 2명을 뽑아 일렬로 세우는 경우의 수는 $4\times3=12$이다.

n명 중 1명을 뽑고 남은 $(n-1)$명 중에서 1명을 뽑는 경우의 수
$$n\times(n-1)$$
n명 중 1명을 뽑는 경우의 수

유형 111 일렬로 세우는 경우의 수

※ 다음을 구하여라.

01 3명의 학생을 일렬로 세우는 경우의 수

|해설| 3명의 학생을 일렬로 세우는 경우의 수는
$3\times\square\times\square=\square$

02 4명의 남학생을 일렬로 세우는 경우의 수

03 5명의 여학생을 일렬로 세우는 경우의 수

04 2명의 학생을 일렬로 세우는 경우의 수

05 지원, 재선, 정미를 일렬로 세우는 경우의 수

유형 112 일부를 뽑아서 일렬로 세우는 경우의 수

※ 다음을 구하여라.

06 4명의 학생 중에서 2명을 뽑아 일렬로 세우는 경우의 수

|해설| 4명의 학생 중에서 2명을 뽑아 일렬로 세우는 경우의 수는 $4\times\square=\square$이다.

07 5명의 학생 중에서 2명을 뽑아 일렬로 세우는 경우의 수

08 5명의 학생 중에서 3명을 뽑아 일렬로 세우는 경우의 수

학교시험 필수예제

09 서로 다른 책 7권 중에서 3권을 뽑아 책꽂이에 일렬로 꽂는 경우의 수는?

① 180 ② 210 ③ 240
④ 270 ⑤ 300

특별한 자리를 정해주고 일렬로 세우는 경우의 수

※ 다음을 구하여라.

10 4명의 학생 A, B, C, D를 일렬로 세울 때, B가 세 번째에 서는 경우의 수

|해설| B를 제외한 나머지 □명의 학생을 일렬로 세운 후, B를 세 번째에 세우면 된다. 따라서 구하는 경우의 수는 $3\times$□$\times$□$=$□이다.

11 5명의 학생 A, B, C, D, E를 일렬로 세울 때, C가 두 번째에 서는 경우의 수

12 5명의 학생 A, B, C, D, E를 일렬로 세울 때, A가 맨 앞에, E가 맨 뒤에 서는 경우의 수

13 5명의 학생 A, B, C, D, E가 이어달리기를 할 때, B가 두 번째에 달리는 경우의 수

14 5명의 학생 A, B, C, D, E가 이어달리기를 할 때, E가 첫 번째, A가 마지막에 달리는 경우의 수

15 4명의 학생 A, B, C, D가 이어달리기를 할 때, C가 첫 번째, D가 마지막에 달리는 경우의 수

16 5개의 자음 ㄱ, ㄴ, ㄷ, ㄹ, ㅁ이 각각 하나씩 적힌 5장의 카드를 일렬로 배열할 때, ㅁ이 적힌 카드를 맨 앞에 놓는 경우의 수

17 5개의 자음 ㄱ, ㄴ, ㄷ, ㄹ, ㅁ이 각각 하나씩 적힌 5장의 카드를 일렬로 배열할 때, ㄹ이 적힌 카드를 두 번째에 놓는 경우의 수

18 5개의 자음 ㄱ, ㄴ, ㄷ, ㄹ, ㅁ이 각각 하나씩 적힌 5장의 카드를 일렬로 배열할 때, ㄱ이 적힌 카드를 맨 앞에, ㅁ이 적힌 카드를 맨 뒤에 놓는 경우의 수

19 6개의 자음 ㄱ, ㄴ, ㄷ, ㄹ, ㅁ, ㅂ이 각각 하나씩 적힌 6장의 카드를 일렬로 배열할 때, ㄴ이 적힌 카드를 두 번째, ㄹ이 적힌 카드를 네 번째에 놓는 경우의 수

Tip

(1) 자리가 정해진 사람을 먼저 고정시킨다.

(2) 자리가 정해진 사람을 제외하고 나머지를 일렬로 세우는 경우의 수를 구한다.

05 일렬로 세울 때 이웃하여 서는 경우의 수

빠른정답 08쪽 / 친절한 해설 30쪽

(1) 이웃하는 것을 하나로 묶어서 일렬로 세우는 경우의 수를 구한다.
(2) 한 묶음 안에서 일렬로 세우는 경우의 수를 구한다.
(3) (1)과 (2)의 경우의 수를 곱한다.

예 네 명의 학생 A, B, C, D를 일렬로 세울 때, A, B가 이웃하는 경우의 수는
- A, B를 1명으로 생각하여 3명을 일렬로 세우는 경우의 수 : $3\times2\times1=6$
- A, B가 자리를 바꾸는 경우의 수 : 2

따라서 구하는 경우의 수는 $6\times2=12$이다.

이웃하는 것을 하나로 묶어 한 줄로 세우는 경우의 수 × 묶음 안에서 자리를 바꾸는 경우의 수

유형 114 일렬로 세울 때 이웃하여 서는 경우의 수

※ 남학생 3명과 여학생 2명을 일렬로 세울 때, 다음을 구하여라.

01 여학생 2명이 이웃하여 서는 경우의 수

|해설| 여학생 2명을 하나로 묶어서 학생 □명을 일렬로 세우는 경우의 수는 $4\times3\times2\times1=$□이고, 여학생 2명을 묶음 안에서 일렬로 세우는 경우의 수는 $2\times1=2$이다. 따라서 구하는 경우의 수는 □$\times2=$□이다.

02 남학생 2명을 뽑은 뒤 이웃하여 서는 경우의 수

03 남학생 3명이 이웃하여 서는 경우의 수

04 남학생 1명과 여학생 2명이 이웃하여 서는 경우의 수

※ 어머니, 아버지, 누나, 상진, 남동생, 여동생으로 이루어진 상진이의 가족이 일렬로 서서 사진을 찍으려고 한다. 다음을 구하여라.

05 어머니, 아버지가 이웃하여 서는 경우의 수

|해설| 부모님을 하나로 묶어서 □명을 일렬로 세우는 경우의 수는 $5\times4\times3\times2\times1=$□이고, 부모님을 묶음 안에서 일렬로 세우는 경우의 수는 $2\times1=2$이다. 따라서 구하는 경우의 수는 □$\times2=$□이다.

06 어머니, 누나, 여동생이 이웃하여 서는 경우의 수

07 어머니와 상진이가 이웃하여 서는 경우의 수

08 남동생과 여동생이 이웃하여 서는 경우의 수

06 정수를 만드는 경우의 수

빠른정답 08쪽 / 친절한 해설 31쪽

서로 다른 한 자리의 숫자가 각각 하나씩 적힌 n장의 카드 중에서

1. 0을 포함하지 않는 경우
   (1) 2장을 뽑아 만들 수 있는 두 자리 정수의 개수 : $n\times(n-1)$
   (2) 3장을 뽑아 만들 수 있는 세 자리 정수의 개수 : $n\times(n-1)\times(n-2)$
2. 0을 포함하는 경우
   (1) 2장을 뽑아 만들 수 있는 두 자리 정수의 개수 : $(n-1)\times(n-1)$
   (2) 3장을 뽑아 만들 수 있는 세 자리 정수의 개수 : $(n-1)\times(n-1)\times(n-2)$

$(n-1)$장 중 1장을 뽑고 남은 $(n-2)$장과 0을 포함한 $(n-1)$장 중 1장을 뽑는 경우의 수

$(n-1)\times(n-1)$

0을 제외한 $(n-1)$장 중 1장을 뽑는 경우의 수

정수의 개수 - 0을 포함하지 않는 경우

※ 1부터 5까지의 자연수가 각각 적힌 5장의 숫자 카드 중에서 2장을 뽑아 두 자리의 자연수를 만들 때, 다음을 구하여라.

01 32보다 큰 수의 개수

|해설| 십의 자리가 3인 경우 : 34, 35의 2개,
십의 자리가 4인 경우 : 41, 42, 43, 45의 □개,
십의 자리가 5인 경우 : 51, 52, 53, 54의 □개
따라서 구하는 수의 개수는 2+□+□=□

02 25보다 큰 수의 개수

03 24보다 작은 수의 개수

04 34보다 작은 수의 개수

※ 다음의 수를 이용하여 두 자리 자연수를 만들려고 한다. 같은 숫자를 여러 번 사용해도 된다고 할 때, 만들 수 있는 두 자리 자연수의 개수를 구하여라.

05 1부터 7까지의 자연수

|해설| 십의 자리에 올 수 있는 숫자는 1, 2, 3, …, 7의 7개이고, 일의 자리에 올 수 있는 숫자는 1, 2, 3, …, 7의 □개이다.
따라서 만들 수 있는 두 자리 자연수의 개수는
7×□=□

06 1부터 5까지의 자연수

07 1부터 9까지의 자연수

08 3부터 8까지의 자연수

정수의 개수 - 0을 포함하는 경우

※ 0, 1, 2, 3, 4, 5가 각각 적힌 6장의 카드가 있다. 다음을 구하여라.

09 3장을 뽑아 만들 수 있는 세 자리 자연수의 개수

|해설| 백의 자리에 올 수 있는 것은 0을 제외한 카드이므로 5가지, 십의 자리에 올 수 있는 카드는 백의 자리에 사용한 한 장을 제외한 5가지, 일의 자리에 올 수 있는 카드는 백의 자리와 십의 자리에 사용한 카드를 제외한 □가지이다.

구하는 자연수의 개수는 $5\times5\times$□=□

10 2장을 뽑아 만들 수 있는 두 자리 자연수의 개수

11 2장을 뽑아 만들 수 있는 두 자리 홀수의 개수

12 2장을 뽑아 만들 수 있는 두 자리 짝수의 개수

13 3장을 뽑아 만들 수 있는 세 자리 자연수 중 5의 배수

※ 0부터 9까지의 10개의 숫자를 이용할 때, 다음을 구하여라.

14 만들 수 있는 두 자리 자연수의 개수

|해설| 십의 자리에 올 수 있는 숫자는 0을 제외한 9개, 일의 자리에 올 수 있는 숫자는 십의 자리에 사용한 숫자를 제외한 □개이다.

따라서 구하는 두 자리 자연수의 개수는

$9\times$□=□

15 만들 수 있는 세 자리 자연수의 개수

16 만들 수 있는 세 자리 자연수 중 5의 배수의 개수

17 만들 수 있는 세 자리 자연수 중 410보다 작은 수의 개수

학교시험 필수예제

18 0부터 3까지의 4개의 숫자를 이용하여 만들 수 있는 네 자리 자연수의 개수는?

① 12 ② 18 ③ 24
④ 30 ⑤ 36

07 대표를 뽑는 경우의 수

빠른정답 08쪽 / 친절한 해설 31쪽

1. 자격이 다른 대표를 뽑는 경우
   n명 중에서 자격이 다른 2명의 대표를 뽑는 경우의 수
   ⇨ $n\times(n-1)$
2. 자격이 같은 대표를 뽑는 경우
   n명 중에서 자격이 같은 2명의 대표를 뽑는 경우의 수
   ⇨ $\dfrac{n\times(n-1)}{2}$

참고 n명 중에서 3명의 대표를 뽑는 경우의 수
(1) 자격이 다른 경우
⇨ $n\times(n-1)\times(n-2)$
(2) 자격이 같은 경우
⇨ $\dfrac{n\times(n-1)\times(n-3)}{3\times2\times1}$

117 자격이 다른 대표 뽑기

※ 학생 5명 중에서 대표를 뽑으려고 한다. 다음을 구하여라.

01 반장, 부반장을 각각 1명씩 뽑는 경우의 수

|해설| 반장을 뽑는 방법은 학생 5명 중 한 명이므로 5가지, 부반장을 뽑는 방법은 5명 중 뽑힌 반장을 제외한 □ 가지이다. 따라서 구하는 경우의 수는
$5\times$□$=$□

02 반장, 부반장, 총무를 각각 1명씩 뽑는 경우의 수

03 회장, 부회장을 각각 1명씩 뽑는 경우의 수

04 회장, 부회장, 총무를 각각 1명씩 뽑는 경우의 수

05 팀장, 부팀장을 각각 1명씩 뽑는 경우의 수

※ 다섯 명의 후보 A, B, C, D, E가 있다. 다음을 구하여라.

06 회장 1명, 부회장 2명을 뽑을 때, B가 부회장이 되는 경우의 수

|해설| B가 부회장이므로 후보 A, C, D, E에서 회장을 뽑는 방법은 4가지, 부회장 1명을 뽑는 방법은 뽑힌 회장을 제외한 □가지이다. 따라서 구하는 경우의 수는 $4\times$□$=$□이다.

07 회장 1명, 부회장 2명을 뽑을 때, A가 부회장이 되는 경우의 수

08 회장 1명, 부회장 2명을 뽑을 때, D가 부회장이 되는 경우의 수

09 회장 1명, 부회장 3명을 뽑을 때, A와 E가 부회장이 되는 경우의 수

자격이 같은 대표 뽑기

※ 다음을 구하여라.

10 학생 회장단 선거에 출마한 10명의 후보 중에서 대의원 2명을 뽑는 경우의 수

|해설| 10명의 후보 중에서 자격이 같은 대의원 □명을 뽑는 경우의 수이므로 $\frac{10\times9}{2}=$□이다.

11 학생 회장단 선거에 출마한 5명의 후보 중에서 대의원 2명을 뽑는 경우의 수

12 학생 회장단 선거에 출마한 5명의 후보 중에서 대의원 3명을 뽑는 경우의 수

13 5명의 후보 A, B, C, D, E 중에서 대표 3명을 뽑을 때, E가 뽑히는 경우의 수

14 5명의 후보 A, B, C, D, E 중에서 대표 3명을 뽑을 때, A가 뽑히는 경우의 수

15 6명의 후보 A, B, C, D, E, F 중에서 대표 4명을 뽑을 때, B가 뽑히는 경우의 수

16 여학생 2명과 남학생 4명 중에서 대표 3명을 뽑는 경우의 수

17 여학생 2명과 남학생 4명 중에서 대표를 뽑을 때, 여학생 중에서 대표 1명, 남학생 중에서 대표 2명을 뽑는 경우의 수

18 학생 회장단 선거에 출마한 6명의 후보가 한 후보도 빠짐없이 서로 한 번씩 악수를 했다면 6명이 악수한 횟수

19 학생 회장단 선거에 출마한 10명의 후보가 한 후보도 빠짐없이 서로 한 번씩 악수를 했다면 10명이 악수한 횟수

20 4개의 윷가락을 던졌을 때, 개가 나오는 경우의 수

21 4개의 윷가락을 던졌을 때, 걸이 나오는 경우의 수를 구하여라.

유형 119 삼각형 또는 선분의 개수

※ 오른쪽 그림과 같이 평행한 두 직선 l, m 위에 9개의 점이 있다. 다음을 구하여라.

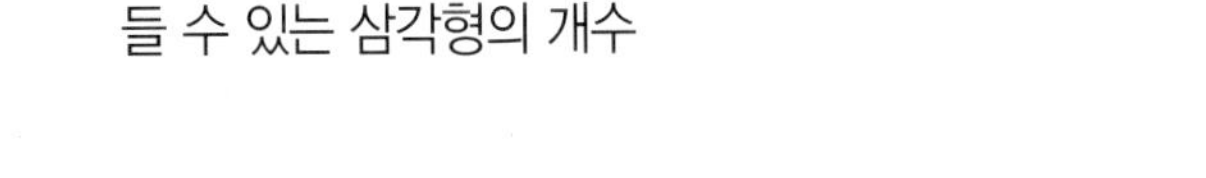

22 직선 l 위의 한 점, 직선 m 위의 한 점을 이어 만들 수 있는 선분의 개수

|해설| 직선 l 위의 5개의 점에서 각각 직선 m 위의 □개의 점을 이어 선분을 그을 수 있다.
따라서 구하는 선분의 개수는 $5\times\square=\square$

23 직선 l 위의 한 점, 직선 m 위의 두 점을 연결하여 만들 수 있는 삼각형의 개수

24 직선 l 위의 두 점, 직선 m 위의 한 점을 연결하여 만들 수 있는 삼각형의 개수

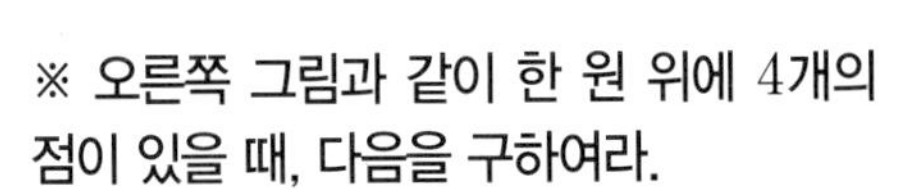

※ 오른쪽 그림과 같이 한 원 위에 4개의 점이 있을 때, 다음을 구하여라.

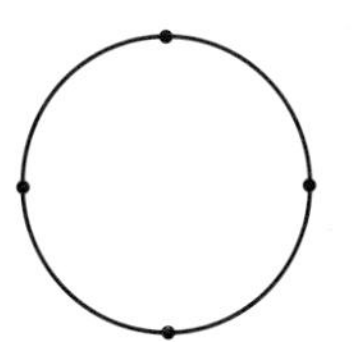

25 두 점을 이어 만들 수 있는 선분의 개수

|해설| 4개의 점에서 순서에 관계없이 2개의 점을 뽑는 것과 같다.
따라서 구하는 선분의 개수는 $\frac{4\times3}{2}=\square$

26 세 점을 연결하여 만들 수 있는 삼각형의 개수

※ 오른쪽 그림과 같이 한 원 위에 7개의 점이 있을 때, 다음을 구하여라.

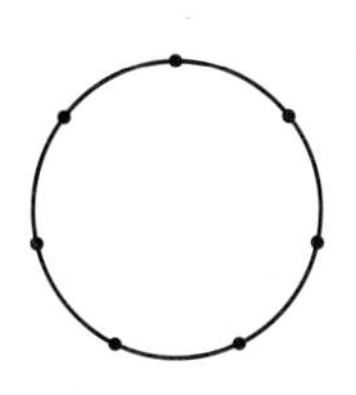

27 두 점을 이어 만들 수 있는 선분의 개수

28 세 점을 연결하여 만들 수 있는 삼각형의 개수

※ 오른쪽 그림과 같이 한 원 위에 8개의 점이 있을 때, 다음을 구하여라.

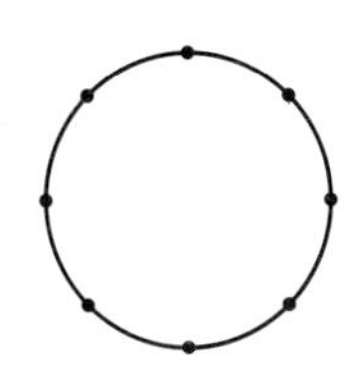

29 두 점을 이어 만들 수 있는 선분의 개수

30 세 점을 연결하여 만들 수 있는 삼각형의 개수

학교시험 필수예제

31 오른쪽 그림과 같이 한 원 위에 5개의 점이 있을 때, 세 점을 이어 만들 수 있는 삼각형의 개수는?

① 8　② 10　③ 12　④ 14　⑤ 16

08 확률의 뜻

빠른정답 08쪽 / 친절한 해설 32쪽

1. **확률** : 같은 조건에서 실험이나 관찰을 여러 번 반복할 때, 어떤 사건이 일어나는 상대도수가 일정한 값에 가까워지면 이 일정한 값을 그 사건이 일어날 확률이라 한다.
2. **사건 A가 일어날 확률** : 어떤 실험이나 관찰에서 각각의 경우가 일어날 가능성이 같을 때, 일어날 수 있는 모든 경우의 수를 n, 사건 A가 일어나는 경우의 수를 a라 하면 사건 A가 일어날 확률 p는

$$p=\frac{(\text{사건 } A\text{가 일어나는 경우의 수})}{(\text{모든 경우의 수})}=\frac{a}{n}$$

참고 경우의 수를 이용하여 확률을 구할 때에는 각각의 사건이 일어날 가능성이 모두 같다고 생각한다.

유형 120 확률의 뜻

※ 서로 다른 두 개의 주사위를 던질 때, 다음을 구하여라.

01 눈의 수의 합이 7일 확률

(1) 모든 경우의 수

|해설| $6\times6=\square$

(2) 눈의 수의 합이 7인 경우의 수

|해설| (1, 6), (2, 5), (3, 4), (4, 3), (5, $\square$), (6, $\square$)의 $\square$이다.

(3) 구하는 확률

|해설| $\frac{6}{36}=\square$

02 눈의 수의 합이 9일 확률

03 눈의 수의 합이 4일 확률

※ 서로 다른 세 개의 동전을 동시에 던질 때, 다음의 확률을 구하여라.

04 앞면이 1개 나올 확률

(1) 모든 경우의 수

|해설| $2\times2\times2=\square$

(2) 앞면이 1개만 나오는 경우의 수

|해설| (앞면, 뒷면, 뒷면), (뒷면, 앞면, 뒷면), (뒷면, 뒷면, 앞면)의 $\square$이다.

(3) 구하는 확률

|정답| $\frac{\square}{8}$

05 앞면이 2개 나올 확률

06 모두 앞면만 나올 확률

07 모두 뒷면만 나올 확률

방정식, 부등식에서의 확률

※ A, B 두 개의 주사위를 동시에 던져 A 주사위에서 나오는 눈의 수를 x, B 주사위에서 나오는 눈의 수를 y라 할 때, 다음을 구하여라.

08 $y=3x-2$일 확률

(1) 모든 경우의 수

|해설| $6\times6=$ □

(2) $y=3x-2$를 만족시키는 순서쌍 $(x,\ y)$의 수

|해설| $(1,\ 1)$, $(2,\ 4)$의 □이다.

(3) 구하는 확률

|해설| $\frac{2}{36}=$ □

09 $y=2x-1$일 확률

10 $y=x+2$일 확률

11 $x+2y=9$일 확률

12 $2x+y=8$일 확률

13 $2x+3y<9$일 확률

14 $x+2y<7$일 확률

15 $3x-2y>10$일 확률

16 $3x+y>17$일 확률

학교시험 필수예제

17 A, B 두 개의 주사위를 동시에 던져 A 주사위에서 나오는 눈의 수를 x, B 주사위에서 나오는 눈의 수를 y라 할 때, $3x-y<5$일 확률은?

① $\frac{1}{4}$ ② $\frac{11}{36}$ ③ $\frac{13}{36}$
④ $\frac{5}{12}$ ⑤ $\frac{17}{36}$

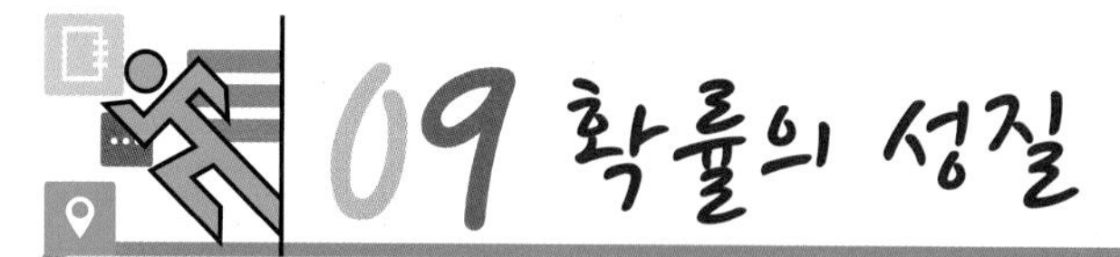

09 확률의 성질

빠른정답 08쪽 / 친절한 해설 32쪽

(1) 어떤 사건이 일어날 확률을 p라 하면 $0 \le p \le 1$이다.
(2) 절대로 일어나지 않는 사건의 확률은 0이다.
(3) 반드시 일어나는 사건의 확률은 1이다.

예 한 개의 주사위를 던질 때
- 6보다 큰 눈이 나올 확률 : 0
- 1 이상의 눈이 나올 확률 : 1

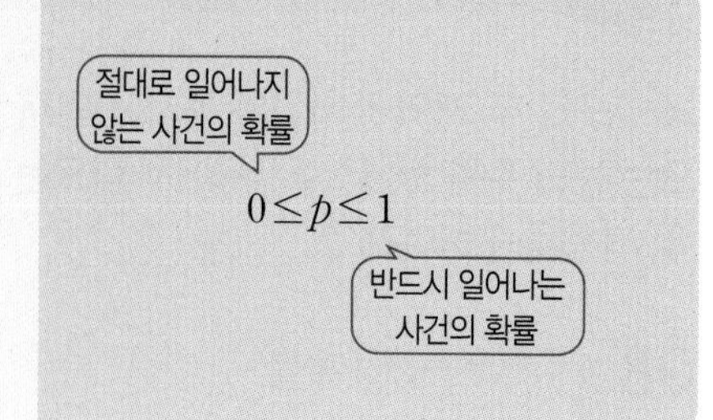

유형 122 확률의 범위

※ 크기가 같은 흰 공 5개, 검은 공 7개가 들어 있는 주머니에서 한 개의 공을 꺼낼 때, 다음 중 옳은 것은 ○표, 옳지 않은 것은 ×표 하여라.

01 흰 공이 나올 확률은 $\frac{7}{12}$이다. (　　)

|해설| 모든 경우의 수는 $5+7=\square$이고, 흰 공이 나오는 경우의 수는 $\square$이다.
따라서 흰 공이 나올 확률은 $\square$이다.

02 노란 공이 나올 확률은 0이다. (　　)

03 검은 공이 나올 확률은 1이다. (　　)

04 흰 공 또는 검은 공이 나올 확률은 0이다. (　　)

05 흰 공이 나올 확률은 검은 공이 나올 확률보다 작다. (　　)

※ 한 개의 주사위를 던질 때, 다음 중 옳은 것은 ○표, 옳지 않은 것은 ×표 하여라.

06 6의 약수의 눈이 나올 확률은 $\frac{2}{3}$이다. (　　)

|해설| 모든 경우의 수는 $\square$이고, 6의 약수가 나오는 경우의 수는 1, 2, 3, 6의 4이다.
따라서 6의 약수가 나올 확률은 $\frac{\square}{6}=\frac{2}{3}$이다.

07 8의 배수의 눈이 나올 확률은 0이다. (　　)

08 6의 배수의 눈이 나올 확률은 $\frac{1}{2}$이다. (　　)

09 홀수의 눈이 나올 확률은 $\frac{1}{3}$이다. (　　)

10 6 이하의 눈이 나올 확률은 1이다. (　　)

10 어떤 사건이 일어나지 않을 확률

빠른정답 08쪽 / 친절한 해설 33쪽

사건 A가 일어날 확률을 p라 하면

(사건 A가 일어나지 않을 확률)$=1-p$

참고 사건 A가 일어날 확률을 p, 사건 A가 일어나지 않을 확률을 q라 하면 $p+q=1$이다.

예 두 사람 A, B가 게임을 하여 A가 이길 확률이 $\frac{3}{5}$이고 비기는 경우가 없다면, B가 이길 확률은 $1-\frac{3}{5}=\frac{2}{5}$이다.

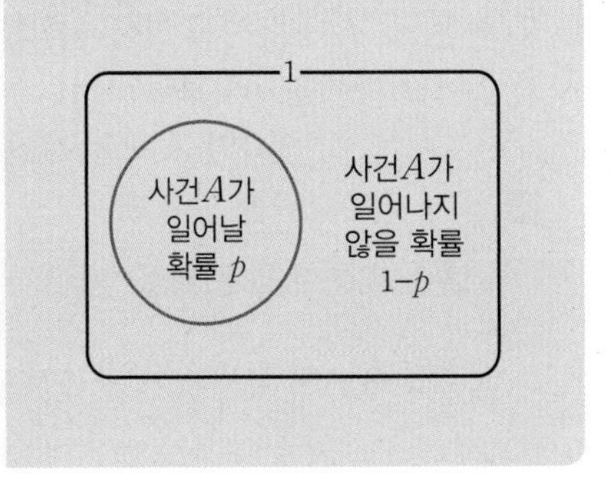

유형 123 어떤 사건이 일어나지 않을 확률

※ 1부터 20까지의 자연수가 각각 적힌 20장의 카드 중에서 한 장을 뽑을 때, 다음을 구하여라.

01 소수가 나오지 않을 확률

(1) 모든 경우의 수

|해설| 1, 2, 3, …, 20의 □

(2) 소수가 나오는 경우의 수

|해설| 2, 3, 5, 7, 11, 13, 17, 19의 □

(3) 소수가 아닐 확률

|해설| $1-$□$=$□

02 3의 배수가 나오지 않을 확률

03 4의 배수가 나오지 않을 확률

※ 다음을 구하여라.

04 성호가 어떤 시험에서 합격할 확률이 $\frac{1}{3}$이라고 할 때, 불합격할 확률

|해설| 불합격할 확률은

□$-$(합격할 확률)$=$□$-\frac{1}{3}=$□

05 A, B 두 사람이 팔씨름을 하여 A가 이길 확률이 $\frac{2}{5}$라고 할 때, B가 이길 확률 (단, 비기는 경우는 없다.)

06 내일 비가 올 확률이 55 %라고 할 때, 비가 오지 않을 확률

학교시험 필수예제

07 서로 다른 두 개의 동전을 동시에 던질 때, 서로 다른 면이 나올 확률을 구하여라.

11 사건 A 또는 사건 B가 일어날 확률

빠른정답 08쪽 / 친절한 해설 33쪽

두 사건 A, B가 동시에 일어나지 않을 때, 사건 A가 일어날 확률을 p, 사건 B가 일어날 확률을 q라 하면

(사건 A 또는 사건 B가 일어날 확률)$=p+q$

예 한 개의 주사위를 던질 때

• 홀수의 눈이 나올 확률 : $\frac{3}{6}$ • 4의 눈이 나올 확률 : $\frac{1}{6}$

따라서 홀수의 눈 또는 4의 눈이 나올 확률은 $\frac{3}{6}+\frac{1}{6}=\frac{2}{3}$

두 사건이 동시에 일어나지 않을 때, '또는', '~이거나'와 같은 표현이 있으면 각 사건의 확률을 더한다.

확률의 덧셈

※ 서로 다른 두 개의 주사위를 동시에 던질 때, 다음을 구하여라.

01 두 눈의 수의 합 또는 차가 4일 확률

(1) 두 눈의 수의 합이 4일 확률

(2) 두 눈의 수의 차가 4일 확률

(3) 구하는 확률

|해설| (1) 두 눈의 수의 합이 4일 확률은 ☐

(2) 눈의 수의 차가 4일 확률은 ☐

(3) 구하는 확률은 $\frac{1}{12}+$☐$=$☐

02 두 눈의 수의 합이 3 또는 5일 확률

03 나온 눈의 수의 합 또는 차가 3일 확률

※ 1부터 30까지의 자연수가 각각 적힌 30장의 카드 중에서 한 장을 뽑을 때, 다음을 구하여라.

04 6의 배수 또는 7의 배수가 나올 확률

(1) 6의 배수가 나올 확률

(2) 7의 배수가 나올 확률

(3) 구하는 확률

|해설| (1) 6의 배수가 나올 확률은 ☐

(2) 7의 배수가 나올 확률은 ☐

(3) 구하는 확률은 $\frac{1}{6}+$☐$=$☐

05 5의 배수 또는 8의 배수가 나올 확률

06 4의 배수 또는 9의 배수가 나올 확률

07 7의 배수 또는 8의 배수가 나올 확률

12 사건 A와 사건 B가 동시에 일어날 확률

빠른정답 08쪽 / 친절한 해설 33쪽

두 사건 A, B가 서로 영향을 끼치지 않을 때, 사건 A가 일어날 확률을 p, 사건 B가 일어날 확률을 q라 하면

(사건 A와 사건 B가 동시에 일어날 확률)$=p\times q$

예 동전 한 개와 주사위 한 개를 동시에 던질 때

- 동전의 뒷면이 나올 확률 : $\frac{1}{2}$
- 주사위의 홀수의 눈이 나올 확률 : $\frac{1}{2}$

동전은 뒷면, 주사위는 홀수의 눈이 나올 확률은 $\frac{1}{2}\times\frac{1}{2}=\frac{1}{4}$

'동시에', '그리고', '~와', '~이고'와 같은 표현이 있으면 각 사건의 확률을 곱한다.

유형 125 확률의 곱셈

※ 동전 한 개와 주사위 한 개를 동시에 던질 때, 다음을 구하여라.

01 동전은 앞면이 나오고, 주사위는 6의 약수의 눈이 나올 확률

|해설| 동전의 앞면이 나올 확률은 $\frac{1}{2}$이고, 주사위에서 6의 약수의 눈이 나올 확률은 $\frac{4}{6}=\square$이다.

따라서 구하는 확률은 $\frac{1}{2}\times\square=\square$

02 동전은 뒷면이 나오고, 주사위는 3의 배수의 눈이 나올 확률

03 동전은 앞면이 나오고, 주사위는 2의 배수의 눈이 나올 확률

※ 한 개의 주사위를 두 번 던질 때, 다음을 구하여라.

04 첫 번째에 나온 눈의 수가 2의 배수이고, 두 번째 나온 눈의 수가 4의 약수일 확률

|해설| 첫 번째에 나온 눈의 수가 2의 배수일 확률은 $\frac{3}{6}=\frac{1}{2}$이고, 두 번째 나온 눈의 수가 4의 약수일 확률은 $\frac{3}{6}=\square$이다.

따라서 구하는 확률은 $\frac{1}{2}\times\square=\square$

05 첫 번째에 나온 눈의 수가 3의 배수이고, 두 번째 나온 눈의 수가 6의 약수일 확률

06 첫 번째에 나온 눈의 수가 6의 약수이고, 두 번째 나온 눈의 수가 4의 약수일 확률

확률의 덧셈과 곱셈

※ 서로 다른 두 개의 주사위를 던질 때, 다음을 구하여라.

07 눈의 수가 모두 소수이거나 모두 4의 배수일 확률

|해설| 모두 소수일 확률은 $\frac{1}{2}\times\frac{1}{2}=\frac{1}{4}$이고, 모두 4의 배수일 확률은 $\frac{1}{6}\times\frac{1}{6}=\square$이다.

따라서 구하는 확률은 $\frac{1}{4}+\square=\square$

08 눈의 수가 모두 2의 배수이거나 모두 5의 배수일 확률

09 눈의 수가 모두 짝수이거나 모두 홀수일 확률

10 눈의 수가 모두 4의 약수이거나 모두 3의 배수일 확률

11 눈의 수가 모두 홀수이거나 모두 4의 배수일 확률

※ 두 상자 A, B에 1부터 13까지의 자연수가 각각 하나씩 적힌 카드가 13장씩 들어 있다. 두 상자에서 각각 카드를 한 장씩 커낼 때, 다음을 구하여라.

12 카드에 적힌 두 수의 합이 짝수일 확률

|해설| 모두 홀수일 확률은 $\frac{7}{13}\times\frac{7}{13}=\frac{49}{169}$이고,

모두 짝수일 확률은 $\frac{6}{13}\times\frac{6}{13}=\square$이다.

따라서 구하는 확률은 $\frac{49}{169}+\square=\square$

13 카드에 적힌 두 수의 합이 홀수일 확률

14 카드에 적힌 두 수가 모두 홀수이거나 4의 배수일 확률

학교시험 필수예제

15 A 주머니에는 흰 공 3개, 검은 공 3개가 들어 있고, B 주머니에는 흰 공 2개, 검은 공 5개가 들어 있다. A, B 두 주머니에서 각각 1개의 공을 꺼낼 때, 두 공의 색깔이 같을 확률은?

① $\frac{5}{42}$　② $\frac{1}{7}$　③ $\frac{5}{14}$
④ $\frac{1}{3}$　⑤ $\frac{1}{2}$

확률의 덧셈과 곱셈의 활용

※ 다음 물음에 답하여라.

16 일기예보에서 이번 주 월요일에 비가 올 확률은 20%이고 화요일에 비가 올 확률은 40%라 할 때, 이번 주 월요일에는 비가 오지 않고 화요일에는 비가 올 확률을 구하여라.

|해설| 월요일에 비가 올 확률은 $\frac{20}{100}=\frac{1}{5}$이고, 화요일에 비가 올 확률은 $\frac{40}{100}=\square$이다.

따라서 구하는 확률은 $\left(1-\frac{1}{5}\right)\times\square=\square$

17 일기예보에서 이번 주 토요일에 비가 올 확률은 60%이고 일요일에 비가 올 확률은 10%라 할 때, 이번 주 토요일에는 비가 오고 일요일에는 비가 오지 않을 확률을 구하여라.

18 2개의 당첨 제비를 포함한 6개의 제비가 들어 있는 주머니에서 연속하여 2개의 제비를 뽑을 때, 적어도 한 개는 당첨 제비일 확률을 구하여라. (단, 뽑은 제비는 다시 넣지 않는다.)

|해설| 2개가 모두 당첨 제비가 아닐 확률은 $\frac{4}{6}\times\frac{3}{5}=\square$

따라서 적어도 한 개는 당첨 제비일 확률은

$1-\square=\square$

19 3개의 당첨 제비를 포함한 10개의 제비가 들어 있는 주머니에서 연속하여 2개의 제비를 뽑을 때, 적어도 한 개는 당첨 제비일 확률을 구하여라. (단, 뽑은 제비는 다시 넣지 않는다.)

20 어떤 공장에서 생산되는 제품 10개 중 1개는 불량품이라고 한다. 이 회사 제품 2개를 조사할 때, 1개만 불량품일 확률을 구하여라.

|해설| 불량품일 확률은 $\frac{1}{10}$이고, 불량품이 아닐 확률은 $1-\frac{1}{10}=\square$이다. 따라서 1개만 불량품일 확률은

$\frac{1}{10}\times\square+\frac{9}{10}\times\frac{1}{10}=\square$

21 어떤 공장에서 생산되는 제품 20개 중 3개는 불량품이라고 한다. 이 회사 제품 2개를 조사할 때, 1개만 불량품일 확률을 구하여라.

22 두 자연수 a, b가 짝수일 확률이 각각 $\frac{1}{3}$, $\frac{2}{5}$일 때, $a+b$가 짝수일 확률을 구하여라.

|해설| a, b가 모두 짝수일 확률은 $\frac{1}{3}\times\frac{2}{5}=\frac{2}{15}$이고, a, b가 모두 홀수일 확률은 $\left(1-\frac{1}{3}\right)\times\left(1-\frac{2}{5}\right)=\square$이다.

따라서 구하는 확률은 $\frac{2}{15}+\square=\square$

23 두 자연수 a, b가 짝수일 확률이 각각 $\frac{1}{3}$, $\frac{2}{5}$일 때, ab가 짝수일 확률을 구하여라.

문제를 맞힐 확률

※ A, B 두 학생이 어떤 문제를 맞힐 확률이 각각 $\frac{3}{4}$, $\frac{1}{2}$이라 할 때, 다음을 구하여라.

24 한 명만 문제를 맞힐 확률

|해설| A만 맞힐 확률은 $\frac{3}{4}\times\left(1-\frac{1}{2}\right)=\frac{3}{8}$이고, B만 맞힐 확률은 $\left(1-\frac{3}{4}\right)\times\frac{1}{2}=\square$이다.

따라서 구하는 확률은 $\frac{3}{8}+\square=\square$

25 두 명 모두 문제를 맞히지 못할 확률

26 A 학생만 문제를 맞힐 확률

27 B 학생만 문제를 맞힐 확률

28 두 명 모두 문제를 맞힐 확률

※ 준호가 A, B 두 문제를 푸는데 맞힐 확률이 각각 $\frac{2}{3}$, $\frac{1}{5}$이라 할 때, 다음을 구하여라.

29 A 문제만 맞힐 확률

|해설| A 문제를 맞힐 확률은 $\frac{2}{3}$이고, B 문제를 맞히지 못할 확률은 $1-\frac{1}{5}=\square$이다. 따라서 준호가 A 문제만 맞힐 확률은 $\frac{2}{3}\times\square=\square$

30 B 문제만 맞힐 확률

31 두 문제 모두 맞힐 확률

32 두 문제 중 한 문제만 맞힐 확률

33 두 문제 모두 맞히지 못할 확률

두 사람이 만날 확률

※ 다음 물음에 답하여라.

34 준호가 약속 시간을 지킬 확률은 $\frac{4}{5}$이고, 은영이가 약속 시간을 지킬 확률은 $\frac{3}{4}$일 때, 두 사람이 약속 시간에 만나지 못할 확률을 구하여라.

|해설| 두 사람이 약속 시간에 만날 확률은 $\frac{4}{5} \times \frac{3}{4} = \square$이므로 두 사람이 약속 시간에 만나지 못할 확률은 $1 - \square = \square$

35 재영이가 약속 시간을 지킬 확률은 $\frac{3}{4}$이고, 동희가 약속 시간을 지킬 확률은 $\frac{4}{7}$일 때, 두 사람이 약속 시간에 만나지 못할 확률을 구하여라.

36 상진이가 약속 장소에 나가지 못할 확률이 $\frac{1}{4}$이고, 정아가 약속 장소에 나가지 못할 확률이 $\frac{1}{6}$일 때, 두 사람이 만나지 못할 확률을 구하여라.

37 정미가 약속 장소에 나가지 못할 확률이 $\frac{1}{3}$이고, 연수가 약속 장소에 나가지 못할 확률이 $\frac{2}{5}$일 때, 두 사람이 만나지 못할 확률을 구하여라.

38 영은이와 민지가 약속 장소에 나가지 못할 확률이 각각 $\frac{1}{5}$, $\frac{2}{7}$일 때, 두 사람이 만나지 못할 확률을 구하여라.

39 영란이가 약속 시간을 지킬 확률은 $\frac{2}{3}$이고, 정환이가 약속 시간을 지키지 못할 확률은 $\frac{1}{4}$일 때, 두 사람이 약속 시간에 만나지 못할 확률을 구하여라.

40 경준이가 약속 시간을 지키지 못할 확률은 $\frac{2}{5}$이고, 민영이가 약속 시간을 지킬 확률은 $\frac{3}{4}$일 때, 두 사람이 약속 시간에 만나지 못할 확률을 구하여라.

(1) (A, B가 만날 확률)
= (A가 약속 장소에 나올 확률) × (B가 약속 장소에 나올 확률)

(2) (A, B가 만나지 못할 확률) = 1 − (A, B가 만날 확률)

명중률에 관한 확률

※ 다음 물음에 답하여라.

41 명중률이 각각 $\frac{4}{5}$, $\frac{2}{3}$인 두 양궁 선수가 화살을 한 번씩 쏠 때, 두 선수 모두 과녁에 명중시키지 못할 확률

|해설| 두 선수 모두 과녁에 명중시키지 못할 확률은
$\left(1-\frac{4}{5}\right)\times\left(1-\square\right)=\square$

42 명중률이 각각 $\frac{3}{4}$, $\frac{5}{7}$인 두 양궁 선수가 화살을 한 번씩 쏠 때, 두 선수 모두 과녁에 명중시키지 못할 확률

43 명중률이 $\frac{4}{5}$인 소현이가 두 번 화살을 쏘았을 때, 한 번만 과녁에 명중시킬 확률

44 명중률이 $\frac{6}{7}$인 민서가 두 번 화살을 쏘았을 때, 한 번만 과녁에 명중시킬 확률

45 영석이와 은정이가 공을 던져 인형을 맞힐 확률은 각각 $\frac{2}{5}$, $\frac{1}{3}$이다. 두 사람이 공을 한 개씩 던질 때, 적어도 한 명은 인형을 맞힐 확률

46 현수와 다정이가 공을 던져 인형을 맞힐 확률은 각각 $\frac{1}{2}$, $\frac{1}{4}$이다. 두 사람이 공을 한 개씩 던질 때, 적어도 한 명은 인형을 맞힐 확률

47 명중률이 각각 $\frac{1}{2}$, $\frac{2}{3}$, $\frac{3}{4}$인 준호, 혁진, 진호가 하나의 표적을 향해 동시에 공을 던질 때, 표적이 공에 맞을 확률 (단, 각 사건은 서로 영향을 미치지 않는다.)

48 명중률이 각각 $\frac{1}{4}$, $\frac{1}{2}$, $\frac{1}{3}$인 승연, 민주, 수지가 하나의 표적을 향해 동시에 공을 던질 때, 표적이 공에 맞을 확률 (단, 각 사건은 서로 영향을 미치지 않는다.)

유형 131 타율에 관한 문제

※ 어떤 야구 선수의 타율이 2할이라고 할 때, 다음을 구하여라.

49 이 선수가 두 번의 타석에서 적어도 한 번은 안타를 칠 확률

|해설| 타율이 2할, 즉 $\frac{2}{10}=\frac{1}{5}$이므로 안타를 치지 못할 확률은 $1-\frac{1}{5}=\square$이다. 두 번 모두 안타를 치지 못할 확률은 $\frac{4}{5}\times\frac{4}{5}=\square$이다.

따라서 구하는 확률은 $1-\square=\square$

50 이 선수가 첫 번째 타석에서는 안타를 치고, 두 번째 타석에서는 안타를 치지 못할 확률

51 이 선수가 첫 번째 타석에서는 안타를 치지 못하고, 두 번째 타석에서는 안타를 칠 확률

52 이 선수가 두 번의 타석에서 모두 안타를 치지 못할 확률

※ 어떤 야구 선수의 타율이 2할 5푼이라고 할 때, 다음을 구하여라.

53 이 선수가 첫 번째 타석에서는 안타를 치지 못하고, 두 번째 타석에서는 안타를 칠 확률

|해설| 타율이 2할 5푼, 즉 $\frac{25}{100}=\frac{1}{4}$이므로 안타를 치지 못할 확률은 $1-\frac{1}{4}=\square$이다.

따라서 구하는 확률은 $\square\times\frac{1}{4}=\square$

54 이 선수가 첫 번째 타석에서는 안타를 치고, 두 번째 타석에서는 안타를 치지 못할 확률

55 이 선수가 두 번의 타석에서 적어도 한 번은 안타를 칠 확률

학교시험 필수예제

56 어느 농구 선수의 자유투 성공률이 9할이다. 이 선수가 두 번의 자유투에서 적어도 한 번은 성공할 확률은?

① $\frac{1}{100}$ ② $\frac{1}{10}$ ③ $\frac{1}{2}$
④ $\frac{9}{10}$ ⑤ $\frac{99}{100}$

가위바위보에 관한 문제

※ A, B 두 사람이 가위바위보를 두 번 할 때, 다음을 구하여라.

57 첫 번째는 비기고 두 번째에는 승부가 날 확률

|해설| 모든 경우의 수는 $3\times3=9$이고, 비기는 경우의 수가 3이므로 비길 확률은 $\frac{3}{9}=\frac{1}{3}$

승부가 결정될 확률, 즉 비기지 않을 확률은

$1-\square=\square$

따라서 구하는 확률은 $\frac{1}{3}\times\square=\square$

58 첫 번째 비기고, 두 번째 A가 이길 확률

59 첫 번째 비기고, 두 번째 B가 이길 확률

60 승부가 결정되지 않을 확률

※ A, B, C 세 사람이 가위바위보를 한 번 할 때, 다음을 구하여라.

61 비길 확률

|해설| 모든 경우의 수는 $3\times3\times3=27$이고, 세 사람이 모두 같은 것을 내는 경우의 수가 3이므로 확률은 $\frac{3}{27}=\frac{1}{9}$이다.

또, 세 사람이 모두 다른 것을 내는 경우의 수는 $3\times2\times1=6$이므로 확률은 $\square$이다.

따라서 구하는 확률은 $\frac{1}{9}+\square=\square$이다.

62 A가 이길 확률

63 C가 이길 확률

64 승부가 결정될 확률

13 연속하여 뽑는 경우의 확률

빠른정답 09쪽 / 친절한 해설 35쪽

1. 뽑은 것을 다시 넣고 연속하여 뽑는 경우의 확률

① 처음에 뽑을 때와 나중에 뽑을 때의 조건이 같다.
② 전체 경우의 수는 변하지 않는다.
③ 처음 사건의 결과가 나중 사건의 결과에 영향을 주지 않는다.

2. 뽑은 것을 다시 넣지 않고 연속하여 뽑는 경우의 확률

① 처음에 뽑을 때와 나중에 뽑을 때의 조건이 다르다.
② 전체 경우의 수가 변한다.
③ 처음 사건의 결과가 나중 사건의 결과에 영향을 준다.

예 흰 공 2개와 검은 공 3개가 들어 있는 주머니에서 차례로 2개의 공을 꺼낼 때, 2개 모두 흰 공일 확률은

- 꺼낸 공을 다시 넣을 때 : $\frac{2}{5}\times\frac{2}{5}=\frac{4}{25}$
- 꺼낸 공을 다시 넣지 않을 때 : $\frac{2}{5}\times\frac{1}{4}=\frac{1}{10}$

• 뽑은 것을 다시 넣을 때

처음 뽑을 때의 전체 개수 = 나중 뽑을 때의 전체 개수

• 뽑은 것을 다시 넣지 않을 때

처음 뽑을 때의 전체 개수 ≠ 나중 뽑을 때의 전체 개수

유형 133 연속하여 뽑는 경우의 확률-꺼낸 것을 다시 넣는 경우

※ 1부터 10까지의 자연수가 각각 적힌 10장의 카드가 들어 있는 주머니에서 1장의 카드를 꺼내 숫자를 확인하고 넣은 다음 다시 1장의 카드를 꺼낼 때, 다음을 구하여라.

01 처음에는 4의 배수가 나오고 나중에는 10의 약수가 나올 확률

|해설| 4의 배수가 나올 확률은 $\frac{2}{10}=\frac{1}{5}$이고, 10의 약수가 나올 확률은 $\square$이다.

따라서 구하는 확률은 $\frac{1}{5}\times\square=\square$

02 처음에는 3의 배수가 나오고 나중에는 8의 약수가 나올 확률

03 처음에는 5의 약수가 나오고 나중에는 4의 배수가 나올 확률

※ 1부터 5까지의 자연수가 각각 적힌 5장의 카드가 들어 있는 주머니에서 1장의 카드를 꺼내 숫자를 확인하고 넣은 다음 다시 1장의 카드를 꺼낼 때, 다음을 구하여라.

04 두 장의 카드에 적힌 수의 합이 짝수일 확률

|해설| 두 장 모두 짝수일 확률은 $\frac{2}{5}\times\frac{2}{5}=\frac{4}{25}$이고, 두 장 모두 홀수일 확률은 $\frac{3}{5}\times\square=\square$이다.

따라서 구하는 확률은 $\frac{4}{25}+\square=\square$

05 두 장의 카드에 적힌 수의 합이 홀수일 확률

06 두 장의 카드에 적힌 수의 곱이 짝수일 확률

134 연속하여 뽑는 경우의 확률 - 꺼낸 것을 다시 넣지 않는 경우

※ 3개의 당첨 제비를 포함하여 7개의 제비가 들어 있는 주머니에서 2개의 제비를 뽑을 때, 다음을 구하여라. (단, 꺼낸 제비는 다시 넣지 않는다.)

07 2개 모두 당첨 제비일 확률

|해설| 처음에 당첨 제비를 뽑을 확률은 $\frac{3}{7}$이고, 나중에 당첨 제비를 뽑을 확률은 $\square$이다.

따라서 구하는 확률은 $\frac{3}{7}\times\square=\square$이다.

08 처음에 당첨 제비를 뽑고 나중에 당첨 제비를 뽑지 않을 확률

09 처음에 당첨 제비를 뽑지 않고 나중에 당첨 제비를 뽑을 확률

10 2개 모두 당첨 제비를 뽑지 않을 확률

※ 10개의 제비 중 3개의 당첨 제비가 들어 있는 상자가 있다. 이 상자에서 A, B 두 사람이 차례로 1개씩 제비를 뽑을 때, 다음을 구하여라. (단, 꺼낸 제비는 다시 넣지 않는다.)

11 B만 당첨 제비를 뽑을 확률

|해설| A가 당첨 제비를 뽑지 않을 확률은 $\frac{7}{10}$이고, B가 당첨 제비를 뽑을 확률은 $\square$이다.

따라서 구하는 확률은 $\frac{7}{10}\times\square=\square$

12 두 사람 모두 당첨 제비를 뽑을 확률

13 두 사람 모두 당첨 제비를 뽑지 않을 확률

학교시험 필수예제

14 상자 안에 들어 있는 5개의 제품 중 불량품이 2개 섞여 있다. 이 상자에서 두 개의 제품을 연속하여 꺼낼 때, 두 개 모두 불량품일 확률은? (단, 꺼낸 제품은 다시 넣지 않는다.)

① $\frac{1}{10}$ ② $\frac{1}{5}$ ③ $\frac{3}{10}$
④ $\frac{2}{5}$ ⑤ $\frac{3}{5}$

확률의 덧셈과 곱셈의 활용 - 공 꺼내기

※ 흰 공 4개, 검은 공 6개가 들어 있는 주머니에서 2개의 공을 연속하여 꺼낼 때, 다음을 구하여라. (단, 꺼낸 공은 다시 넣지 않는다.)

15 2개 모두 흰 공일 확률

|해설| 처음에 흰 공이 나올 확률은 $\frac{4}{10}=\frac{2}{5}$이고, 나중에 흰 공이 나올 확률은 $\square$이다.

따라서 구하는 확률은 $\frac{2}{5}\times\square=\square$이다.

16 처음에 흰 공, 나중에 검은 공을 꺼낼 확률

17 처음에 검은 공, 나중에 흰 공을 꺼낼 확률

18 2개 모두 검은 공일 확률

※ 주머니에 빨간 공 2개, 파란 공 5개, 노란 공 3개가 들어 있다. 연속하여 3개의 공을 꺼낼 때, 다음을 구하여라. (단, 꺼낸 공은 다시 넣지 않는다.)

19 첫 번째와 두 번째에는 파란 공이 나오고, 세 번째에 빨간 공이 나올 확률

|해설| 첫 번째 파란 공이 나올 확률은 $\frac{5}{10}=\frac{1}{2}$, 두 번째 파란 공이 나올 확률은 $\frac{4}{9}$, 세 번째 빨간 공이 나올 확률은 $\frac{2}{8}=\square$이다.

따라서 구하는 확률은 $\frac{1}{2}\times\frac{4}{9}\times\square=\square$

20 첫 번째와 두 번째에는 파란 공이 나오고, 세 번째에 노란 공이 나올 확률

21 첫 번째에는 파란 공, 두 번째에는 빨간 공이, 세 번째에 노란 공이 나올 확률

22 첫 번째에는 노란 공, 두 번째에는 파란 공이, 세 번째에 빨간 공이 나올 확률

승패에 관한 확률

※ A, B 두 사람이 1회에는 A, 2회에는 B, 3회에는 A, 4회에는 B, …의 차례로 주사위 1개를 한 번씩 던지는 놀이를 하고 있다. 2보다 큰 눈이 먼저 나오는 사람이 이기는 것으로 할 때, 다음을 구하여라.

23 A가 3회에서 이길 확률

|해설| 1회에서 2 이하의 눈이 나올 확률은 $\frac{2}{6}=\frac{1}{3}$,

2회에서 2 이하의 눈이 나올 확률은 $\square$,

3회에서 2보다 큰 눈이 나올 확률은 $\square$

따라서 구하는 확률은 $\frac{1}{3}\times\square\times\square=\square$

24 B가 4회에서 이길 확률

25 A가 5회에서 이길 확률

26 B가 6회에서 이길 확률

※ A, B 두 사람이 1회에는 A, 2회에는 B, 3회에는 A, 4회에는 B, …의 차례로 주사위 1개를 한 번씩 던지는 놀이를 하고 있다. 3보다 작은 눈이 먼저 나오는 사람이 이기는 것으로 할 때, 다음을 구하여라.

27 B가 4회에서 이길 확률

|해설| 1회에서 3 이상의 눈이 나올 확률은 $\frac{4}{6}=\frac{2}{3}$,

2회에서 3 이상의 눈이 나올 확률은 $\frac{4}{6}=\frac{2}{3}$,

3회에서 3 이상의 눈이 나올 확률은 $\square$,

4회에서 3보다 작은 눈이 나올 확률은 $\square$

따라서 구하는 확률은 $\frac{2}{3}\times\frac{2}{3}\times\square\times\square=\square$

28 A가 3회에서 이길 확률

29 A가 5회에서 이길 확률

학교시험 필수예제

30 민주와 은영이가 탁구 결승전 시합을 하는데 5세트 중 3세트를 이기면 우승이라고 한다. 3세트까지 민주가 2승 1패로 앞서고 있을 때, 민주가 우승할 확률은? (단, 비기는 경우는 없다.)

① $\frac{1}{5}$　② $\frac{1}{4}$　③ $\frac{1}{2}$
④ $\frac{3}{4}$　⑤ $\frac{5}{6}$

14 도형에서의 확률

빠른정답 09쪽 / 친절한 해설 36쪽

모든 경우의 수는 도형 전체의 넓이로 생각하고, 어떤 사건이 일어나는 경우의 수는 도형에서 해당하는 부분의 넓이로 생각한다. 즉

$$(\text{도형에서의 확률})=\frac{(\text{사건에 해당하는 부분의 넓이})}{(\text{도형 전체의 넓이})}$$

예 오른쪽 그림과 같이 정사각형 모양의 표적에 화살을 쏠 때, 화살이 색칠한 부분에 맞을 확률은

$$\frac{(\text{색칠한 부분의 넓이})}{(\text{정사각형 전체의 넓이})}=\frac{2}{4}=\frac{1}{2}$$

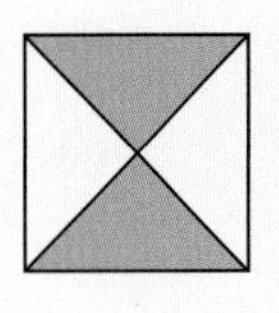

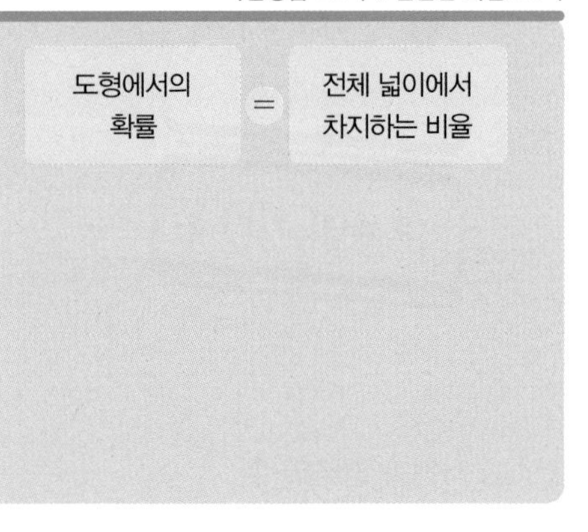

도형에서의 확률

※ 그림과 같이 12등분된 원판에 1부터 12까지의 숫자가 적혀 있다. 이 원판을 한 번 돌려서 멈춘 후 바늘이 가리키는 숫자를 읽을 때, 다음을 구하여라. (단, 바늘이 경계선을 가리키는 경우는 생각하지 않는다.)

01 3의 배수가 나올 확률

|해설| 전체 넓이를 12라 하면 3의 배수가 적힌 부분의 넓이는 ☐이다.

따라서 3의 배수가 나올 확률은 $\frac{4}{12}=$ ☐

02 5의 배수가 나올 확률

03 12의 약수가 나올 확률

04 8의 약수가 나올 확률

※ 다음 그림과 같은 모양의 표적에 화살을 쏠 때, 화살이 색칠한 부분에 맞을 확률을 구하여라. (단, 화살은 반드시 표적에 맞는다.)

05

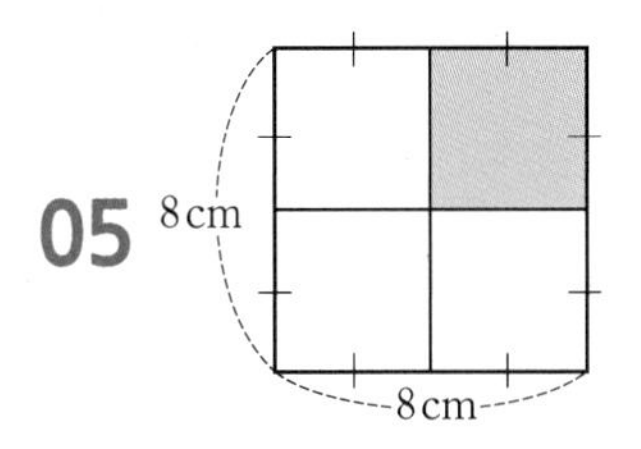

06

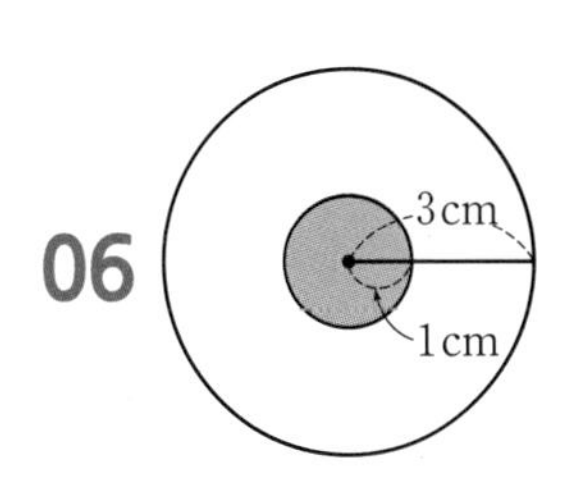

학교시험 필수예제

07 오른쪽 그림과 같이 각 칸의 넓이가 같은 과녁에 다트를 던질 때, 색칠한 부분에 맞힐 확률을 구하여라. (단, 다트가 과녁을 벗어나거나 경계선을 맞히는 경우는 생각하지 않는다.)

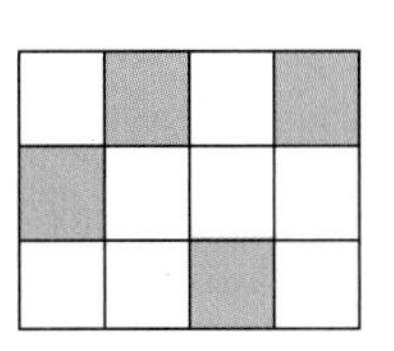

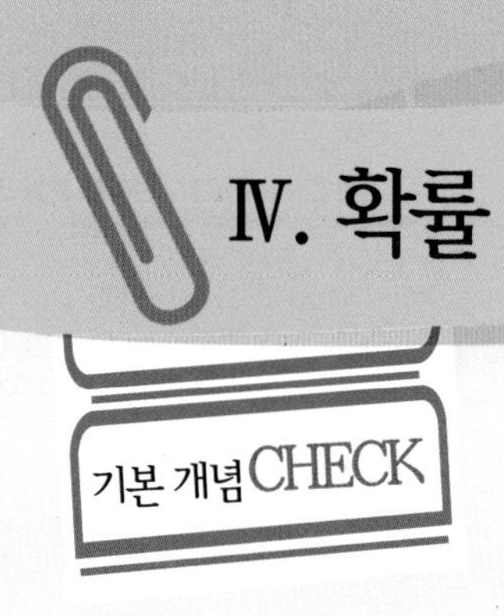

개념 window

1. 사건과 경우의 수

(1) 사건 : 실험이나 관찰에 의하여 나타나는 어떤 결과

(2) 경우의 수 : 어떤 사건이 일어날 수 있는 모든 가짓수

2. 사건 A 또는 사건 B가 일어나는 경우의 수 : 합의 법칙

두 사건 A, B가 동시에 일어나지 않을 때, 사건 A가 일어나는 경우의 수가 m, 사건 B가 일어나는 경우의 수가 n이면

(사건 A 또는 사건 B가 일어나는 경우의 수)= ❶

• 합의 법칙 : 또는, ~이거나

3. 두 사건 A, B가 동시에 일어나는 경우의 수 : 곱의 법칙

두건 A가 일어나는 경우의 수가 m이고, 그 각각의 경우에 대하여 사건 B가 일어나는 경우의 수가 n이면

(두 사건 A, B가 동시에 일어나는 경우의 수)= ❷

• 곱의 법칙 : ~이고, 동시에

4. 일렬로 세우는 경우의 수

(1) n명을 일렬로 세우는 경우의 수는

$n\times(n-1)\times(n-2)\times\cdots\times2\times1$

(2) n명 중에서 2명을 뽑아 일렬로 세우는 경우의 수는

❸

(3) n명 중에서 3명을 뽑아 일렬로 세우는 경우의 수는

❹

• 일렬로 세우는 경우 : 곱의 법칙

6. 정수를 만드는 경우의 수

서로 다른 한 자리의 숫자가 각각 하나씩 적힌 n장의 카드 중에서

(1) 0을 포함하지 않는 경우

① 2장을 뽑아 만들 수 있는 두 자리 정수의 개수 : ❺

② 3장을 뽑아 만들 수 있는 세 자리 정수의 개수 : $n\times(n-1)\times(n-2)$

(2) 0을 포함하는 경우

① 2장을 뽑아 만들 수 있는 두 자리 정수의 개수 : ❻

② 3장을 뽑아 만들 수 있는 세 자리 정수의 개수 : $(n-1)\times(n-1)\times(n-2)$

❶ $m+n$ ❷ $m\times n$ ❸ $n\times(n-1)$ ❹ $n\times(n-1)\times(n-2)$ ❺ $n\times(n-1)$ ❻ $(n-1)\times(n-1)$

개념 window

7. 대표를 뽑는 경우의 수

(1) n명 중에서 자격이 다른 2명의 대표를 뽑는 경우의 수는 ❼ [ ]

(2) n명 중에서 자격이 같은 2명의 대표를 뽑는 경우의 수는 $\frac{n\times(n-1)}{2}$

8. 확률의 뜻

(1) 같은 조건에서 실험이나 관찰을 여러 번 반복할 때, 어떤 사건이 일어나는 상대도수가 일정한 값에 가까워지면 이 일정한 값을 그 사건이 일어날 ❽ [ ]이라 한다.

(2) 어떤 실험이나 관찰에서 각각의 경우가 일어날 가능성이 같을 때, 일어날 수 있는 모든 경우의 수를 n, 사건 A가 일어나는 경우의 수를 a라 하면 사건 A가 일어날 확률 p는

$$p=\frac{(\text{사건 }A\text{가 일어나는 경우의 수})}{(\text{모든 경우의 수})}=\text{❾ [ ]}$$

9. 확률의 성질

(1) 어떤 사건이 일어날 확률을 p라 하면 $0\le p\le 1$이다.

(2) 절대로 일어나지 않는 사건의 확률은 ❿ [ ]이다.

(3) 반드시 일어나는 사건의 확률은 ⓫ [ ]이다.

(4) 사건 A가 일어날 확률을 p라 하면

(사건 A가 일어나지 않을 확률)= ⓬ [ ]

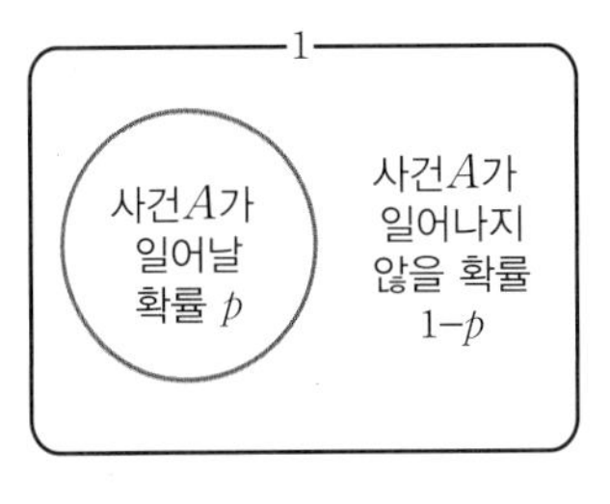

11. 사건 A 또는 사건 B가 일어날 확률

두 사건 A, B가 동시에 일어나지 않을 때, 사건 A가 일어날 확률을 p, 사건 B가 일어날 확률을 q라 하면

(사건 A 또는 사건 B가 일어날 확률)= ⓭ [ ]

'또는', '~이거나'
→ 확률의 덧셈 이용

12. 사건 A와 사건 B가 동시에 일어날 확률

두 사건 A, B가 서로 영향을 끼치지 않을 때, 사건 A가 일어날 확률을 p, 사건 B가 일어날 확률을 q라 하면

(두 사건 A와 사건 B가 동시에 일어날 확률)= ⓮ [ ]

'동시에', '그리고', '~와', '~이고'
→ 확률의 곱셈 이용

14. 도형에서의 확률

모든 경우의 수는 도형 전체의 ⓯ [ ]로 생각하고, 어떤 사건이 일어나는 경우의 수는 도형에서 해당하는 부분의 넓이로 생각한다. 즉

$$(\text{도형에서의 확률})=\frac{(\text{사건에 해당하는 부분의 넓이})}{(\text{도형 전체의 넓이})}$$

도형에서의 확률은 전체 넓이에서 차지하는 비율이다.

❼ $n\times(n-1)$ ❽ 확률 ❾ $\frac{a}{n}$ ❿ 0 ⓫ 1 ⓬ $1-p$ ⓭ $p+q$ ⓮ $p\times q$ ⓯ 넓이

유형 익힘 분석

틀린 문항이 20% 이하이면 ○표, 20%~50% 범위이면 △표, 50% 이상이면 ×표를 하여 결과를 기준으로 나에게 취약한 유형을 파악한 후 관련 개념과 문제를 반드시 복습하고 개념을 완벽히 이해하도록 하세요.

유형No.	유형	총 문항수	틀린 문항수	채점결과
001	이등변삼각형	6		○△×
002	이등변삼각형의 성질 – 밑각의 크기	11		○△×
003	이등변삼각형의 성질 – 합동인 삼각형	4		○△×
004	이등변삼각형의 성질 – 이웃한 이등변삼각형	8		○△×
005	이등변삼각형의 성질 – 각의 이등분선	6		○△×
006	이등변삼각형의 성질 – 꼭지각의 이등분선	8		○△×
007	이등변삼각형이 되는 조건	5		○△×
008	이등변삼각형의 활용	8		○△×
009	폭이 일정한 종이 접기	8		○△×
010	직각삼각형의 합동 조건	9		○△×
011	직각삼각형의 합동 조건의 활용 – RHA 합동	4		○△×
012	직각삼각형의 합동 조건의 활용 – RHS 합동	8		○△×
013	각의 이등분선의 성질	6		○△×
014	각의 이등분선의 성질 응용하기	8		○△×
015	삼각형의 외심의 뜻과 성질	5		○△×
016	삼각형의 외심	8		○△×
017	직각삼각형의 외심	8		○△×
018	삼각형의 외심의 활용 (1)	6		○△×
019	삼각형의 외심의 활용 (2)	8		○△×
020	삼각형의 내심	8		○△×
021	삼각형의 내심의 활용 (1)	6		○△×
022	삼각형의 내심의 활용 (2)	8		○△×
023	삼각형의 내접원의 반지름의 길이	8		○△×
024	삼각형의 내접원의 선분의 길이	8		○△×
025	삼각형의 내심과 평행선	8		○△×
026	삼각형의 외심과 내심	8		○△×
027	평행사변형	8		○△×
028	평행사변형의 성질 (1)	6		○△×
029	평행사변형의 성질 (1) 활용하기	8		○△×
030	평행사변형의 성질 (2)	8		○△×
031	평행사변형의 성질 (2) 활용하기	4		○△×
032	평행사변형의 성질 (3)	4		○△×

유형No.	유형	총 문항수	틀린 문항수	채점결과
033	평행사변형의 성질 (3) 활용하기	8		○△×
034	평행사변형이 되기 위한 조건	7		○△×
035	평행사변형이 되기 위한 조건 찾기	15		○△×
036	평행사변형이 되도록 하는 미지수의 값 구하기	8		○△×
037	새로운 사각형이 평행사변형이 되기 위한 조건	2		○△×
038	평행사변형이 되기 위한 조건의 활용	9		○△×
039	평행사변형의 넓이 (1)	8		○△×
040	평행사변형의 넓이 (2)	9		○△×
041	직사각형의 뜻과 성질	8		○△×
042	평행사변형이 직사각형이 되는 조건	12		○△×
043	마름모의 뜻과 성질	12		○△×
044	평행사변형이 마름모가 되는 조건	4		○△×
045	정사각형의 뜻과 성질	10		○△×
046	직사각형이 정사각형이 되는 조건	20		○△×
047	등변사다리꼴의 뜻과 성질	19		○△×
048	등변사다리꼴의 성질의 활용	8		○△×
049	여러 가지 사각형 사이의 관계	7		○△×
050	여러 가지 사각형의 대각선의 성질	14		○△×
051	사각형의 각 변의 중점을 연결하여 만든 사각형	9		○△×
052	평행선과 삼각형의 넓이	6		○△×
053	높이가 같은 두 삼각형의 넓이	10		○△×
054	평행사변형에서 높이가 같은 두 삼각형의 넓이	10		○△×
055	사다리꼴에서 높이가 같은 두 삼각형의 넓이	10		○△×
056	닮은 도형	6		○△×
057	평면도형에서 닮음의 성질	7		○△×
058	평면도형에서 닮음비의 활용	13		○△×
059	입체도형에서 닮음비의 성질	9		○△×
060	입체도형에서 닮음비의 활용	10		○△×
061	삼각형의 닮음조건	12		○△×
062	SAS 닮음을 이용하여 길이 구하기	10		○△×
063	AA 닮음을 이용하여 길이 구하기	9		○△×
064	직각삼각형의 닮음	7		○△×
065	직각삼각형의 닮음의 활용	10		○△×
066	종이접기	3		○△×
067	삼각형에서 평행선과 선분의 길이의 비	14		○△×

연산으로 마스터하는

중학 수학 2 (하)

정답 및 해설

연산으로 마스터하는

중학 수학 2 (하)

빠른 정답

I. 도형의 성질
1. 삼각형의 성질

01. 이등변삼각형의 성질

(본문 8쪽)

01 7, 7
02 9
03 5
04 6, 6, 22
05 21 cm
06 9 cm
07 $68°$
08 $70°$
09 $50°$
10 $76°$
11 $70°$, $70°$
12 $56°$
13 $115°$
14 $132°$
15 $40°$, $40°$
16 $70°$
17 $30°$
18 $\overline{AE}$, $65°$, $50°$
19 $30°$
20 $80°$
21 $125°$
22 2, $35°$
23 $40°$
24 $90°$
25 $120°$
26 $100°$, $100°$, $40°$
27 $50°$
28 $35°$
29 $30°$
30 $62°$, $62°$, $31°$
31 $29°$
32 $28°$
33 $36°$, $36°$, $36°$
34 $29°$
35 ⑤
36 43, 43, 53
37 54
38 46
39 46
40 4, 4, 12
41 6 cm^2
42 20 cm^2
43 7 cm

02. 이등변삼각형이 되는 조건 (본문 14쪽)

01 $\angle CAD$, $\angle ADC$, $\overline{AD}$
02 $\angle ACB$, $\angle PCB$
03 $70°$, 이등변, 10
04 7
05 9
06 $130°$, $50°$, 4
07 7 cm
08 5 cm
09 6 cm
10 $60°$, $60°$, $30°$, 6, 12
11 10 cm
12 14 cm
13 9 cm
14 이등변, $64°$
15 $124°$
16 $55°$
17 $65°$
18 6, 6, 12
19 21 cm^2
20 6 cm^2
21 20 cm^2

03. 직각삼각형의 합동조건 (본문 17쪽)

01 $\overline{BC}$, $\angle CBE$, $\overline{CE}$
02 (1) $30°$ (2) 3 cm
03 $\triangle ABC \equiv \triangle DEF$ (RHS 합동)
04 $\triangle ABC \equiv \triangle FDE$ (RHS 합동)
05 $\triangle ABC \equiv \triangle FED$ (RHA 합동)
06 $\overline{DF}$, $\overline{DF}$
07 9
08 4
09 8
10 3, 3, 5
11 10 cm
12 4 cm
13 11 cm
14 $35°$, $35°$, $110°$
15 $130°$
16 $120°$
17 $140°$
18 $65°$, $65°$, $50°$
19 $60°$
20 $48°$
21 $34°$

04. 각의 이등분선의 성질

(본문 20쪽)

01 $\angle PBO$, $\overline{OP}$, $\overline{PB}$
02 4
03 35
04 5
05 4
06 25
07 3, 3, 15
08 26 cm^2
09 80 cm^2
10 36 cm^2
11 $65°$, $65°$, $25°$
12 $27°$
13 $23°$
14 $30°$

05. 삼각형의 외심 (본문 22쪽)

01 $\overline{OC}$, $\overline{OC}$, $\overline{CE}$, 수직이등분선
02 $\overline{OB}$, $\overline{OC}$
03 $\overline{CL}$
04 OAL
05 OCL
06 $30°$, $30°$, $70°$
07 $60°$
08 $65°$
09 $130°$
10 $\overline{AD}$, 8
11 4
12 5
13 8
14 4, 8
15 4 cm
16 5, 5, 10
17 14 cm
18 $47°$, $47°$, $94°$
19 $84°$
20 $108°$, $108°$, $36°$
21 $40°$

06. 삼각형의 외심의 활용

(본문 25쪽)

01 $20°$, $42°$
02 $34°$
03 $30°$
04 $20°$, $40°$, $40°$, $100°$
05 $110°$
06 $120°$
07 $46°$, $92°$
08 $104°$
09 $90°$
10 $80°$
11 $96°$, $96°$, $48°$
12 $54°$
13 $46°$
14 $52°$

07. 삼각형의 내심 (본문 27쪽)

01 $\overline{IF}$
02 $\angle FAI$
03 $\triangle IFC$
04 34
05 4
06 $60°$, $60°$, $70°$
07 $70°$
08 $42°$

08. 삼각형의 내심의 활용

(본문 28쪽)

01 $90°$, $30°$
02 $25°$
03 $35°$
04 $27°$, $20°$, $43°$, $20°$, $43°$, $63°$
05 $70°$
06 $65°$
07 $\frac{1}{2}$, $88°$
08 $133°$
09 $76°$
10 $60°$
11 $114°$, $48°$, $24°$
12 $32°$
13 $132°$
14 $16°$
15 3, 8, 30
16 28 cm^2
17 42 cm^2
18 23 cm^2
19 24, 24, 2
20 2 cm
21 1 cm
22 3 cm
23 4, 4, 5
24 9 cm
25 7 cm
26 5 cm
27 6, 6, 10
28 8 cm

29 12 cm
30 12 cm
31 $\overline{DB}$, $\overline{EC}$, 4, 4, 7, 7
32 25 cm
33 24 cm
34 30 cm
35 6, 6, 7
36 6 cm
37 6 cm
38 8 cm
39 46°, 23°, 113°
40 110°
41 115°
42 120°
43 114°, 114°, 18°
44 12°
45 30°
46 24°

Ⅰ. 도형의 성질
2. 사각형의 성질

01. 평행사변형 (본문 38쪽)

01 70°, 45°
02 $\angle x=39°$, $\angle y=28°$
03 $\angle x=72°$, $\angle y=35°$
04 $\angle x=80°$, $\angle y=35°$
05 30°, 30°, 75°
06 80°
07 67°
08 70°

02. 평행사변형의 성질 (본문 39쪽)

01 3, 4
02 $x=9$, $y=11$
03 $x=7$, $y=4$
04 $x=5$, $y=6$
05 $x=6$, $y=4$
06 $x=7$, $y=9$
07 6, 20
08 30 cm
09 16 cm
10 26 cm
11 5, 5, 10
12 14 cm
13 12 cm
14 16 cm
15 109°, 71°
16 $\angle x=70°$, $\angle y=110°$
17 $\angle x=125°$, $\angle y=55°$
18 $\angle x=32°$, $\angle y=96°$
19 62°, 62°, 75°
20 68°
21 75°
22 68°
23 148°, 148°
24 136°
25 110°
26 140°
27 4, 5
28 $x=4$, $y=3$
29 $x=8$, $y=6$
30 $x=7$, $y=8$
31 9, 9, 26
32 23 cm
33 30 cm
34 20 cm
35 3, 6, 3
36 7
37 4
38 3

03. 평행사변형이 되기 위한 조건 (본문 44쪽)

01 SSS, $\angle DCA$, $\angle CAD$
02 $\overline{OD}$, $\angle COD$, SAS, $\overline{BC}$
03
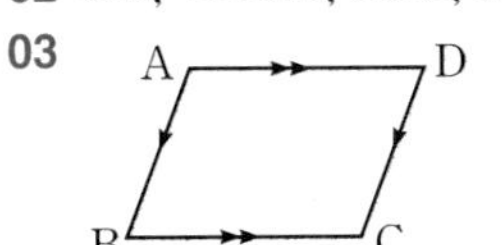

04
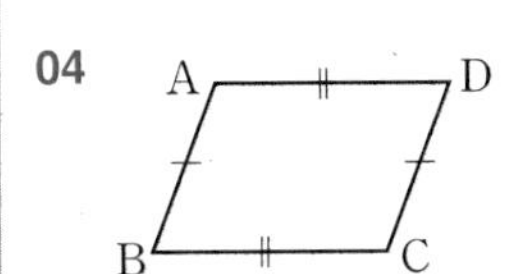

05
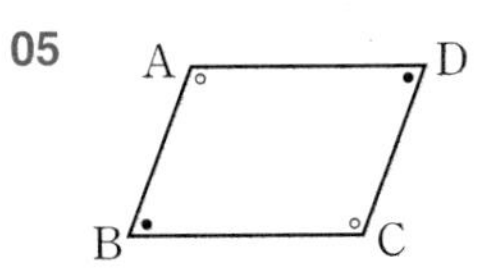

06
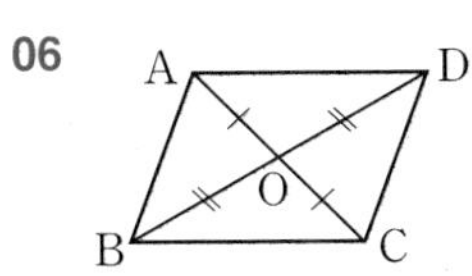

07
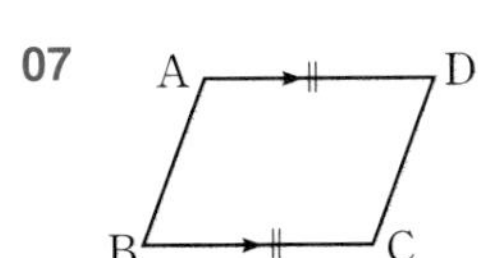

08 ○, 길이
09 ×
10 ○
11 ×
12 ○
13 ×
14 ×
15 ○
16 ○
17 ○, 길이
18 ×
19 ○
20 ○
21 ○
22 ×
23 110°, 70°
24 $\angle x=105°$, $\angle y=75°$
25 $\angle x=112°$, $\angle y=68°$
26 $\angle x=95°$, $\angle y=85°$
27 50, 50, 55
28 47
29 61
30 43

04. 평행사변형이 되기 위한 조건의 활용 (본문 47쪽)

01 $\angle DQC$, $\angle BQD$
02 $\overline{QC}$, $\overline{FC}$, $\overline{RC}$, $\overline{EC}$
03 $\overline{EC}$
04 $\overline{FC}$
05 $\angle CEA$
06 $\angle ECF$
07 24 cm
08 115°, 115°
09 120°
10 108°
11 112°

05. 평행사변형과 넓이 (본문 49쪽)

01 5, 10
02 6 cm²
03 6, 24
04 28 cm²
05 36, 9
06 10 cm²
07 16 cm²
08 30 cm²
09 15, 50
10 44 cm²
11 52 cm²
12 56 cm²
13 32 cm²
14 6, 6, 9
15 15 cm²
16 17 cm²
17 ⑤

06. 직사각형 (본문 51쪽)

01 16
02 58
03 20, 10
04 74
05 8, 65, 8, 65, 73
06 69
07 74
08 60
09 $\overline{DC}$, DCB, C
10 90°
11 C, A
12 $\overline{BD}$
13 $\overline{OA}$, $\overline{OC}$
14 ○, 길이
15 ○
16 ×
17 ○
18 ×
19 ○
20 ×

07. 마름모 (본문 53쪽)

01 11
02 7
03 90
04 40
05 65, 4, 65, 4, 69
06 66
07 62
08 68
09 2, 1, 2, 1, 3
10 4
11 35°, 8, 43
12 35
13 $\overline{AC}$, DAC, $\overline{BD}$
14 $\overline{BC}$, $\overline{DA}$
15 $\overline{BD}$
16 90°

08. 정사각형 (본문 55쪽)

01 9
02 16
03 5
04 90
05 45
06 70
07 5, 5, 50
08 98 cm²
09 32 cm²
10 128 cm²
11 13, 정사각형

12 90
13 ○
14 ○
15 ×
16 ○
17 ×
18 3, 정사각형
19 12
20 90
21 ×
22 ○
23 ×
24 ○
25 평행사변형, 마름모
26 직사각형
27 마름모
28 정사각형
29 마름모
30 직사각형

09. 사다리꼴 (본문 58쪽)

01 $\overline{DC}$
02 $\overline{DB}$
03 C
04 DCA
05 OCB
06 $\overline{OC}$
07 180°
08 180°, 180°, 60°
09 55°
10 65°
11 50°
12 4
13 13
14 2
15 30°, 30°, 30°, 30°, 90°
16 66
17 33
18 25
19 88
20 8, 8, 4
21 6 cm
22 3 cm
23 5 cm
24 6, 6, 6, 6, 26
25 36 cm
26 41 cm
27 21 cm

10. 여러 가지 사각형 사이의 관계 (본문 61쪽)

01 ○, 대각
02 ×
03 ○
04 ○
05 ×
06 정사각형
07 ②, ⑤
08 ×, 않다
09 ○
10 ○
11 ×
12 ○
13 ×
14 ○
15 ○
16 ×
17 ○
18 ×
19 ×
20 ○
21 ○

11. 사각형의 각 변의 중점을 연결하여 만든 사각형 (본문 63쪽)

01 마름모
02 직사각형
03 평행사변형
04 마름모
05 ×, 마름모, 마름모
06 ○
07 ○
08 ○
09 ×

12. 평행선과 넓이 (본문 64쪽)

01 △DBC
02 △ADC
03 △AOB
04 8, 30
05 45 cm^2
06 105 cm^2
07 45, 20
08 12 cm^2
09 16 cm^2
10 24 cm^2
11 8 cm^2
12 20, 20, 15
13 18 cm^2
14 27 cm^2
15 12 cm^2
16 30 cm^2
17 8, 8, 2
18 3 cm^2
19 8 cm^2
20 5 cm^2
21 6 cm^2
22 45, 45, 90
23 72 cm^2
24 84 cm^2
25 108 cm^2
26 120cm^2
27 20, 10
28 15 cm^2
29 25 cm^2
30 8 cm^2
31 12 cm^2
32 24, 24, 36
33 48 cm^2
34 30 cm^2
35 54 cm^2
36 60 cm^2

Ⅱ. 도형의 닮음
1. 도형의 닮음

01. 닮은 도형 (본문 72쪽)

01 점 D
02 변 EF
03 ∠F
04 점 G
05 변 BC
06 ∠F

02. 닮은 도형의 성질과 닮음비 (본문 73쪽)

01 2, 2
02 12 cm
03 60°
04 6, 2, 2
05 4 cm
06 65°
07 100°
08 6 cm
09 10 cm
10 14 cm
11 36 cm
12 18 cm
13 2 : 1
14 16 cm
15 12 cm
16 15 cm
17 18 cm
18 72 cm
19 54 cm
20 4 : 3
21 면 A′B′E′D′
22 3 : 5
23 5 cm
24 30°
25 55°
26 면 B′F′G′C′
27 4 : 5
28 25 cm
29 12 cm
30 2
31 5 cm
32 20π cm
33 10π cm
34 1 : 2
35 3, 4
36 9 cm
37 18π cm
38 24π cm
39 3 : 4

03. 삼각형의 닮음조건 (본문 77쪽)

01 ○, 변, 닮은
02 ×
03 ×
04 변, SSS
05 SAS 닮음
06 AA 닮음
07 ∽, AA
08 △AEB∽△CED (SAS 닮음)
09 △ABC∽△EBD (AA 닮음)
10 △ABC∽△DCA (SSS 닮음)
11 SAS, AA, SAS
12 해설 참조
13 ∠A
14 $\overline{AB}$와 $\overline{AD}$, $\overline{AC}$와 $\overline{AB}$
15 2 : 1
16 SAS 닮음
17 2 : 1
18 10
19 4, 4, 4, 24
20 6
21 12
22 18
23 ∠A

24 $\angle AED$
25 AA 닮음
26 2 : 1
27 5
28 AA, 1, 1, 1, 4
29 9
30 5
31 10

04. 직각삼각형의 닮음

(본문 81쪽)

01 $\triangle ABC \backsim \triangle HBA \backsim \triangle HAC$
02 $\overline{AB}$, $\overline{HA}$
03 $\overline{BC}$, $\overline{BA}$
04 ○
05 ×
06 ○
07 ×
08 8^2(또는 64), 16
09 6
10 5
11 6^2, 36, 12
12 15
13 6^2, 9
14 12
15 36, 9, 9, 27
16 45 cm^2
17 45 cm^2
18 $\triangle BED \backsim \triangle CFE$ (AA 닮음)
19 $\frac{32}{5}$ cm
20 $\frac{4}{3}$ cm

Ⅱ. 도형의 닮음
2. 닮음의 활용

01. 삼각형에서 평행선과 선분의 길이의 비 (1)

(본문 88쪽)

01 12, 120, 8
02 4
03 $\frac{40}{3}$
04 10
05 $\frac{15}{2}$
06 2
07 9
08 9
09 2
10 $\frac{15}{4}$
11 3
12 15
13 14
14 9

02. 삼각형에서 평행선과 선분의 길이의 비 (2)

(본문 90쪽)

01 ○
02 ×
03 ×
04 ○
05 ×
06 ×

03. 삼각형의 각의 이등분선 (본문 91쪽)

01 $\overline{CD}$, 3, 18, $\frac{9}{2}$
02 6
03 8
04 $\overline{AC}$, 8, 16
05 33 cm^2
06 10 cm^2
07 12, 48, 8
08 6
09 4
10 $\frac{25}{7}$
11 $\frac{36}{5}$
12 12
13 40
14 8 cm^2

04. 평행선 사이의 선분의 길이의 비 (본문 93쪽)

01 10, 120, 15
02 12
03 15
04 12
05 $\frac{15}{2}$
06 $\frac{20}{3}$
07 9
08 $\frac{15}{4}$
09 $\frac{8}{3}$
10 9
11 4, 24, 8, 10, 30, 5, 13
12 $\frac{163}{15}$
13 $\frac{33}{2}$
14 $\frac{34}{3}$

05. 사다리꼴에서 평행선과 선분의 길이의 비

(본문 95쪽)

01 9, 27, 27
02 $\frac{8}{5}$
03 7
04 $\overline{AD}$, 4
05 3
06 7
07 (1) 6 (2) 2 (3) 8
08 (1) 3 (2) 2 (3) 5
09 (1) 5 (2) $\frac{3}{4}$ (3) $\frac{23}{4}$
10 (1) 4 (2) 1 (3) 5

06. 평행선과 선분의 길이의 비의 활용 (본문 97쪽)

01 $\triangle CDE$, 2, 3, $\triangle BDC$, $\overline{BD}$, 5
02 $\frac{6}{5}$
03 3 : 5
04 3 : 8
05 $\frac{15}{8}$
06 8, 2, 5, 5, $\frac{24}{5}$
07 8
08 8
09 6
10 24
11 27 cm^2

07. 삼각형의 두 변의 중점을 연결한 선분의 성질

(본문 99쪽)

01 AMN, 50°
02 7
03 6
04 $\overline{CN}$, 5
05 10
06 12
07 4
08 12
09 14
10 6
11 $\frac{19}{2}$
12 12
13 14 cm
14 4
15 4
16 5
17 5
18 18
19 22
20 32
21 12
22 $\overline{FG}$, $\overline{HG}$, 평행사변형
23 평행사변형
24 마름모
25 직사각형
26 정사각형
27 마름모

08. 사다리꼴에서 두 변의 중점을 연결한 선분의 성질 (본문 103쪽)

01 4
02 2
03 6
04 4
05 2
06 6
07 $\overline{BC}$, 16, 26, 13
08 12
09 5
10 9
11 2
12 2
13 16
14 6

09. 삼각형의 중선

(본문 105쪽)

01 $\triangle ACD$
02 $\triangle PBD$
03 $\triangle APC$
04 4 cm^2
05 8 cm^2
06 16 cm^2

10. 삼각형의 무게중심

(본문 106쪽)

01 1, 1, 10, 5
02 4
03 6
04 14
05 18
06 12
07 2, 2, 4, 4, 18
08 98
09 18
10 28
11 72
12 54
13 ④
14 $\frac{1}{3}$, $\frac{1}{3}$, 9, $\frac{2}{3}$, $\frac{2}{3}$, 6
15 1 cm
16 18 cm
17 27 cm
18 무게중심, 2
19 2 : 1
20 1 : 1 : 1
21 12 cm

11. 삼각형의 무게중심과 넓이 (본문 109쪽)

01 6 cm^2
02 4 cm^2
03 4 cm^2
04 4 cm^2
05 2 cm^2
06 2 cm^2
07 2 cm^2
08 2 cm^2
09 2 cm^2
10 2 cm^2
11 4 cm^2
12 4 cm^2
13 4 cm^2
14 6 cm^2
15 12 cm^2
16 18 cm^2
17 12 cm^2
18 36 cm^2
19 $\frac{1}{6}$, $\frac{1}{6}$, 4
20 10 cm^2
21 24 cm^2
22 10 cm^2
23 3 cm^2
24 12 cm^2
25 6 cm^2

12. 닮은 두 평면도형의 넓이의 비 (본문 112쪽)

01 2 : 3
02 9 cm
03 $\frac{27}{4}$ cm^2
04 3 : 2
05 8π cm
06 16π cm^2
07 9 : 5
08 81 : 25
09 $\frac{162}{5}$ cm^2
10 5 : 3
11 25 : 9
12 1 : 2 : 3
13 1 : 4 : 9
14 40 cm^2
15 30 cm^2
16 90 cm^2
17 50 cm^2

13. 닮은 두 입체도형의 겉넓이와 부피의 비

(본문 114쪽)

01 3 : 4
02 3 : 4
03 9 : 16
04 9 : 16
05 32 cm^2
06 27 : 64
07 128 cm^3
08 ○
09 ○
10 ×
11 ○
12 ○
13 2 : 5
14 100π cm^2
15 125π cm^3
16 1 : 7 : 19

14. 닮음의 활용 (본문 116쪽)

01 5 : 18
02 5.4 m
03 500 : 1
04 30 m
05 500 : 1
06 35 m
07 10 : 1
08 70 m
09 10 km
10 30 cm^2
11 300 m^2
12 ③

Ⅲ. 피타고라스 정리

01. 피타고라스의 정리

(본문 122쪽)

01 3, 25, 25
02 18
03 169
04 225
05 직각, 14, 4, 3, 3
06 12
07 10
08 $x=8$, $y=10$
09 $x=5$, $y=20$
10 $x=10$, $y=9$
11 $x=6$, $y=9$
12 2
13 6
14 5

02. 피타고라스 정리의 증명 – 유클리드의 증명

(본문 124쪽)

01 25
02 64 cm^2
03 16 cm^2
04 100, 100, 10
05 5 cm
06 2 cm
07 4
08 36
09 12, 144
10 ACH, 6, 18
11 18 cm^2
12 50 cm^2
13 72 cm^2

03. 피타고라스 정리의 증명 – 피타고라스의 증명

(본문 126쪽)

01 3, 3, 5, 5, 5, 20
02 68
03 52
04 40
05 3, 3, 5, 5, 5, 25
06 225
07 169
08 5, 5, 4, 2, 2, 3, 3, 9
09 100
10 196

04. 피타고라스 정리의 증명 – 바스카라의 증명

(본문 128쪽)

01 ○
02 ○
03 ×
04 ×
05 ○
06 5, 3
07 2
08 7
09 7, 3, 3, 9
10 49
11 49
12 9
13 9
14 4

05. 피타고라스 정리의 증명 – 가필드의 증명

(본문 130쪽)

01 6, 6, 52, 26
02 45
03 29
04 45, 90, 90, 9, 3, 3, 12
05 98
06 15, 15, 9, 9, 6, 12, 12, 6, $\frac{9}{2}$, $\frac{9}{2}$, $\frac{15}{2}$
07 $\frac{26}{3}$
08 12, 12, 8, $\frac{10}{3}$, $\frac{10}{3}$, $\frac{40}{3}$
09 $\frac{21}{16}$

06. 직각삼각형이 되는 조건 (본문 132쪽)

01 ○, 17, 8, 직각삼각형이다
02 ×
03 ×
04 ○
05 ×
06 ○
07 6, 32, 8
08 16
09 11

07. 직각삼각형의 닮음을 이용한 성질 (본문 133쪽)

01 $x=\frac{16}{3}$, $y=4$, $z=\frac{20}{3}$
02 $x=\frac{16}{3}$, $y=5$, $z=\frac{20}{3}$
03 $x=\frac{9}{2}$, $y=10$, $z=\frac{15}{2}$
04 12
05 30
06 120
07 5, 3, $\frac{12}{5}$
08 $\frac{24}{5}$
09 12, 12, $\frac{60}{13}$
10 $\frac{120}{17}$
11 10, 10, $\frac{18}{5}$, 10, $\frac{24}{5}$
12 $x=17$, $y=\frac{64}{17}$, $z=\frac{120}{17}$
13 $x=8$, $y=\frac{24}{5}$, $z=\frac{32}{5}$
14 $x=12$, $y=\frac{60}{13}$, $z=\frac{25}{13}$

08. 직각삼각형 안에서 교차하는 두 선분의 성질 (본문 135쪽)

01 $\overline{CD}$, 5, 61
02 277
03 100
04 $\overline{CD}$, 7
05 56
06 80

09. 두 대각선이 직교하는 사각형의 성질 (본문 136쪽)

01 5, 61
02 34
03 100
04 116
05 6, 7, 38
06 5
07 124

10. 직사각형의 내부에 한 점이 있을 때 (본문 137쪽)

01 6, 45
02 41
03 29
04 74
05 6, 5, 5
06 18
07 11
08 7

11. 직각삼각형의 세 반원 사이의 관계 (본문 138쪽)

01 12π, 18π
02 18π
03 40π
04 32π
05 4, 8π, 8π, 34π
06 $\frac{45}{2}\pi$
07 8π

12. 히포크라테스의 원의 넓이 (본문 139쪽)

01 7, 12
02 24 cm^2
03 7 cm^2
04 19 cm^2
05 8, 8, 24
06 30 cm^2
07 17 cm

Ⅳ. 확률

01. 사건과 경우의 수 (본문 144쪽)

01 4, 6, 3
02 2
03 3
04 3
05 4
06 3, 6, 6
07 9
08 6
09 4
10 2
11 10, 12, 6
12 3
13 5
14 5
15 3
16 6
17 10, 2
18 5
19 3
20 5
21 4
22 4
23 14, 15, 5
24 4
25 4
26 5
27 4
28 7
29 6
30 5, 1, 5, 7
31 7
32 2, 2, 220, 8
33 6

02. 사건 A 또는 사건 B가 일어나는 경우의 수 (본문 147쪽)

01 3, 3, 5, 5, 9
02 8
03 8
04 10
05 4, 3, 6, 14
06 14
07 8
08 ③
09 3, 3, 9
10 8
11 8
12 6
13 5, 5, 13
14 11
15 10
16 10
17 9
18 ⑤
19 2, 5
20 5
21 5
22 9
23 7
24 8
25 6
26 8
27 8
28 ②
29 7, 13
30 11
31 12
32 14
33 12
34 16
35 11, 20
36 15
37 15
38 10
39 17
40 ③

03. 두 사건 A, B가 동시에 일어나는 경우의 수 (본문 151쪽)

01 4, 12
02 10
03 18
04 20
05 28
06 2, 4
07 4
08 12
09 4, 8
10 15
11 12
12 12
13 20
14 10
15 3, 15
16 20
17 25
18 24
19 18
20 ②
21 2, 4
22 8
23 16
24 6, 2, 24
25 48

26 12, 6, 6
27 24
28 12
29 8
30 6
31 ④

04. 일렬로 세우는 경우의 수 (본문 154쪽)

01 2, 1, 6
02 24
03 120
04 2
05 6
06 3, 12
07 20
08 60
09 ②
10 3, 2, 1, 6
11 24
12 6
13 24
14 6
15 2
16 24
17 24
18 6
19 24

05. 일렬로 세울 때 이웃하여 서는 경우의 수 (본문 156쪽)

01 4, 24, 24, 48
02 48
03 36
04 36
05 5, 120, 120, 240
06 144
07 240
08 240

06. 정수를 만드는 경우의 수 (본문 157쪽)

01 4, 4, 4, 4, 10
02 12
03 6
04 10
05 7, 7, 49
06 25
07 81
08 36
09 4, 4, 100
10 25
11 12
12 13
13 36
14 9, 9, 81
15 648
16 136
17 224
18 ②

07. 대표를 뽑는 경우의 수 (본문 159쪽)

01 4, 4, 20
02 60
03 20
04 60
05 20
06 3, 3, 12
07 12
08 12
09 6
10 2, 45
11 10
12 10
13 6
14 6
15 10
16 20
17 12
18 15
19 45
20 6
21 4
22 4, 4, 20
23 30
24 40
25 6
26 4
27 21
28 35
29 28
30 56
31 ②

08. 확률의 뜻 (본문 162쪽)

01 (1) 36 (2) 2, 1, 6 (3) $\frac{1}{6}$
02 $\frac{1}{9}$
03 $\frac{1}{12}$
04 (1) 8 (2) 3 (3) 3
05 $\frac{3}{8}$
06 $\frac{1}{8}$
07 $\frac{1}{8}$
08 (1) 36 (2) 2 (3) $\frac{1}{18}$
09 $\frac{1}{12}$
10 $\frac{1}{9}$
11 $\frac{1}{12}$
12 $\frac{1}{12}$
13 $\frac{1}{12}$
14 $\frac{1}{6}$
15 $\frac{5}{36}$
16 $\frac{11}{36}$
17 ③

09. 확률의 성질 (본문 164쪽)

01 ×, 12, 5, $\frac{5}{12}$
02 ○
03 ×
04 ×
05 ○
06 ○, 6, 4
07 ○
08 ×
09 ×
10 ○

10. 어떤 사건이 일어나지 않을 확률 (본문 165쪽)

01 (1) 20 (2) 8 (3) $\frac{2}{5}$, $\frac{3}{5}$
02 $\frac{7}{10}$
03 $\frac{3}{4}$
04 1, 1, $\frac{2}{3}$
05 $\frac{3}{5}$
06 45 %
07 $\frac{1}{2}$

11. 사건 A 또는 사건 B가 일어날 확률 (본문 166쪽)

01 (1) $\frac{1}{12}$ (2) $\frac{1}{9}$ (3) $\frac{1}{9}$, $\frac{7}{36}$
02 $\frac{1}{6}$
03 $\frac{2}{9}$
04 (1) $\frac{1}{6}$ (2) $\frac{2}{15}$ (3) $\frac{2}{15}$, $\frac{3}{10}$
05 $\frac{3}{10}$
06 $\frac{1}{3}$
07 $\frac{7}{30}$

12. 사건 A와 사건 B가 동시에 일어날 확률 (본문 167쪽)

01 $\frac{2}{3}$, $\frac{2}{3}$, $\frac{1}{3}$
02 $\frac{1}{6}$
03 $\frac{1}{4}$
04 $\frac{1}{2}$, $\frac{1}{2}$, $\frac{1}{4}$
05 $\frac{2}{9}$
06 $\frac{1}{3}$
07 $\frac{1}{36}$, $\frac{1}{36}$, $\frac{5}{18}$
08 $\frac{5}{18}$
09 $\frac{1}{2}$
10 $\frac{13}{36}$
11 $\frac{5}{18}$
12 $\frac{36}{169}$, $\frac{36}{169}$, $\frac{85}{169}$
13 $\frac{84}{169}$
14 $\frac{58}{169}$
15 ⑤
16 $\frac{2}{5}$, $\frac{2}{5}$, $\frac{8}{25}$

17 $\frac{27}{50}$

18 $\frac{2}{5}$, $\frac{2}{5}$, $\frac{3}{5}$

19 $\frac{8}{15}$

20 $\frac{9}{10}$, $\frac{9}{10}$, $\frac{9}{50}$

21 $\frac{51}{200}$

22 $\frac{2}{5}$, $\frac{2}{5}$, $\frac{8}{15}$

23 $\frac{3}{5}$

24 $\frac{1}{8}$, $\frac{1}{8}$, $\frac{1}{2}$

25 $\frac{1}{8}$

26 $\frac{3}{8}$

27 $\frac{1}{8}$

28 $\frac{3}{8}$

29 $\frac{4}{5}$, $\frac{4}{5}$, $\frac{8}{15}$

30 $\frac{1}{15}$

31 $\frac{2}{15}$

32 $\frac{3}{5}$

33 $\frac{4}{15}$

34 $\frac{3}{5}$, $\frac{3}{5}$, $\frac{2}{5}$

35 $\frac{4}{7}$

36 $\frac{3}{8}$

37 $\frac{3}{5}$

38 $\frac{3}{7}$

39 $\frac{1}{2}$

40 $\frac{11}{20}$

41 $\frac{2}{3}$, $\frac{1}{15}$

42 $\frac{1}{14}$

43 $\frac{8}{25}$

44 $\frac{12}{49}$

45 $\frac{3}{5}$

46 $\frac{5}{8}$

47 $\frac{23}{24}$

48 $\frac{3}{4}$

49 $\frac{4}{5}$, $\frac{16}{25}$, $\frac{16}{25}$, $\frac{9}{25}$

50 $\frac{4}{25}$

51 $\frac{4}{25}$

52 $\frac{16}{25}$

53 $\frac{3}{4}$, $\frac{3}{4}$, $\frac{3}{16}$

54 $\frac{3}{16}$

55 $\frac{7}{16}$

56 ⑤

57 $\frac{1}{3}$, $\frac{2}{3}$, $\frac{2}{3}$, $\frac{2}{9}$

58 $\frac{1}{9}$

59 $\frac{1}{9}$

60 $\frac{1}{9}$

61 $\frac{2}{9}$, $\frac{2}{9}$, $\frac{1}{3}$

62 $\frac{1}{3}$

63 $\frac{1}{3}$

64 $\frac{2}{3}$

13. 연속하여 뽑는 경우의 확률 (본문 175쪽)

01 $\frac{2}{5}$, $\frac{2}{5}$, $\frac{2}{25}$

02 $\frac{3}{25}$

03 $\frac{1}{25}$

04 $\frac{3}{5}$, $\frac{9}{25}$, $\frac{9}{25}$, $\frac{13}{25}$

05 $\frac{12}{25}$

06 $\frac{16}{25}$

07 $\frac{1}{3}$, $\frac{1}{3}$, $\frac{1}{7}$

08 $\frac{2}{7}$

09 $\frac{2}{7}$

10 $\frac{2}{7}$

11 $\frac{1}{3}$, $\frac{1}{3}$, $\frac{7}{30}$

12 $\frac{1}{15}$

13 $\frac{7}{15}$

14 ①

15 $\frac{1}{3}$, $\frac{1}{3}$, $\frac{2}{15}$

16 $\frac{4}{15}$

17 $\frac{4}{15}$

18 $\frac{1}{3}$

19 $\frac{1}{4}$, $\frac{1}{4}$, $\frac{1}{18}$

20 $\frac{1}{12}$

21 $\frac{1}{24}$

22 $\frac{1}{24}$

23 $\frac{1}{3}$, $\frac{2}{3}$, $\frac{1}{3}$, $\frac{2}{3}$, $\frac{2}{27}$

24 $\frac{2}{81}$

25 $\frac{2}{243}$

26 $\frac{2}{729}$

27 $\frac{2}{3}$, $\frac{1}{3}$, $\frac{2}{3}$, $\frac{1}{3}$, $\frac{8}{81}$

28 $\frac{4}{27}$

29 $\frac{16}{243}$

30 ④

14. 도형에서의 확률

(본문 179쪽)

01 4, $\frac{1}{3}$

02 $\frac{1}{6}$

03 $\frac{1}{2}$

04 $\frac{1}{3}$

05 $\frac{1}{4}$

06 $\frac{1}{9}$

07 $\frac{1}{3}$

친절한 해설

Ⅰ. 도형의 성질

1. 삼각형의 성질

01. 이등변삼각형의 성질 (본문 8쪽)

02 $\overline{AB}=\overline{AC}=9\text{cm}$, $x=9$

03 $\overline{AB}=\overline{AC}=5\text{cm}$, $x=5$

05 $\overline{AB}=\overline{AC}=8\text{cm}$이므로
둘레의 길이는 $5+2\times8=21(\text{cm})$

06 $\overline{AB}=\overline{AC}=3\text{cm}$이므로
둘레의 길이는 $3+2\times3=9(\text{cm})$

08 $\angle B=\angle C$이므로 $\angle x=70^\circ$

09 $\angle B=\angle C$이므로
$\angle x=\frac{1}{2}\times(180^\circ-80^\circ)=50^\circ$

10 $\angle B=\angle C$이므로
$\angle x=180^\circ-2\times52^\circ=76^\circ$

12 $\angle C=180^\circ-118^\circ=62^\circ$이므로
$\angle x=180^\circ-2\angle C$
$=180^\circ-2\times62^\circ=56^\circ$

13 $\angle C=\frac{1}{2}\times(180^\circ-50^\circ)=65^\circ$이므로
$\angle x=180^\circ-\angle C=180^\circ-65^\circ=115^\circ$

14 $\angle A=180^\circ-2\times66^\circ=48^\circ$이므로
$\angle x=180^\circ-48^\circ=132^\circ$

16 $\triangle ABC$는 $\overline{AB}=\overline{AC}$인 이등변삼각형이므로
$\angle C=\angle B=\frac{1}{2}(180^\circ-40^\circ)=70^\circ$
$\triangle BCD$에서 $\angle x=\angle C=70^\circ$

17 $\triangle BCD$는 $\overline{BC}=\overline{BD}$인 이등변삼각형이므로 $\angle BCD=\angle BDC=75^\circ$
또, $\triangle ABC$는 $\overline{AB}=\overline{AC}$인 이등변삼각형이므로
$\angle x=180^\circ-(75^\circ+75^\circ)=30^\circ$

19 $\triangle ABD$와 $\triangle ACE$에서
$\overline{AB}=\overline{AC}$, $\angle B=\angle C$, $\overline{BD}=\overline{CE}$이므로 $\triangle ABD\equiv\triangle ACE$ (SAS 합동)이다. 그러므로 $\overline{AD}=\overline{AE}$이다.
$\angle x=180^\circ-2\times75^\circ=30^\circ$

20 $\triangle ABD$와 $\triangle ACE$에서
$\overline{AB}=\overline{AC}$, $\angle B=\angle C$, $\overline{BD}=\overline{CE}$이므로 $\triangle ABD\equiv\triangle ACE$ (SAS 합동)이다. 그러므로 $\overline{AD}=\overline{AE}$이다.
$\angle x=\frac{1}{2}(180^\circ-20^\circ)=80^\circ$

21 $\triangle ABD$와 $\triangle ACE$에서
$\overline{AB}=\overline{AC}$, $\angle B=\angle C$, $\overline{BD}=\overline{CE}$이므로 $\triangle ABD\equiv\triangle ACE$ (SAS 합동)이다. 그러므로 $\overline{AD}=\overline{AE}$이다.
$\angle ADE=\frac{1}{2}(180^\circ-70^\circ)=55^\circ$
$\angle x=180^\circ-55^\circ=125^\circ$

23 $\triangle BCD$에서
$\angle x+\angle CDB=\angle x+2\angle x=120^\circ$
$3\angle x=120^\circ$ $\therefore$ $\angle x=40^\circ$

24 $\overline{AB}=\overline{AC}=\overline{CD}$이므로
$\angle ACB=\angle B=30^\circ$
$\angle CDA=\angle CAD=30^\circ+30^\circ=60^\circ$
$\triangle BCD$에서
$\angle x=30^\circ+\angle CDB=30^\circ+60^\circ=90^\circ$

25 $\triangle ABC$에서 $\overline{AB}=\overline{AC}$이므로
$\angle B=\angle ACB=\frac{1}{2}\times(180^\circ-100^\circ)$
$=40^\circ$
$\triangle CDA$에서
$\angle D=\angle CAD=180^\circ-100^\circ=80^\circ$
$\triangle DBC$에서
$\angle x=\angle B+\angle D=40^\circ+80^\circ=120^\circ$

27 $\triangle ABD$에서
$\angle BAD=\angle B=40^\circ$이고,
$\angle ADC=\angle B+\angle BAD$
$=40^\circ+40^\circ=80^\circ$
$\angle x=\frac{1}{2}\times(180^\circ-80^\circ)=50^\circ$

28 $\triangle ABD$에서
$\angle BAD=\angle B=55^\circ$이고,
$\angle ADC=\angle B+\angle BAD$
$=55^\circ+55^\circ=110^\circ$
$\angle x=\frac{1}{2}\times(180^\circ-110^\circ)=35^\circ$

29 $\triangle ABD$에서
$\angle BAD=\angle B=60^\circ$이고,
$\angle ADC=\angle B+\angle BAD$
$=60^\circ+60^\circ=120^\circ$
$\angle x=\frac{1}{2}\times(180^\circ-120^\circ)=30^\circ$

31 $\angle ACB=\frac{1}{2}\times(180^\circ-52^\circ)=64^\circ$
$\angle DCA=\frac{1}{2}\times(180^\circ-64^\circ)=58^\circ$
$\triangle BCD$에서
$\angle x+\angle x+64^\circ+58^\circ=180^\circ$,
$\angle x=29^\circ$

32 $\angle ACB=\frac{1}{2}\times(180^\circ-44^\circ)=68^\circ$
$\angle DCA=\frac{1}{2}\times(180^\circ-68^\circ)=56^\circ$
$\triangle BCD$에서
$\angle x+\angle x+68^\circ+56^\circ=180^\circ$,
$\angle x=28^\circ$

34 $\angle ABC=\angle ACB$
$=\frac{1}{2}\times(180^\circ-24^\circ)=78^\circ$
$\angle DBC=\frac{1}{2}\times78^\circ=39^\circ$
$\angle ACD=\frac{1}{3}\times(180^\circ-78^\circ)=34^\circ$
$\triangle DBC$에서
$\angle D=180^\circ-(78^\circ+34^\circ+39^\circ)=29^\circ$

35 $\angle ABC=\frac{1}{2}\times(180^\circ-68^\circ)=56^\circ$이므로 $\angle ABD=\frac{1}{2}\times56^\circ=28^\circ$
$\triangle ABD$에서
$\angle ADB=180^\circ-(68^\circ+28^\circ)=84^\circ$

37 $\triangle ABD$에서
$\angle ADB=90^\circ$, $\angle B=42^\circ$이므로
$x=180-(90+42)=48$
$y=3+3=6$
$x+y=48+6=54$

38 $\triangle ABD$에서
$\angle ADB=90^\circ$, $\angle B=50^\circ$이므로
$x=180-(90+50)=40$,
$y=\frac{1}{2}\times12=6$
$x+y=40+6=46$

39 $\triangle ABD$에서
$\angle ADB=90^\circ$, $\angle B=48^\circ$이므로
$x=180-(90+48)=42$,
$y=\frac{1}{2}\times8=4$
$x+y=42+4=46$

41 $\overline{BC}=6\text{ cm}$이므로
$\overline{BD}=\frac{1}{2}\times6=3(\text{cm})$
$\triangle ABD=\frac{1}{2}\times3\times4=6(\text{cm}^2)$

42 $\overline{BC}=10\text{ cm}$이므로
$\overline{BD}=\frac{1}{2}\times10=5(\text{cm})$
$\triangle ABD=\frac{1}{2}\times5\times8=20(\text{cm}^2)$

43 $\angle C=\angle B=60^\circ$이므로
$\angle A=180^\circ-(60^\circ+60^\circ)=60^\circ$
즉, $\triangle ABC$는 정삼각형이므로
$\overline{AB}=\overline{BC}=\overline{CA}=14\text{ cm}$
$\overline{CD}=\frac{1}{2}\overline{BC}=\frac{1}{2}\times14=7(\text{cm})$

02. 이등변삼각형이 되는 조건

(본문 14쪽)

04 △ABC는 이등변삼각형이므로

$x=\overline{AC}=7$

05 △ABC는 이등변삼각형이고, 이등변삼각형의 꼭지각의 이등분선은 밑변을 수직이등분하므로

$x=\frac{1}{2}\times18=9$

07 $\angle ACB=60°-30°=30°$,

$\angle ADC=180°-120°=60°$

$\overline{CD}=\overline{AC}=\overline{AB}=7$ cm

08 $\angle ACB=40°-20°=20°$,

$\angle ADC=180°-140°=40°$

$\overline{CD}=\overline{AC}=\overline{AB}=5$ cm

09 $\angle ACB=70°-35°=35°$,

$\angle ADC=180°-110°=70°$

$\overline{CD}=\overline{AC}=\overline{AB}=6$ cm

11 $\angle B=\angle DCB$

$=180°-(30°+90°)=60°$

$\overline{DB}=\overline{DC}=\overline{BC}=5$ cm

$\angle DCA=90°-60°=30°$이므로

$\overline{AD}=\overline{DC}=5$ cm

$\overline{AB}=\overline{AD}+\overline{DB}=10$ cm

12 $\angle B=\angle DCB$

$=180°-(30°+90°)=60°$

$\overline{DB}=\overline{DC}=\overline{BC}=7$ cm

$\angle DCA=90°-60°=30°$이므로

$\overline{AD}=\overline{DC}=7$ cm

$\overline{AB}=\overline{AD}+\overline{DB}=14$ cm

13 $\angle B=180°-(70°+55°)=55°$이므로

$\angle B=\angle C$

$\overline{AC}=\overline{AB}=9$ cm

15 $\angle FEC=\angle GFE=62°$ (엇각),

$\angle GEF=\angle FEC=62°$ (접은 각)

△GEF에서 $\angle x=62°+62°=124°$

16 $\angle GEC=110°$ (엇각),

$\angle GEF=\angle FEC$ (접은 각)

$\angle FEC=\frac{1}{2}\times110°=55°$

$\angle x=\angle FEC=55°$ (엇각)

17 $\angle x=\angle EFG$ (엇각),

$\angle x=\angle FEG$ (접은 각)

따라서 △GEF는 이등변삼각형이므로

$\angle x=\frac{1}{2}\times(180°-50°)=65°$

19 $\angle CBD=\angle ABC$ (접은 각),

$\angle ACB=\angle CBD$ (엇각)

따라서 △ABC는 $\overline{AB}=\overline{AC}$인 이등변삼각형이므로 $\overline{AC}=7$ cm이다.

$\triangle ABC=\frac{1}{2}\times7\times6=21(\text{cm}^2)$

20 $\angle CBD=\angle ABC$ (접은 각),

$\angle ACB=\angle CBD$ (엇각)

따라서 △ABC는 $\overline{AB}=\overline{AC}$인 이등변삼각형이므로 $\overline{AC}=4$ cm이다.

$\triangle ABC=\frac{1}{2}\times4\times3=6(\text{cm}^2)$

21 $\angle CBD=\angle ABC$ (접은 각),

$\angle ACB=\angle CBD$ (엇각)

따라서 △ABC는 $\overline{AB}=\overline{AC}$인 이등변삼각형이므로 $\overline{AC}=8$ cm이다.

$\triangle ABC=\frac{1}{2}\times8\times5=20(\text{cm}^2)$

03. 직각삼각형의 합동조건 (본문 17쪽)

02 △ABC≡△DFE (RHA 합동)이므로

(1) $\angle D=\angle A=30°$

(2) $\overline{EF}=\overline{BC}=3$ cm

03 $\angle C=\angle F=90°$, $\overline{AB}=\overline{DE}$, $\overline{AC}=\overline{DF}$

즉, 두 직각삼각형의 빗변의 길이와 다른 한 변의 길이가 각각 같다.

△ABC≡△DEF (RHS 합동)

04 △ABC와 △FDE에서 $\overline{AB}=\overline{FD}$, $\overline{BC}=\overline{DE}$

즉, 두 직각삼각형의 빗변의 길이와 다른 한 변의 길이가 각각 같다.

△ABC≡△FDE (RHS 합동)

05 △ABC와 △FED에서 $\overline{AC}=\overline{FD}$, $\angle A=\angle F$

즉, 두 직각삼각형의 빗변의 길이와 한 예각의 크기가 같다.

△ABC≡△FED (RHA 합동)

07 $x=\overline{AB}=\overline{DE}=9$

08 $x=\overline{BC}=\overline{EF}=4$

09 △DEF는 이등변삼각형이므로

$x=\overline{BC}=\overline{EF}=\overline{ED}=8$

11 △ABD≡△CAE (RHA 합동)이므로 $\overline{AD}=\overline{CE}=6$ cm, $\overline{AE}=\overline{BD}=4$ cm

따라서 $\overline{DE}=\overline{DA}+\overline{AE}$

$=6+4=10(\text{cm})$

12 △ABD≡△CAE (RHA 합동)이므로 $\overline{AD}=\overline{CE}=3$ cm, $\overline{AE}=\overline{BD}=1$ cm

따라서 $\overline{DE}=\overline{DA}+\overline{AE}$

$=3+1=4(\text{cm})$

13 △ABD≡△CAE (RHA 합동)이므로 $\overline{AD}=\overline{CE}=4$ cm, $\overline{AE}=\overline{BD}=7$ cm

따라서 $\overline{DE}=\overline{DA}+\overline{AE}$

$=4+7=11(\text{cm})$

15 △ADM≡△CEM (RHS 합동)이므로 $\angle A=\angle C=25°$

△ABC에서

$\angle B=180°-2\times25°=130°$

16 △ADM≡△CEM (RHS 합동)이므로 $\angle A=\angle C=30°$

△ABC에서

$\angle B=180°-2\times30°=120°$

17 △ADM≡△CEM (RHS 합동)이므로 $\angle A=\angle C=20°$

△ABC에서

$\angle B=180°-2\times20°=140°$

19 △ABD≡△AED (RHS 합동)이므로 $\angle EDA=\angle BDA$

$=180°-(90°+30°)=60°$

$\angle x=180°-2\times60°=60°$

20 △ABD≡△AED (RHS 합동)이므로 $\angle EDA=\angle BDA$

$=180°-(90°+24°)=66°$

$\angle x=180°-2\times66°=48°$

21 △ABD≡△AED (RHS 합동)이므로 $\angle BAD=\angle EAD=28°$

$\angle x=90°-2\times28°=34°$

04. 각의 이등분선의 성질 (본문 20쪽)

02 $\angle AOP=\angle BOP$이므로

$\overline{AP}=\overline{BP}=4$ cm, $x=4$

03 $\overline{AP}=\overline{BP}$이므로

$\angle AOP=\angle BOP=35°$, $x=35$

04 $\angle EBD=\angle CBD$이므로 $\overline{DE}=\overline{DC}$

$\therefore x=5$

05 $\angle EBD=\angle CBD$이므로

$\overline{BE}=\overline{BC}=6$ cm

$\therefore x=\overline{AB}-\overline{BE}=10-6=4$

06 $\angle ABC=90°-40°=50°$

$\overline{DE}=\overline{DC}$이면 $\angle EBD=\angle CBD$이므로

$x=\frac{1}{2}\times50=25$

08

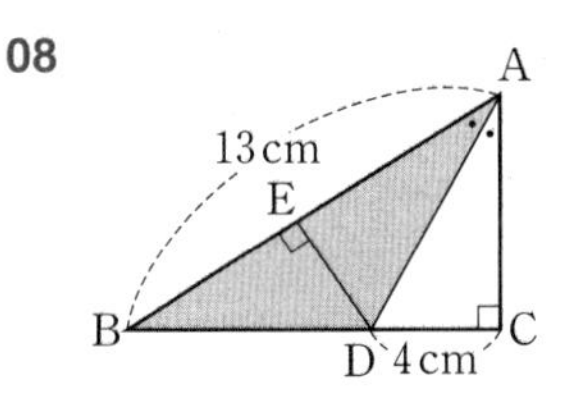

점 D에서 $\overline{AB}$에 내린 수선의 발을 E라 하면 $\triangle ADE \equiv \triangle ADC$ (RHA 합동)이므로 $\overline{DE}=\overline{DC}=4$ cm

$\triangle ABD=\frac{1}{2}\times 13\times 4=26(\text{cm}^2)$

09 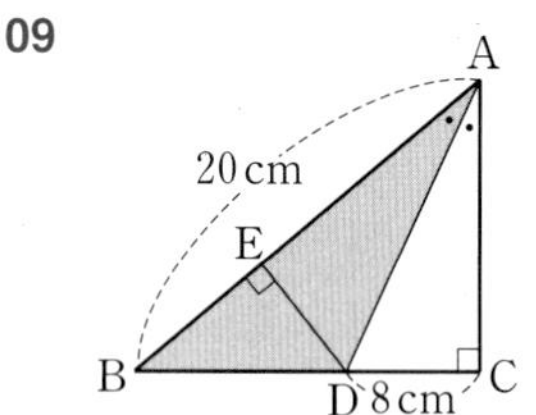

점 D에서 $\overline{AB}$에 내린 수선의 발을 E라 하면 $\triangle ADE \equiv \triangle ADC$ (RHA 합동)이므로 $\overline{DE}=\overline{DC}=8$ cm

$\triangle ABD=\frac{1}{2}\times 20\times 8=80(\text{cm}^2)$

10 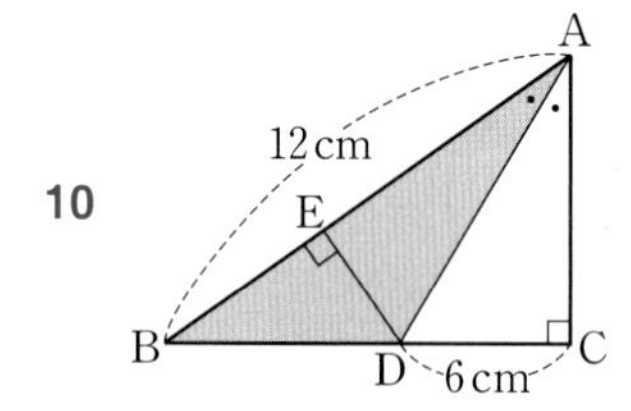

점 D에서 $\overline{AB}$에 내린 수선의 발을 E라 하면 $\triangle ADE \equiv \triangle ADC$ (RHA 합동)이므로 $\overline{DE}=\overline{DC}=6$ cm

$\triangle ABD=\frac{1}{2}\times 12\times 6=36(\text{cm}^2)$

12 $\triangle ABD \equiv \triangle CBD$ (RHS 합동)이므로 $\angle BDC=\frac{1}{2}\angle ADC=63^\circ$

$\angle x=180^\circ-(90^\circ+63^\circ)=27^\circ$

13 $\triangle ABD \equiv \triangle CBD$ (RHS 합동)이므로 $\angle BDC=\frac{1}{2}\angle ADC=67^\circ$

$\angle x=180^\circ-(90^\circ+67^\circ)=23^\circ$

14 $\triangle ABD \equiv \triangle CBD$ (RHS 합동)이므로 $\angle BDC=\frac{1}{2}\angle ADC=60^\circ$

$\angle x=180^\circ-(90^\circ+60^\circ)=30^\circ$

05. 삼각형의 외심 (본문 22쪽)

02 삼각형의 외심에서 세 꼭짓점에 이르는 거리는 같다.

03 삼각형의 외심은 세 변의 수직이등분선의 교점이다.

04 $\overline{OA}=\overline{OC}$

07 점 O와 점 C를 연결하면
$\angle OCA=\angle OAC=25^\circ$,
$\angle OCB=\angle OBC=35^\circ$
$\angle x=25^\circ+35^\circ=60^\circ$

08 점 O와 점 C를 연결하면
$\angle OCA=\angle OAC=35^\circ$,
$\angle OCB=\angle OBC=30^\circ$
$\angle x=35^\circ+30^\circ=65^\circ$

09 $\overline{OB}=\overline{OC}$이므로 $\triangle OBC$에서
$\angle x=180^\circ-2\times 25^\circ=130^\circ$

11 삼각형의 외심은 세 변의 수직이등분선의 교점이므로
$\overline{BD}=\overline{CD}$ $\therefore x=4$

12 삼각형의 외심에서 세 꼭짓점에 이르는 거리는 같으므로
$\overline{OA}=\overline{OC}$ $\therefore x=5$

13 삼각형의 외심에서 세 꼭짓점에 이르는 거리는 같으므로
$\overline{OA}=\overline{OC}$ $\therefore x=8$

15 $\overline{OA}=\overline{OB}=\overline{OC}=2$ cm이므로
$\overline{BC}=\overline{OB}+\overline{OC}=2+2=4(\text{cm})$

17 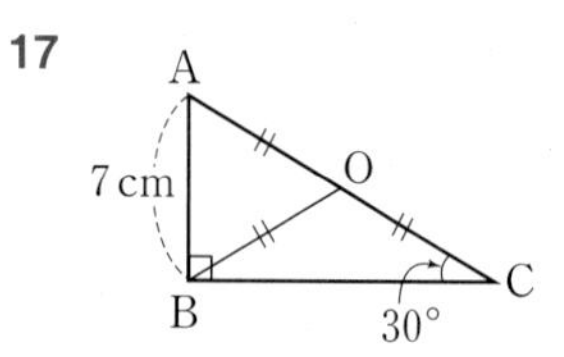

$\angle A=180^\circ-(90^\circ+30^\circ)=60^\circ$,
$\overline{OA}=\overline{OB}$이므로 $\triangle ABO$는 정삼각형이다.
$\overline{OA}=\overline{OB}=\overline{AB}=7$ cm이므로
$\overline{AC}=2\overline{OA}=2\times 7=14(\text{cm})$

19 점 O가 직각삼각형 ABC의 외심이므로 $\overline{OA}=\overline{OB}$이다.
$\angle OAB=\angle B=42^\circ$이므로
$\angle x=42^\circ+42^\circ=84^\circ$

21 $\angle AOC=180^\circ\times\frac{5}{9}=100^\circ$
점 O가 직각삼각형 ABC의 외심이므로 $\overline{OA}=\overline{OC}$
$\angle C=\frac{1}{2}\times(180^\circ-100^\circ)=40^\circ$

06. 삼각형의 외심의 활용 (본문 25쪽)

02 점 O가 $\triangle ABC$의 외심이므로
$\angle x=90^\circ-32^\circ-24^\circ=34^\circ$

03 점 O가 $\triangle ABC$의 외심이므로
$\angle x=90^\circ-33^\circ-27^\circ=30^\circ$

05 점 O가 $\triangle ABC$의 외심이므로
$\angle OAB=90^\circ-25^\circ-30^\circ=35^\circ$
$\overline{OA}=\overline{OB}$이므로
$\angle x=180^\circ-2\times 35^\circ=110^\circ$

06 점 O가 $\triangle ABC$의 외심이므로
$\angle OAB=90^\circ-35^\circ-25^\circ=30^\circ$
$\overline{OA}=\overline{OB}$이므로
$\angle x=180^\circ-2\times 30^\circ=120^\circ$

08 $\angle BOC=2\angle A=2\times 52^\circ=104^\circ$

09 $\angle BOC=2\angle A=2\times 45^\circ=90^\circ$

10 $\angle BOC=2\angle A=2\times 40^\circ=80^\circ$

12 $\triangle OBC$에서 $\overline{OB}=\overline{OC}$이므로
$\angle OBC=\angle OCB=36^\circ$
$\angle BOC=180^\circ-(36^\circ+36^\circ)=108^\circ$이므로
$\angle A=\frac{1}{2}\angle BOC=\frac{1}{2}\times 108^\circ=54^\circ$

13 $\triangle OBC$에서 $\overline{OB}=\overline{OC}$이므로
$\angle OBC=\angle OCB=44^\circ$
$\angle BOC=180^\circ-(44^\circ+44^\circ)=92^\circ$이므로
$\angle A=\frac{1}{2}\angle BOC=\frac{1}{2}\times 92^\circ=46^\circ$

14 $\triangle OBC$에서 $\overline{OB}=\overline{OC}$이므로
$\angle OBC=\angle OCB=38^\circ$
$\angle BOC=180^\circ-(38^\circ+38^\circ)=104^\circ$이므로
$\angle A=\frac{1}{2}\angle BOC=\frac{1}{2}\times 104^\circ=52^\circ$

07. 삼각형의 내심 (본문 27쪽)

01 삼각형의 내심에서 세 변에 이르는 거리는 같다.

02 삼각형의 내심은 세 내각의 이등분선의 교점이다.

04 삼각형의 내심은 세 내각의 이등분선의 교점이므로
$\angle x=\angle IBA=34^\circ$, $x=34$

05 삼각형의 내심에서 세 변에 이르는 거리는 같으므로 $x=4$

07 점 I가 $\triangle ABC$의 내심이므로
$\angle ABC=2\times 23^\circ=46^\circ$,
$\angle ACB=2\times 32^\circ=64^\circ$
$\angle x=180^\circ-(46^\circ+64^\circ)=70^\circ$

08 점 I가 $\triangle ABC$의 내심이므로
$\angle ABC=2\times 34^\circ=68^\circ$,
$\angle ACB=2\times 35^\circ=70^\circ$
$\angle x=180^\circ-(68^\circ+70^\circ)=42^\circ$

08. 삼각형의 내심의 활용 (본문 28쪽)

02 $38^\circ+\angle x+27^\circ=90^\circ$, $\angle x=25^\circ$

03 $\angle x+30^\circ+25^\circ=90^\circ$, $\angle x=35^\circ$

05 $\angle x+20^\circ+30^\circ=90^\circ$, $\angle x=40^\circ$,

$\angle y=30^\circ$

$\angle x+\angle y=40^\circ+30^\circ=70^\circ$

06 $\angle x+25^\circ+30^\circ=90^\circ$, $\angle x=35^\circ$, $\angle y=30^\circ$

$\angle x+\angle y=35^\circ+30^\circ=65^\circ$

08 $\angle x=90^\circ+\frac{1}{2}\times 86^\circ=133^\circ$

09 $128^\circ=90^\circ+\frac{1}{2}\angle x$, $\angle x=76^\circ$

10 $120^\circ=90^\circ+\frac{1}{2}\angle x$, $\angle x=60^\circ$

12 $122^\circ=90^\circ+\frac{1}{2}\angle ABC$,

$\angle ABC=64^\circ$

$\angle x=\frac{1}{2}\angle ABC=\frac{1}{2}\times 64^\circ=32^\circ$

13 $\angle ACB=2\angle ACI=2\times 42^\circ=84^\circ$

$\angle x=90^\circ+\frac{1}{2}\times 84^\circ=132^\circ$

14 $\angle AIC=90^\circ+\frac{1}{2}\times 68^\circ=124^\circ$

$\angle x=180^\circ-(40^\circ+124^\circ)=16^\circ$

16 $\triangle ABC=\frac{1}{2}\times 2\times(7+12+9)$

$=28(cm^2)$

17 $\triangle ABC=\frac{1}{2}\times 3\times(10+10+8)$

$=42(cm^2)$

18 $\triangle ABC=\frac{1}{2}\times 2\times(6+9+8)$

$=23(cm^2)$

20 $\triangle ABC=\frac{1}{2}\times r\times(13+5+12)$

$=15r(cm^2)$

이때, $\triangle ABC=\frac{1}{2}\times 5\times 12$

$=30(cm^2)$

이므로 $15r=30$, $r=2(cm)$

21 $\triangle ABC=\frac{1}{2}\times r\times(3+4+5)$

$=6r(cm^2)$

이때, $\triangle ABC=\frac{1}{2}\times 4\times 3=6(cm^2)$

이므로 $6r=6$, $r=1(cm)$

22 $\triangle ABC=\frac{1}{2}\times r\times(15+12+9)$

$=18r(cm^2)$

이때, $\triangle ABC=\frac{1}{2}\times 12\times 9$

$=54(cm^2)$

이므로 $18r=54$, $r=3(cm)$

24 $\overline{BD}=\overline{BE}=6$ cm이므로

$\overline{AD}=\overline{AB}-\overline{BD}=15-6=9(cm)$

25 $\overline{BD}=\overline{BE}=4$ cm이므로

$\overline{AD}=\overline{AB}-\overline{BD}=11-4=7(cm)$

26 $\overline{BD}=\overline{BE}=7$ cm이므로

$\overline{AD}=\overline{AB}-\overline{BD}=12-7=5(cm)$

28 $\overline{AF}=\overline{AD}=2$ cm이므로

$\overline{CE}=\overline{CF}=\overline{AC}-\overline{AF}$

$=7-2=5(cm)$

또, $\overline{BE}=\overline{BD}=3$ cm이므로

$\overline{BC}=3+5=8(cm)$

29 $\overline{AF}=\overline{AD}=3$ cm이므로

$\overline{CE}=\overline{CF}=\overline{AC}-\overline{AF}$

$=10-3=7(cm)$

또, $\overline{BE}=\overline{BD}=5$ cm이므로

$\overline{BC}=5+7=12(cm)$

30 $\overline{AF}=\overline{AD}=4$ cm이므로

$\overline{CE}=\overline{CF}=\overline{AC}-\overline{AF}$

$=11-4=7(cm)$

또, $\overline{BE}=\overline{BD}=5$ cm이므로

$\overline{BC}=5+7=12(cm)$

32 $\overline{DI}=\overline{DB}=6$ cm,

$\overline{EI}=\overline{EC}=4$ cm이므로

$\overline{DE}=\overline{DI}+\overline{EI}=6+4=10(cm)$

($\triangle$ADE의 둘레의 길이)

$=9+10+6=25(cm)$

33 $\overline{DI}=\overline{DB}=5$ cm,

$\overline{EI}=\overline{EC}=3$ cm이므로

$\overline{DE}=\overline{DI}+\overline{EI}=5+3=8(cm)$

($\triangle$ADE의 둘레의 길이)

$=10+8+6=24(cm)$

34 $\overline{DI}=\overline{DB}=4$ cm,

$\overline{EI}=\overline{EC}=6$ cm이므로

$\overline{DE}=\overline{DI}+\overline{EI}=4+6=10(cm)$

($\triangle$ADE의 둘레의 길이)

$=8+10+12=30(cm)$

36 $\overline{EI}=\overline{EC}=5$ cm이므로

$\overline{DB}=\overline{DE}-\overline{EC}=11-5=6(cm)$

37 $\overline{EI}=\overline{EC}=8$ cm이므로

$\overline{DB}=\overline{DE}-\overline{EC}=14-8=6(cm)$

38 $\overline{EI}=\overline{EC}=7$ cm이므로

$\overline{DB}=\overline{DE}-\overline{EC}=15-7=8(cm)$

40 $\angle A=\frac{1}{2}\angle BOC=\frac{1}{2}\times 80^\circ=40^\circ$

$\angle x=90^\circ+\frac{1}{2}\angle A=90^\circ+\frac{1}{2}\times 40^\circ$

$=110^\circ$

41 $\angle A=\frac{1}{2}\angle BOC=\frac{1}{2}\times 100^\circ=50^\circ$

$\angle x=90^\circ+\frac{1}{2}\angle A=90^\circ+\frac{1}{2}\times 50^\circ$

$=115^\circ$

42 외심과 내심이 일치하므로 $\triangle$ABC는 정삼각형이다.

$\angle x=2\angle A=2\times 60^\circ=120^\circ$

44 $\angle BOC=2\angle A=2\times 52^\circ=104^\circ$

$\angle BIC=90^\circ+\frac{1}{2}\angle A$

$=90^\circ+\frac{1}{2}\times 52^\circ=116^\circ$

$\angle BIC-\angle BOC=116^\circ-104^\circ=12^\circ$

45 $\angle BOC=2\angle A=2\times 40^\circ=80^\circ$

$\angle BIC=90^\circ+\frac{1}{2}\angle A$

$=90^\circ+\frac{1}{2}\times 40^\circ=110^\circ$

$\angle BIC-\angle BOC=110^\circ-80^\circ=30^\circ$

46 $\angle BOC=2\angle A=2\times 44^\circ=88^\circ$

$\angle BIC=90^\circ+\frac{1}{2}\angle A$

$=90^\circ+\frac{1}{2}\times 44^\circ=112^\circ$

$\angle BIC-\angle BOC=112^\circ-88^\circ=24^\circ$

Ⅰ. 도형의 성질
2. 사각형의 성질

01. 평행사변형 (본문 38쪽)

06 $\angle CDO=30^\circ$ (엇각)이므로

$\triangle$OCD에서

$\angle x=30^\circ+50^\circ=80^\circ$

07 $\angle ACD=\angle CAB=33^\circ$ (엇각)

$\triangle$OCD에서

$\angle x+33^\circ+80^\circ=180^\circ$, $\angle x=67^\circ$

08 $\angle DBC=\angle ADB=27^\circ$ (엇각)

$\triangle$ABC에서

$58^\circ+25^\circ+27^\circ+\angle x=180^\circ$,

$\angle x=70^\circ$

02. 평행사변형의 성질 (본문 39쪽)

03 $\overline{AB}=\overline{DC}$이므로

$x-1=6$ $\therefore x=7$

$\overline{AD}=\overline{BC}$이므로

$2y+1=9$, $2y=8$ $\therefore y=4$

04 $\overline{AB}=\overline{DC}$이므로

$4=x-1$ $\therefore x=5$

$\overline{AD}=\overline{BC}$이므로

$y+6=2y$ $\therefore y=6$

05 $\overline{AB}=\overline{DC}$이므로

$x+2=2x-4$ $\therefore x=6$

$\overline{AD}=\overline{BC}$이므로

$y+1=3y-7$, $2y=8$ $\therefore y=4$

06 $\overline{AB}=\overline{DC}$이므로

$y+3=3x-9$

$\therefore 3x-y=12$ …… ㉠

$\overline{AD}=\overline{BC}$이므로

$2x+2=x+y$

$\therefore x-y=-2$ …… ㉡

㉠－㉡을 하면 $2x=14$ $\therefore x=7$

$x=7$을 ㉡에 대입하면

$7-y=-2$ $\therefore y=9$

08 $2\times(6+9)=30(\text{cm})$

09 $2\times(3+5)=16(\text{cm})$

10 $2\times(5+8)=26(\text{cm})$

12 $\overline{AE}=\overline{DE}$, $\angle A=\angle FDE$ (엇각),

$\angle AEB=\angle DEF$이므로

$\triangle ABE\equiv\triangle DFE$ (ASA 합동)

$\overline{DF}=\overline{AB}=7$ cm, $\overline{CD}=\overline{AB}=7$ cm

이므로

$\overline{CF}=2\times7=14(\text{cm})$

13 $\overline{AE}=\overline{DE}$, $\angle A=\angle FDE$ (엇각),

$\angle AEB=\angle DEF$이므로

$\triangle ABE\equiv DFE$ (ASA 합동)

$\overline{DF}=\overline{AB}=6(\text{cm})$,

$\overline{CD}=\overline{AB}=6(\text{cm})$이므로

$\overline{CF}=2\times6=12(\text{cm})$

14 $\overline{AE}=\overline{DE}$, $\angle A=\angle FDE$ (엇각),

$\angle AEB=\angle DEF$이므로

$\triangle ABE\equiv\triangle DFE$ (ASA 합동)

$\overline{DF}=\overline{AB}=8$ cm, $\overline{CD}=\overline{AB}=8$ cm

이므로

$\overline{CF}=2\times8=16(\text{cm})$

16 $\angle A+\angle D=180°$이므로

$\angle x=180°-110°=70°$

$\angle A=\angle C$이므로 $\angle y=110°$

17 $\angle A+\angle B=180°$이므로

$\angle x=180°-55°=125°$

$\angle A=\angle C$이므로 $\angle y=55°$

18 $\overline{AD}/\!/\overline{BC}$이므로

$\angle x=\angle ADB=32°$ (엇각)

$\angle B+\angle C=180°$이고

$\angle B=52°+32°=84°$이므로

$\angle y=180°-84°=96°$

20 $\angle B=\angle D=\angle x$이므로 $\triangle ABC$에서

$46°+\angle x+66°=180°$, $\angle x=68°$

21 $\angle B=\angle D=\angle x$이므로 $\triangle ABC$에서

$50°+\angle x+55°=180°$, $\angle x=75°$

22 $\angle B=\angle D=\angle x$이므로 $\triangle ABC$에서

$49°+\angle x+63°=180°$, $\angle x=68°$

24 $\angle BAE=\angle AED=68°$ (엇각)이므로

$\angle BAD=2\angle BAE=2\times68°=136°$

$\angle x=\angle BAD=136°$

25 $\angle BAE=\angle AED=55°$ (엇각)이므로

$\angle BAD=2\angle BAE=2\times55°=110°$

$\angle x=\angle BAD=110°$

26 $\angle BAE=\angle AED=70°$ (엇각)이므로

$\angle BAD=2\angle BAE=2\times70°=140°$

$\angle x=\angle BAD=140°$

30 $\overline{OA}=\overline{OC}$이므로 $x=7$

$\overline{OB}=\overline{OD}$이므로 $y=\frac{1}{2}\times16=8$

32 $\overline{AB}=\overline{DC}=9$ cm,

$\overline{AO}=\frac{1}{2}\times12=6(\text{cm})$,

$\overline{BO}=\frac{1}{2}\times16=8(\text{cm})$

($\triangle OAB$의 둘레의 길이)

$=9+6+8=23(\text{cm})$

33 $\overline{AB}=\overline{DC}=12$ cm,

$\overline{AO}=\frac{1}{2}\times16=8(\text{cm})$,

$\overline{BO}=\frac{1}{2}\times20=10(\text{cm})$

($\triangle OAB$의 둘레의 길이)

$=12+8+10=30(\text{cm})$

34 $\overline{AB}=\overline{DC}=8$ cm,

$\overline{AO}=\frac{1}{2}\times10=5(\text{cm})$,

$\overline{BO}=\frac{1}{2}\times14=7(\text{cm})$

($\triangle OAB$의 둘레의 길이)

$=8+5+7=20(\text{cm})$

36 $\angle DAE=\angle AEB$ (엇각)

따라서 $\triangle ABE$는 이등변삼각형이므로

$x=\overline{BE}=\overline{BC}-\overline{EC}=\overline{AD}-\overline{EC}$

$=12-5=7$

37 $\angle DAE=\angle AEB$ (엇각),

$\angle ADF=\angle DFC$ (엇각)

따라서 $\triangle ABE$와 $\triangle DCF$는 이등변삼각형이므로

$\overline{BE}=\overline{AB}=6$, $\overline{CF}=\overline{CD}=6$

$\overline{BC}=\overline{AD}=8$이므로

$x=(\overline{BE}+\overline{CF})-\overline{BC}$

$=(6+6)-8=4$

38 $\angle DAE=\angle AEB$ (엇각),

$\angle ADF=\angle DFC$ (엇각)

따라서 $\triangle ABE$와 $\triangle DCF$는 이등변삼각형이므로

$\overline{BE}=\overline{BA}=8$, $\overline{CF}=\overline{CD}=8$

$\overline{BC}=\overline{AD}=13$이므로

$x=(\overline{BE}+\overline{CF})-\overline{BC}$

$=(8+8)-13=3$

03. 평행사변형이 되기 위한 조건

(본문 44쪽)

10 두 쌍의 대변이 각각 평행하다.

12 한 쌍의 대변이 평행하고, 그 길이가 같다.

15 두 쌍의 대각의 크기가 각각 같다.

16 엇각의 크기가 같으므로

$\overline{AB}/\!/\overline{DC}$, $\overline{AD}/\!/\overline{BC}$

따라서 두 쌍의 대변이 각각 평행하다.

18 한 쌍의 대변의 길이는 같으나 평행한지 알 수 없다.

19 엇각의 크기가 같으므로 두 쌍의 대변이 평행하다.

20 두 쌍의 대각의 크기가 각각 같다.

21 두 대각선이 서로 다른 것을 이등분한다.

22 한 쌍의 대변이 평행하나 나머지 대변이 평행한지 알 수 없다.

24 $\angle A+\angle B=180°$이므로

$\angle x=180°-75°=105°$

$\angle B=\angle D$이므로 $\angle y=75°$

25 $\angle A+\angle B=180°$이므로

$\angle x=180°-68°=112°$

$\angle B=\angle D$이므로 $\angle y=68°$

26 $\angle A+\angle B=180°$이므로

$\angle x=180°-85°=95°$

$\angle B=\angle D$이므로 $\angle y=85°$

28 $\overline{AB}=\overline{DC}$이므로 $x=7$

$\overline{AB}/\!/\overline{DC}$이므로

$\angle DCA=\angle BAC$에서 $y=40$

$x+y=7+40=47$

29 $\overline{AB}=\overline{DC}$이므로 $x=6$

$\overline{AB}/\!/\overline{DC}$이므로

$\angle DCA=\angle BAC$에서 $y=55$

$x+y=6+55=61$

30 $\overline{AB}=\overline{DC}$이므로 $x=8$

$\overline{AB}/\!/\overline{DC}$이므로

$\angle DCA=\angle BAC$에서 $y=35$

$x+y=8+35=43$

04. 평행사변형이 되기 위한 조건의 활용 (본문 47쪽)

04 □AFCE가 평행사변형이므로

$\overline{AE}=\overline{FC}$이다.

05 □AFCE가 평행사변형이므로
$\angle AFC=\angle CEA$이다.

06 □AFCE가 평행사변형이므로
$\angle FAE=\angle ECF$이다.

07 $\overline{AD}/\!/\overline{BC}$이므로
$\angle BEA=\angle DAE$ (엇각)
또, $\angle BAE=\angle DAE$이므로
$\angle BAE=\angle BEA$
따라서 △ABE는 $\overline{BA}=\overline{BE}$인 이등변삼각형이고
$\angle BEA=\angle BAE=\angle EAF$
$=\frac{1}{2}\times(180°-60°)=60°$
이므로 △ABE는 한 변의 길이가 10 cm인 정삼각형이다.
$\overline{AE}=10$ cm, $\overline{EC}=12-10=2$(cm)
이때, □AECF는
$\angle EAF=\angle ECF=60°$,
$\angle AEC=\angle AFC=120°$인 평행사변형이므로 둘레의 길이는
$2\times(10+2)=24$(cm)

09 $\angle AFC=180°-60°=120°$
□AFCE가 평행사변형이므로
$\angle x=\angle AFC=120°$

10 $\angle AFC=180°-72°=108°$
□AFCE가 평행사변형이므로
$\angle x=\angle AFC=108°$

11 $\angle AFC=180°-68°=112°$
□AFCE가 평행사변형이므로
$\angle x=\angle AFC=112°$

05. 평행사변형과 넓이 (본문 49쪽)

02 $\square ABCD=2\triangle BCD$
$=2\times3=6(cm^2)$

04 $\square ABCD=4\triangle DAO=4\times7$
$=28(cm^2)$

06 $\triangle OBC=\frac{1}{4}\square ABCD$
$=\frac{1}{4}\times40=10(cm^2)$

07 $\triangle OAB=\triangle OCD=\frac{1}{4}\square ABCD$
$=\frac{1}{4}\times32=8(cm^2)$
$\triangle OAB+\triangle OCD=8+8=16(cm^2)$

08 $\triangle OBC=\triangle OAD=\frac{1}{4}\square ABCD$
$=\frac{1}{4}\times60=15(cm^2)$
$\triangle OBC+\triangle OAD=15+15$
$=30(cm^2)$

10 $\triangle PAB+\triangle PCD=\frac{1}{2}\square ABCD$이므로 $8+14=\frac{1}{2}\square ABCD$
$\square ABCD=22\times2=44(cm^2)$

11 $\triangle PAB+\triangle PCD=\frac{1}{2}\square ABCD$이므로 $9+17=\frac{1}{2}\square ABCD$
$\square ABCD=26\times2=52(cm^2)$

12 $\triangle PBC+\triangle PDA=\frac{1}{2}\square ABCD$이므로 $11+17=\frac{1}{2}\square ABCD$
$\square ABCD=28\times2=56(cm^2)$

13 $\triangle PBC+\triangle PDA=\frac{1}{2}\square ABCD$이므로 $5+11=\frac{1}{2}\square ABCD$
$\square ABCD=16\times2=32(cm^2)$

15 $\triangle PDA+\triangle PBC=\frac{1}{2}\square ABCD$이므로 $\triangle PDA+10=\frac{1}{2}\times50$
$\triangle PDA=25-10=15(cm^2)$

16 $\triangle PDA+\triangle PBC=\frac{1}{2}\square ABCD$이므로 $\triangle PDA+13=\frac{1}{2}\times60$
$\triangle PDA=30-13=17(cm^2)$

17 $\triangle PAB+\triangle PCD$
$=\triangle PDA+\triangle PBC$
이므로 $x+4=y+10$
$\therefore x-y=10-4=6$

06. 직사각형 (본문 51쪽)

02 직사각형의 두 대각선의 길이는 같으므로 $x=58$

04 $x=2\times\overline{AO}=2\times37=74$

06 $x=\frac{1}{2}\times18=9$, $y=90-30=60$
$x+y=9+60=69$

07 $x=\frac{1}{2}\times24=12$, $y=90-28=62$
$x+y=12+62=74$

08 $x=\frac{1}{2}\times20=10$, $y=90-40=50$
$x+y=10+50=60$

10 $\angle A=\angle B=\angle C=\angle D=90°$인 평행사변형이 되므로 직사각형이다.

11 $\angle A=\angle B=\angle C=\angle D=90°$인 평행사변형이 되므로 직사각형이다.

12 두 대각선의 길이가 같은 평행사변형이 되므로 직사각형이다.

13 $\overline{AC}=\overline{BD}$이므로 직사각형이다.

15 평행사변형에서 $\overline{AO}=\overline{DO}$이면
$\overline{AC}=\overline{BD}$이므로 직사각형이다.

16 평행사변형의 두 대각선의 길이가 같지 않다.

17 평행사변형에서 한 내각이 직각이므로 직사각형이다.

18 평행사변형에서 두 대각선의 길이가 같고, 서로 다른 것을 이등분해야 한다.

19 $\angle BCD+\angle ADC=180°$에서
$\angle BCD=\angle ADC$이면
$\angle BCD=\angle ADC=90°$이므로 직사각형이다.

20 평행사변형에서 두 쌍의 대각의 크기가 같아야 한다.

07. 마름모 (본문 53쪽)

01 $\overline{AB}=\overline{BC}=\overline{CD}=\overline{DA}$이므로 $x=11$

02 $\overline{OB}=\overline{OD}$이므로 $x=7$

03 $\overline{AC}\perp\overline{BD}$이므로 $x=90$

04 $\overline{AC}\perp\overline{BD}$이므로 $\angle BOC=90°$
△OBC에서 $x°+50°+90°=180°$
이므로 $x°=40°$ $\therefore x=40$

06 $x°=\angle ACD=63°$
$2y+3=9$에서 $y=3$
$x+y=63+3=66$

07 $x°=\angle ACD=55°$
$2y-1=13$에서 $y=7$
$x+y=55+7=62$

08 $x°=\angle ACD=60°$
$2y-3=13$에서 $y=8$
$x+y=60+8=68$

10 $\overline{AB}=\overline{DC}$에서 $3x+2=2x+4$, $x=2$
이때, $\overline{AB}=\overline{AD}$이므로
$3x+2=5x-y$, $y=2$
$x+y=2+2=4$

12 △CBD는 이등변삼각형이므로
$x°=25°$
$\overline{AB}=\overline{AD}$이므로 $y=10$
$x+y=25+10=35$

14 이웃하는 두 변의 길이가 같은 평행사변형이 되므로 마름모이다.

15 두 대각선이 직교하는 평행사변형이 되므로 마름모이다.

16 $\overline{AC}\perp\overline{BD}$이므로 마름모이다.

08. 정사각형 (본문 55쪽)

02 $\overline{AC}=\overline{BD}$이므로 $x=2\times8=16$

03 $\overline{BD}=\overline{AC}$이므로 $x=\frac{1}{2}\times10=5$

04 $\overline{AC}\perp\overline{BD}$이므로 $x°=90°$, $x=90$

05 $\triangle BCD$는 $\angle C=90°$인 이등변삼각형이다.

$x°=\frac{1}{2}\times90°=45°$, $x=45$

06 $\angle BAE=90°-25°=65°$이고

$\angle ABE=\frac{1}{2}\times90°=45°$

$\triangle ABE$에서 $65°+45°+x°=180°$이므로 $x°=70°$, $x=70$

08 $\overline{OA}=\frac{1}{2}\overline{BD}=7(\text{cm})$이고

$\angle AOB=90°$이므로

$\square ABCD=2\times\left(\frac{1}{2}\times14\times7\right)$

$=98(\text{cm}^2)$

09 $\overline{OA}=\frac{1}{2}\overline{BD}=4(\text{cm})$이고

$\angle AOB=90°$이므로

$\square ABCD=2\times\left(\frac{1}{2}\times8\times4\right)$

$=32(\text{cm}^2)$

10 $\overline{OA}=\frac{1}{2}\overline{BD}=8(\text{cm})$이고

$\angle AOB=90°$이므로

$\square ABCD=2\times\left(\frac{1}{2}\times16\times8\right)$

$=128(\text{cm}^2)$

12 $x=90$이면 $\overline{AC}\perp\overline{BD}$

두 대각선이 직교하는 직사각형이 되므로 정사각형이다.

13 이웃하는 두 변의 길이가 같은 직사각형이 되므로 정사각형이다.

14 두 대각선이 직교하는 직사각형이 되므로 정사각형이다.

16 $\angle AOB=\angle AOD$이면 $\overline{AC}\perp\overline{BD}$

두 대각선이 직교하는 직사각형이 되므로 정사각형이다.

19 $x=6\times2=12$이면 $\overline{AC}=\overline{BD}$

두 대각선의 길이가 같은 마름모가 되므로 정사각형이다.

20 $x=90$이면 한 내각이 직각인 마름모가 되므로 정사각형이다.

22 $\angle DAB=\angle ABC$이면

$\angle DAB=\angle ABC=90°$

한 내각이 직각인 마름모가 되므로 정사각형이다.

24 $\overline{OA}=\overline{OB}$이면 $\overline{AC}=\overline{BD}$

두 대각선의 길이가 같은 마름모가 되므로 정사각형이다.

26 네 내각의 크기가 모두 같은 사각형은 직사각형이다.

27 두 대각선이 수직으로 만나는 평행사변형은 마름모이다.

28 두 대각선의 길이가 같고, 이웃하는 두 변의 길이가 같은 직사각형은 정사각형이다.

29 두 쌍의 대각의 크기가 같고, 이웃하는 두 변의 길이가 같은 평행사변형은 마름모이다.

30 대각선의 길이가 같은 평행사변형은 직사각형이다.

09. 사다리꼴 (본문 58쪽)

09 $\angle x=180°-125°=55°$

10 $\angle DCB=180°-115°=65°$이므로

$\angle x=\angle DCB=65°$

11 $\angle DCB=180°-130°=50°$이므로

$\angle x=\angle DCB=50°$

13 $\overline{DB}=\overline{AC}$이므로 $x=13$

14 $\overline{DB}=\overline{AC}$이므로

$x+13=15$, $x=2$

16 $\overline{AD}/\!/\overline{BC}$이므로

$\angle ADB=\angle DBC=38°$ (엇각)

$\triangle ABD$에서

$\angle ABD=\angle ADB=38°$

$\triangle ABC\equiv\triangle DCB$이므로

$\angle ACB=\angle DBC=38°$

$x°=180°-(38°+38°+38°)=66°$

$\therefore x=66$

17 $\angle D=180°-66°=114°$이고

$\angle DAC=\angle DCA$이므로

$\triangle ADC$에서

$\angle DCA=\frac{1}{2}\times(180°-114°)=33°$

$\angle C=\angle B=66°$이고

$\angle ACB=\angle C-\angle DCA$이므로

$x°=66°-33°=33°$ $\therefore x=33$

18 $\angle ACB=\angle DAC=45°$

$\angle B=\angle C$이므로

$70°=x°+45°$에서 $x°=25°$, $x=25$

19 $\angle CAD=\angle BDA=44°$이므로

$\triangle OAD$에서 $x°=44°+44°=88°$

$\therefore x=88$

21 점 A에서 $\overline{BC}$에 내린 수선의 발을 F라 하면 $\overline{FE}=\overline{AD}=12\text{ cm}$

$\triangle ABF\equiv\triangle DCE$ (RHA 합동)

이므로 $\overline{BF}=\overline{CE}$

$\overline{EC}=\frac{1}{2}\times(24-12)=6(\text{cm})$

22 점 A에서 $\overline{BC}$에 내린 수선의 발을 F라 하면 $\overline{FE}=\overline{AD}=6\text{ cm}$

$\triangle ABF\equiv\triangle DCE$ (RHA 합동)

이므로 $\overline{BF}=\overline{CE}$

$\overline{EC}=\frac{1}{2}\times(12-6)=3(\text{cm})$

23 점 A에서 $\overline{BC}$에 내린 수선의 발을 F라 하면 $\overline{FE}=\overline{AD}=10\text{ cm}$

$\triangle ABF\equiv\triangle DCE$ (RHA 합동)

이므로 $\overline{BF}=\overline{CE}$

$\overline{EC}=\frac{1}{2}\times(20-10)=5(\text{cm})$

25 점 D에서 $\overline{AB}$에 평행한 직선을 그어 $\overline{BC}$와 만나는 점을 E라 하면

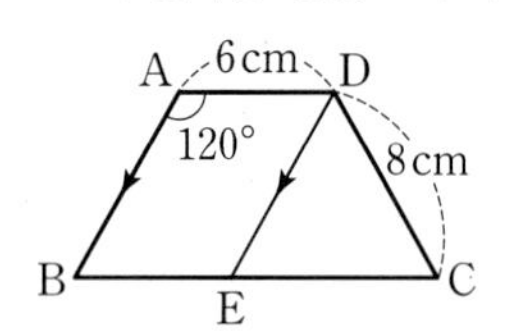

$\overline{BE}=\overline{AD}=6\text{ cm}$

$\triangle DEC$는 정삼각형이므로

$\overline{EC}=\overline{DC}=8\text{ cm}$

($\square ABCD$의 둘레의 길이)

$=8+6+8+8+6=36(\text{cm})$

26 점 D에서 $\overline{AB}$에 평행한 직선을 그어 $\overline{BC}$와 만나는 점을 E라 하면

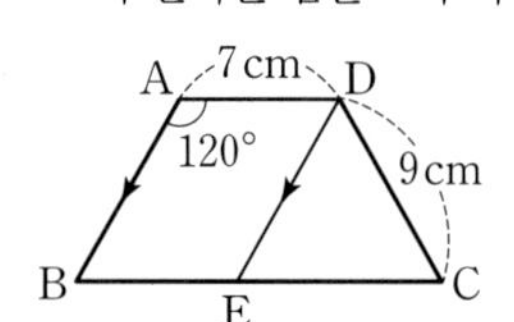

$\overline{BE}=\overline{AD}=7\text{ cm}$

$\triangle DEC$는 정삼각형이므로

$\overline{EC}=\overline{DC}=9\text{ cm}$

($\square ABCD$의 둘레의 길이)

$=9+7+9+9+7=41(\text{cm})$

27 점 D에서 $\overline{AB}$에 평행한 직선을 그어 $\overline{BC}$와 만나는 점을 E라 하면

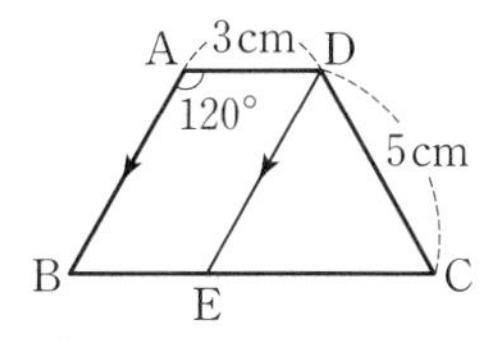

$\overline{BE}=\overline{AD}=3\,cm$
△DEC는 정삼각형이므로
$\overline{EC}=\overline{DC}=5\,cm$
(□ABCD의 둘레의 길이)
$=5+3+5+5+3=21(cm)$

10. 여러 가지 사각형 사이의 관계 (본문 61쪽)

02 직사각형은 이웃하는 두 변의 길이가 같지 않으므로 정사각형이 아니다.

03 평행사변형은 두 쌍의 대변이 각각 평행하므로 사다리꼴이다.

04 정사각형은 네 변의 길이가 같으므로 마름모이다.

05 마름모 중에는 정사각형이 아닌 것도 있다.

06 (가), (나)에서 두 쌍의 대변이 각각 평행하므로 □ABCD는 평행사변형이다. 또한, (다), (라)에서 두 대각선의 길이는 같고 서로 직교하므로 □ABCD는 정사각형이다.

07 ① ∠A=90°인 평행사변형 ABCD는 직사각형이다.
③ $\overline{AB}=\overline{BC}$인 평행사변형 ABCD는 마름모이다.
④ $\overline{AC}\perp\overline{BD}$, $\overline{AB}=\overline{BC}$인 평행사변형 ABCD는 마름모이다.

09 두 대각선의 길이가 같고, 서로 다른 것을 수직이등분한다.

10 두 대각선의 길이가 같고, 서로 다른 것을 이등분한다.

11 두 대각선이 서로 다른 것을 수직이등분한다.

12 두 대각선의 길이가 같다.

13 두 대각선은 서로 다른 것을 이등분한다.

14 두 대각선이 서로 다른 것을 수직이등분한다.

15 두 대각선의 길이가 같고, 서로 다른 것을 이등분한다.

16 두 대각선의 길이가 같다.

17 두 대각선은 서로 다른 것을 이등분한다.

18 두 대각선의 길이가 같고, 서로 다른 것을 이등분한다.

19 두 대각선의 길이가 같다.

20 두 대각선이 서로 다른 것을 수직이등분한다.

21 두 대각선의 길이가 같고, 서로 다른 것을 수직이등분한다.

11. 사각형의 각 변의 중점을 연결하여 만든 사각형 (본문 63쪽)

06 직사각형의 각 변의 중점을 연결하여 만든 사각형은 마름모이다. 따라서 마름모의 두 대각선은 서로를 수직이등분한다.

07 직사각형의 각 변의 중점을 연결하여 만든 사각형은 마름모이다. 따라서 마름모의 네 변의 길이는 모두 같다.

08 직사각형의 각 변의 중점을 연결하여 만든 사각형은 마름모이다. 따라서 마름모는 두 쌍의 대변이 각각 평행하다.

09 직사각형의 각 변의 중점을 연결하여 만든 사각형은 마름모이다. 따라서 마름모의 네 각이 모두 직각인 것은 아니다.

12. 평행선과 넓이 (본문 64쪽)

02 $\overline{AD}/\!/\overline{BC}$이므로 △ADB와 밑변의 길이가 같은 △ADC의 넓이가 같다.

03 $\overline{AD}/\!/\overline{BC}$이므로 △DBC=△ABC
△DOC=△DBC−△OBC
=△ABC−△OBC
=△AOB

05 □ABCD=△ABC+△ACD
=△ABC+△ACE
=△ABE
$=\frac{1}{2}\times(10+5)\times6$
$=45(cm^2)$

06 □ABCD=△ABC+△ACD
=△ABC+△ACE
=△ABE
$=\frac{1}{2}\times(14+7)\times10$
$=105(cm^2)$

08 $\overline{BP}:\overline{PC}=5:4$이므로
$\triangle APC=\frac{4}{9}\triangle ABC=\frac{4}{9}\times27$
$=12(cm^2)$

09 $\overline{BP}:\overline{PC}=5:4$이므로
$\triangle APC=\frac{4}{9}\triangle ABC$
$=\frac{4}{9}\times36$
$=16(cm^2)$

10 $\overline{BP}:\overline{PC}=5:4$이므로
$\triangle APC=\frac{4}{9}\triangle ABC$
$=\frac{4}{9}\times54$
$=24(cm^2)$

11 $\overline{BP}:\overline{PC}=5:4$이므로
$\triangle APC=\frac{4}{9}\triangle ABC$
$=\frac{4}{9}\times18$
$=8(cm^2)$

13 $\triangle ABM=\frac{1}{2}\triangle ABC=\frac{1}{2}\times48$
$=24(cm^2)$
$\triangle PBM=\frac{3}{4}\triangle ABM=\frac{3}{4}\times24$
$=18(cm^2)$

14 $\triangle ABM=\frac{1}{2}\triangle ABC=\frac{1}{2}\times72$
$=36(cm^2)$
$\triangle PBM=\frac{3}{4}\triangle ABM=\frac{3}{4}\times36$
$=27(cm^2)$

15 $\triangle ABM=\frac{1}{2}\triangle ABC=\frac{1}{2}\times32$
$=16(cm^2)$
$\triangle PBM=\frac{3}{4}\triangle ABM=\frac{3}{4}\times16$
$=12(cm^2)$

16 $\triangle ABM=\frac{1}{2}\triangle ABC=\frac{1}{2}\times80$
$=40(cm^2)$
$\triangle PBM=\frac{3}{4}\triangle ABM=\frac{3}{4}\times40$
$=30(cm^2)$

18 $\triangle APD=\frac{1}{2}\square ABCD=\frac{1}{2}\times24$
$=12(cm^2)$이고
$\overline{AQ}:\overline{DQ}=3:1$이므로
$\triangle PDQ=\frac{1}{4}\triangle APD=\frac{1}{4}\times12$
$=3(cm^2)$

19 $\triangle APD=\frac{1}{2}\square ABCD=\frac{1}{2}\times64$
$=32(cm^2)$이고
$\overline{AQ}:\overline{DQ}=3:1$이므로

$\triangle PDQ=\frac{1}{4}\triangle APD=\frac{1}{4}\times 32$
$=8(cm^2)$

20 $\triangle APD=\frac{1}{2}\square ABCD=\frac{1}{2}\times 40$
$=20(cm^2)$이고
$\overline{AQ}:\overline{DQ}=3:1$이므로
$\triangle PDQ=\frac{1}{4}\triangle APD=\frac{1}{4}\times 20$
$=5(cm^2)$

21 $\triangle APD=\frac{1}{2}\square ABCD=\frac{1}{2}\times 48$
$=24(cm^2)$이고
$\overline{AQ}:\overline{DQ}=3:1$이므로
$\triangle PDQ=\frac{1}{4}\triangle APD=\frac{1}{4}\times 24$
$=6(cm^2)$

23 $\triangle APD=\frac{3}{2}\triangle ABP=\frac{3}{2}\times 24$
$=36(cm^2)$
$\square APCD=2\triangle APD$
$=2\times 36=72(cm^2)$

24 $\triangle APD=\frac{3}{2}\triangle ABP=\frac{3}{2}\times 28$
$=42(cm^2)$
$\square APCD=2\triangle APD$
$=2\times 42=84(cm^2)$

25 $\overline{BP}:\overline{DP}=2:3$이므로
$\triangle APD=\frac{3}{2}\triangle ABP=\frac{3}{2}\times 36$
$=54(cm^2)$
$\square APCD=2\triangle APD$
$=2\times 54=108(cm^2)$

26 $\overline{BP}:\overline{DP}=2:3$이므로
$\triangle APD=\frac{3}{2}\triangle ABP=\frac{3}{2}\times 40$
$=60(cm^2)$
$\square APCD=2\triangle APD$
$=2\times 60=120(cm^2)$

28 $\triangle OBC=\triangle ABC-\triangle ABO$
$=\triangle DBC-\triangle OCD$
$=45-30=15(cm^2)$

29 $\triangle OBC=\triangle ABC-\triangle ABO$
$=\triangle DBC-\triangle OCD$
$=75-50=25(cm^2)$

30 $\triangle OBC=\triangle ABC-\triangle ABO$
$=\triangle DBC-\triangle OCD$
$=24-16=8(cm^2)$

31 $\triangle OBC=\triangle ABC-\triangle ABO$
$=\triangle DBC-\triangle OCD$
$=36-24=12(cm^2)$

33 $\triangle OBC=2\triangle ABO$
$=2\times 16=32(cm^2)$
$\triangle DOC=\triangle ABO=16(cm^2)$
$\triangle DBC=\triangle DOC+\triangle OBC$
$=16+32=48(cm^2)$

34 $\triangle OBC=2\triangle ABO$
$=2\times 10=20(cm^2)$
$\triangle DOC=\triangle ABO=10(cm^2)$
$\triangle DBC=\triangle DOC+\triangle OBC$
$=10+20=30(cm^2)$

35 $\triangle OBC=2\triangle ABO$
$=2\times 18=36(cm^2)$
$\triangle DOC=\triangle ABO=18(cm^2)$
$\triangle DBC=\triangle DOC+\triangle OBC$
$=18+36=54(cm^2)$

36 $\triangle OBC=2\triangle ABO$
$=2\times 20=40(cm^2)$
$\triangle DOC=\triangle ABO=20(cm^2)$
$\triangle DBC=\triangle DOC+\triangle OBC$
$=20+40=60(cm^2)$

Ⅱ. 도형의 닮음
1. 도형의 닮음

02. 닮은 도형의 성질과 닮음비

(본문 73쪽)

02 $\overline{AB}:\overline{DE}=2:1$이므로
$\overline{AB}:6=2:1$, $\overline{AB}=12(cm)$

03 $\angle D=\angle A=60^\circ$

05 $2:\overline{EH}=1:2$이므로 $\overline{EH}=4(cm)$

06 $\square ABCD\backsim\square EFGH$이므로
$\angle C=\angle G=65^\circ$

07 $\square ABCD\backsim\square EFGH$이므로
$\angle D=\angle H$
$=360^\circ-(105^\circ+90^\circ+65^\circ)$
$=100^\circ$

08 $\overline{AB}:\overline{DE}=2:1$이므로
$12:\overline{DE}=2:1$, $\overline{DE}=6(cm)$

09 $\overline{AC}:\overline{DF}=2:1$이므로
$\overline{AC}:5=2:1$, $\overline{AC}=10(cm)$

10 $\overline{BC}:\overline{EF}=2:1$이므로
$\overline{BC}:7=2:1$, $\overline{BC}=14(cm)$

11 $\overline{AB}+\overline{BC}+\overline{CA}=12+14+10$
$=36(cm)$

12 $\overline{DE}+\overline{EF}+\overline{FD}=6+7+5$
$=18(cm)$

13 $36:18=2:1$

14 $\overline{AB}:\overline{EF}=4:3$이므로
$\overline{AB}:12=4:3$, $\overline{AB}=16(cm)$

15 $\overline{CD}:\overline{GH}=4:3$이므로
$\overline{CD}:9=4:3$, $\overline{CD}=12(cm)$

16 $\overline{BC}:\overline{FG}=4:3$이므로
$20:\overline{FG}=4:3$, $\overline{FG}=15(cm)$

17 $\overline{DA}:\overline{HE}=4:3$이므로
$24:\overline{HE}=4:3$, $\overline{HE}=18(cm)$

18 ($\square ABCD$의 둘레의 길이)
$=16+20+12+24=72(cm)$

19 ($\square EFGH$의 둘레의 길이)
$=12+15+9+18=54(cm)$

20 $72:54=4:3$

22 $\overline{EF}:\overline{E'F'}=9:15=3:5$이므로
닮음비는 $3:5$이다.

23 $\overline{CF}:\overline{C'F'}=3:5$이므로
$3:\overline{C'F'}=3:5$, $\overline{C'F'}=5(cm)$

24 $\angle F'=\angle F=30^\circ$

25 $\angle A'B'C'=\angle ABC$
$=180^\circ-(95^\circ+30^\circ)=55^\circ$

27 $\overline{FG}:\overline{F'G'}=16:20=4:5$이므로
닮음비는 $4:5$이다.

28 $\overline{DH}:\overline{D'H'}=4:5$이므로
$20:\overline{D'H'}=4:5$, $\overline{D'H'}=25(cm)$

29 $\overline{GH}:\overline{G'H'}=4:5$이므로
$\overline{GH}:15=4:5$, $\overline{GH}=12(cm)$

31 원뿔 A의 밑면의 반지름의 길이를 x cm라고 하면
$x:10=1:2$이므로 $x=5$

32 $2\pi\times 10=20\pi(cm)$

33 $2\pi\times 5=10\pi(cm)$

34 $10\pi:20\pi=1:2$

36 원기둥 A의 밑면의 반지름의 길이를 x cm라고 하면
$x:12=3:4$이므로 $x=9$

37 $2\pi\times 9=18\pi(cm)$

38 $2\pi\times 12=24\pi(cm)$

39 $18\pi:24\pi=3:4$

03. 삼각형의 닮음조건 (본문 77쪽)

02 두 쌍의 대응하는 변의 길이의 비가 같은지 알 수 없으므로 주어진 삼각형과 닮은 삼각형이 아니다.

03 두 쌍의 대응하는 변의 길이의 비가 다르므로 주어진 삼각형과 닮은 삼각형이 아니다.

05 두 쌍의 대응하는 변의 길이의 비가 같고, 그 끼인 각의 크기가 같으므로 SAS 닮음이다.

06 두 쌍의 대응하는 각의 크기가 각각 같으므로 AA 닮음이다.

08 $\triangle AEB$와 $\triangle CED$에서
$\overline{AE} : \overline{CE} = \overline{BE} : \overline{DE} = 1 : 2$
$\angle AEB = \angle CED$ (맞꼭지각)이므로
$\triangle AEB \backsim \triangle CED$ (SAS 닮음)

09 $\triangle ABC$와 $\triangle EBD$에서
$\angle B$는 공통, $\angle BAC = \angle BED = 80^\circ$이므로
$\triangle ABC \backsim \triangle EBD$ (AA 닮음)

10 $\triangle ABC$와 $\triangle DCA$에서
$\overline{AB} : \overline{DC} = \overline{BC} : \overline{CA} = \overline{CA} : \overline{AD}$
$= 1 : 2$
$\therefore \triangle ABC \backsim \triangle DCA$ (SSS 닮음)

12 $\triangle ABC$와 $\triangle MNO$에서
$\overline{AB} : \overline{MN} = \overline{BC} : \overline{NO} = \overline{CA} : \overline{OM}$
$= 3 : 1$
$\therefore \triangle ABC \backsim \triangle MNO$ (SSS 닮음)
$\triangle DEF$와 $\triangle JKL$에서
$\angle D = \angle J$, $\angle E = \angle K$
$\therefore \triangle DEF \backsim \triangle JKL$ (AA 닮음)
$\triangle GHI$와 $\triangle PQR$에서
$\overline{GH} : \overline{PQ} = \overline{HI} : \overline{QR} = 1 : 2$,
$\angle H = \angle Q$
$\therefore \triangle GHI \backsim \triangle PQR$ (SAS 닮음)

15 $\overline{AB} : \overline{AD} = 6 : 3 = 2 : 1$
$\overline{AC} : \overline{AB} = 12 : 6 = 2 : 1$

16 두 쌍의 대응하는 변의 길이의 비가 각각 같고, 그 끼인 각의 크기가 같으므로 SAS 닮음이다.

18 $\overline{BC} : \overline{BD} = 2 : 1$이므로
$x : 5 = 2 : 1 \quad \therefore x = 10$

20 $\triangle ABC$와 $\triangle EBD$의 닮음비는
$\overline{AB} : \overline{EB} = 8 : 4 = 2 : 1$
$\overline{AC} : \overline{ED} = 2 : 1$이므로
$x : 3 = 2 : 1 \quad \therefore x = 6$

21 $\triangle AEB$와 $\triangle CED$의 닮음비는
$\overline{AE} : \overline{CE} = 3 : 6 = 1 : 2$
$\overline{AB} : x = 1 : 2$이므로
$6 : x = 1 : 2 \quad \therefore x = 12$

22 $\triangle ABE$와 $\triangle CDE$의 닮음비는
$\overline{AE} : \overline{CE} = 7 : 14 = 1 : 2$
$\overline{AB} : x = 1 : 2$이므로
$9 : x = 1 : 2 \quad \therefore x = 18$

25 두 쌍의 대응하는 각의 크기가 각각 같으므로 AA 닮음이다.

26 $\overline{AC} : \overline{AD} = 8 : 4 = 2 : 1$이므로
닮음비는 $2 : 1$이다.

27 $\overline{AB} : \overline{AE} = 2 : 1$이므로
$10 : x = 2 : 1 \quad \therefore x = 5$

29 $\triangle ABC$와 $\triangle BCD$에서
$\angle CAB = \angle DBC$,
$\angle ACB = \angle BDC$
$\triangle ABC \backsim \triangle BCD$ (AA 닮음)
따라서 $x : \overline{BC} = \overline{BC} : \overline{CD}$이므로
$x : 12 = 12 : 16$, $x = 9$

30 $\triangle ABC$와 $\triangle DAC$에서 $\angle C$는 공통,
$\angle ABC = \angle DAC$
$\therefore \triangle ABC \backsim \triangle DAC$ (AA 닮음)
$\overline{CA} : \overline{CD} = 6 : 4 = 3 : 2$이므로 닮음비는 $3 : 2$이다.
따라서 $\overline{BC} : \overline{AC} = 3 : 2$이므로
$(x+4) : 6 = 3 : 2$
$2x + 8 = 18$, $x = 5$

31 $\triangle ABC$와 $\triangle ACD$에서
$\angle A$는 공통, $\angle B = \angle ACD$
$\therefore \triangle ABC \backsim \triangle ACD$ (AA 닮음)
$\overline{AC} : \overline{AD} = 12 : 8 = 3 : 2$이므로 닮음비는 $3 : 2$이다.
따라서 $\overline{AB} : \overline{AC} = 3 : 2$이므로
$(x+8) : 12 = 3 : 2$
$2x + 16 = 36$, $x = 10$

04. 직각삼각형의 닮음 (본문 81쪽)

04 $\angle AEB = \angle ADC = 90^\circ$, $\angle A$는 공통
$\therefore \triangle ABE \backsim \triangle ACD$ (AA 닮음)

06 $\angle AEB = \angle FDB = 90^\circ$,
$\angle ABE$는 공통
$\therefore \triangle ABE \backsim \triangle FBD$ (AA 닮음)

09 $\overline{AB}^2 = \overline{BH} \times \overline{BC}$이므로
$x^2 = 3 \times (3+9) = 36 = 6^2$
$\therefore x = 6$

10 $\overline{AB}^2 = \overline{BH} \times \overline{BC}$이므로
$6^2 = 4 \times (4+x)$
$36 = 16 + 4x$
$\therefore x = 5$

12 $\overline{AC}^2 = \overline{CH} \times \overline{CB}$이므로
$x^2 = 9 \times (9+16) = 225 = 15^2$
$\therefore x = 15$

14 $\overline{AH}^2 = \overline{BH} \times \overline{CH}$이므로
$x^2 = 9 \times 16 = 144$
$\therefore x = 12$

16 $\overline{AH}^2 = \overline{BH} \times \overline{CH}$이므로
$6^2 = 3 \times \overline{BH} \quad \therefore \overline{BH} = 12(\text{cm})$
$\triangle ABC = \dfrac{1}{2} \times (12+3) \times 6$
$= 45(\text{cm}^2)$

17 $\overline{CH}^2 = \overline{AH} \times \overline{BH}$이므로
$\overline{CH}^2 = 12 \times 3 = 36$
$\therefore \overline{CH} = 6(\text{cm})$
$\triangle ABC = \dfrac{1}{2} \times \overline{AB} \times \overline{CH}$
$= \dfrac{1}{2} \times 15 \times 6 = 45(\text{cm}^2)$

18

$\triangle BED$와 $\triangle CFE$에서 $\angle B = \angle C$
$\angle BED + \angle BDE = 120^\circ$이고
$\angle BED + \angle CEF = 120^\circ$이므로
$\angle BDE = \angle CEF$
$\therefore \triangle BED \backsim \triangle CFE$ (AA 닮음)

19 $\overline{CE} = 12 - 4 = 8(\text{cm})$이므로
$\overline{BE} : \overline{CF} = \overline{BD} : \overline{CE}$
$4 : 5 = \overline{BD} : 8$
$\therefore \overline{BD} = \dfrac{32}{5}(\text{cm})$

20 $\triangle ABC' \backsim \triangle DC'E$이고
$\overline{C'D} = 5 - 4 = 1(\text{cm})$이므로
$\overline{AB} : \overline{DC'} = \overline{AC'} : \overline{DE}$
즉, $3 : 1 = 4 : \overline{DE}$이므로
$\overline{DE} = \dfrac{4}{3}(\text{cm})$

Ⅱ. 도형의 성질
2. 닮음의 활용

01. 삼각형에서 평행선과 선분의 길이의 비 (1) (본문 88쪽)

02 $\overline{AB} : \overline{AD} = \overline{BC} : \overline{DE}$이므로
$10 : 4 = 10 : x$
$10x = 40 \quad \therefore x = 4$

03 $\overline{AC} : \overline{AE} = \overline{BC} : \overline{DE}$이므로
$10 : 6 = x : 8$
$6x = 80 \quad \therefore x = \dfrac{40}{3}$

04 $\overline{AD} : \overline{DB} = \overline{AE} : \overline{EC}$이므로
$9 : 6 = 15 : x$
$9x = 90 \quad \therefore x = 10$

05 $\overline{AE} : \overline{AC} = \overline{DE} : \overline{BC}$이므로
$9 : 6 = x : 5$
$6x = 45 \quad \therefore x = \dfrac{15}{2}$

06 $\overline{AB}:\overline{BD}=\overline{AC}:\overline{CE}$이므로
$6:3=4:x$
$6x=12 \quad \therefore x=2$

07 $\overline{AD}:\overline{AB}=\overline{AE}:\overline{AC}$이므로
$10:6=15:x$
$10x=90 \quad \therefore x=9$

08 $\overline{AB}:\overline{AD}=\overline{AC}:\overline{AE}$이므로
$15:x=10:6$
$10x=90 \quad \therefore x=9$

09 $\overline{AB}:\overline{BD}=\overline{AC}:\overline{CE}$이므로
$3:6=x:4$
$6x=12 \quad \therefore x=2$

10 $\overline{AB}:\overline{AD}=\overline{BC}:\overline{DE}$이므로
$x:3=5:4$
$4x=15 \quad \therefore x=\frac{15}{4}$

11 $\overline{AC}:\overline{AE}=\overline{BC}:\overline{DE}$이므로
$4:6=2:x$
$4x=12 \quad \therefore x=3$

12 $\overline{AB}:\overline{AD}=\overline{AC}:\overline{AE}$이므로
$6:10=9:x$
$6x=90 \quad \therefore x=15$

13 $\overline{AD}:\overline{BD}=\overline{AE}:\overline{CE}$이므로
$6:x=9:21$
$9x=126 \quad \therefore x=14$

14 $\overline{AD}:\overline{BD}=\overline{AE}:\overline{CE}$이므로
$4:12=3:x$
$4x=36 \quad \therefore x=9$

02. 삼각형에서 평행선과 선분의 길이의 비 (2) (본문 90쪽)

01 $\overline{AB}:\overline{AD}=15:12=5:4$
$\overline{AC}:\overline{AE}=10:8=5:4$
이므로 $\overline{BC} /\!/ \overline{DE}$

02 $9:6 \neq 10:7$이므로 $\overline{BC} \nparallel \overline{DE}$

03 $3:11 \neq 2:8$이므로 $\overline{BC} \nparallel \overline{DE}$

04 $8:2=12:3$이므로 $\overline{BC} /\!/ \overline{DE}$

05 $6:8 \neq 4:12$이므로 $\overline{BC} \nparallel \overline{DE}$

06 $3:12 \neq 2:10$이므로 $\overline{BC} \nparallel \overline{DE}$

03. 삼각형의 각의 이등분선 (본문 91쪽)

02 $\overline{AB}:\overline{AC}=\overline{BD}:\overline{CD}$이므로
$8:12=(10-x):x$
$8x=120-12x,\ 20x=120$
$\therefore x=6$

03 $\overline{AB}:\overline{AC}=\overline{BD}:\overline{CD}$이므로
$10:5=x:(12-x)$
$5x=120-10x,\ 15x=120$
$\therefore x=8$

05 $\triangle ABD:\triangle ACD$
$=\overline{BD}:\overline{CD}=\overline{AB}:\overline{AC}$이므로
$55:\triangle ACD=5:3$
$\therefore \triangle ACD=33(\text{cm}^2)$

06 $\triangle ABD:\triangle ACD$
$=\overline{BD}:\overline{CD}=\overline{AB}:\overline{AC}$이므로
$(16-\triangle ACD):\triangle ACD=6:10$
$\therefore \triangle ACD=10(\text{cm}^2)$

08 $\overline{AB}:\overline{AC}=\overline{BD}:\overline{CD}$이므로
$6:4=(3+x):x$
$6x=12+4x,\ 2x=12 \quad \therefore x=6$

09 $\overline{AB}:\overline{AC}=\overline{BD}:\overline{CD}$이므로
$5:3=(x+6):6$
$3x+18=30,\ 3x=12 \quad \therefore x=4$

10 $\overline{AB}:\overline{AC}=\overline{BD}:\overline{CD}$이므로
$5:x=7:5$
$7x=25 \quad \therefore x=\frac{25}{7}$

11 $\overline{AB}:\overline{AC}=\overline{BD}:\overline{CD}$이므로
$12:x=20:12$
$20x=144 \quad \therefore x=\frac{36}{5}$

12 $\overline{AC}:\overline{AB}=\overline{CD}:\overline{BD}$이므로
$x:8=15:10$
$10x=120 \quad \therefore x=12$

13 $\overline{AC}:\overline{AB}=\overline{CD}:\overline{BD}$이므로
$12:10=(x+8):x$
$12x=10x+80,\ 2x=80$
$\therefore x=40$

14 $\overline{AB}:\overline{AC}=\overline{BD}:\overline{CD}$이므로
$8:6=4:3=\overline{BD}:\overline{CD}$
$\therefore \overline{BC}:\overline{CD}=1:3$
$\triangle ABC=32\times\frac{1}{4}=8(\text{cm}^2)$

04. 평행선 사이의 선분의 길이의 비 (본문 93쪽)

02 $(25-15):15=x:18,\ 15x=180$
$\therefore x=12$

03 $x:12=20:16,\ 16x=240$
$\therefore x=15$

04 $(24-15):15=x:20,\ 15x=180$
$\therefore x=12$

05 $x:(12-x)=5:3,\ 3x=60-5x$
$8x=60 \quad \therefore x=\frac{15}{2}$

06 $6:8=5:x,\ 6x=40 \quad \therefore x=\frac{20}{3}$

07 $x:3=(16-4):4,\ 4x=36$
$\therefore x=9$

08 $5:8=x:6,\ 8x=30 \quad \therefore x=\frac{15}{4}$

09 $3:4=2:x,\ 3x=8 \quad \therefore x=\frac{8}{3}$

10 $(x-3):3=4:2,\ 2x-6=12$
$2x=18 \quad \therefore x=9$

12 $3:5=x:7,\ 5x=21 \quad \therefore x=\frac{21}{5}$
$3:5=4:y,\ 3y=20 \quad \therefore y=\frac{20}{3}$
$\therefore x+y=\frac{163}{15}$

13 $6:8=x:10,\ 8x=60 \quad \therefore x=\frac{15}{2}$
$6:8=y:12,\ 8y=72 \quad \therefore y=9$
$\therefore x+y=\frac{33}{2}$

14 $x:(16-x)=5:10,\ 15x=80$
$\therefore x=\frac{16}{3}$
$5:10=3:y,\ 5y=30 \quad \therefore y=6$
$\therefore x+y=\frac{34}{3}$

05. 사다리꼴에서 평행선과 선분의 길이의 비 (본문 95쪽)

02 $\overline{CF}:\overline{CD}=\overline{BE}:\overline{BA}$이고
$\triangle CDA$에서
$\overline{PF}:\overline{AD}=\overline{CF}:\overline{CD}$이므로
$\overline{PF}:4=2:5,\ 5\overline{PF}=8$
$\therefore \overline{PF}=\frac{8}{5}$

03 $\overline{EF}=\overline{EP}+\overline{PF}=\frac{27}{5}+\frac{8}{5}=7$

05 $\triangle ABQ$에서
$\overline{EP}:\overline{BQ}=\overline{AE}:\overline{AB}$이므로
$\overline{EP}:(9-4)=3:(3+2),$
$5\overline{EP}=15 \quad \therefore \overline{EP}=3$

06 $\overline{EF}=\overline{EP}+\overline{PF}=3+4=7$

07 (1) $\triangle ABC$에서
$\overline{EP}:\overline{BC}=\overline{AE}:\overline{AB}$이므로
$\overline{EP}:10=3:5,\ 5\overline{EP}=30$
$\therefore \overline{EP}=6$
(2) $\overline{CF}:\overline{CD}=\overline{BE}:\overline{BA}$이고

$\triangle CDA$에서

$\overline{PF} : \overline{AD} = \overline{CF} : \overline{CD}$이므로

$\overline{PF} : 5 = 2 : 5,\ 5\overline{PF} = 10$

$\therefore \overline{PF} = 2$

(3) $\overline{EF} = \overline{EP} + \overline{PF} = 6 + 2 = 8$

08 (1) $\triangle ABC$에서

$\overline{EP} : \overline{BC} = \overline{AE} : \overline{AB}$이므로

$\overline{EP} : 9 = 2 : 6,\ 6\overline{EP} = 18$

$\therefore \overline{EP} = 3$

(2) $\overline{CF} : \overline{CD} = \overline{BE} : \overline{BA}$이고

$\triangle CDA$에서

$\overline{PF} : \overline{AD} = \overline{CF} : \overline{CD}$이므로

$\overline{PF} : 3 = 4 : 6,\ 6\overline{PF} = 12$

$\therefore \overline{PF} = 2$

(3) $\overline{EF} = \overline{EP} + \overline{PF} = 3 + 2 = 5$

09 (1) □APFD는 평행사변형이므로

$\overline{PF} = \overline{AD} = 5$

(2) $\triangle ABQ$에서

$\overline{EP} : \overline{BQ} = \overline{AE} : \overline{AB}$이므로

$\overline{EP} : 3 = 2 : 8,\ 8\overline{EP} = 6$

$\therefore \overline{EP} = \frac{3}{4}$

(3) $\overline{EF} = \overline{EP} + \overline{PF} = \frac{3}{4} + 5 = \frac{23}{4}$

10 (1) □APFD는 평행사변형이므로

$\overline{PF} = \overline{AD} = 4$

(2) $\triangle ABQ$에서

$\overline{EP} : \overline{BQ} = \overline{AE} : \overline{AB}$이므로

$\overline{EP} : 2 = 3 : 6,\ 6\overline{EP} = 6$

$\therefore \overline{EP} = 1$

(3) $\overline{EF} = \overline{EP} + \overline{PF} = 1 + 4 = 5$

06. 평행선과 선분의 길이의 비의 활용 (본문 97쪽)

02 $\overline{EF} : 3 = 2 : 5,\ 5\overline{EF} = 6$

$\therefore \overline{EF} = \frac{6}{5}$

03 $\triangle ABE \backsim \triangle CDE$이므로

$\overline{BE} : \overline{DE} = \overline{AB} : \overline{CD} = 3 : 5$

04 $\triangle BEF \backsim \triangle BDC$이므로

$\overline{EF} : \overline{DC} = \overline{BE} : \overline{BD}$

$= 3 : (3+5)$

$= 3 : 8$

05 $\overline{EF} : 5 = 3 : 8,\ 8\overline{EF} = 15$

$\therefore \overline{EF} = \frac{15}{8}$

07 $\triangle ABE \backsim \triangle DCE$이므로

$\overline{BE} : \overline{CE} = \overline{AB} : \overline{CD}$

$= 8 : 16 = 1 : 2$

$\triangle BEF \backsim \triangle BCD$이므로

$\overline{BE} : \overline{BC} = \overline{BF} : \overline{BD}$

$1 : 3 = x : 24,\ 3x = 24$

$\therefore x = 8$

08 $\triangle ABE \backsim \triangle DCE$이므로

$\overline{BE} : \overline{CE} = \overline{AB} : \overline{CD}$

$= 10 : 15 = 2 : 3$

$\triangle BEF \backsim \triangle BCD$이므로

$\overline{BE} : \overline{BC} = \overline{BF} : \overline{BD}$

$2 : 5 = x : 20,\ 5x = 40$

$\therefore x = 8$

09 $\triangle BEF \backsim \triangle BDC$이므로

$\overline{EF} : \overline{DC} = \overline{BF} : \overline{BC}$

$= 4 : 12 = 1 : 3$

$\therefore \overline{BF} : \overline{FC} = 1 : 2$

이때, $\triangle CEF \backsim \triangle CAB$이므로

$\overline{EF} : \overline{AB} = \overline{CF} : \overline{CB}$

$4 : x = 2 : 3,\ 2x = 12$

$\therefore x = 6$

10 $\triangle CEF \backsim \triangle CAB$이므로

$\overline{EF} : \overline{AB} = \overline{CF} : \overline{CB}$

$= 8 : 12 = 2 : 3$

$\therefore \overline{BF} : \overline{FC} = 1 : 2$

$\triangle BEF \backsim \triangle BDC$이므로

$\overline{EF} : \overline{DC} = \overline{BF} : \overline{BC}$

$8 : x = 1 : 3 \quad \therefore x = 24$

11 $\overline{BE} : \overline{CE} = 9 : 6 = 3 : 2$이므로

$\overline{BE} : \overline{BC} = \overline{EF} : \overline{CD}$에서

$3 : 5 = \overline{EF} : 6$

$\therefore \overline{EF} = \frac{18}{5}(\text{cm})$

$\therefore \triangle EBD = \frac{1}{2} \times 15 \times \frac{18}{5}$

$= 27(\text{cm}^2)$

07. 삼각형의 두 변의 중점을 연결한 선분의 성질 (본문 99쪽)

02 점 M은 $\overline{AB}$의 중점이므로

$\overline{AM} = \frac{1}{2}\overline{AB} = 7$

03 $\overline{MN} = \frac{1}{2}\overline{BC}$이므로

$\overline{MN} = \frac{1}{2} \times 12 = 6$

05 점 N은 $\overline{AC}$의 중점이므로

$\overline{AC} = 2\overline{CN} = 2 \times 5 = 10$

06 $\overline{AM} = \overline{BM},\ \overline{MN} /\!/ \overline{BC}$이면

$\overline{BC} = 2\overline{MN}$이므로 $\overline{BC} = 2 \times 6 = 12$

07 $x = \frac{1}{2}\overline{BC} = \frac{1}{2} \times 8 = 4$

08 $x = 2\overline{MN} = 2 \times 6 = 12$

09 $x = 2\overline{MN} = 2 \times 7 = 14$

10 $x = \frac{1}{2}\overline{AC} = \frac{1}{2} \times 12 = 6$

11 $\overline{DE} = \frac{1}{2}\overline{AC} = \frac{1}{2} \times 5 = \frac{5}{2}$

$\overline{EF} = \frac{1}{2}\overline{AB} = \frac{1}{2} \times 6 = 3$

$\overline{DF} = \frac{1}{2}\overline{BC} = \frac{1}{2} \times 8 = 4$

$\therefore$ ($\triangle DEF$의 둘레의 길이)

$= \overline{DE} + \overline{EF} + \overline{DF}$

$= \frac{5}{2} + 3 + 4 = \frac{19}{2}$

12 $\overline{DE} = \frac{1}{2}\overline{AC} = \frac{1}{2} \times 6 = 3$

$\overline{EF} = \frac{1}{2}\overline{AB} = \frac{1}{2} \times 8 = 4$

$\overline{DF} = \frac{1}{2}\overline{BC} = \frac{1}{2} \times 10 = 5$

$\therefore$ ($\triangle DEF$의 둘레의 길이)

$= 3 + 4 + 5 = 12$

13 $\overline{DE} = \frac{1}{2}\overline{AB},\ \overline{EF} = \frac{1}{2}\overline{BC},$

$\overline{FD} = \frac{1}{2}\overline{CA}$

($\triangle DEF$의 둘레의 길이)

$= \frac{1}{2}(\overline{AB} + \overline{BC} + \overline{CA})$

$= \frac{1}{2} \times 28 = 14(\text{cm})$

14 $\overline{EH} = \frac{1}{2}\overline{BD} = \frac{1}{2} \times 8 = 4$

15 $\overline{FG} = \frac{1}{2}\overline{BD} = \frac{1}{2} \times 8 = 4$

16 $\overline{EF} = \frac{1}{2}\overline{AC} = \frac{1}{2} \times 10 = 5$

17 $\overline{HG} = \frac{1}{2}\overline{AC} = \frac{1}{2} \times 10 = 5$

18 (□EFGH의 둘레의 길이)

$= \overline{EH} + \overline{FG} + \overline{EF} + \overline{HG}$

$= 4 + 4 + 5 + 5 = 18$

19 $\overline{EH} = \overline{FG} = \frac{1}{2}\overline{BD} = \frac{1}{2} \times 12 = 6$

$\overline{EF} = \overline{HG} = \frac{1}{2}\overline{AC} = \frac{1}{2} \times 10 = 5$

$\therefore$ (□EFGH의 둘레의 길이)

$= \overline{EH} + \overline{FG} + \overline{EF} + \overline{HG}$

$= 6 + 6 + 5 + 5 = 22$

20 $\overline{EH} = \overline{FG} = \frac{1}{2}\overline{BD} = \frac{1}{2} \times 14 = 7$

$\overline{EF} = \overline{HG} = \frac{1}{2}\overline{AC} = \frac{1}{2} \times 18 = 9$

$\therefore$ (□EFGH의 둘레의 길이)

$= 7 + 7 + 9 + 9 = 32$

21 직사각형의 두 대각선의 길이는 같으므로

$\overline{EH}=\overline{FG}=\overline{EF}=\overline{HG}$

$=\frac{1}{2}\overline{AC}=\frac{1}{2}\times 6=3$

$\therefore$ (□EFGH의 둘레의 길이)

$=4\overline{EH}=4\times 3=12$

23 $\overline{BD}/\!/\overline{EH}/\!/\overline{FG}$이고

$\overline{EH}=\overline{FG}=\frac{1}{2}\overline{BD}$이므로

□EFGH는 평행사변형이다.

24 $\overline{EH}=\overline{FG}=\frac{1}{2}\overline{BD}$,

$\overline{EF}=\overline{HG}=\frac{1}{2}\overline{AC}$이고

$\overline{AC}=\overline{BD}$이므로 □EFGH는 마름모이다.

25 $\overline{BD}/\!/\overline{EH}/\!/\overline{FG}$,

$\overline{EH}=\overline{FG}=\frac{1}{2}\overline{BD}$이므로

□EFGH는 평행사변형이다.

또, $\overline{AC}\perp\overline{BD}$에서 $\overline{FE}\perp\overline{EH}$이므로

□EFGH는 직사각형이다.

26 $\overline{EH}=\overline{FG}=\frac{1}{2}\overline{BD}$,

$\overline{EF}=\overline{HG}=\frac{1}{2}\overline{AC}$이고

$\overline{AC}=\overline{BD}$이므로 □EFGH는 마름모이다.

또, $\overline{AC}\perp\overline{BD}$에서 $\overline{FE}\perp\overline{EH}$이므로

□EFGH는 정사각형이다.

27 $\overline{EH}=\overline{FG}=\frac{1}{2}\overline{BD}$,

$\overline{EF}=\overline{HG}=\frac{1}{2}\overline{AC}$이고

$\overline{AC}=\overline{BD}$이므로 □EFGH는 마름모이다.

08. 사다리꼴에서 두 변의 중점을 연결한 선분의 성질 (본문 103쪽)

01 $\overline{MP}=\frac{1}{2}\overline{BC}=\frac{1}{2}\times 8=4$

02 $\overline{PN}=\frac{1}{2}\overline{AD}=\frac{1}{2}\times 4=2$

03 $\overline{MN}=\overline{MP}+\overline{PN}=4+2=6$

04 □APND는 평행사변형이므로

$\overline{PN}=\overline{AD}=4$

05 $\overline{BQ}=\overline{BC}-\overline{QC}=8-4=4$

$\overline{MP}=\frac{1}{2}\overline{BQ}=\frac{1}{2}\times 4=2$

06 $\overline{MN}=\overline{MP}+\overline{PN}=2+4=6$

08 $\overline{MN}=\frac{1}{2}(\overline{AD}+\overline{BC})$이므로

$10=\frac{1}{2}(8+x)$

$8+x=20 \quad \therefore x=12$

09 $\overline{MN}=\frac{1}{2}(\overline{AD}+\overline{BC})$이므로

$7=\frac{1}{2}(x+9)$

$x+9=14 \quad \therefore x=5$

10 $\overline{AD}=2\overline{PN}=2\times 3=6$이므로

$x=\frac{1}{2}(\overline{AD}+\overline{BC})$

$=\frac{1}{2}(6+12)=9$

11 $\triangle ABD$에서

$\overline{MP}=\frac{1}{2}\overline{AD}=\frac{1}{2}\times 4=2$

$\triangle ABC$에서

$\overline{MQ}=\frac{1}{2}\overline{BC}=\frac{1}{2}\times 8=4$

$\therefore x=\overline{MQ}-\overline{MP}=4-2=2$

12 $\triangle ABD$에서

$\overline{MP}=\frac{1}{2}\overline{AD}=\frac{1}{2}\times 10=5$

$\triangle ABC$에서

$\overline{MQ}=\frac{1}{2}\overline{BC}=\frac{1}{2}\times 14=7$

$\therefore x=\overline{MQ}-\overline{MP}=7-5=2$

13 $\triangle ABD$에서

$\overline{MP}=\frac{1}{2}\overline{AD}=\frac{1}{2}\times 10=5$

$\triangle ABC$에서 $x=2\times(5+3)=16$

14 $\triangle ABC$에서

$\overline{MQ}=\frac{1}{2}\overline{BC}=\frac{1}{2}\times 12=6$

$\overline{MP}=\overline{MQ}-\overline{PQ}=6-3=3$

$\triangle ABD$에서 $x=2\overline{MP}=2\times 3=6$

09. 삼각형의 중선 (본문 105쪽)

01 $\overline{AD}$는 $\triangle ABC$의 중선이고, 중선은 삼각형의 넓이를 이등분하므로

$\triangle ABD$와 넓이가 같은 삼각형은

$\triangle ACD$이다.

02 $\overline{PD}$는 $\triangle PBC$의 중선이므로 $\triangle PCD$와 넓이가 같은 삼각형은 $\triangle PBD$이다.

03 $\triangle ABD=\triangle ACD$,

$\triangle PBD=\triangle PCD$이므로

$\triangle APB=\triangle ABD-\triangle PBD$

$=\triangle ACD-\triangle PCD$

$=\triangle APC$

04 $\triangle CPM=\triangle ACP=4\text{ cm}^2$

05 $\triangle AMC=\triangle CPM+\triangle ACP$

$=4+4=8(\text{cm}^2)$

$\therefore \triangle ABM=\triangle AMC=8\text{ cm}^2$

06 $\triangle ABC=\triangle ABM+\triangle ACM$

$=8+8=16(\text{cm}^2)$

10. 삼각형의 무게중심 (본문 106쪽)

02 $\overline{AD}:\overline{GD}=3:1$이므로

$12:x=3:1,\ 3x=12 \quad \therefore x=4$

03 $\overline{AG}:\overline{AD}=2:3$이므로

$x:9=2:3,\ 3x=18 \quad \therefore x=6$

04 $\overline{BG}:\overline{GD}=2:1$이므로

$x:7=2:1 \quad \therefore x=14$

05 $\overline{CD}:\overline{GD}=3:1$이므로

$x:6=3:1 \quad \therefore x=18$

06 $\overline{BG}:\overline{BD}=2:3$이므로

$8:x=2:3,\ 2x=24 \quad \therefore x=12$

08 $x=21\times\frac{1}{3}=7,\ y=21\times\frac{2}{3}=14$

$\therefore xy=7\times 14=98$

09 $\overline{BD}=\overline{CD}$이므로 $x=6$

$6:y=2:1,\ 2y=6 \quad \therefore y=3$

$\therefore xy=6\times 3=18$

10 $8:x=2:1,\ 2x=8,\ x=4$

$y=\frac{1}{2}\times 14=7$

$\therefore xy=4\times 7=28$

11 $\triangle CBE$에서

$\overline{BD}=\overline{CD}$, $\overline{BE}/\!/\overline{DF}$이므로

$\overline{BE}=2\overline{DF}=2\times 9=18$

$x=18\times\frac{1}{3}=6,\ y=18\times\frac{2}{3}=12$

$\therefore xy=6\times 12=72$

12 $12:y=2:1,\ 2y=12 \quad \therefore y=6$

$\triangle CAD$에서

$\overline{AE}=\overline{CE}$, $\overline{AD}/\!/\overline{EF}$이므로

$x=\frac{1}{2}\overline{AD}=\frac{1}{2}\times(12+6)=9$

$\therefore xy=9\times 6=54$

13 $\overline{EG}/\!/\overline{BD}$이므로 $\overline{AG}:\overline{GD}=2:1$

$12:x=2:1 \quad \therefore x=6$

$\overline{EG}:\overline{BD}=\overline{AG}:\overline{AD}$이므로

$8:y=12:18=2:3 \quad \therefore y=12$

$\therefore x+y=6+12=18$

15 $\overline{AG}:\overline{GD}=2:1$이므로

$\overline{GD}=\frac{1}{3}\overline{AD}=\frac{1}{3}\times 9=3(cm)$

$\overline{GG'}:\overline{G'D}=2:1$이므로

$\overline{G'D}=\frac{1}{3}\overline{GD}=\frac{1}{3}\times 3=1(cm)$

16 $\overline{GG'}=\frac{2}{3}\overline{GD}=\frac{2}{3}\times\frac{1}{3}\overline{AD}=\frac{2}{9}\overline{AD}$

이므로

$\overline{AD}=\frac{9}{2}\overline{GG'}=\frac{9}{2}\times 4=18(cm)$

17 $\overline{G'D}=\frac{1}{3}\overline{GD}=\frac{1}{3}\times\frac{1}{3}\overline{AD}=\frac{1}{9}\overline{AD}$

이므로

$\overline{AD}=9\overline{G'D}=9\times 3=27(cm)$

19 □ABCD가 평행사변형이므로

$\overline{AO}=\overline{CO}$이고, $\overline{CN}=\overline{DN}$이므로

점 Q는 △ACD의 무게중심이다.

$\therefore\ \overline{DQ}:\overline{QO}=2:1$

20 □ABCD가 평행사변형이므로

$\overline{BO}=\overline{DO}$

$\therefore\ \overline{BP}:\overline{PQ}:\overline{QD}=2:2:2$

$=1:1:1$

21 $\overline{PQ}=\frac{1}{3}\overline{BD}=\frac{1}{3}\times 36=12(cm)$

11. 삼각형의 무게중심과 넓이

(본문 109쪽)

01 $\triangle ABD=\frac{1}{2}\triangle ABC=\frac{1}{2}\times 12$

$=6(cm^2)$

02 $\triangle AGB=\frac{1}{3}\triangle ABC=\frac{1}{3}\times 12$

$=4(cm^2)$

03 $\triangle BGC=\frac{1}{3}\triangle ABC=\frac{1}{3}\times 12$

$=4(cm^2)$

04 $\triangle CGA=\frac{1}{3}\triangle ABC=\frac{1}{3}\times 12$

$=4(cm^2)$

05 $\triangle AGF=\frac{1}{6}\triangle ABC=\frac{1}{6}\times 12$

$=2(cm^2)$

06 $\triangle BGF=\frac{1}{6}\triangle ABC=\frac{1}{6}\times 12$

$=2(cm^2)$

07 $\triangle BGD=\frac{1}{6}\triangle ABC=\frac{1}{6}\times 12$

$=2(cm^2)$

08 $\triangle CGD=\frac{1}{6}\triangle ABC=\frac{1}{6}\times 12$

$=2(cm^2)$

09 $\triangle CGE=\frac{1}{6}\triangle ABC=\frac{1}{6}\times 12$

$=2(cm^2)$

10 $\triangle AGE=\frac{1}{6}\triangle ABC=\frac{1}{6}\times 12$

$=2(cm^2)$

11 $\square AFGE=\triangle AGF+\triangle AGE$

$=\frac{1}{6}\triangle ABC+\frac{1}{6}\triangle ABC$

$=\frac{1}{3}\triangle ABC=\frac{1}{3}\times 12$

$=4(cm^2)$

12 $\square BDGF=\triangle BGF+\triangle BGD$

$=\frac{1}{6}\triangle ABC+\frac{1}{6}\triangle ABC$

$=\frac{1}{3}\triangle ABC=\frac{1}{3}\times 12$

$=4(cm^2)$

13 $\square CEGD=\triangle CGD+\triangle CGE$

$=\frac{1}{6}\triangle ABC+\frac{1}{6}\triangle ABC$

$=\frac{1}{3}\triangle ABC=\frac{1}{3}\times 12$

$=4(cm^2)$

14 $\triangle CGD=\triangle BGD=6\ cm^2$

15 $\triangle CGA=2\triangle BGD$

$=2\times 6=12(cm^2)$

16 $\triangle ABD=3\triangle BGD$

$=3\times 6=18(cm^2)$

17 $\square AFGE=2\triangle BGD$

$=2\times 6=12(cm^2)$

18 $\triangle ABC=6\triangle BGD$

$=6\times 6=36(cm^2)$

20 $\triangle ABC=\frac{1}{2}\times 10\times 6=30(cm^2)$

$\therefore\ \triangle AGC=\frac{1}{3}\triangle ABC=\frac{1}{3}\times 30$

$=10(cm^2)$

21 $\square ADGE=\triangle GBC=24\ cm^2$

22 $\square CEGD=2\triangle AGE$

$=2\times 5=10(cm^2)$

23 $\triangle GDC=\frac{1}{6}\triangle ABC=\frac{1}{6}\times 36$

$=6(cm^2)$

(색칠한 부분의 넓이)

$=\frac{1}{2}\triangle GDC=\frac{1}{2}\times 6=3(cm^2)$

24 (색칠한 부분의 넓이)

$=\triangle AEG+\triangle AFG$

$=\frac{1}{2}\triangle ABG+\frac{1}{2}\triangle ACG$

$=\frac{1}{2}\times\frac{1}{3}\triangle ABC+\frac{1}{2}\times\frac{1}{3}\triangle ABC$

$=\frac{1}{3}\triangle ABC=\frac{1}{3}\times 36$

$=12(cm^2)$

25 (색칠한 부분의 넓이)

$=\triangle GED+\triangle GFD$

$=\frac{1}{2}\triangle GBD+\frac{1}{2}\triangle GCD$

$=\frac{1}{2}\times\frac{1}{6}\triangle ABC+\frac{1}{2}\times\frac{1}{6}\triangle ABC$

$=\frac{1}{6}\triangle ABC=\frac{1}{6}\times 36$

$=6(cm^2)$

12. 닮은 두 평면도형의 넓이의 비

(본문 112쪽)

01 △ABC와 △DEF의 닮음비는

$\overline{BC}:\overline{EF}=2:3$

02 △ABC와 △DEF의 닮음비가 2 : 3이므로 둘레의 길이의 비는 2 : 3이다.

2 : 3=6 : (△DEF의 둘레의 길이)

∴ (△DEF의 둘레의 길이)=9(cm)

03 △ABC와 △DEF의 닮음비가 2 : 3이므로 넓이의 비는 4 : 9이다.

4 : 9=3 : (△DEF의 넓이)

$\therefore\ \triangle DEF=\frac{27}{4}(cm^2)$

04 원 O와 원 O′의 닮음비는 두 원의 반지름의 길이의 비와 같으므로 3 : 2

05 원 O와 원 O′의 닮음비가 3 : 2이므로 둘레의 길이의 비는 3 : 2이다.

$3:2=12\pi$: (원 O′의 둘레의 길이)

∴ (원 O′의 둘레의 길이)$=8\pi(cm)$

06 원 O와 원 O′의 닮음비가 3 : 2이므로 넓이의 비는 9 : 4이다.

$9:4=36\pi$: (원 O′의 넓이)

∴ (원 O′의 넓이)$=16\pi(cm^2)$

07 △ABC와 △ADE의 닮음비는

$\overline{AB}:\overline{AD}=9:5$

08 △ABC와 △ADE의 닮음비가 9 : 5이므로 넓이의 비는

$9^2:5^2=81:25$

09 △ABC와 △ADE의 넓이의 비가 81 : 25이므로

81 : 25=△ABC : 10

$\therefore\ \triangle ABC=\frac{162}{5}(cm^2)$

10 △ABC와 △AED의 닮음비는

$\overline{AC}:\overline{AD}=5:3$

11 $\triangle ABC$와 $\triangle AED$의 닮음비가 $5:3$이므로 넓이의 비는
$5^2:3^2=25:9$

12 $\triangle ADF$, $\triangle AEG$, $\triangle ABC$의 닮음비는 $\overline{AD}:\overline{AE}:\overline{AB}=1:2:3$

13 $\triangle ADF$, $\triangle AEG$, $\triangle ABC$의 닮음비가 $1:2:3$이므로 넓이의 비는
$1^2:2^2:3^2=1:4:9$

14 $\triangle ADF$와 $\triangle AEG$의 넓이의 비가 $1:4$이므로
$1:4=10:\triangle AEG$
$\therefore \triangle AEG=40(cm^2)$

15 $\square DEGF=\triangle AEG-\triangle ADF$
$=40-10=30(cm^2)$

16 $\triangle AEG$와 $\triangle ABC$의 넓이의 비가 $4:9$이므로
$4:9=40:\triangle ABC$
$\therefore \triangle ABC=90(cm^2)$

17 $\square EBCG=\triangle ABC-\triangle AEG$
$=90-40=50(cm^2)$

13. 닮은 두 입체도형의 겉넓이와 부피의 비 (본문 114쪽)

01 두 사면체 (가)와 (나)의 닮음비는 $3:4$

02 두 사면체 (가)와 (나)의 둘레의 길이의 비는 닮음비와 같으므로 $3:4$

03 두 사면체 (가)와 (나)의 닮음비가 $3:4$이므로 밑넓이의 비는
$3^2:4^2=9:16$

04 두 사면체 (가)와 (나)의 닮음비가 $3:4$이므로 겉넓이의 비는
$3^2:4^2=9:16$

05 두 사면체 (가)와 (나)의 겉넓이 비가 $9:16$이므로
$9:16=18:$((나)의 겉넓이)
$\therefore$ ((나)의 겉넓이)$=32\ cm^2$

06 두 사면체 (가)와 (나)의 닮음비가 $3:4$이므로 부피의 비는
$3^3:4^3=27:64$

07 두 사면체 (가)와 (나)의 부피의 비가 $27:64$이므로
$27:64=54:$((나)의 부피)
$\therefore$ ((나)의 부피)$=128\ cm^3$

08 두 원뿔 P와 Q의 닮음비는 $4:10=2:5$이다.
밑넓이의 비는 $2^2:5^2=4:25$

09 옆넓이의 비는 $2^2:5^2=4:25$

10 밑면의 둘레의 길이의 비는 닮음비와 같으므로 $2:5$

11 모선의 길이의 비는 닮음비와 같으므로 $2:5$

12 부피의 비는 $2^3:5^3=8:125$

14 두 원기둥의 닮음비가 $2:5$이면 겉넓이의 비는 $2^2:5^2=4:25$이므로
$4:25=16\pi:$((나)의 겉넓이)
$\therefore$ ((나)의 겉넓이)$=100\pi\ cm^2$

15 두 원기둥의 닮음비가 $2:5$이면 부피의 비는 $2^3:5^3=8:125$이므로
$8:125=8\pi:$((나)의 부피)
$\therefore$ ((나)의 부피)$=125\pi\ cm^3$

16 세 원뿔의 닮음비가 $1:2:3$이므로 부피의 비는
$1^3:2^3:3^3=1:8:27$
따라서 잘라진 세 입체도형 A, B, C의 부피의 비는
$1:(8-1):(27-8)=1:7:19$

14. 닮음의 활용 (본문 116쪽)

01 $\triangle ABC$와 $\triangle ADE$의 닮음비는
$\overline{AB}:\overline{AD}=2.5:(2.5+6.5)$
$=2.5:9$
$=5:18$

02 $\triangle ABC$와 $\triangle ADE$의 닮음비가 $5:18$이므로
$5:18=1.5:\overline{DE}$
$\therefore \overline{DE}=5.4(m)$

03 $\triangle ABC$와 $\triangle DEF$의 닮음비는
$\overline{BC}:\overline{EF}=5000:10=500:1$

04 $\triangle ABC$와 $\triangle DEF$의 닮음비가 $500:1$이므로
$500:1=\overline{AC}:6$
$\therefore \overline{AC}=3000(cm)=30(m)$

05 $\triangle ABC$와 $\triangle A'B'C'$의 닮음비는
$\overline{BC}:\overline{B'C'}=1500:3=500:1$

06 $\triangle ABC$와 $\triangle A'B'C'$의 닮음비가 $500:1$이므로
$500:1=\overline{AB}:7$
$\therefore \overline{AB}=3500(cm)=35(m)$

07 $\triangle ABE$와 $\triangle CDE$의 닮음비는
$\overline{BE}:\overline{DE}=100:10=10:1$

08 $\triangle ABE$와 $\triangle CDE$의 닮음비가 $10:1$이므로
$10:1=\overline{AB}:7$ $\therefore \overline{AB}=70(m)$

09 축척이 $\frac{1}{50000}$이므로 닮음비는 $1:50000$이다.
실제 거리를 x라 하면
$1:50000=20:x$
$\therefore x=1000000(cm)=10000(m)$
$=10(km)$

10 축척이 $1:1000$이므로 넓이의 비는
$1^2:1000^2=1:1000000$
$\therefore$ (지도에서의 넓이)
$=3000\times\frac{1}{1000000}=\frac{3}{1000}(m^2)$
$=30(cm^2)$

11 축척이 $\frac{4}{2000}=\frac{1}{500}$이므로 닮음비는 $1:500$이고 넓이의 비는
$1^2:500^2=1:250000$
$\therefore$ (실제 넓이)$=12\times250000$
$=3000000(cm^2)$
$=300(m^2)$

12 지름의 길이가 $1\ m=100\ cm$인 쇠공과 지름의 길이가 $5\ cm$인 쇠공의 닮음비는 $100:5=20:1$이므로
부피의 비는 $20^3:1^3=8000:1$이다.
따라서 지름의 길이가 $5\ cm$인 쇠공은 모두 8000개 만들 수 있다.

Ⅲ. 피타고라스 정리

01. 피타고라스의 정리 (본문 122쪽)

02 $x^2=3^2+3^2=18$

03 $x^2=12^2+5^2=169$

04 $17^2=x^2+8^2$이므로 $x^2=225$

06 $13^2=(17-12)^2+x^2$
$169=25+x^2$
$\therefore x=12$

07 $x^2=6^2+8^2=100=10^2$
$\therefore x=10$

08

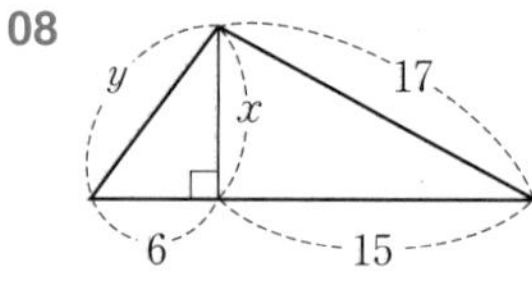

$x^2=17^2-15^2=64=8^2$
$y^2=6^2+8^2=100=10^2$

09

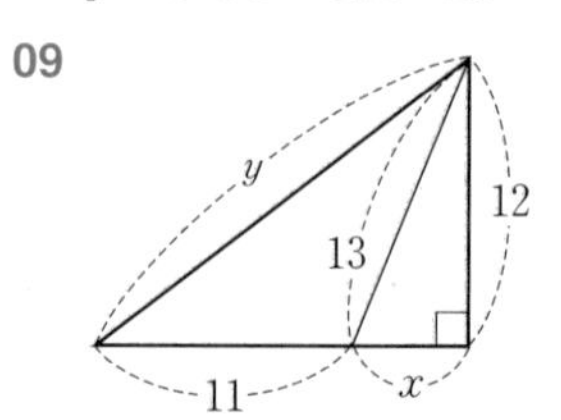

$x^2=13^2-12^2=25=5^2$

$y^2=12^2+(11+x)^2=144+256=20^2$

10

$x^2=6^2+8^2=100=10^2$

$(y+6)^2+8^2=17^2$이므로

$(y+6)^2=225=15^2$

$y+6=15 \quad \therefore y=9$

11

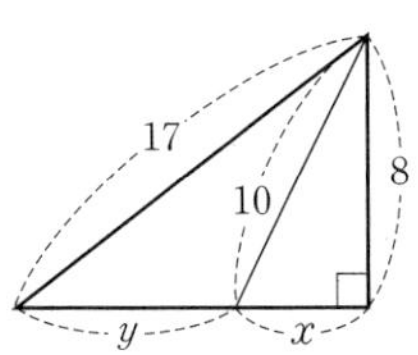

$x^2+8^2=10^2$

$x^2+64=100$

$x^2=36 \quad \therefore x=6$

$(6+y)^2+64=289$

$(6+y)^2=225=15^2$

$6+y=15, \ y=9$

12

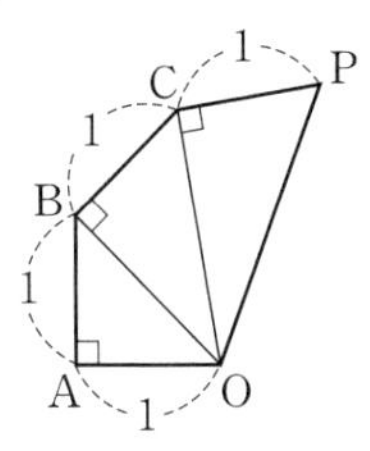

$\overline{OB}^2=1^2+1^2=2,$

$\overline{OC}^2=2+1^2=3$

$\overline{OP}^2=3+1^2=4$

$\therefore \overline{OP}=2$

13

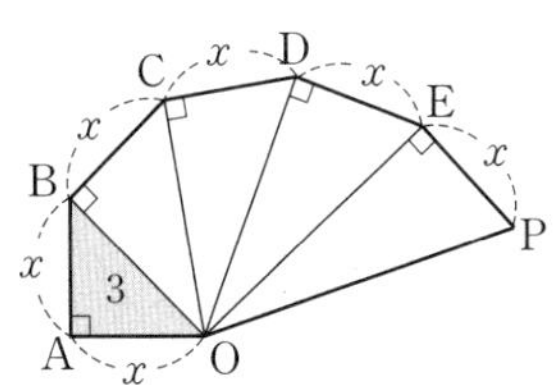

$\overline{OA}^2+\overline{AB}^2+\overline{BC}^2+\overline{CD}^2+\overline{DE}^2+\overline{EP}^2=\overline{OP}^2$이므로

$x^2+x^2+x^2+x^2+x^2+x^2=\overline{OP}^2$

$\therefore 6x^2=\overline{OP}^2$

△OAB의 넓이가 3이므로

$x^2=6$

$6x^2=36=\overline{OP}^2$

$\therefore \overline{OP}=6$

14

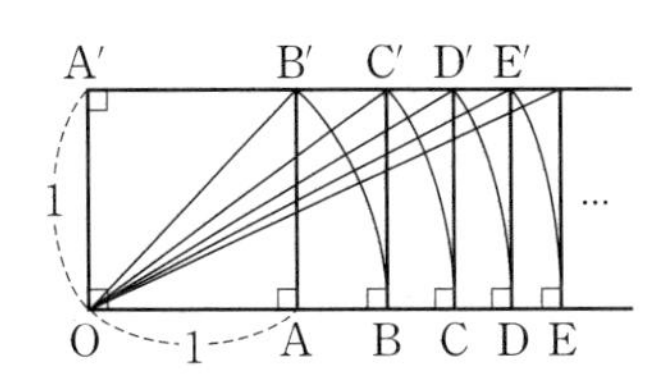

$\overline{OB}^2=\overline{OB'}^2=1^2+1^2=2$

$\overline{OC}^2=\overline{OC'}^2=2+1^2=3$

$\overline{OD}^2=\overline{OD'}^2=3+1^2=4$

$\overline{OE}^2=\overline{OE'}^2=4+1^2=5$

02. 피타고라스 정리의 증명 – 유클리드의 증명 (본문 124쪽)

02 $\square BFGC=100-36=64(cm^2)$

03 $\square BFGC=25-9=16(cm^2)$

05 $\square ACHI=41-16=25(cm^2)$

$\therefore \overline{AC}^2=25, \ \overline{AC}=5(cm)$

06 $\square ACHI=10-6=4(cm^2)$

$\therefore \overline{AC}^2=4, \ \overline{AC}=2(cm)$

07 정사각형 ACDE의 넓이가 $25cm^2$이므로 $\overline{AC}=5cm$

정사각형 ABGF의 넓이가 $9cm^2$이므로 $\overline{AB}=3cm$

$\therefore x=4$

11 $\overline{AB}^2=10^2-8^2=36=6^2(cm)$

$\therefore \overline{AB}=6(cm)$

$\therefore \triangle EBC=\triangle EBA=\frac{1}{2}\square ADEB$

$=\frac{1}{2}\times 6\times 6=18(cm^2)$

12 $\triangle DML=\frac{1}{2}\square BDML$

$=\frac{1}{2}\times 10^2=50(cm^2)$

13 $\overline{AC}^2=20^2-16^2=144=12^2(cm)$

$\therefore \overline{AC}=12$

$\square ACHI=12^2=144(cm^2)$

$\therefore \triangle CLG=\frac{1}{2}\square ACHI$

$=\frac{1}{2}\times 144=72(cm^2)$

03. 피타고라스 정리의 증명 – 피타고라스의 증명 (본문 126쪽)

02

$\overline{AE}=\overline{DH}=8$이므로

$\overline{EH}^2=15^2+8^2=17^2 \quad \therefore \overline{EH}=17$

$(\square EFGH$의 둘레의 길이$)$

$=17\times 4=68$

03

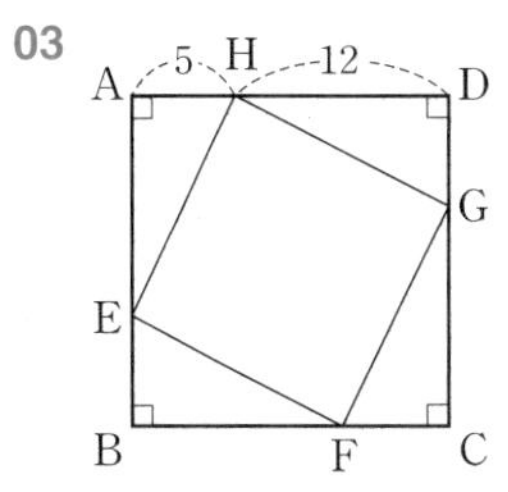

$\overline{AE}=\overline{DH}=12$이므로

$\overline{EH}^2=5^2+12^2=13^2 \quad \therefore \overline{EH}=13$

$(\square EFGH$의 둘레의 길이$)$

$=13\times 4=52$

04

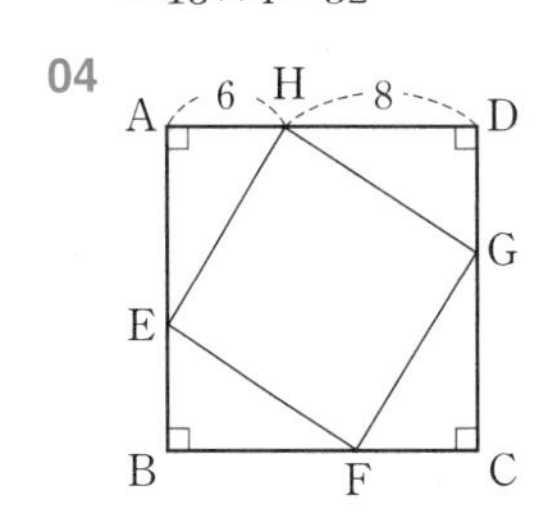

$\overline{AE}=\overline{DH}=8$이므로

$\overline{EH}^2=6^2+8^2=10^2 \quad \therefore \overline{EH}=10$

$(\square EFGH$의 둘레의 길이$)$

$=10\times 4=40$

06

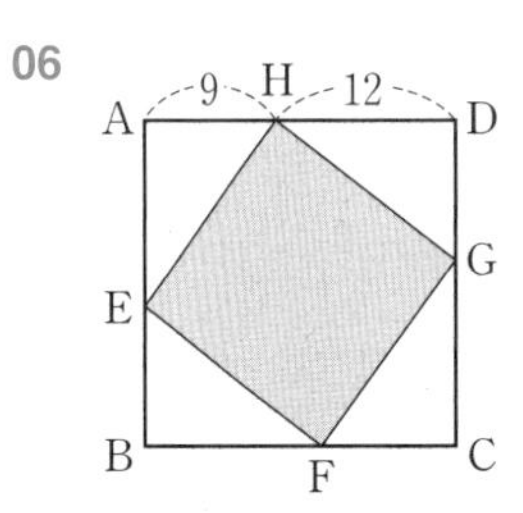

$\overline{AE}=\overline{DH}=12$이므로

$\overline{EH}^2=9^2+12^2=15^2 \quad \therefore \overline{EH}=15$

$\therefore \square EFGH=15^2=225$

07

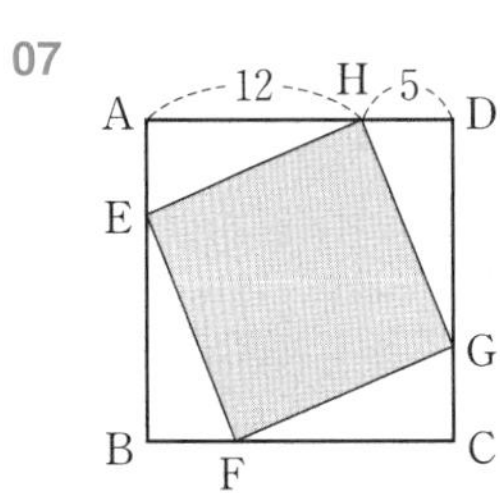

$\overline{AE}=\overline{DH}=5$이므로

$\overline{EH}^2=12^2+5^2=13^2 \quad \therefore \overline{EH}=13$

$\therefore \square EFGH=13^2=169$

09

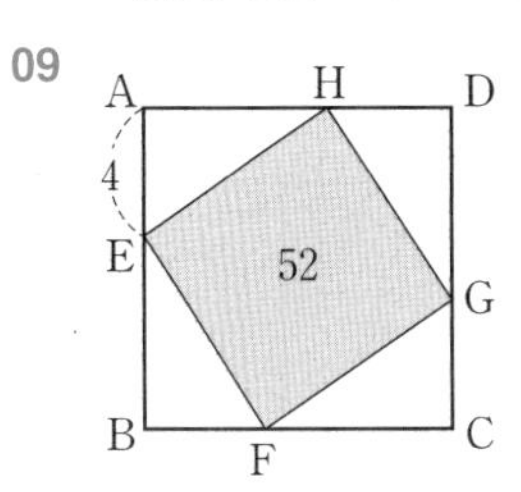

$\square$EFGH$=\overline{\text{EH}}^2=52$

$\triangle$AEH에서

$\overline{\text{AH}}^2=52-16=36=6^2$

$\overline{\text{AB}}=4+6=10$

$\therefore\ \square$ABCD$=10^2=100$

10

$\square$EFGH$=\overline{\text{EH}}^2=100$

$\triangle$AEH에서

$\overline{\text{AH}}^2=100-6^2=8^2$

$\overline{\text{AD}}=6+8=14$

$\therefore\ \square$ABCD$=14^2=196$

04. 피타고라스 정리의 증명 – 바스카라의 증명 (본문 128쪽)

01 $\triangle$ABE$\equiv\triangle$BCF$\equiv\triangle$CDG$\equiv\triangle$DAH

02 $\overline{\text{CF}}^2=5^2-3^2=4^2$

03 $\overline{\text{EH}}=\overline{\text{FG}}=\overline{\text{CF}}-\overline{\text{CG}}=4-3=1$

04 $\triangle$ABE$=\dfrac{1}{2}\times4\times3=6$

05 $\square$EFGH$=\overline{\text{EH}}^2=1^2=1$

07

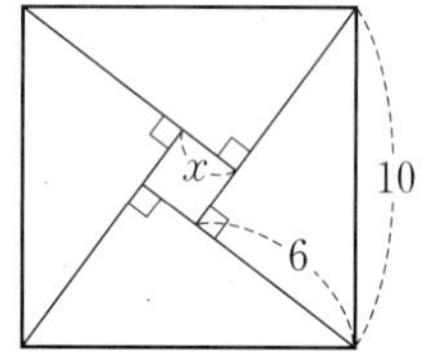

4개의 직각삼각형은 합동이므로

$(x+6)^2=10^2-6^2=8^2,\ x+6=8$

$\therefore\ x=2$

08

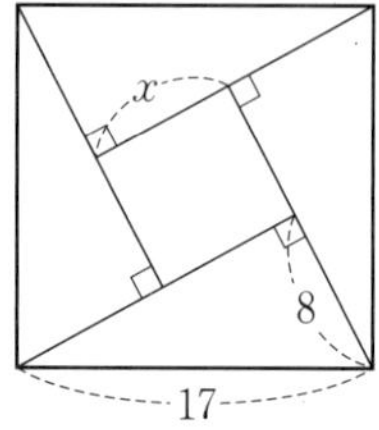

4개의 직각삼각형은 합동이므로

$(x+8)^2=17^2-8^2=15^2$

$\therefore\ x=7$

10

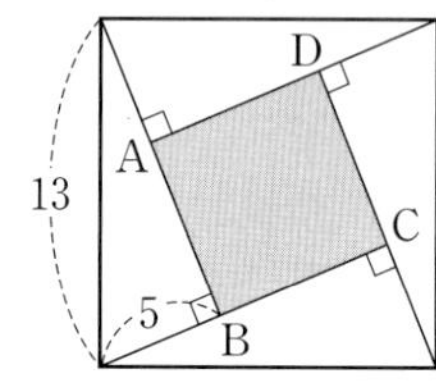

4개의 직각삼각형은 합동이므로

$(\overline{\text{AB}}+5)^2=13^2-5^2=12^2$

$\therefore\ \overline{\text{AB}}=7$

$\therefore\ \square$ABCD$=7^2=49$

11

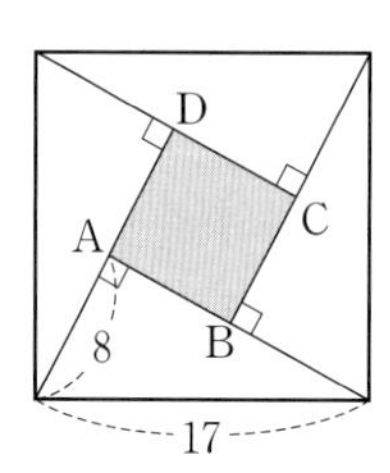

4개의 직각삼각형은 합동이므로

$(\overline{\text{AB}}+8)^2=17^2-8^2=15^2$

$\therefore\ \overline{\text{AB}}=7$

$\therefore\ \square$ABCD$=7^2=49$

12

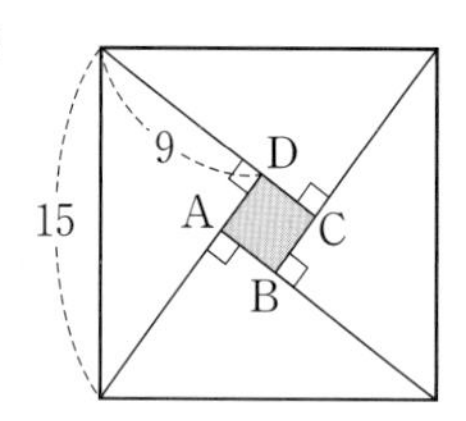

4개의 직각삼각형은 합동이므로

$(\overline{\text{AD}}+9)^2=15^2-9^2=144$

$\therefore\ \overline{\text{AD}}=3$

$\therefore\ \square$ABCD$=3^2=9$

13

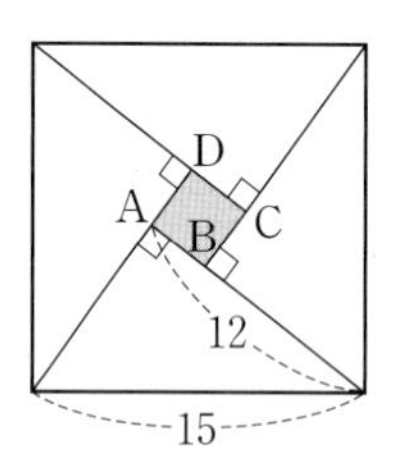

4개의 직각삼각형은 합동이므로

$(12-\overline{\text{AD}})^2=15^2-12^2=81$

$12-\overline{\text{AD}}=9$

$\therefore\ \overline{\text{AD}}=3$

$\therefore\ \square$ABCD$=3^2=9$

14

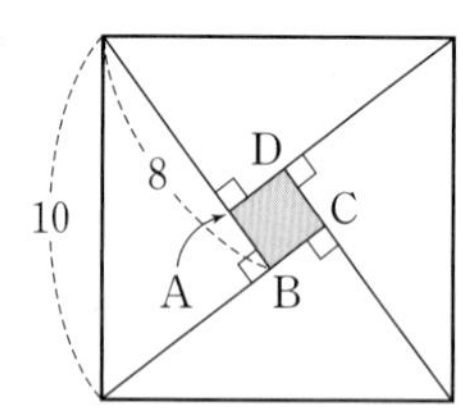

4개의 직각삼각형은 합동이므로

$(8-\overline{\text{BC}})^2=10^2-8^2=6^2\quad\therefore\ \overline{\text{BC}}=6$

$\therefore\ \square$ABCD$=2^2=4$

05. 피타고라스 정리의 증명 – 가필드의 증명 (본문 130쪽)

02

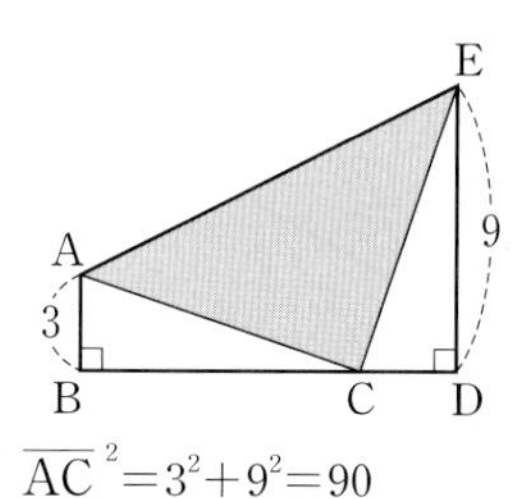

$\overline{\text{AC}}^2=3^2+9^2=90$

$\therefore\ \triangle$ACE$=\dfrac{1}{2}\times\overline{\text{AC}}^2=45$

03

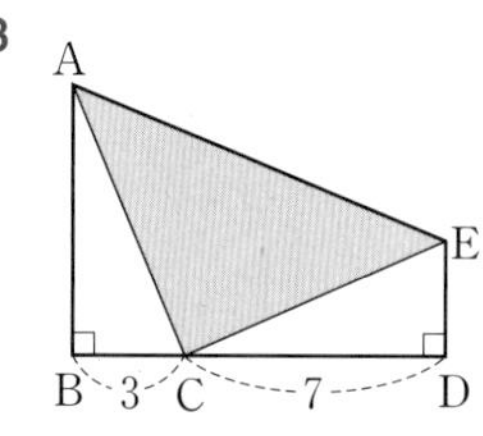

$\overline{\text{AC}}^2=3^2+7^2=58$

$\therefore\ \triangle$ACE$=\dfrac{1}{2}\times\overline{\text{AC}}^2=29$

05

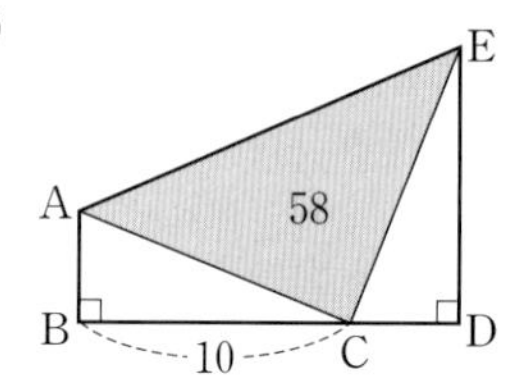

$\triangle$ACE는 직각이등변삼각형이고 넓이가 58이므로

$\dfrac{1}{2}\times\overline{\text{AC}}\times\overline{\text{AC}}=58^2$

$\therefore\ \overline{\text{AC}}^2=116$

$\triangle$ABC에서 $\overline{\text{AB}}^2=116-10^2=16$

$\overline{\text{AB}}=4$

$\therefore\ \square$ABDE$=\dfrac{1}{2}\times(10+4)\times14$

$=98$

07

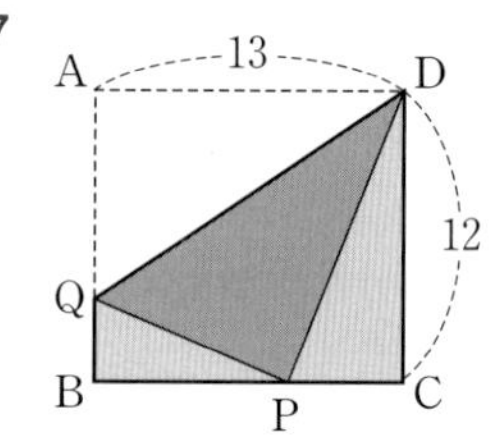

$\overline{\text{DP}}=\overline{\text{AD}}=13$이므로 $\triangle$DPC에서

$\overline{\text{CP}}^2=13^2-12^2=5^2$

$\therefore\ \overline{\text{BP}}=13-5=8$

$\overline{\text{PQ}}=x$라고 하면 $\overline{\text{AQ}}=x$이므로

$\overline{\text{BQ}}=12-x$

$\triangle$QBP에서 $x^2=(12-x)^2+8^2$

$\therefore\ x=\dfrac{26}{3}$

09

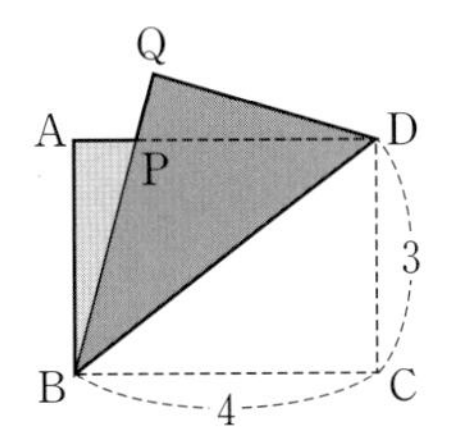

$\overline{AP}=x$라고 하면

$\triangle PAB \equiv \triangle PQD$이므로

$\overline{BP}=\overline{DP}=4-x$

$\triangle ABP$에서 $(4-x)^2=x^2+3^2$

$\therefore x=\frac{7}{8}$

$\therefore \triangle ABP=\frac{1}{2}\times 3\times \frac{7}{8}=\frac{21}{16}$

06. 직각삼각형이 되는 조건 (본문 132쪽)

02 가장 긴 변의 길이는 6 cm이고
$6^2=36\neq 3^2+4^2$ 이므로
직각삼각형이 아니다.

03 가장 긴 변의 길이는 5 cm이고
$5^2=25\neq 2^2+4^2$이므로
직각삼각형이 아니다.

04 가장 긴 변의 길이는 5 cm이고
$5^2=3^2+4^2$이므로 직각삼각형이다.

05 가장 긴 변의 길이는 9 cm이고
$9^2\neq 4^2+6^2$이므로 직각삼각형이 아니다.

06 가장 긴 변의 길이는 13 cm이고
$13^2=5^2+12^2$이므로 직각삼각형이다.

08 $(x+1)^2=(x-1)^2+8^2$이므로
$4x=64 \quad \therefore x=16$

09 $(x+2)^2=(x-6)^2+12^2$이므로
$16x=176 \quad \therefore x=11$

07. 직각삼각형의 닮음을 이용한 성질 (본문 133쪽)

01

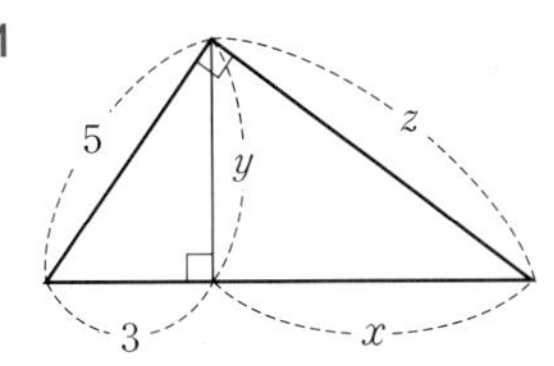

$5^2=3\times(3+x) \quad \therefore x=\frac{16}{3}$

$y^2=3\times\frac{16}{3}=16 \quad \therefore y=4$

$z^2=\frac{16}{3}\times\left(\frac{16}{3}+3\right) \quad \therefore z=\frac{20}{3}$

02

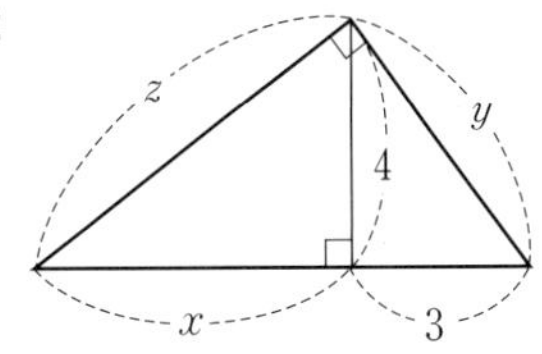

$4^2=x\times 3 \quad \therefore x=\frac{16}{3}$

$y^2=3\times\left(3+\frac{16}{3}\right) \quad \therefore y=5$

$z^2=\frac{16}{3}\times\left(\frac{16}{3}+3\right) \quad \therefore z=\frac{20}{3}$

03

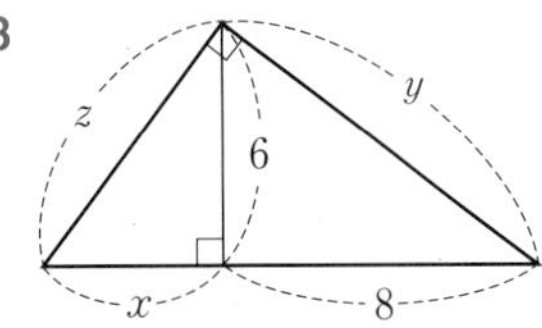

$6^2=x\times 8 \quad \therefore x=\frac{9}{2}$

$y^2=8\times\left(8+\frac{9}{2}\right) \quad \therefore y=10$

$z^2=\frac{9}{2}\times\left(\frac{9}{2}+8\right) \quad \therefore z=\frac{15}{2}$

04

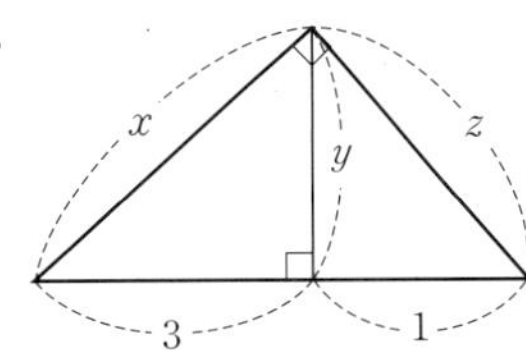

$x^2=3\times(3+1)=12$

$y^2=3\times 1=3$

$z^2=1\times(1+3)=4$

$(xyz)^2=12\times 3\times 4=144=12^2$

$\therefore xyz=12$

05

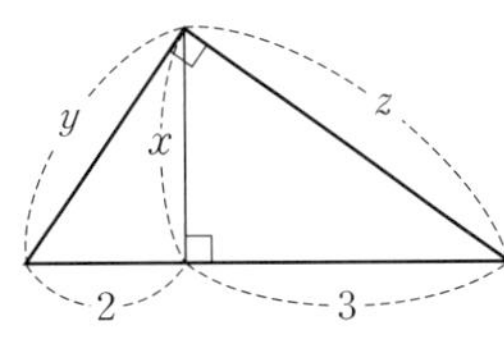

$x^2=2\times 3=6$

$y^2=2\times 5=10$

$z^2=3\times 5=15$

$(xyz)^2=6\times 10\times 15=900=30^2$

$\therefore xyz=30$

06

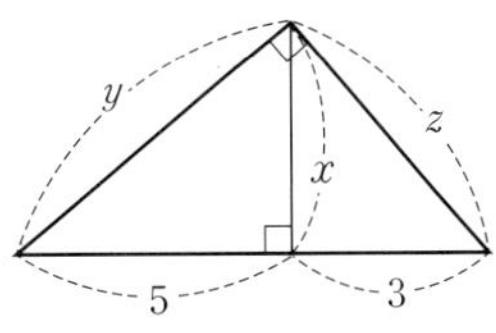

$x^2=5\times 3=15$

$y^2=5\times 8=40$

$z^2=3\times 8=24$

$(xyz)^2=15\times 40\times 24=14400=120^2$

$\therefore xyz=120$

08 $10\times x=6\times 8$

$\therefore x=\frac{24}{5}$

10

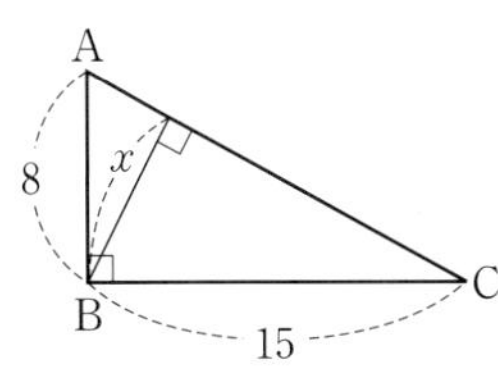

$\overline{AC}^2=15^2+8^2=17^2$

$17\times x=15\times 8 \quad \therefore x=\frac{120}{17}$

12

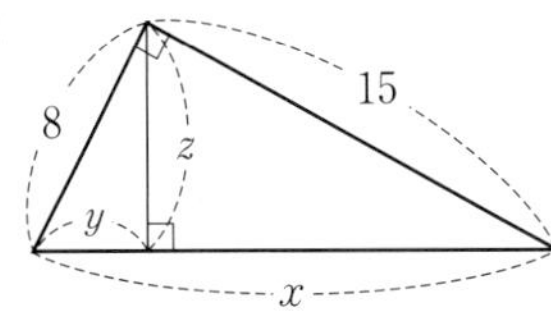

$x^2=8^2+15^2=17^2$

$8^2=y\times 17 \quad \therefore y=\frac{64}{17}$

$17\times z=8\times 15 \quad \therefore z=\frac{120}{17}$

13

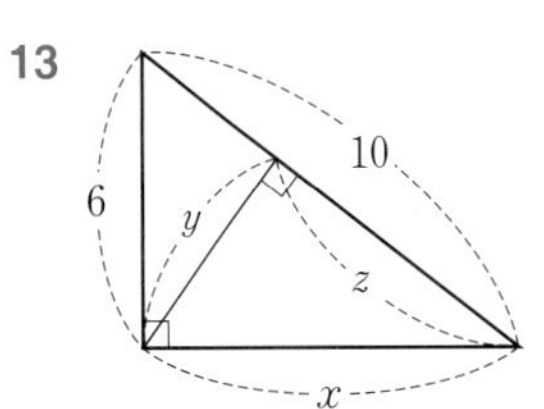

$x^2=10^2-6^2=8^2$

$10\times y=8\times 6 \quad \therefore y=\frac{24}{5}$

$8^2=z\times 10 \quad \therefore z=\frac{32}{5}$

14

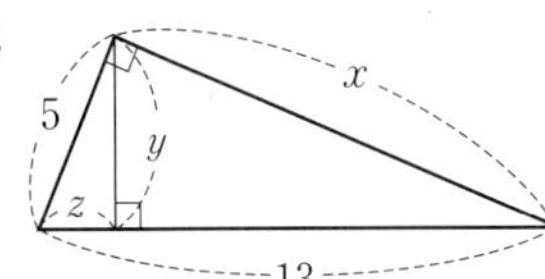

$x^2=13^2-5^2=12^2$

$13\times y=5\times 12 \quad \therefore y=\frac{60}{13}$

$5^2=z\times 13 \quad \therefore z=\frac{25}{13}$

08. 직각삼각형 안에서 교차하는 두 선분의 성질 (본문 135쪽)

02 $\overline{BC}^2+\overline{DE}^2=14^2+9^2$
$=196+81=277$

03 $\overline{BC}^2+\overline{DE}^2=6^2+8^2$
$=36+64=100$

05 $13^2+x^2=9^2+12^2$
$x^2=56$

06 $3^2+x^2=5^2+8^2$
$x^2=80$

09. 두 대각선이 직교하는 사각형의 성질 (본문 136쪽)

02 $x^2+y^2=3^2+5^2=34$

03 $x^2+y^2=6^2+8^2=100$

04 $x^2+y^2=4^2+10^2=116$

06 $x^2+6^2=5^2+4^2$이므로
$x^2=5$

07

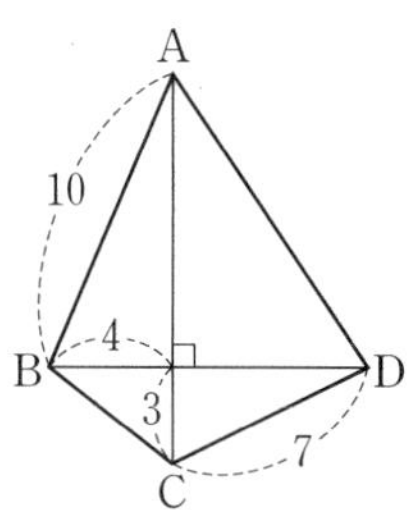

$\overline{BC}^2=3^2+4^2=5^2$이므로
$10^2+7^2=5^2+\overline{AD}^2$
$\therefore \overline{AD}^2=124$

10. 직사각형의 내부에 한 점이 있을 때 (본문 137쪽)

02 $x^2+y^2=4^2+5^2=41$

03 $x^2+y^2=5^2+2^2=29$

04 $x^2+y^2=7^2+5^2=74$

06 $4^2+x^2=5^2+3^2$이므로
$x^2=18$

07 $3^2+x^2=4^2+2^2$이므로
$x^2=11$

08

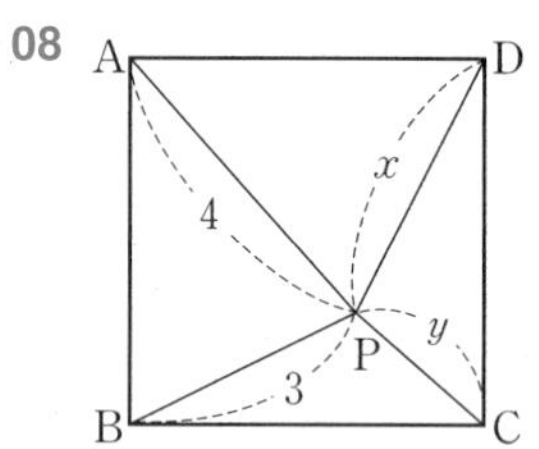

$\overline{AP}^2+\overline{CP}^2=\overline{BP}^2+\overline{DP}^2$이므로
$4^2+y^2=3^2+x^2$
$\therefore x^2-y^2=4^2-3^2=7$

11. 직각삼각형의 세 반원 사이의 관계 (본문 138쪽)

02 (색칠한 부분의 넓이)
$=50\pi-32\pi=18\pi$

03 (색칠한 부분의 넓이)
$=24\pi+16\pi=40\pi$

04 (색칠한 부분의 넓이)
$=24\pi+8\pi=32\pi$

06

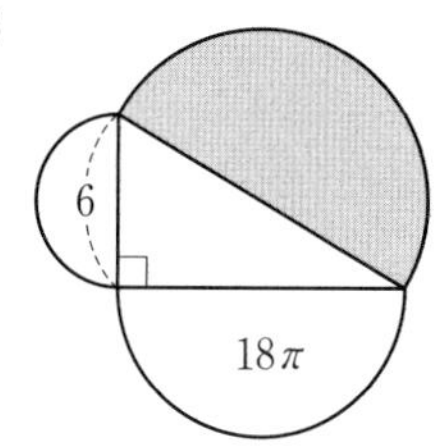

지름이 6인 반원의 넓이는
$\frac{1}{2}\times\pi\times3^2=\frac{9}{2}\pi$
$\therefore$ (색칠한 부분의 넓이)
$=\frac{9}{2}\pi+18\pi=\frac{45}{2}\pi$

07

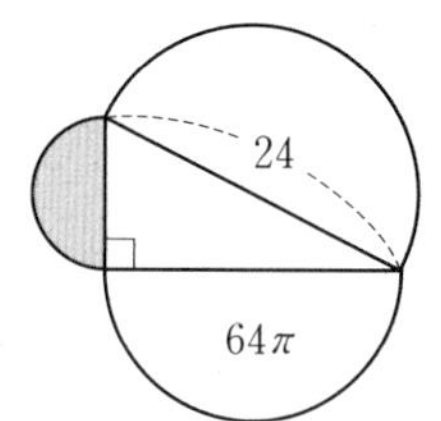

지름이 24인 반원의 넓이는
$\frac{1}{2}\times\pi\times12^2=72\pi$
$\therefore$ (색칠한 부분의 넓이)
$=72\pi-64\pi=8\pi$

12. 히포크라테스의 원의 넓이 (본문 139쪽)

02 (색칠한 부분의 넓이)
$=9+15=24(\text{cm}^2)$

03 (색칠한 부분의 넓이)
$=15-8=7(\text{cm}^2)$

04 (색칠한 부분의 넓이)
$=32-13=19(\text{cm}^2)$

06 $\overline{AC}^2=13^2-12^2=5^2(\text{cm})$
색칠한 부분의 넓이는 $\triangle$ABC의 넓이와 같으므로
$\frac{1}{2}\times12\times5=30(\text{cm}^2)$

07 색칠한 부분의 넓이는 $\triangle$ABC의 넓이와 같으므로
$\frac{1}{2}\times8\times\overline{AC}=60$
$\therefore \overline{AC}=15(\text{cm})$
$\overline{BC}^2=8^2+15^2=17^2(\text{cm})$

Ⅳ. 확률

01. 사건과 경우의 수 (본문 144쪽)

02 5, 6이므로 경우의 수는 2이다.

03 1, 2, 3이므로 경우의 수는 3이다.

04 2, 4, 6이므로 경우의 수는 3이다.

05 1, 2, 3, 6이므로 경우의 수는 4이다.

07 두 눈의 수가 모두 짝수인 경우는
(2, 2), (2, 4), (2, 6), (4, 2), (4, 4), (4, 6), (6, 2), (6, 4), (6, 6)이므로 경우의 수는 9이다.

08 두 눈의 수의 합이 7인 경우는
(1, 6), (2, 5), (3, 4), (4, 3), (5, 2), (6, 1)이므로 구하는 경우의 수는 6이다.

09 두 눈의 수의 차가 4인 경우는
(1, 5), (2, 6), (5, 1), (6, 2)이므로 경우의 수는 4이다.

10 두 눈의 수의 곱이 30인 경우는
(5, 6), (6, 5)이므로 경우의 수는 2이다.

12 두 자리 자연수는 10, 11, 12이므로 경우의 수는 3이다.

13 소수는 2, 3, 5, 7, 11이므로 경우의 수는 5이다.

14 5 이상 10 미만인 수는 5, 6, 7, 8, 9이므로 경우의 수는 5이다.

15 4의 배수는 4, 8, 12이므로 경우의 수는 3이다.

16 12의 약수는 1, 2, 3, 4, 6, 12이므로 경우의 수는 6이다.

18 홀수는 1, 3, 5, 7, 9이므로 경우의 수는 5이다.

19 4보다 작은 수는 1, 2, 3이므로 경우의 수는 3이다.

20 3의 배수는 또는 4의 배수는 3, 4, 6, 8, 9이므로 경우의 수는 5이다.

21 10의 약수는 1, 2, 5, 10이므로 경우의 수는 4이다.

22 소수는 2, 3, 5, 7이므로 경우의 수는 4이다.

24 4 이하의 수는 1, 2, 3, 4이므로 경우의 수는 4이다.

25 5 이상 9 미만의 수는 5, 6, 7, 8이므로 경우의 수는 4이다.

26 3의 배수는 3, 6, 9, 12, 15이므로 경우의 수는 5이다.

27 15의 약수는 1, 3, 5, 15이므로 경우의 수는 4이다.

28 짝수는 2, 4, 6, 8, 10, 12, 14이므로 경우의 수는 7이다.

29 소수는 2, 3, 5, 7, 11, 13이므로 경우의 수는 6이다.

31

100원(개)	7	6	6	5	5	4	4
50원(개)	0	2	1	4	3	6	5
10원(개)	0	0	5	0	5	0	5

이므로 경우의 수는 7이다.

33 (100원, 10원)으로 나타내면 (1, 1), (1, 2), (1, 3), (2, 1), (2, 2), (2, 3)이므로 구하는 금액은 110원, 120원, 130원, 210원, 220, 230원의 6가지이다.

02. 사건 A 또는 사건 B가 일어나는 경우의 수 (본문 147쪽)

02 두 눈의 수의 합이 3인 경우는
(1, 2), (2, 1)의 2가지
두 눈의 수의 합이 7인 경우는
(1, 6), (2, 5), (3, 4), (4, 3), (5, 2), (6, 1)의 6가지
따라서 구하는 경우의 수는
$2+6=8$

03 두 눈의 수의 합이 4인 경우는
(1, 3), (2, 2), (3, 1)의 3가지
두 눈의 수의 합이 8인 경우는
(2, 6), (3, 5), (4, 4), (5, 3), (6, 2)의 5가지
따라서 구하는 경우의 수는
$3+5=8$

04 두 눈의 수의 합이 6인 경우는
(1, 5), (2, 4), (3, 3), (4, 2), (5, 1)의 5가지
두 눈의 수의 합이 8인 경우는
(2, 6), (3, 5), (4, 4), (5, 3), (6, 2)의 5가지
따라서 구하는 경우의 수는
$5+5=10$

06 두 눈의 수의 차가 1인 경우는
(1, 2), (2, 3), (3, 4), (4, 5), (5, 6), (6, 5), (5, 4), (4, 3), (3, 2), (2, 1)의 10가지
두 눈의 수의 차가 4인 경우는
(1, 5), (2, 6), (6, 2), (5, 1)의 4가지
따라서 구하는 경우의 수는
$10+4=14$

07 두 눈의 수의 차가 3인 경우는
(1, 4), (2, 5), (3, 6), (6, 3), (5, 2), (4, 1)의 6가지
두 눈의 수의 차가 5인 경우는
(1, 6), (6, 1)의 2가지
따라서 구하는 경우의 수는
$6+2=8$

08 두 눈의 수의 합이 5인 경우는
(1, 4), (2, 3), (3, 2), (4, 1)의 4가지
두 눈의 수의 합이 10인 경우는
(4, 6), (5, 5), (6, 4)의 3가지
따라서 구하는 경우의 수는
$4+3=7$

10 4의 배수는 6개이고, 9의 배수는 2개이다.
따라서 구하는 경우의 수는
$6+2=8$

11 5의 배수는 5개이고, 7의 배수는 3개이다.
따라서 구하는 경우의 수는
$5+3=8$

12 6의 배수는 4개이고, 10의 배수는 2개이다.
따라서 구하는 경우의 수는
$4+2=6$

14 소수는 2, 3, 5, 7, 11, 13, 17, 19의 8개이고, 6의 배수는 6, 12, 18의 3개이다.
따라서 구하는 경우의 수는
$8+3=11$

15 소수는 2, 3, 5, 7, 11, 13, 17, 19의 8개이고, 9의 배수는 9, 18의 2개이다.
따라서 구하는 경우의 수는
$8+2=10$

16 소수는 2, 3, 5, 7, 11, 13, 17, 19의 8개이고, 10의 배수는 10, 20의 2개이다.
따라서 구하는 경우의 수는
$8+2=10$

17 소수는 2, 3, 5, 7, 11, 13, 17, 19의 8개이고, 14의 배수는 14의 1개이다.
따라서 구하는 경우의 수는
$8+1=9$

18 4의 배수는 7개이고, 7의 배수는 4개이다.
또, 4와 7의 공배수는 28의 1개이다.
따라서 구하는 경우의 수는
$7+4-1=10$

20 구하는 경우의 수는 $2+3=5$

21 구하는 경우의 수는 $4+1=5$

22 구하는 경우의 수는 $5+4=9$

23 구하는 경우의 수는 $4+3=7$

24 구하는 경우의 수는 $3+5=8$

25 구하는 경우의 수는 $3+3=6$

26 구하는 경우의 수는 $6+2=8$

27 구하는 경우의 수는 $5+3=8$

28 동시에 두 가지 교통수단을 탈 수 없으므로 집에서 할머니 댁까지 버스 또는 기차를 이용하여 가는 경우의 수는
$3+2=5$

30 구하는 경우의 수는 $6+5=11$

31 구하는 경우의 수는 $7+5=12$

32 구하는 경우의 수는 $5+9=14$

33 구하는 경우의 수는 $5+7=12$

34 구하는 경우의 수는 $7+9=16$

36 구하는 경우의 수는 $9+6=15$

37 구하는 경우의 수는 $11+4=15$

38 구하는 경우의 수는 $6+4=10$

39 구하는 경우의 수는 $11+6=17$

40 동시에 두 개의 공을 꺼낼 수 없으므로 구하는 경우의 수는 $3+5=8$이다.

03. 두 사건 A, B가 동시에 일어나는 경우의 수 (본문 151쪽)

02 학교에서 박물관을 거쳐 공원까지 가는 방법의 수는 $2\times5=10$

03 학교에서 박물관을 거쳐 공원까지 가는 방법의 수는 $3\times6=18$

04 학교에서 박물관을 거쳐 공원까지 가는 방법의 수는 $5\times4=20$

05 학교에서 박물관을 거쳐 공원까지 가는 방법의 수는 $4\times7=28$

07 A 지점에서 B 지점까지 가장 짧은 거리로 가는 방법은 2가지이고, B 지점에서 C 지점까지 가장 짧은 거리로 가는 방법은 2가지이다.
따라서 가장 짧은 거리로 가는 경우의 수는 $2\times2=4$이다.

08 A 지점에서 B 지점까지 가장 짧은 거리로 가는 방법은 2가지이고, B 지점에서 C 지점까지 가장 짧은 거리로 가는 방법은 6가지이다.
따라서 가장 짧은 거리로 가는 경우의 수는 $2\times6=12$이다.

10 티셔츠와 바지를 하나씩 짝지어 입는 경우의 수는 $3\times5=15$

11 티셔츠와 바지를 하나씩 짝지어 입는 경우의 수는 $4\times3=12$

12 티셔츠와 바지를 하나씩 짝지어 입는 경우의 수는 $2\times6=12$

13 티셔츠와 바지를 하나씩 짝지어 입는

경우의 수는 $5\times4=20$

14 티셔츠와 바지를 하나씩 짝지어 입는 경우의 수는 $5\times2=10$

16 $4\times5=20$

17 $5\times5=25$

18 $6\times4=24$

19 $3\times6=18$

20 자음과 모음이 적힌 카드를 각각 한 장씩 뽑아 만들 수 있는 글자의 개수는 $2\times3=6$이다.

22 세 가지 색 전구가 각각 2가지의 신호를 만들 수 있으므로 신호의 개수는 $2\times2\times2=8$이다.

23 네 가지 색 전구가 각각 2가지의 신호를 만들 수 있으므로 신호의 개수는 $2\times2\times2\times2=16$이다.

25 동전 1개를 던지는 경우의 수는 2이고, 주사위 1개를 던지는 경우의 수는 6이다. 따라서 구하는 경우의 수는 $2\times2\times2\times6=48$이다.

27 2의 배수는 6개, 10의 약수는 4개이므로 구하는 경우의 수는 $6\times4=24$이다.

28 4의 배수는 3개, 8의 약수는 4개이므로 구하는 경우의 수는 $3\times4=12$이다.

29 5의 배수는 2개, 6의 약수는 4개이므로 구하는 경우의 수는 $2\times4=8$이다.

30 6의 배수는 2개, 9의 약수는 3개이므로 구하는 경우의 수는 $2\times3=6$이다.

31 한 학생이 가위바위보를 할 때 낼 수 있는 경우의 수는 3이다. 따라서 구하는 경우의 수는 $3\times3\times3=27$이다.

04. 일렬로 세우는 경우의 수 (본문 154쪽)

02 4명의 남학생을 일렬로 세우는 경우의 수는 $4\times3\times2\times1=24$이다.

03 5명의 여학생을 일렬로 세우는 경우의 수는 $5\times4\times3\times2\times1=120$이다.

04 2명의 학생을 일렬로 세우는 경우의 수는 $2\times1=2$이다.

05 3명을 일렬로 세우는 경우의 수는 $3\times2\times1=6$이다.

07 5명의 학생 중에서 2명을 뽑아 일렬로 세우는 경우의 수는 $5\times4=20$이다.

08 5명의 학생 중에서 3명을 뽑아 일렬로 세우는 경우의 수는 $5\times4\times3=60$이다.

09 서로 다른 책 7권 중에서 3권을 뽑아 책꽂이에 꽂는 경우의 수는 $7\times6\times5=210$이다.

11 C를 제외한 나머지 4명의 학생을 일렬로 세운 후, C를 두 번째 자리에 세우면 된다. 따라서 구하는 경우의 수는 $4\times3\times2\times1=24$이다.

12 A와 E를 제외한 나머지 3명의 학생을 일렬로 세운 후, A를 맨 앞, E를 맨 뒤의 자리에 세우면 된다. 따라서 구하는 경우의 수는 $3\times2\times1=6$이다.

13 B를 제외한 나머지 4명의 학생이 이어달리기 순서를 정한 후, B를 두 번째로 정하면 된다. 따라서 구하는 경우의 수는 $4\times3\times2\times1=24$이다.

14 E와 A를 제외한 나머지 3명의 학생이 이어달리기 순서를 정한 후, E를 첫 번째, A를 마지막 순서로 정하면 된다. 따라서 구하는 경우의 수는 $3\times2\times1=6$이다.

15 C와 D를 제외한 나머지 2명의 학생이 이어달리기 순서를 정한 후, C가 첫 번째, D가 마지막 순서로 정하면 된다. 따라서 구하는 경우의 수는 $2\times1=2$이다.

16 ㅁ이 적힌 카드를 제외한 나머지 4개의 자음이 적힌 카드를 배열하는 순서를 정한 후, ㅁ이 적힌 카드를 맨 앞에 놓으면 된다. 따라서 구하는 경우의 수는 $4\times3\times2\times1=24$이다.

17 ㄹ이 적힌 카드를 제외한 나머지 4개의 자음이 적힌 카드를 배열하는 순서를 정한 후, ㄹ이 적힌 카드를 두 번째에 놓으면 된다. 따라서 구하는 경우의 수는 $4\times3\times2\times1=24$이다.

18 ㄱ과 ㅁ이 적힌 카드를 제외한 나머지 3개의 자음이 적힌 카드를 배열하는 순서를 정한 후, ㄱ이 적힌 카드를 맨 앞에, ㅁ이 적힌 카드를 맨 뒤에 놓으면 된다. 따라서 구하는 경우의 수는 $3\times2\times1=6$이다.

19 ㄴ과 ㄹ이 적힌 카드를 제외한 나머지 4개의 자음이 적힌 카드를 배열하는 순서를 정한 후, ㄴ이 적힌 카드를 두 번째, ㄹ이 적힌 카드를 네 번째에 놓으면 된다. 따라서 구하는 경우의 수는 $4\times3\times2\times1=24$이다.

05. 일렬로 세울 때 이웃하여 서는 경우의 수 (본문 156쪽)

02 남학생 2명을 하나로 묶어서 학생 4명을 일렬로 세우는 경우의 수는 $4\times3\times2\times1=24$이고, 남학생 2명을 묶음 안에서 일렬로 세우는 경우의 수는 $2\times1=2$이다.
따라서 구하는 경우의 수는 $24\times2=48$이다.

03 남학생 3명을 하나로 묶어서 학생 3명을 일렬로 세우는 경우의 수는 $3\times2\times1=6$이고, 남학생 3명을 묶음 안에서 일렬로 세우는 경우의 수는 $3\times2\times1=6$이다.
따라서 구하는 경우의 수는 $6\times6=36$이다.

04 남학생 1명과 여학생 2명을 하나로 묶어서 학생 3명을 일렬로 세우는 경우의 수는 $3\times2\times1=6$이고, 남학생 1명과 여학생 2명을 묶음 안에서 일렬로 세우는 경우의 수는 $3\times2\times1=6$이다.
따라서 구하는 경우의 수는 $6\times6=36$이다.

06 어머니, 누나, 여동생을 하나로 묶어서 4명을 일렬로 세우는 경우의 수는 $4\times3\times2\times1=24$이고, 어머니, 누나, 여동생을 묶음 안에서 일렬로 세우는 경우의 수는 $3\times2\times1=6$이다.
따라서 구하는 경우의 수는 $24\times6=144$이다.

07 어머니와 상진이를 하나로 묶어서 5명을 일렬로 세우는 경우의 수는 $5\times4\times3\times2\times1=120$이고, 어머니와 상진이를 묶음 안에서 일렬로 세우는 경우의 수는 $2\times1=2$이다.
따라서 구하는 경우의 수는 $120\times2=240$이다.

08 남동생과 여동생을 하나로 묶어서 5명을 일렬로 세우는 경우의 수는 $5\times4\times3\times2\times1=120$이고, 남동생과 여동생을 묶음 안에서 일렬로 세우는 경우의 수는 $2\times1=2$이다.
따라서 구하는 경우의 수는 $120\times2=240$이다.

06. 정수를 만드는 경우의 수 (본문 157쪽)

02 십의 자리가 3인 경우 4개, 십의 자리가 4인 경우 4개, 십의 자리가 5인 경우 4개이므로 구하는 수의 개수는 $4+4+4=12$이다.

03 십의 자리가 2인 경우 2개, 십의 자리가 1인 경우 4개이므로 구하는 수의 개

수는 $2+4=6$이다.

04 십의 자리가 3인 경우 2개, 십의 자리가 2인 경우 4개, 십의 자리가 1인 경우 4개이므로 구하는 수의 개수는 $2+4+4=10$이다.

06 십의 자리에 올 수 있는 숫자는 1, 2, 3, 4, 5의 5개이고, 일의 자리에 올 수 있는 숫자는 1, 2, 3, 4, 5의 5개이다. 따라서 만들 수 있는 두 자리 자연수의 개수는 $5\times5=25$

07 십의 자리에 올 수 있는 숫자는 1, 2, 3, …, 9의 9개이고, 일의 자리에 올 수 있는 숫자는 1, 2, 3, …, 9의 9개이다. 따라서 만들 수 있는 두 자리 자연수의 개수는 $9\times9=81$

08 십의 자리에 올 수 있는 숫자는 3, 4, 5, 6, 7, 8의 6개이고, 일의 자리에 올 수 있는 숫자는 3, 4, 5, 6, 7, 8의 6개이다. 따라서 만들 수 있는 두 자리 자연수의 개수는 $6\times6=36$

10 십의 자리에 올 수 있는 것은 0을 제외한 카드이므로 5가지, 일의 자리에 올 수 있는 카드는 십의 자리에 사용한 카드를 제외한 5가지이다.
구하는 두 자리 자연수의 개수는 $5\times5=25$이다.

11 □[1] → □ 안에 알맞은 카드는 2, 3, 4, 5로 4가지,
□[3] → □ 안에 알맞은 카드는 1, 2, 4, 5로 4가지,
□[5] → □ 안에 알맞은 카드는 1, 2, 3, 4로 4가지
따라서 구하는 홀수의 개수는 $4+4+4=12$이다.

12 □[0] → □ 안에 알맞은 카드는 1, 2, 3, 4, 5로 5가지,
□[2] → □ 안에 알맞은 카드는 1, 3, 4, 5로 4가지,
□[4] → □ 안에 알맞은 카드는 1, 2, 3, 5로 4가지
따라서 구하는 짝수의 개수는 $5+4+4=13$이다.

13 □□[0] → $5\times4=20$(가지),
□□[5] → $4\times4=16$(가지)
구하는 세 자리 자연수 중 5의 배수의 개수는 $20+16=36$이다.

15 백의 자리에 올 수 있는 숫자는 0을 제외한 9개, 십의 자리에 올 수 있는 숫자는 백의 자리에 사용한 숫자를 제외한 9개, 일의 자리에 올 수 있는 숫자는 백의 자리와 십의 자리에 사용한 숫자를 제외한 8개이다. 따라서 구하는 세 자리 자연수의 개수는
$9\times9\times8=648$

16 □□[0] → $9\times8=72$(개),
□□[5] → $8\times8=64$(개)
구하는 세 자리 자연수 중 5의 배수의 개수는 $72+64=136$

17 [4][0]□ → 8,
[3]□□ → $9\times8=72$,
[2]□□ → $9\times8=72$,
[1]□□ → $9\times8=72$
구하는 세 자리 자연수 중 410보다 작은 수의 개수는
$8+72+72+72=224$

18 천의 자리에는 0을 제외한 3개, 백의 자리에는 천의 자리에 사용한 숫자를 제외한 3개, 십의 자리에는 천의 자리와 백의 자리에 사용한 숫자를 제외한 2개, 일의 자리에는 윗자리에서 사용한 숫자를 제외한 나머지 1개이다.
따라서 네 자리 자연수의 개수는 $3\times3\times2\times1=18$이다.

07. 대표를 뽑는 경우의 수 (본문 159쪽)

02 구하는 경우의 수는 $5\times4\times3=60$이다.

03 구하는 경우의 수는 $5\times4=20$이다.

04 구하는 경우의 수는 $5\times4\times3=60$이다.

05 구하는 경우의 수는 $5\times4=20$이다.

07 A가 부회장이므로 후보 B, C, D, E에서 회장을 뽑는 방법은 후보 4명 중 1명이므로 4가지, 부회장 1명을 뽑는 방법은 후보 4명 중 뽑힌 회장을 제외한 3가지이다.
따라서 구하는 경우의 수는 $4\times3=12$이다.

08 D가 부회장이므로 후보 A, B, C, E에서 회장을 뽑는 방법은 후보 4명 중 1명이므로 4가지, 부회장 1명을 뽑는 방법은 후보 4명 중 뽑힌 회장을 제외한 3가지이다.
따라서 구하는 경우의 수는 $4\times3=12$이다.

09 A와 E가 부회장이므로 후보 B, C, D에서 회장을 뽑는 방법은 후보 3명 중 1명이므로 3가지, 부회장 1명을 뽑는 방법은 후보 3명 중 뽑힌 회장을 제외한 2가지이다.
따라서 구하는 경우의 수는 $3\times2=6$이다.

11 $\frac{5\times4}{2}=10$

12 5명의 후보 중에서 자격이 같은 대의원 3명을 뽑는 경우의 수이므로 $\frac{5\times4\times3}{3\times2\times1}=10$이다.

13 대표 3명 중에서 1명이 E가 뽑히므로 대표 2명을 더 뽑으면 된다. 후보 A, B, C, D 중에서 대표 2명을 뽑는 경우의 수이므로 $\frac{4\times3}{2}=6$이다.

14 대표 3명 중에서 1명이 A가 뽑히므로 대표 2명을 더 뽑으면 된다. 후보 B, C, D, E 중에서 대표 2명을 뽑는 경우의 수이므로 $\frac{4\times3}{2}=6$이다.

15 대표 4명 중에서 1명이 B가 뽑히므로 대표 3명을 더 뽑으면 된다. 후보 A, C, D, E, F 중에서 대표 3명을 더 뽑는 경우의 수이므로 $\frac{5\times4\times3}{3\times2\times1}=10$이다.

16 $2+4=6$(명) 중에서 대표 3명을 뽑는 경우의 수이므로 $\frac{6\times5\times4}{3\times2\times1}=20$이다.

17 여학생 2명 중에서 대표 1명을 뽑는 경우의 수는 2이고, 남학생 4명 중에서 대표 2명을 뽑는 경우의 수는 $\frac{4\times3}{2}=6$이다.
따라서 구하는 경우의 수는 $2\times6=12$이다.

18 6명의 후보가 서로 한 번씩 악수한 횟수는 $\frac{6\times5}{2}=15$이다.

19 10명의 후보가 서로 한 번씩 악수한 횟수는 $\frac{10\times9}{2}=45$이다.

20 4개의 윷가락 중에서 2개가 평평한 면이어야 하므로 $\frac{4\times3}{2}=6$이다.

21 4개의 윷가락 중에서 3개가 평평한 면이어야 하므로 $\frac{4\times3\times2}{3\times2\times1}=4$이다.

23 직선 l 위의 한 점을 선택하는 경우의 수는 5이고, 직선 m 위의 두 점을 선택하는 경우의 수는 $\frac{4\times3}{2}=6$이다.
따라서 구하는 삼각형의 개수는 $5\times6=30$이다.

24 직선 l 위의 두 점을 선택하는 경우의

수는 $\frac{5\times4}{2}=10$이고, 직선 m 위의 한 점을 선택하는 경우의 수는 4이다.
따라서 구하는 삼각형의 개수는
$10\times4=40$이다.

26 4개의 점에서 순서에 관계없이 3개의 점을 선택하는 경우의 수와 같다.
따라서 구하는 삼각형의 개수는
$\frac{4\times3\times2}{3\times2\times1}=4$이다.

27 7개의 점에서 순서에 관계없이 2개의 점을 선택하는 경우의 수와 같다.
$\frac{7\times6}{2}=21$

28 7개의 점에서 순서에 관계없이 3개의 점을 선택하는 경우의 수와 같다.
$\frac{7\times6\times5}{3\times2\times1}=35$

29 8개의 점에서 순서에 관계없이 2개의 점을 선택하는 경우의 수와 같다.
$\frac{8\times7}{2}=28$

30 8개의 점에서 순서에 관계없이 3개의 점을 선택하는 경우의 수와 같다.
$\frac{8\times7\times6}{3\times2\times1}=56$

31 5개의 점에서 순서에 관계없이 3개의 점을 선택하는 경우의 수와 같다.
따라서 구하는 삼각형의 개수는
$\frac{5\times4\times3}{3\times2\times1}=10$이다.

08. 확률의 뜻 (본문 162쪽)

02 모든 경우의 수는 $6\times6=36$이고, 눈의 수의 합이 9인 경우의 수는 (3, 6), (4, 5), (5, 4), (6, 3)의 4이다.
따라서 구하는 확률은 $\frac{4}{36}=\frac{1}{9}$이다.

03 모든 경우의 수는 $6\times6=36$이고, 눈의 수의 합이 4인 경우의 수는 (1, 3), (2, 2), (3, 1)의 3이다.
따라서 구하는 확률은 $\frac{3}{36}=\frac{1}{12}$이다.

05 모든 경우의 수는 $2\times2\times2=8$이고, 앞면이 2개 나오는 경우의 수는 (뒷면, 앞면, 앞면), (앞면, 뒷면, 앞면), (앞면, 앞면, 뒷면)의 3이다.
따라서 구하는 확률은 $\frac{3}{8}$이다.

06 모든 경우의 수는 $2\times2\times2=8$이고, 모두 앞면만 나오는 경우의 수는 (앞면, 앞면, 앞면)의 1이다.
따라서 구하는 확률은 $\frac{1}{8}$이다.

07 모든 경우의 수는 $2\times2\times2=8$이고, 모두 뒷면만 나오는 경우의 수는 (뒷면, 뒷면, 뒷면)의 1이다.
따라서 구하는 확률은 $\frac{1}{8}$이다.

09 모든 경우의 수는 $6\times6=36$이고, $y=2x-1$을 만족시키는 순서쌍 (x, y)는 (1, 1), (2, 3), (3, 5)의 3개이다.
따라서 구하는 확률은 $\frac{3}{36}=\frac{1}{12}$이다.

10 모든 경우의 수는 $6\times6=36$이고, $y=x+2$를 만족시키는 순서쌍 (x, y)는 (1, 3), (2, 4), (3, 5), (4, 6)의 4개이다. 따라서 구하는 확률은 $\frac{4}{36}=\frac{1}{9}$이다.

11 모든 경우의 수는 $6\times6=36$이고, $x+2y=9$를 만족시키는 순서쌍 (x, y)는 (1, 4), (3, 3), (5, 2)의 3개이다.
따라서 구하는 확률은 $\frac{3}{36}=\frac{1}{12}$이다.

12 모든 경우의 수는 $6\times6=36$이고, $2x+y=8$을 만족시키는 순서쌍 (x, y)는 (1, 6), (2, 4), (3, 2)의 3개이다.
따라서 구하는 확률은 $\frac{3}{36}=\frac{1}{12}$이다.

13 모든 경우의 수는 $6\times6=36$이고, $2x+3y<9$를 만족시키는 순서쌍 (x, y)는 (1, 1), (1, 2), (2, 1)의 3개이다.
따라서 구하는 확률은 $\frac{3}{36}=\frac{1}{12}$이다.

14 모든 경우의 수는 $6\times6=36$이고, $x+2y<7$을 만족시키는 순서쌍 (x, y)는 (1, 1), (1, 2), (2, 1), (2, 2), (3, 1), (4, 1)의 6개이다.
따라서 구하는 확률은 $\frac{6}{36}=\frac{1}{6}$이다.

15 모든 경우의 수는 $6\times6=36$이고, $3x-2y>10$을 만족시키는 순서쌍 (x, y)는 (5, 1), (5, 2), (6, 1), (6, 2), (6, 3)의 5개이다.
따라서 구하는 확률은 $\frac{5}{36}$이다.

16 모든 경우의 수는 $6\times6=36$이고, $3x+y>17$을 만족시키는 순서쌍 (x, y)는 (4, 6), (5, 3), (5, 4), (5, 5), (5, 6), (6, 1), (6, 2), (6, 3), (6, 4), (6, 5), (6, 6)의 11개이다.
따라서 구하는 확률은 $\frac{11}{36}$이다.

17 모든 경우의 수는 $6\times6=36$이고, $3x-y<5$를 만족시키는 순서쌍 (x, y)는 (1, 1), (1, 2), (1, 3), (1, 4), (1, 5), (1, 6), (2, 2), (2, 3), (2, 4), (2, 5), (2, 6), (3, 5), (3, 6)의 13개이다.
따라서 구하는 확률은 $\frac{13}{36}$

09. 확률의 성질 (본문 164쪽)

02 모든 경우의 수는 $5+7=12$이고, 노란 공이 나오는 경우의 수는 0이다. 따라서 노란 공이 나올 확률은 0이다.

03 모든 경우의 수는 $5+7=12$이고, 검은 공이 나오는 경우의 수는 7이다.
따라서 검은 공이 나올 확률은 $\frac{7}{12}$이다.

04 모든 경우의 수는 $5+7=12$이고, 흰 공 또는 검은 공이 나오는 경우의 수는 $5+7=12$이다.
따라서 흰 공 또는 검은 공이 나올 확률은 1이다.

05 모든 경우의 수는 $5+7=12$이고, 흰 공이 나오는 경우의 수는 5이므로 흰 공이 나올 확률은 $\frac{5}{12}$이고, 검은 공이 나오는 경우의 수는 7이므로 검은 공이 나올 확률은 $\frac{7}{12}$이다

07 모든 경우의 수는 6이고, 8의 배수가 나오는 경우의 수는 0이다.
따라서 8의 배수가 나올 확률은 0이다.

08 모든 경우의 수는 6이고, 6의 배수가 나오는 경우의 수는 1이다.
따라서 6의 배수가 나올 확률은 $\frac{1}{6}$이다.

09 모든 경우의 수는 6이고, 홀수의 눈이 나오는 경우의 수는 1, 3, 5의 3이다.
따라서 홀수의 눈이 나올 확률은
$\frac{3}{6}=\frac{1}{2}$이다.

10 모든 경우의 수는 6이고, 6 이하의 눈이 나오는 경우의 수는 1, 2, 3, 4, 5, 6의 6이다.

따라서 6 이하의 눈이 나올 확률은 1이다.

10. 어떤 사건이 일어나지 않을 확률 (본문 165쪽)

02 모든 경우의 수는 20이고, 3의 배수가 나올 경우의 수는 3, 6, 9, 12, 15, 18의 6이다. 따라서 3의 배수가 나올 확률은 $\frac{6}{20}=\frac{3}{10}$이고, 3의 배수가 나오지 않을 확률은 $1-\frac{3}{10}=\frac{7}{10}$이다.

03 모든 경우의 수는 20이고, 4의 배수가 나올 경우의 수는 4, 8, 12, 16, 20의 5이다. 따라서 4의 배수가 나올 확률은 $\frac{5}{20}=\frac{1}{4}$이고, 4의 배수가 나오지 않을 확률은 $1-\frac{1}{4}=\frac{3}{4}$이다.

05 B가 이길 확률은
$1-(\text{A가 이길 확률})=1-\frac{2}{5}=\frac{3}{5}$

06 비가 오지 않을 확률은
$1-(\text{비가 올 확률})=1-0.55=0.45$

07 모든 경우의 수는 $2\times2=4$
모두 같은 면이 나오는 경우는
(앞, 앞), (뒤, 뒤)의 2가지
모두 같은 면이 나올 확률은 $\frac{2}{4}=\frac{1}{2}$이므로 서로 다른 면이 나올 확률은
$1-(\text{모두 같은 면이 나올 확률})$
$=1-\frac{1}{2}=\frac{1}{2}$

11. 사건 A 또는 사건 B가 일어날 확률 (본문 166쪽)

02 두 눈의 수의 합이 3일 확률은 $\frac{2}{36}$이고, 두 눈의 수의 합이 5일 확률은 $\frac{4}{36}$이다.
따라서 구하는 확률은 $\frac{2}{36}+\frac{4}{36}=\frac{1}{6}$이다.

03 나온 눈의 수의 합이 3일 확률은 $\frac{2}{36}$이고, 나온 눈의 수의 차가 3일 확률은 $\frac{6}{36}$이다.
따라서 구하는 확률은 $\frac{2}{36}+\frac{6}{36}=\frac{2}{9}$이다.

05 5의 배수가 나올 확률은 $\frac{6}{30}$이고, 8의 배수가 나올 확률은 $\frac{3}{30}$이다.
따라서 구하는 확률은
$\frac{6}{30}+\frac{3}{30}=\frac{3}{10}$이다.

06 4의 배수가 나올 확률은 $\frac{7}{30}$이고, 9의 배수가 나올 확률은 $\frac{3}{30}$이다.
따라서 구하는 확률은 $\frac{7}{30}+\frac{3}{30}=\frac{1}{3}$이다.

07 7의 배수가 나올 확률은 $\frac{4}{30}$이고, 8의 배수가 나올 확률은 $\frac{3}{30}$이다.
따라서 구하는 확률은
$\frac{4}{30}+\frac{3}{30}=\frac{7}{30}$이다.

12. 사건 A와 사건 B가 동시에 일어날 확률 (본문 167쪽)

02 동전의 뒷면이 나올 확률은 $\frac{1}{2}$이고, 주사위에서 3의 배수가 나올 확률은 $\frac{2}{6}=\frac{1}{3}$이다.
따라서 구하는 확률은 $\frac{1}{2}\times\frac{1}{3}=\frac{1}{6}$이다.

03 동전의 앞면이 나올 확률은 $\frac{1}{2}$이고, 주사위에서 2의 배수가 나올 확률은 $\frac{3}{6}=\frac{1}{2}$이다.
따라서 구하는 확률은 $\frac{1}{2}\times\frac{1}{2}=\frac{1}{4}$이다.

05 첫 번째에 나온 눈의 수가 3의 배수일 확률은 $\frac{2}{6}=\frac{1}{3}$이고, 두 번째에 나온 눈의 수가 6의 약수일 확률은 $\frac{4}{6}=\frac{2}{3}$이다.
따라서 구하는 확률은 $\frac{1}{3}\times\frac{2}{3}=\frac{2}{9}$이다.

06 첫 번째에 나온 눈의 수가 6의 약수일 확률은 $\frac{4}{6}=\frac{2}{3}$이고, 두 번째에 나온 눈의 수가 4의 약수일 확률은 $\frac{3}{6}=\frac{1}{2}$이다.
따라서 구하는 확률은 $\frac{2}{3}\times\frac{1}{2}=\frac{1}{3}$이다.

08 모두 2의 배수일 확률은 $\frac{1}{2}\times\frac{1}{2}=\frac{1}{4}$이고, 모두 5의 배수일 확률은
$\frac{1}{6}\times\frac{1}{6}=\frac{1}{36}$이다.
따라서 구하는 확률은 $\frac{1}{4}+\frac{1}{36}=\frac{5}{18}$이다.

09 모두 짝수일 확률은 $\frac{1}{2}\times\frac{1}{2}=\frac{1}{4}$이고, 모두 홀수일 확률은
$\frac{1}{2}\times\frac{1}{2}=\frac{1}{4}$이다.
따라서 구하는 확률은 $\frac{1}{4}+\frac{1}{4}=\frac{1}{2}$이다.

10 모두 4의 약수일 확률은 $\frac{1}{2}\times\frac{1}{2}=\frac{1}{4}$이고, 모두 3의 배수일 확률은
$\frac{1}{3}\times\frac{1}{3}=\frac{1}{9}$이다.
따라서 구하는 확률은 $\frac{1}{4}+\frac{1}{9}=\frac{13}{36}$이다.

11 모두 홀수일 확률은 $\frac{1}{2}\times\frac{1}{2}=\frac{1}{4}$이고, 모두 4의 배수일 확률은
$\frac{1}{6}\times\frac{1}{6}=\frac{1}{36}$이다.
따라서 구하는 확률은 $\frac{1}{4}+\frac{1}{36}=\frac{5}{18}$이다.

13 A, B 상자에서 꺼낸 카드에 적힌 수가 홀수, 짝수일 확률은
$\frac{7}{13}\times\frac{6}{13}=\frac{42}{169}$이고, 짝수, 홀수일 확률은 $\frac{6}{13}\times\frac{7}{13}=\frac{42}{169}$이다.
따라서 구하는 확률은
$\frac{42}{169}+\frac{42}{169}=\frac{84}{169}$이다.

14 모두 홀수일 확률은 $\frac{7}{13}\times\frac{7}{13}=\frac{49}{169}$이고, 모두 4의 배수일 확률은
$\frac{3}{13}\times\frac{3}{13}=\frac{9}{169}$이다.
따라서 구하는 확률은
$\frac{49}{169}+\frac{9}{169}=\frac{58}{169}$이다.

15 모두 흰 공일 확률은 $\frac{3}{6}\times\frac{2}{7}=\frac{1}{7}$이고, 모두 검은 공일 확률은
$\frac{3}{6}\times\frac{5}{7}=\frac{5}{14}$이다.
따라서 구하는 확률은 $\frac{1}{7}+\frac{5}{14}=\frac{1}{2}$이다.

17 토요일에 비가 올 확률은 $\frac{60}{100}=\frac{3}{5}$이고, 일요일에 비가 올 확률은
$\frac{10}{100}=\frac{1}{10}$이다.
따라서 구하는 확률은
$\frac{3}{5}\times\left(1-\frac{1}{10}\right)=\frac{27}{50}$

19 2개가 모두 당첨 제비가 아닐 확률은
$\frac{7}{10}\times\frac{6}{9}=\frac{7}{15}$이다.
따라서 적어도 한 개는 당첨 제비일 확률은 $1-\frac{7}{15}=\frac{8}{15}$

21 불량품일 확률은 $\frac{3}{20}$이고, 불량품이 아닐 확률은 $1-\frac{3}{20}=\frac{17}{20}$이다.
따라서 1개만 불량품일 확률은
$\frac{3}{20}\times\frac{17}{20}+\frac{17}{20}\times\frac{3}{20}=\frac{51}{200}$이다.

23 a, b가 모두 홀수일 확률은
$\left(1-\frac{1}{3}\right)\times\left(1-\frac{2}{5}\right)=\frac{2}{5}$이다.
따라서 ab가 짝수일 확률은
$1-\frac{2}{5}=\frac{3}{5}$이다.

25 A가 맞히지 못할 확률은 $1-\frac{3}{4}=\frac{1}{4}$이고, B가 맞히지 못할 확률은
$1-\frac{1}{2}=\frac{1}{2}$이다.
따라서 두 명 모두 이 문제를 맞히지 못할 확률은 $\frac{1}{4}\times\frac{1}{2}=\frac{1}{8}$이다.

26 A가 맞힐 확률은 $\frac{3}{4}$이고, B가 맞히지 못할 확률은 $1-\frac{1}{2}=\frac{1}{2}$이다.
따라서 A 학생만 이 문제를 맞힐 확률은 $\frac{3}{4}\times\frac{1}{2}=\frac{3}{8}$이다.

27 A가 맞히지 못할 확률은 $1-\frac{3}{4}=\frac{1}{4}$이고, B가 맞힐 확률은 $\frac{1}{2}$이다.
따라서 B 학생만 이 문제를 맞힐 확률은 $\frac{1}{4}\times\frac{1}{2}=\frac{1}{8}$이다.

28 A가 맞힐 확률은 $\frac{3}{4}$이고, B가 맞힐 확률은 $\frac{1}{2}$이다.
따라서 두 명 모두 이 문제를 맞힐 확률은 $\frac{3}{4}\times\frac{1}{2}=\frac{3}{8}$이다.

30 A 문제를 맞히지 못할 확률은
$1-\frac{2}{3}=\frac{1}{3}$이고, B 문제를 맞힐 확률은 $\frac{1}{5}$이다.
따라서 준호가 B 문제만 맞힐 확률은
$\frac{1}{3}\times\frac{1}{5}=\frac{1}{15}$이다.

31 A 문제를 맞힐 확률은 $\frac{2}{3}$이고, B 문제를 맞힐 확률은 $\frac{1}{5}$이다.
따라서 준호가 두 문제 모두 맞힐 확률은 $\frac{2}{3}\times\frac{1}{5}=\frac{2}{15}$이다.

32 A 문제만 맞힐 확률은
$\frac{2}{3}\times\left(1-\frac{1}{5}\right)=\frac{8}{15}$이고, B 문제만 맞힐 확률은 $\left(1-\frac{2}{3}\right)\times\frac{1}{5}=\frac{1}{15}$이다.
따라서 준호가 한 문제만 맞힐 확률은
$\frac{8}{15}+\frac{1}{15}=\frac{3}{5}$이다.

33 A 문제를 맞히지 못할 확률은
$1-\frac{2}{3}=\frac{1}{3}$이고, B 문제를 맞히지 못할 확률은 $1-\frac{1}{5}=\frac{4}{5}$이다.
따라서 준호가 두 문제 모두 맞히지 못할 확률은 $\frac{1}{3}\times\frac{4}{5}=\frac{4}{15}$이다.

35 두 사람이 약속 시간에 만날 확률은
$\frac{3}{4}\times\frac{4}{7}=\frac{3}{7}$이다.
따라서 두 사람이 약속 시간에 만나지 못할 확률은 $1-\frac{3}{7}=\frac{4}{7}$

36 두 사람이 만날 확률은
$\left(1-\frac{1}{4}\right)\times\left(1-\frac{1}{6}\right)=\frac{5}{8}$이다.
따라서 두 사람이 약속 장소에서 만나지 못할 확률은 $1-\frac{5}{8}=\frac{3}{8}$

37 두 사람이 만날 확률은
$\left(1-\frac{1}{3}\right)\times\left(1-\frac{2}{5}\right)=\frac{2}{5}$이다.
따라서 두 사람이 약속 장소에서 만나지 못할 확률은 $1-\frac{2}{5}=\frac{3}{5}$

38 두 사람이 만날 확률은
$\left(1-\frac{1}{5}\right)\times\left(1-\frac{2}{7}\right)=\frac{4}{7}$이다.
따라서 두 사람이 약속 장소에서 만나지 못할 확률은 $1-\frac{4}{7}=\frac{3}{7}$

39 두 사람이 약속 시간에 만날 확률은
$\frac{2}{3}\times\left(1-\frac{1}{4}\right)=\frac{1}{2}$이다.
따라서 두 사람이 약속 시간에 만나지 못할 확률은 $1-\frac{1}{2}=\frac{1}{2}$

40 두 사람이 약속 시간에 만날 확률은
$\left(1-\frac{2}{5}\right)\times\frac{3}{4}=\frac{9}{20}$이다.
따라서 두 사람이 약속 시간에 만나지 못할 확률은 $1-\frac{9}{20}=\frac{11}{20}$

42 $\left(1-\frac{3}{4}\right)\times\left(1-\frac{5}{7}\right)=\frac{1}{14}$

43 첫 번째만 과녁에 명중시킬 확률은
$\frac{4}{5}\times\left(1-\frac{4}{5}\right)=\frac{4}{25}$이고,
두 번째만 과녁에 명중시킬 확률은
$\left(1-\frac{4}{5}\right)\times\frac{4}{5}=\frac{4}{25}$이다.
따라서 구하는 확률은
$\frac{4}{25}+\frac{4}{25}=\frac{8}{25}$이다.

44 첫 번째만 과녁에 명중시킬 확률은
$\frac{6}{7}\times\left(1-\frac{6}{7}\right)=\frac{6}{49}$이고,
두 번째만 과녁에 명중시킬 확률은
$\left(1-\frac{6}{7}\right)\times\frac{6}{7}=\frac{6}{49}$이다.
따라서 구하는 확률은
$\frac{6}{49}+\frac{6}{49}=\frac{12}{49}$이다.

45 두 사람 모두 인형을 맞히지 못할 확률은 $\left(1-\frac{2}{5}\right)\times\left(1-\frac{1}{3}\right)=\frac{2}{5}$이다.
따라서 구하는 확률은 $1-\frac{2}{5}=\frac{3}{5}$이다.

46 두 사람 모두 인형을 맞히지 못할 확률은 $\left(1-\frac{1}{2}\right)\times\left(1-\frac{1}{4}\right)=\frac{3}{8}$이다.
따라서 구하는 확률은 $1-\frac{3}{8}=\frac{5}{8}$이다.

47 세 사람 모두 표적을 맞히지 못할 확률은

$\left(1-\frac{1}{2}\right)\times\left(1-\frac{2}{3}\right)\times\left(1-\frac{3}{4}\right)$

$=\frac{1}{24}$이다.

따라서 구하는 확률은 $1-\frac{1}{24}=\frac{23}{24}$

이다.

48 세 사람 모두 표적을 맞히지 못할 확률은

$\left(1-\frac{1}{4}\right)\times\left(1-\frac{1}{2}\right)\times\left(1-\frac{1}{3}\right)$

$=\frac{1}{4}$이다.

따라서 구하는 확률은 $1-\frac{1}{4}=\frac{3}{4}$

이다.

50 안타를 치지 못할 확률은 $1-\frac{1}{5}=\frac{4}{5}$

이다.

따라서 구하는 확률은 $\frac{1}{5}\times\frac{4}{5}=\frac{4}{25}$

이다.

51 안타를 치지 못할 확률은 $1-\frac{1}{5}=\frac{4}{5}$

이다.

따라서 구하는 확률은 $\frac{4}{5}\times\frac{1}{5}=\frac{4}{25}$

이다.

52 안타를 치지 못할 확률은 $1-\frac{1}{5}=\frac{4}{5}$

이다.

따라서 구하는 확률은 $\frac{4}{5}\times\frac{4}{5}=\frac{16}{25}$

이다.

54 안타를 치지 못할 확률은 $1-\frac{1}{4}=\frac{3}{4}$

이다.

따라서 구하는 확률은 $\frac{1}{4}\times\frac{3}{4}=\frac{3}{16}$

이다.

55 안타를 치지 못할 확률은 $1-\frac{1}{4}=\frac{3}{4}$

이다.

두 번 모두 안타를 치지 못할 확률은

$\frac{3}{4}\times\frac{3}{4}=\frac{9}{16}$이다.

따라서 구하는 확률은 $1-\frac{9}{16}=\frac{7}{16}$

이다.

56 자유투를 성공하지 못할 확률은

$1-\frac{9}{10}=\frac{1}{10}$

두 번 모두 자유투를 성공하지 못할 확률은 $\frac{1}{10}\times\frac{1}{10}=\frac{1}{100}$

따라서 구하는 확률은

$1-\frac{1}{100}=\frac{99}{100}$

58 모든 경우의 수는 $3\times3=9$이고, 비기는 경우의 수는 3이다. 또, A가 이기는 경우의 수는 (A, B)의 순서쌍으로 나타내면 (가위, 보), (바위, 가위), (보, 바위)의 3가지이다.

따라서 구하는 확률은 $\frac{1}{3}\times\frac{1}{3}=\frac{1}{9}$

이다.

59 모든 경우의 수는 $3\times3=9$이고, 비기는 경우의 수는 3이다. 또, B가 이기는 경우의 수는 (A, B)의 순서쌍으로 나타내면 (보, 가위), (가위, 바위), (바위, 보)의 3가지이다.

따라서 구하는 확률은 $\frac{1}{3}\times\frac{1}{3}=\frac{1}{9}$

이다.

60 모든 경우의 수는 $3\times3=9$이고, 비기는 경우의 수는 (가위, 가위), (바위, 바위), (보, 보)의 3이다.

따라서 승부가 결정되지 않을 확률은

$\frac{1}{3}\times\frac{1}{3}=\frac{1}{9}$이다.

62 A만 이길 확률 $\frac{3}{27}=\frac{1}{9}$,

A와 B가 같이 이길 확률 $\frac{3}{27}=\frac{1}{9}$,

A와 C가 같이 이길 확률 $\frac{3}{27}=\frac{1}{9}$이다.

따라서 구하는 확률은

$\frac{1}{9}+\frac{1}{9}+\frac{1}{9}=\frac{1}{3}$이다.

63 C만 이길 확률 $\frac{3}{27}=\frac{1}{9}$,

A와 C가 같이 이길 확률 $\frac{3}{27}=\frac{1}{9}$,

B와 C가 같이 이길 확률 $\frac{3}{27}=\frac{1}{9}$이다.

따라서 구하는 확률은

$\frac{1}{9}+\frac{1}{9}+\frac{1}{9}=\frac{1}{3}$이다.

64 비기는 경우는 세 사람이 모두 같은 것을 내거나 모두 다른 것을 내는 경우이다.

세 사람 모두 같은 것을 낼 확률은 $\frac{3}{27}$

$=\frac{1}{9}$, 모두 다른 것을 낼 확률은 $\frac{6}{27}$

$=\frac{2}{9}$이므로 비기는 경우의 확률은

$\frac{1}{9}+\frac{2}{9}=\frac{1}{3}$이다.

따라서 구하는 확률은 $1-\frac{1}{3}=\frac{2}{3}$이다.

13. 연속하여 뽑는 경우의 확률

(본문 175쪽)

02 3의 배수가 나올 확률은 $\frac{3}{10}$이고, 8의 약수가 나올 확률은 $\frac{4}{10}=\frac{2}{5}$이다.

따라서 구하는 확률은

$\frac{3}{10}\times\frac{2}{5}=\frac{3}{25}$이다.

03 5의 약수가 나올 확률은 $\frac{2}{10}=\frac{1}{5}$이고, 4의 배수가 나올 확률은 $\frac{2}{10}=\frac{1}{5}$

이다.

따라서 구하는 확률은 $\frac{1}{5}\times\frac{1}{5}=\frac{1}{25}$

이다.

05 (홀수, 짝수)일 확률은

$\frac{3}{5}\times\frac{2}{5}=\frac{6}{25}$이고, (짝수, 홀수)일 확률은

$\frac{2}{5}\times\frac{3}{5}=\frac{6}{25}$이다.

따라서 구하는 확률은

$\frac{6}{25}+\frac{6}{25}=\frac{12}{25}$이다.

06 두 장 모두 홀수일 확률은

$\frac{3}{5}\times\frac{3}{5}=\frac{9}{25}$이다.

따라서 구하는 확률은 $1-\frac{9}{25}=\frac{16}{25}$

이다.

08 처음에 당첨 제비를 뽑을 확률은 $\frac{3}{7}$이고, 나중에 당첨 제비를 뽑지 않을 확률은 $\frac{4}{6}=\frac{2}{3}$이다.

따라서 구하는 확률은 $\frac{3}{7}\times\frac{2}{3}=\frac{2}{7}$

이다.

09 처음에 당첨 제비를 뽑지 않을 확률은 $\frac{4}{7}$이고, 나중에 당첨 제비를 뽑을 확률은 $\frac{3}{6}=\frac{1}{2}$이다.

따라서 구하는 확률은 $\frac{4}{7}\times\frac{1}{2}=\frac{2}{7}$

이다.

10 처음에 당첨 제비를 뽑지 않을 확률은 $\frac{4}{7}$이고, 나중에 당첨 제비를 뽑지 않을 확률은 $\frac{3}{6}=\frac{1}{2}$이다.

따라서 구하는 확률은 $\frac{4}{7}\times\frac{1}{2}=\frac{2}{7}$이다.

12 A가 당첨 제비를 뽑을 확률은 $\frac{3}{10}$이고, B가 당첨 제비를 뽑을 확률은 $\frac{2}{9}$이다.

따라서 구하는 확률은 $\frac{3}{10}\times\frac{2}{9}=\frac{1}{15}$이다.

13 A가 당첨 제비를 뽑지 않을 확률은 $\frac{7}{10}$이고, B가 당첨 제비를 뽑지 않을 확률은 $\frac{6}{9}=\frac{2}{3}$이다.

따라서 구하는 확률은

$\frac{7}{10}\times\frac{2}{3}=\frac{7}{15}$이다.

14 처음 제품이 불량품일 확률은 $\frac{2}{5}$이고, 두 번째 제품이 불량품일 확률은 $\frac{1}{4}$이다.

따라서 구하는 확률은 $\frac{2}{5}\times\frac{1}{4}=\frac{1}{10}$이다.

16 처음에 흰 공이 나올 확률은

$\frac{4}{10}=\frac{2}{5}$이고, 나중에 검은 공이 나올 확률은 $\frac{6}{9}=\frac{2}{3}$이다.

따라서 구하는 확률은 $\frac{2}{5}\times\frac{2}{3}=\frac{4}{15}$이다.

17 처음에 검은 공이 나올 확률은

$\frac{6}{10}=\frac{3}{5}$이고, 나중에 흰 공이 나올 확률은 $\frac{4}{9}$이다.

따라서 구하는 확률은 $\frac{3}{5}\times\frac{4}{9}=\frac{4}{15}$이다.

18 처음에 검은 공이 나올 확률은

$\frac{6}{10}=\frac{3}{5}$이고, 나중에 검은 공이 나올 확률은 $\frac{5}{9}$이다.

따라서 구하는 확률은 $\frac{3}{5}\times\frac{5}{9}=\frac{1}{3}$이다.

20 첫 번째 파란 공이 나올 확률은

$\frac{5}{10}=\frac{1}{2}$, 두 번째 파란 공이 나올 확률은 $\frac{4}{9}$, 세 번째 노란 공이 나올 확률은 $\frac{3}{8}$이다.

따라서 구하는 확률은

$\frac{1}{2}\times\frac{4}{9}\times\frac{3}{8}=\frac{1}{12}$

21 첫 번째 파란 공이 나올 확률은

$\frac{5}{10}=\frac{1}{2}$, 두 번째 빨간 공이 나올 확률은 $\frac{2}{9}$, 세 번째 노란 공이 나올 확률은 $\frac{3}{8}$이다.

따라서 구하는 확률은

$\frac{1}{2}\times\frac{2}{9}\times\frac{3}{8}=\frac{1}{24}$

22 첫 번째 노란 공이 나올 확률은 $\frac{3}{10}$, 두 번째 파란 공이 나올 확률은 $\frac{5}{9}$, 세 번째 빨간 공이 나올 확률은

$\frac{2}{8}=\frac{1}{4}$이다.

따라서 구하는 확률은

$\frac{3}{10}\times\frac{5}{9}\times\frac{1}{4}=\frac{1}{24}$

24 $\frac{1}{3}\times\frac{1}{3}\times\frac{1}{3}\times\frac{2}{3}=\frac{2}{81}$

25 $\frac{1}{3}\times\frac{1}{3}\times\frac{1}{3}\times\frac{1}{3}\times\frac{2}{3}=\frac{2}{243}$

26 $\frac{1}{3}\times\frac{1}{3}\times\frac{1}{3}\times\frac{1}{3}\times\frac{1}{3}\times\frac{2}{3}=\frac{2}{729}$

28 $\frac{2}{3}\times\frac{2}{3}\times\frac{1}{3}=\frac{4}{27}$

29 $\frac{2}{3}\times\frac{2}{3}\times\frac{2}{3}\times\frac{2}{3}\times\frac{1}{3}=\frac{16}{243}$

30 민주가 이길 확률은 $\frac{1}{2}$이므로 민주가 4세트에서 이길 확률은 $\frac{1}{2}$이고, 민주가 5세트에서 이길 확률은

$\left(1-\frac{1}{2}\right)\times\frac{1}{2}=\frac{1}{4}$

따라서 구하는 확률은 $\frac{1}{2}+\frac{1}{4}=\frac{3}{4}$

14. 도형에서의 확률 (본문 179쪽)

02 전체 넓이는 12이고, 5의 배수가 적힌 부분의 넓이는 2이다. 따라서 5의 배수가 나올 확률은 $\frac{2}{12}=\frac{1}{6}$이다.

03 전체 넓이는 12이고, 12의 약수가 적힌 부분의 넓이는 6이다. 따라서 12의 약수가 나올 확률은 $\frac{6}{12}=\frac{1}{2}$이다.

04 전체 넓이는 12이고, 8의 약수가 적힌 부분의 넓이는 4이다. 따라서 8의 약수가 나올 확률은 $\frac{4}{12}=\frac{1}{3}$이다.

05 (표적의 넓이)$=8\times8=64(\text{cm}^2)$

(색칠한 부분의 넓이)$=4\times4=16(\text{cm}^2)$

구하는 확률은

$\frac{(\text{색칠한 부분의 넓이})}{(\text{표적의 넓이})}=\frac{16}{64}=\frac{1}{4}$

06 구하는 확률은

$\frac{(\text{색칠한 부분의 넓이})}{(\text{표적의 넓이})}=\frac{\pi}{9\pi}=\frac{1}{9}$

07 전체 넓이는 12이고, 색칠한 부분의 넓이는 4이다.

따라서 구하는 확률은 $\frac{4}{12}=\frac{1}{3}$이다.

연산으로 마스터하는
중학 수학 2 (하)

유형No.	유형	총 문항수	틀린 문항수	채점결과
068	길이의 비를 이용하여 평행선 찾기	6		○△×
069	삼각형의 내각의 이등분선	6		○△×
070	삼각형의 외각의 이등분선	8		○△×
071	평행선 사이의 선분의 길이의 비	14		○△×
072	사다리꼴에서 평행선과 선분의 길이의 비	10		○△×
073	평행선과 선분의 길이의 비의 활용	11		○△×
074	삼각형의 두 변의 중점을 연결한 선분의 성질	13		○△×
075	사각형에서 각 변의 중점을 연결한 사각형	14		○△×
076	사다리꼴에서 두 변의 중점을 연결한 선분의 성질	14		○△×
077	삼각형의 중선	6		○△×
078	삼각형의 무게중심	13		○△×
079	삼각형의 무게중심의 응용	8		○△×
080	삼각형의 무게중심과 넓이	22		○△×
081	삼각형의 무게중심과 넓이의 응용	3		○△×
082	닮은 두 평면도형의 넓이의 비	17		○△×
083	닮은 두 입체도형의 겉넓이와 부피의 비	16		○△×
084	닮음의 활용	12		○△×
085	피타고라스 정리	5		○△×
086	사다리꼴에서의 피타고라스의 정리의 이용	2		○△×
087	피타고라스 정리의 연속 이용	7		○△×
088	유클리드의 증명	13		○△×
089	피타고라스의 증명	10		○△×
090	바스카라의 증명	14		○△×
091	가필드의 증명	5		○△×
092	종이접기	4		○△×
093	직각삼각형이 될 조건	9		○△×
094	직각삼각형의 닮음 관계	6		○△×
095	직각삼각형의 넓이 관계	8		○△×
096	직각삼각형 안에서 교차하는 두 선분의 성질	6		○△×
097	두 대각선이 직교하는 사각형의 성질	7		○△×
098	직사각형의 내부에 한 점이 있을 때	8		○△×
099	직각삼각형의 세 반원 사이의 관계	7		○△×
100	히포크라테스의 원의 넓이	7		○△×
101	주사위를 던질 때의 경우의 수	16		○△×
102	숫자를 뽑는 경우의 수	13		○△×

유형No.	유형	총 문항수	틀린 문항수	채점결과
103	돈을 지불하는 방법의 수	4		○△×
104	합의 법칙 – 주사위를 던지는 경우	8		○△×
105	합의 법칙 – 숫자를 뽑는 경우	10		○△×
106	합의 법칙 – 길 또는 교통수단을 선택하는 경우	10		○△×
107	합의 법칙 – 물건을 선택하는 경우	12		○△×
108	곱의 법칙 – 길 또는 교통수단을 선택하는 경우	8		○△×
109	곱의 법칙 – 물건을 선택하는 경우	12		○△×
110	곱의 법칙 – 동시에 일어나는 사건	11		○△×
111	일렬로 세우는 경우의 수	5		○△×
112	일부를 뽑아서 일렬로 세우는 경우의 수	4		○△×
113	특별한 자리를 정해주고 일렬로 세우는 경우의 수	10		○△×
114	일렬로 세울 때 이웃하여 서는 경우의 수	8		○△×
115	정수의 개수 – 0을 포함하지 않는 경우	8		○△×
116	정수의 개수 – 0을 포함하는 경우	10		○△×
117	자격이 다른 대표 뽑기	9		○△×
118	자격이 같은 대표 뽑기	12		○△×
119	삼각형 또는 선분의 개수	10		○△×
120	확률의 뜻	7		○△×
121	방정식, 부등식에서의 확률	10		○△×
122	확률의 범위	10		○△×
123	어떤 사건이 일어나지 않을 확률	7		○△×
124	확률의 덧셈	7		○△×
125	확률의 곱셈	6		○△×
126	확률의 덧셈과 곱셈	9		○△×
127	확률의 덧셈과 곱셈의 활용	8		○△×
128	문제를 맞힐 확률	10		○△×
129	두 사람이 만날 확률	7		○△×
130	명중률에 관한 문제	8		○△×
131	타율에 관한 문제	8		○△×
132	가위바위보에 관한 문제	8		○△×
133	연속하여 뽑는 경우의 확률 – 꺼낸 것을 다시 넣는 경우	6		○△×
134	연속하여 뽑는 경우의 확률 – 꺼낸 것을 다시 넣지 않는 경우	8		○△×
135	확률의 덧셈과 곱셈의 활용 – 공 꺼내기	8		○△×
136	승패에 관한 확률	8		○△×
137	도형에서의 확률	7		○△×